HARICH: AHNENPASS

WOLFGANG HARICH

AHNENPASS

Versuch einer Autobiographie.
Herausgegeben von Thomas Grimm

Schwarzkopf & Schwarzkopf

Erinnerung als ein Prinzip Verantwortung

Zeitzeugen TV entstand 1989 auf Initiative des Filmemachers und Publizisten Thomas Grimm. Inzwischen verfügt Zeitzeugen TV über eines der umfangreichsten Privatarchive zur deutschen Zeit- und zur Personengeschichte.
Mehr als 100 Filme à 30, 45 bzw. 100 Minuten wurden seit 1990 für die Sender ARD, DFF, MDR, ORB, 3SAT, RTL, ARTE und Spiegel-TV produziert. Seit 1991 gestaltet Zeitzeugen TV regelmäßig Beiträge im Fernsehen aus Berlin (FAB) und bei RTL-City TV.

In Filmen, Porträts, Interviews, Lesungen und Diskussionen kamen bisher u. a. zu Wort: Egon Bahr, Rudolf Bahro, Mosche Barash, Baron von Falz-Fein, Klaus Bednarz, Heinz, Berggruen, Frank Beyer, Frank-Michael Beyer, Max Bill, Jelena Bonner, Volker Braun, Gudrun Brüne, Elfriede Brüning, Horst Buchholz, Ernesto Cardenal, Heiner Carow, Philip L. Carret, Frank Castorf, Dalai Lama, Ernst Engelberg, Hermann und Kate Field, Wieland Förster, Artur Friedlander, Hans Friderichs, Peter Gay, Erwin Geschonneck, Daniel Goldhagen, Felipe Gonzales, Nadine Gordimer, Bathia Gur, Gregor Gysi, Sarah Haffner, Carl H. Hahn, Thore Hamsun, Wolfgang Harich, Heidrun Hegewald, Christoph Hein, Bernhard Heisig, Stephan Hermlin, Stefan Heym, Rainer Hildebrandt, Rolf Hochhuth, Rolf Hoppe, Lizzie Hosaeus, Gerd Irrlitz, Walter Janka, Walter Jens, Ayya Khema, Henry Kissinger, Klemens Klemperer, Georg Knepler, Leo Kofler, Jan Koplowitz, Hans Koschnick, Jürgen Kuczynski, Melvin Lasky, André Leysen, Rolf Liebermann, Wladimir Lindenberg, Christa Ludwig, Heinrich Lummer, Ulrich de Maizière, Walter Markov, Hans Mayer, Ulf Merbold, Konrad Merz, Werner Mittenzwei, Inge Morath, Ruewen Moshkowitz, Heiner Müller, Walter Nessler, Ellena Olsen, Marcel Ophüls, Sally Perel, Theo Pinkus, Ulrich Plenzdorf, Otto Prokop, Jens Reich, Käthe Reichel, Heinrich Scheel, Lilli Segal, Peter Scholl-Latour, Helmut Schmidt, Karl-Eduard von Schnitzler, Friedrich Schorlemmer, Wolf Jobst Siedler, Willi Sitte, Manfred Stolpe, Erwin Strittmatter, Holger Teschke, Michel Tournier, Jakob von Uexküll, Hubert Urban, Günther Wagenlehner, Gottfried Wagner, Erika Wallach, Richard von Weizsäcker, Christa Wolf, Gerhard Wolf, Markus Wolf, Frank Wössner, Walter Zadek

Zeitzeugen TV, Schwedter Straße 13, 10119 Berlin
Telefon 030/ 4 49 63 30. Telefax 030/4 49 59 56
E-Mail: zeitzeugen@t-online.de

Inhalt

Vorwort
7

Ahnenpaß
10

Kommentar zu meinem Ahnenpass
12

Bericht über eine Sitzung
des Philosophischen Instituts
an der Humboldt-Universität
im April 1952
248

Gesprächsprotokolle
261

Register
380

Quellen
384

VORWORT

Im Frühjahr 1972 begann Wolfgang Harich, im Gespräch mit Marlies Menge sein Memoirenwerk vorzubereiten. Fragen und Antworten wurden mit einem Tonbandgerät aufgenommen, und Marlies Menge schrieb die Gespräche auf. Die beiden stritten sich, Harich setzte die Arbeit allein fort. Er brach sie jedoch im Sommer desselben Jahres ab.

Zurückgeblieben sind zwei Fragmente, A und B. Auf der Innenseite des Heftumschlages von Teil A steht folgende handgeschriebene Anmerkung: »Die widerliche Präsensform macht die Sache ungenießbar! Bei Veröffentlichung nach meinem Tode unbedingt vermerken, daß ich vorhatte, die Memoiren durchweg im Imperfekt zu schreiben.«

Auf der letzten Manuskriptseite ist zu lesen: »Aufgezeichnet als Stichworte für Memoirenwerk 1972, Orginal bei Wibke Bruhns mit zwei ergänzenden Briefen.« Laut Wibke Bruhns sind die Unterlagen leider nicht mehr vorhanden.

Beide Teile sind von Harich korrigiert. Teil A endet mit den Ausführungen zur Opposition von 1956.

Teil B ist im Imperfekt geschrieben. Die Überschrift lautet: »Kommentar zu meinem Ahnenpaß« und darüber steht mit einem Bleistift notiert: »Torso des ersten ausgearbeiteten Kapitels«.

Ausführlich, leicht plaudernd, eingebettet in die historischen Begebenheiten, beginnt Wolfgang Harichs Ahnengeschichte. Sie hört nach 41 Seiten auf, gerade da, als Harich sich anschickt, vergnüglich die vornehme Herkunft der Wynekens zu schildern. Es war eine seiner Lieblingsgeschichten, die Harich immer wieder gern, im leicht ironischem Ton, genußvoll und phantasiegeladen, zu erzählen wußte. Der letzte Abschnitt ist im vorliegendem Buch nicht enthalten. Er soll seinen Platz an dieser Stelle haben.

»Vornehm ist an den Wyneken im Grunde bereits, daß sie Hannovraner sind. Denn abgesehen davon, daß das Deutsche außer der Mundart der einstigen Barone im Baltikum nur noch einen vornehm klingenden Dialekt kennt, nämlich den, der in der Umgebung von Celle oder Hildesheim selbst von den ärmsten Landarbeitern gesprochen wird, handelt es sich bei den Hannovranern ja eigentlich um Engländer, historisch noch genauer: um die Beherrscher Englands, somit des britischen Weltreiches, durch mehr als 120 Jahre, von 1714 an.«

1972 konnte Wolfgang Harich, der im Dezember 1965 aus der Haftanstalt in Bautzen entlassen worden war, auf eine relativ umfangreiche literarische Arbeit zurückblicken. Aus der intensiven Jean-Paul-Forschung waren zwei Bücher entstanden: »Jean Pauls Kritik des philosophischen Egoismus« (Leipzig und Frankfurt/Main 1968) und »Jean Pauls Revolutionsdichtung« (Berlin 1975) sowie »Kritik der revolutionären Ungeduld«, eine Schrift zur 68er Bewegung, 1971 in der Schweiz und 1972 in Italien erschienen; daneben Essays und philosophische Notizen.

Nach der Haft durfte Wolfgang Harich in eine öffentliche Lehrtätigkeit nicht mehr zurückkehren. Doch von 1970 - 1972 unterhielt er einen von »oben« geduldeten kleinen philosophischen Privatzirkel in der Dachkammer von Gisela May. Als eine Studentin die DDR gen Westen verließ, brach er den Zirkel sofort ab. Harich konnte sich keinen Aufregungen mehr aussetzen. Er war krank. Eine Herzinsuffizienz, die Folge eines in der Haft erlittenen Herzinfarktes, nahm zeitweise lebensbedrohliche Ausmaße an.

Was veranlaßte Wolfgang Harich, mit 49 Jahren, seine Erinnerungen aufzuschreiben, sich Rechenschaft abzulegen? War es die Angst vor dem Tod, oder spürte er sich deutlich ausgegrenzt vom kultur-politischen Leben?

Die Phase der Rückschau und Selbstreflexion dauerte nicht lange an. Die Erkenntnisse des Club of Rome alarmierten Harich derart, daß er noch Ende 1972 mit Freimut Duve zusammenkam, um mit ihm gemeinsam die Vorarbeiten für das Buch »Kommunismus ohne Wachstum« (Rowohlt 1975) zu beginnen. Mit letzter Kraft gelang es ihm, seine Kassandra-Rufe niederzuschreiben. Anschließend fuhr er schwer krank, begleitet von Jürgen Manthey, in die Schweiz, um sich dort einer Herzoperation zu unterziehen. Die Kosten dafür übernahmen Rudolf Augstein und der Rowohlt Verlag. An seine Memoiren hat sich Wolfgang Harich nie wieder gesetzt.

Angenehmer fand er in den späteren Jahren die Interview-Form. Die machte es ihm möglich, über seinen Lebensweg hinaus politische und philosophische Themen, die ihm besonders am Herzen lagen, aufzugreifen und darüber zu sprechen. Er war beruhigt, alles Gesagte festgehalten zu wissen.

So kam es im Herbst 1989 zwischen Wolfgang Harich und Thomas Grimm zu stundenlangen Video -und Tonbandaufnahmen. Anlaß war der spektakuläre Angriff von Walter Janka auf Wolfgang Harich und andere in seinem Buch »Schwierigkeiten mit der Wahrheit«.

In dieser Situation vertraute Harich Grimm seine unvollendeten Lebenserinnerungen an. Er war damit einverstanden, beide Schriften aus dem Jahre 1972 und den neu entstandenen Text der Tonbandaufnahmen durch Grimm als einen autobiographischen Versuch zu veröffentlichen. Der Siedler Verlag zeigte sich interessiert. Als aber Harich den abgeschriebenen Text las, platzte das Unternehmen. Mit dem Argument »Eine Rede ist keine Schreibe!« fand das Projekt sein vorläufiges Ende.

Thomas Grimm hat nun den Versuch unternommen, die beiden Torsi und »Rede« in Einklang zu bringen, dabei bemüht, den Lesefluß zu erhalten, den Text »genießbar« zu machen, um somit den Ansprüchen Wolfgang Harichs nach dessen Tode annähernd gerecht zu werden. Wiederholungen, die sich aus dem Teil A, den eigenen Aufzeichnungen, und dem gesprochenen Wort ergeben, waren schwer zu vermeiden, da sonst wichtige Details verlorengegangen wären.

Der Titel »Ahnenpaß« wurde bewußt übernommen. In der NS-Zeit mißbraucht, zeugt er von jenem Zeitgeist, dem die Generation Wolfgang Harichs in ihrer Kindheit ausgesetzt gewesen war.

Anne Harich
Thomas Grimm

Berlin, im Februar 1999

AHNENPASS

I. Großeltern väterlicherseits:

1.) Ernst Harich (1858-1940).
Druckereibesitzer in Mohrungen (Ostpreußen). Ab Jahrhundertwende Druckereibesitzer und Zeitungsverleger in Allenstein (»Allensteiner Zeitung« und »Harichs landwirtschaftlicher Anzeiger«). Nach Verkauf des Verlages an den Hugenberg-Konzern von Beginn der Zwanziger Jahre an Lotterieeinnehmer in Allenstein.

2.) Marie Harich, geb. Anspach (1866-1931).
Tochter eines Zollbeamten, der aus ostpreußischer Großbauernfamilie stammt. Die ganze Familie hochmusikalisch, sie selbst glänzende Pianistin.

Aus dieser Ehe drei Kinder: Else; Walther; Ernst Werner.

II. Großeltern mütterlicherseits:

1.) Dr. h.c. Alexander Wyneken (1848-1939).
1874 bis 1876 Theater- und Musikkritiker an einer Zeitung in Breslau. 1876 Gründer der »Königsberger Allgemeinen Zeitung« in Königsberg, zusammen mit dem als Geldgeber fungierenden jüdischen Bankier Gustav Simon. A.W. ist 1876-1928 Verleger und Chefredakteur der »K.A.Z.« in Königsberg, danach bis zu seinem Tode Pensionär daselbst.

2.) Anna Wyneken, geb. Müller-Fabricius (1865-1923)
Schauspielerin, selbst aus einer Künstlerfamilie stammend (Schauspieler, Sänger, Maler; ein Großvater Direktor der Kunstakademie in Kassel, 1871 Gesellschafter von Napoleon III. während dessen Gefangenschaft in Schloß Wilhelmshöh).

Aus dieser Ehe drei Kinder: Hans; Susanne; Anne-Lise

II. Eltern:

1.) Walther Harich. (1888 – 1939)
Schulbesuch erst in Mohrungen, 1898 bis 1906 in Allenstein. Studium, im Anschluß an die Militärdienstzeit, vier Jahre lang Germanistik, Philosophie und Musik an den Universitäten (bzw. auch Konservatorien) in München, Leipzig, Königsberg und Freiburg i.Br. 1914 Promotion zum Doktor der Philosophie in Freiburg.

2.) Anne-Lise Harich, geborene Wyneken.(1898 – 1975)
Geboren 1898 in Königsberg als Tochter A.W.s jüngstes Kind. Erhält ihre Ausbildung bei Privatlehrerin. Lernt Schreibmaschine und Stenographie. Arbeitet bis zu ihrer Heirat mit W.H. als persönliche Sekretärin ihres Vaters.

IV. Geschwister:

1.) (Halbschwester) Lili Harich (1917 – 1960).
Tochter von Walther Harich und Eta Harich-Schneider.

2.) (Halbschwester) Susanne Harich (1918 – 1950).
Tochter von Walther Harich und Eta Harich-Schneider.

3. (Schwester) Gisela, geb. 1925.
Tochter von Walther Harich und Anne-Lise Harich. geb. Wyneken.

V. Eigene Nachkommenschaft:

Katharina Harich. Tochter von Wolfgang Harich und Isot Harich-Kilian (jetzt Isot Carstens-Kilian). (geb. 1952)

KOMMENTAR
ZU MEINEM AHNENPASS

Ich wurde Anfang März 1923 in einem Gasthof zu Frauenburg gezeugt. Zu schildern, wie das vor sich ging, muß ich mir leider versagen. Nicht aus Pietät meinen Eltern gegenüber – solch zarte Rücksicht liegt einem modernen Autor fern –, sondern weil ich zu offenkundig als Plagiarius dastünde, fing meine Lebensgeschichte ähnlich wie der »Tristram Shandy« an. Auch war ich bei jenem Vorgang, wenn überhaupt, so jedenfalls in einer Daseinsform zugegen, die mir noch nicht erlaubte, mich als Voyeur zu betätigen. Meine Phantasie aber ist zu schwerfällig, als daß sie es fertigbrächte, den Bannkreis des selbst Erlebten zu überfliegen.

Welche Enttäuschung ich dem Leser dieses Buches gleich zu Beginn zufüge, indem ich derart bereits die erste Gelegenheit, pornographisch zu werden, auslasse, ist mir bewußt. Ich versichere, daß so etwas im folgenden nicht noch einmal passieren wird. Bei der Wiedergabe eigener amouröser Abenteuer will ich mir alle Mühe geben, mein Soll an zeitgemäßer Obszönität zu erfüllen. Hoffentlich gelingt es mir, damit die Aufmerksamkeit des Publikums auch für weniger delikate Passagen meines Berichts zu erkaufen, an denen mir, offen gestanden, gelegen ist.

Frauenburg, heute polnisch Fromborg geheißen, ist ein winziges Städtchen am Frischen Haff. Zur Zeit meiner Erzeugung gehörte es noch zum Landkreis Braunsberg im ostpreußischen Regierungsbezirk Königsberg. Da der Doktor Rainer Barzel aus Braunsberg stammt, ist er ein engerer Landsmann von mir, und da er nur ein halbes Jahr jünger ist als ich, müssen wir dort in der Gegend simultan in Kinderwägen spazierengefahren worden sein. Mir ihn so vorzustellen war tröstlich für mich, als Barzel 1972 den Bundeskanzler Brandt zu stürzen versuchte.

Berühmtheit hat Frauenburg dadurch erlangt, daß in seinem backsteingotischen Dom die Gebeine eines etwas entfernteren Landsmannes von Barzel und mir beigesetzt sind: die jenes Nikolai Kopernikus, der die astronomische Grundlage des neuzeitlichen Weltbildes geschaffen hat. Die unerquickliche, für die Wissenschaft mäßige Kontroverse über die Frage, ob er aus Thorn gebürtig, Deutscher oder Pole gewesen sei, ist von uns Ostpreußen immer mit besonderem Engagement verfolgt worden, und es scheint, daß man sie auch jetzt noch nicht ganz beigelegt hat. Weniger phantastisch als ehedem, doch immer noch mit Emphase nehmen die Nationalisten beider Völker den großen Mann für sich allein in Anspruch. Dabei dürfte am wahrscheinlichsten sein, daß er einen polnischen und einen deutschen Elternteil hatte, wie dies in der Gegend der Weichselmündung seit Jahrhunderten immer wieder vorgekommen sein soll. Das Verdienst aber, den Kopernikus zu seiner die Naturanschauung umwälzenden Hypothese inspiriert zu haben, gebührt weder der deutschen noch der polnischen Nation. Es gebührt Italien, wo er ein Jahrzehnt lang, neuerungsträchtigen Geist der Renaissance eingesogen hat.

Zu dieser salomonischen Entscheidung bin ich im Alter von 12 oder 13 Jahren durch meine liebe Mutter bekehrt worden, als die mich, reichlich verspätet, darüber aufklären wollte, woher die Kinder kommen, heilfroh, mit Hilfe des Kopernikus von dem heiklen Thema in kulturhistorische Erörterungen ausweichen zu können, eröffnete die belesene Frau mir bei der Gelegenheit, unter leichtem Erröten, daß ich nicht erst bei meiner Geburt, sondern, genau genommen, schon 9 Monate vorher entstanden sei: am Zielort ihrer einstigen Hochzeitsreise, eben in Frauenburg – bei welchem Stichwort sie sich der gleich um die Ecke gelegenen Dorfgruft entsann, um von daher eilends auf die nördlichen Ausläufer der Renaissance und die Borniertheit der deutschen wie der polnischen Chauvinisten zu sprechen zu kommen. Meine Einweihung in die Mysterien der Geschlechtlichkeit wäre auf diese Weise um ein Haar sehr lückenhaft geblieben, hätten mir zum Zeitpunkt besagten Gesprächs unter vier Augen nicht längst die deutlicheren Auskünfte eines zotenreißenden Straßenjungen aus der Nachbarschaft zu Gebote gestanden. Indes, der Keim zu kosmopolitischer Auffassung geistesgeschichtlicher Zusammenhänge ward mir damals fest ins Bewußtsein geprägt.

Bis 1926 wohnten meine Eltern in Königsberg, das jetzt Kaliningrad heißt, und vor den Traualtar waren sie in Allenstein, jetzt Olsztyn, getreten, in einem evangelisch-lutherischen Gotteshaus, das inzwischen, dank der Siege von Marschall Stalins Roter Armee, 1945 zum Katholizismus konvertiert ist und seither den frommen Olsztyner Soldaten als Garnisonskirche dient, worin sie, vom marxistisch-leninistischen Politikunterricht kommend, sich bekreuzigen und vor dem Heiligen Herzen Jesu das Knie beugen.

Daß im März 1923 die von dort aus unternommene Hochzeitsreise bereits in Frauenburg endete, hatte pekuinäre Gründe. Ein vierzehntägiger Urlaub in einem hübsch gelegenen uralten Städtchen war das Äußerste, was Dr. phil. Walther Harich und seine junge Frau, Anne-Lise, geborene Wyneken, sich zu der Zeit leisten konnten. Vollends war mein Zustandekommen viel zu kostspielig für sie, weshalb sie es denn auch – wie meine Mutter mir später, als ich schon erwachsen war, abermals leicht errötend, gestanden hat – zu verhüten suchten. Vergebens: Auf die Speton-Tabletten der frühen Zwanziger Jahre war kein Verlaß. Zu der neuerlich gebräuchlichen Pille verhielten sie sich ungefähr so wie weiland die Stratosphärenkugel des Professors Picard zu den heutigen bemannten Weltraumschiffen. So sehr die ökonomische Vernunft auch gegen mich sprach, mit einem derart rückständigen Mittel ließ ich mich nicht verhindern. Schon im Sommer setzte ich, ohne Rücksicht auf die ins Unermeßliche steigenden Wollpreise der Inflation, die Stricknadeln meiner Königsberger Tanten in klappernde Bewegung und erzwang gar die Anschaffung eines Milliarden Mark kostenden Kinderwagens. (Als dann Barzel zur Welt kam, hatte unterdes Herr Hjalmer Schacht mittels der Rentenmark die Preislawine wieder bezwungen.)

Die damalige Armut meiner Eltern stand im auffälligen Mißverhältnis zu ihrer Herkunft aus beiderseits wohlhabenden Bourgeois-Familien, die selbst durch den Ersten Weltkrieg und seine Folgen, mit Einschluß der großen Inflation, keineswegs in Bedrängnis geraten waren. Der Vater meiner Mutter, Alexander Wyneken, gehörte zu den angesehensten Honoratioren der ostpreußischen Hauptstadt. Seine Einkünfte erlaubten es ihm, den Grandseigneur und Lebemann zu spielen. Ein begüterter Mann war ebenfalls mein in Allenstein lebender Großvater Ernst Harich. Nicht der Zwang unentrinnbarer sozialer Verhältnisse, nein, die Protesthaltung meines Vater war es, die uns während der ersten Jahre meines Erdendaseins nötigte, ein ziemlich dürftiges Leben zu fristen. Gerichtet gegen beide Familien, hinderte sie uns daran, an deren Wohlstand teilzuhaben. Politische Meinungsverschiedenheiten und divergierende Berufsinteressen, verschärft durch Generationskonflikt und trotzigen Stolz, bildeten die Ursache.

Um dies näher zu erläutern, muß ich, etwas weiter ausholend, generell auf meine Vorfahren eingehen. Und da besteht, aus einem Grunde, an dem ich schuldlos bin, die Gefahr, daß ich sogleich ins Uferlose gerate. Angehörige meiner Generation nämlich haben in Deutschland eine höhere Schule nur besuchen dürfen, wenn es ihren Eltern gelang, für sie den Nachweis »arischer Abstammung« zu erbringen. Systematisch mußte von ihnen zu dem Zweck Ahnenforschung betrieben werden. Das heißt: Für jeden Altvordern des Kindes, bis hinauf zu dessen 16 Urgroßeltern, war in amtlich beglaubigter Abschrift die Taufbescheinigung herbeizuschaffen, die eine argwöhnische, sich mit vagen physiognomischen Eindrücken und bloßem Schädelmessen nicht zufriedengebende Schulbürokratie registrieren und, unter Umständen, überprüfen wollte.

Von den ideologischen Prämissen her gesehen war das paradox. Denn dem Antisemitismus der Nazis kam es, zum Unterschied vom älteren, konfessionell motivierten, einzig auf Reinrassigkeit an, und mit der hat die christliche Taufe ersichtlich nichts zu tun. Ja, auf diese als Indiz Wert zu legen hätte grober Täuschung Vorschub leisten können. Denkbar war immerhin, daß sich im einen oder anderen Fall Generationen lang lauter getaufte Juden untereinander verehelicht hatten. Bei Überbewertung des Taufscheins hätte das Endprodukt der solcherart christlich getarnten Erblinie, in Gestalt eines Sextaners mit schwarzem Schopf und verdächtig gekrümmter Nase, dann nichtsdestoweniger als arisch gelten müssen, wäre also ungehindert in ein öffentliches Amt gelangt, wäre später womöglich der Gaskammer vorenthalten geblieben.

Wie ließ eine derartige Überlistung des Staates sich ausschließen? Mit letzter Sicherheit offenbar durch nichts. Allenfalls konnte der Betrug extrem unwahrscheinlich gemacht werden dadurch, daß man von den Erziehungsberechtigten präsumtiver Abiturienten verlangte, deren Stammbäume bis in eine Epoche zurückzuverfolgen, in der bei den Deutschen strikte Trennung nach Konfessionen noch die Regel gewesen, d.h. wenigstens bis hinter jene Zeitgrenzlinie zurück, die in der preußischen Geschichte durch den rassenpolitischen Sündenfall der Stein-Hardenbergschen Reformen, in den einstigen Rheinbundstaaten durch den uns schmachvoll oktroyierten Code Napoleon markiert wird.

Genau dies geschah: Kreisschulräte des Dritten Reichs bestanden, obwohl ihnen ansonsten Kirchenaustritte nicht unlieb waren, auf vollzählig vorzuweisenden christlichen Ururgroßeltern. Massenhaft gingen daher jahraus, jahrein aus sämtlichen Ortschaften, in denen es Gymnasiasten und Lyzeumsschülerinnen gab, an nahe und entfernte Kirchensprengel Ersuche um Taufbescheinigungen ab. Die allzu häufig durchblätterten alten Kirchenbücher zerfledderten. Die Küstereien mußten, um mit ihrer in Waschkörben sich stapelnden Geschäftspost fertigzuwerden, Überstunden machen. Und säuberlich, mit Ausziehtusche, in kalligraphischer Schrift, trugen Zigtausend von Oberschülern, darunter auch ich, die Lebensdaten ihrer Vorfahren in vorgedruckte Ahnenpässe ein, die, eingebunden in goldgepreßtes dunkelgrünes Leinen, Blatt für Blatt mit viel Eichenlaub, dem Symbol des Germanentums, und mit ebenso vielen Hakenkreuzen verziert waren.

Was Wunder, daß Kinder, zu solcher Betätigung angehalten, daraus einen Sport machen. Der Familienforschung widmeten sich in meiner Schulklasse, am Friedrich-Wilhelm-Gymnasium zu Neuruppin, einige noch eifriger als dem Briefmarkensammeln oder dem Tauschverkehr mit Filmstar-Bildern (wie sie früher den Zigaretten-Packungen beilagen). Manch einer hatte den Ehrgeiz, durch die Nebel seiner Blutsvergangenheit bis zu den Cheruskern im Teutoburger Wald, den letzten Goten am Vesuv oder den Wikingern vorzudringen. Anderen erschien die Entdeckung eines Großonkels dritten Grades, der es in der kaiserlichen Armee bis zum Generalmajor gebracht hatte, kaum weniger interessant als ein koloriertes Photo der blonden Ufa-Schauspielerin Lilian Harvey, und so, wie sie für diese einen Hans Albers nebst einem Willy Fritsch, beide unkoloriert, zum Tausch anboten, trumpften sie gegen den Generalmajor des Banknachbarn mit einem eigenen Seefahrer oder einem reichen Verwandten im sagenhaften Amerika auf.

Fangen Leute, die dergleichen hinter sich haben, als Fünfzigjährige leicht senil zu werden an, dann wölbt sich die vergessen geglaubte Ahnengalerie in ihrem Gedächtnis wieder vor. Sie können sich nicht genug darin tun, die Jüngeren mit Anekdoten aus dem Leben der Vorväter zu langweilen, und schicken sie sich gar an, Memoiren zu schreiben, so widerstehen sie nur unter Qualen dem Drang, den ersten Band im Dreißigjährigen Krieg anzusiedeln. Unterdrückt euer Gähnen und übt Nachsicht mit diesen mittlerweile ergrauten Kindern von 1933! Daß sie meist, wie die Krebse, mit rückwärtsgewandtem Blick voranzukommen suchen, ist nicht ihre Schuld. Es ist nicht einmal allein ihrer Verkalkung zuzuschreiben. Man hat sie früh darauf gedrillt.

Was mich betrifft, so fällt es mir besonders schwer, mich hinsichtlich meiner Ahnen kurz zu fassen. Ich werde das tun, soweit ich es vermag, muß aber grundsätzlich für mich in Anspruch nehmen, daß man es mir noch weniger als meinen Generationsgenossen verargen dürfte, wenn ich, befragt nach meiner, wie man es heute nennt: sozialen Herkunft, ausschweifend zu plaudern begänne. Denn ich hatte das Pech, daß eine meiner acht Ururgroßmütter, Caroline Stieglitz mit Namen, aus Arolsen gebürtig und Schwester des seinerzeit mächtigsten Bankiers im zaristischen Rußland, erst kurz vor ihrer Eheschließung mit einem unverdächtigen Doktor Schmidt, Hofmedicus in Celle, getauft worden war. Für sich genommen war das nicht weiter tragisch, da unter Hitler ein bloßer Sechzehntel-Jude als so hinreichend »aufgenordet« galt, daß er, glaube ich, sogar der SS hätte beitreten dürfen. Doch am erweisbaren Übergewicht des einwandfreien Teils meiner Ahnen mußte mir doppelt und dreifach gelegen sein, und so läßt sich denken, daß ich, unter Anleitung meiner besorgten Mutter, die Kontrolldurchsicht dieser übrigen Vorfahren nicht auf die leichte Achsel nahm. Ein paar ähnliche Makel mehr wären uns in summa schlecht bekommen.

Den mosaischen Ursprung jener Caroline zu vertuschen kam um so weniger in Betracht, als ein Neffe von ihr, Heinrich Stieglitz (1801 – 1849), gleichfalls aus Arolsen stammend und bekanntermaßen jüdischen Glaubens, zu den obskuren Randerscheinungen der Literaturgeschichte gehört. Zwar brauchte Pg. Fischer, der Neuruppiner Oberstudienrat, der mein Klassenlehrer war und mich auch in Deutsch unterrichtete, zum Erweis seiner Qualifikation keine Zeile von Heinrich Stieglitz gelesen zu haben. Aber wissen mußte er, daß dessen Frau, Charlotte, geborene Witthöft, sich zum Entzücken der Romantiker 1834 einen geschliffenen Dolch ins Herz gestoßen hatte in der Hoffnung, die Erschütterung über ihren Freitod werde ihren wenig talentierten, auch nicht sehr fleißigen Mann, den sie seiner schwarzen Locken und seiner dunklen, feurigen Augen wegen für genial hielt, doch noch zum großen Dichter läutern. Darin irrte sie, die kühne, schwärmerische Charlotte. Heinrich weinte bittere Zähren, blieb aber so mittelmäßig, wie er es zuvor gewesen war. Mir jedoch, seinem Urgroßneffen, sollte es zum Nachteil gereichen, daß der in meinem Ahnenpaß vorkommende Name Stieglitz durch Charlottens Tat mit einem hundert Jahre zurückliegenden literarischen Sensationsfall verknüpft war. In dem so gründlichen Deutschland wuchs ich auf, und um da ein Gewicht gegen die kompromittierende Gens Stieglitz zu schaffen, hatte ich es in ungleich stärkerem Maße als meine Mitschüler nötig, aus den Eintragungen der entlegensten und vergilbtesten Kirchenbücher die in mir pulsierenden Ströme germanischen Bluts glaubhaft zu machen.

Die geringsten Sorgen bereiteten mir in dieser Beziehung meine Ahnen auf väterlicher Seite. Sie haben sich von dem Kirchenbuch, das sie als evangelisch-lutherisch getauft ausweist, durch viele Generationen, nie weit entfernt. Denn soweit ihre Geschichte sich zurückverfolgen läßt, waren sie Kantoren und Küster in Eutritzsch, einem damals noch selbständigen Ort, der später, 1890, der Stadt Leipzig eingemeindet ward. Amt und Kirchenschlüssel gingen in der Familie, die sich Harig oder Harich schrieb, stets vom Vater auf den Sohn über. Nicht unbedingt auf den ältesten Sohn. Eher auf den, der an der Orgel oder beim Singen im Gemeindechor seine Geschwister übertraf. Die weniger musikalischen Brüder, ob jünger oder älter, pflegten ins Handwerk abzuwandern, wobei Leipzigs Nähe es mit sich brachte, daß sie vorzugsweise Kürschner oder Buchdrucker wurden.

Buchdrucker wurde mein Urgroßvater Eduard Harich. Bei Breitkopf und Härtel erlernte er sein Metier. Zum Druckermeister aufgestiegen, blieb er aber nicht im Königreich Sachsen, sondern siedelte ins ferne Ostpreußen über, verlockt von der Aussicht, daß er in diesem industriell zurückgebliebenen Teil Deutschlands, anders als daheim, mit seinem fachlichen Können eine begehrte Rarität sein werde. In Mohrungen, einer Kreisstadt mit 4000 Einwohner, ließ er sich nieder. Er heiratete dort eine ortsansässige Bäckermeisterstochter, die auf den sinnigen

Namen Rosine Kallert hörte. Rosines Mitgift trug dazu bei, ihm die Gründung eines eigenen Unternehmens zu ermöglichen: einer kleinen Druckerei mit Ladengeschäft am Markt. Fortan konnten sich hier die Mohrunger Bürger ihre Geburts-, Hochzeits- und Todesanzeigen drucken lassen; wenn sie ganz feine Leute waren: Visitenkarten, mit oder ohne Goldschnitt. Auch Schreibwaren aller Art gab es in dem Laden zu kaufen. In Kommission wurde das evangelische Gesangbuch, wurden später auch Wilhelm Jordans »Nibelungen« und Gustav Freytags »Soll und Haben« vertrieben. Ziemlich lange ließ der ersehnte Auftrag des im Dohnaschlößchen residierenden Landrats auf sich warten, Druck und Auslieferung eines amtlichen Kreisblatts zu übernehmen, wie der benachbarte Kreis Elbing es sich bereits zugelegt hatte. Endlich war es so weit, und der spätere Ausbau dieses wichtigsten Geschäftsobjekts zur dreimal wöchentlich erscheinenden Mohrunger Kreiszeitung, die jedesmal der Laufjunge Pörschke in verschnürten Ballen auf dem Handwagen zum Postvorsteher transportieren mußte, machte meinen Urgroßvater gegen Ende seines Erdendaseins noch zum Verleger.

Das Sächseln soll Eduard Harich sein Lebtag lang so wenig abgelegt haben, daß die Schulkinder, die bei ihm ihre Hefte und Bleistifte erstanden, sich das Lachen nicht verkneifen konnten, sobald er nur den Mund auftat. (Ihr Dialekt, im Gegensatz zum sächsischen heute im Aussterben begriffen, hörte sich anders unschön an.) Trotzdem fühlen wir Harich-Nachfahren von der Mohrunger Linie uns als waschechte Ostpreußen und nicht als Sachsen. Sind wir konservativ und nationalistisch gesinnt, dann tun wir so, als hätten schon die Ordensritter uns ins Land geholt, was aber allenfalls auf Urgroßmutter Rosines Vorfahren zutreffen mag. Stehen wir politisch dagegen links, sind wir obendrein literaturbeflissen, dann ist Mohrungens größter Sohn, Johann Gottfried Herder, unser Hausgott. Daß Herder in seinen Kontroversen mit Kant recht gehabt haben mußte, war für meinen Vater lokalpatriotische Ehrensache. Ich urteile da um Nuancen vorsichtiger, bin aber wohl ein wenig korrumpiert durch den Umstand, nicht mehr in Mohrungen, sondern, wie eben Kant, in Königsberg geboren worden zu sein. Immerhin aber habe ich 1950 eine Dissertation über Herder verfaßt und so dem Hausgott meinerseits Tribut gezollt. Riesman würde darin wahrscheinlich einen Rest derselben »traditionsgeleiteten« Mentalität sehen, welche die Eutritzscher Harichs durch so lange Zeitläufe an ihrer Kantoren- und Küsterwürde hat festhalten lassen.

Mohrungen heißt jetzt Morág. Nach 1945 ist es ebenfalls zu einer polnischen Stadt geworden. Dem katholischen Episkopat Polens untersteht somit auch das Kirchlein, an dem Herders Vater Küster war. Im Sommer 1970 hielt ich mich in Morág als Tourist auf. Drei verhutzelte alte Frauchen vom Land sah ich in dem Kirchlein kniend ihre Rosenkränze abbeten. Draußen indes erblickte ich auf einem Denkmalsockel, von dieser sonderbaren Gegenreformation unberührt, wohlgepflegt inmitten eines bunten Tulpenbeets, Herders Büste. Vis à vis davon, an der Stelle, wo einst sein Geburtshaus gestanden hat, ist eine Gedenktafel angebracht. In polnischer Sprache erinnert sie an den großen deutschen Denker und Schriftsteller, der ein aufrichtiger Freund der Slawen gewesen sei. In zwei Räumen des alten backsteingotischen Rathauses auf dem Marktplatz hat man ein kleines Herder-Museum eingerichtet, das es früher dort nicht gab.

Um all das hat sich am meisten mein Freund Emil Adler verdient gemacht, ein polnischer Philosophie- und Literaturhistoriker jüdischer Abstammung, ein Kommunist, der 1939 vor dem Mordterror der deutschen Okkupanten aus Warschau in die Sowjetunion geflohen war, wo er sich zwei Jahre später in die Rote Armee eingereiht hatte. Als Polen befreit, als der Krieg zu Ende war, sah »das Adlerchen«, wie ich ihn seiner kleinen Körpermaße wegen immer nenne, eine dringliche Aufgabe darin, die kulturpolitischen Institutionen der jungen Volksrepublik davon zu überzeugen, daß die historische Gerechtigkeit gebiete, in Morág wieder das Andenken Herders zu ehren. Stieß sein Bemühen bei diesem oder jenem Funktionär auf Deutschenhaß, dann berief das Adlerchen sich zornmütig auf das Slawenkapitel in den »Ideen zur Philosophie der Geschichte der Menschheit«, und so war ihm schließlich Erfolg beschieden. Ich wußte es. Mehrmals, vom Ende der Vierziger Jahre an, hatte der befreundete Kollege mir brieflich und mündlich darüber berichtet. Doch als ich nun in Morág vor der Gedenktafel für Herder stand und mir die Aufschrift übersetzen ließ, da stiegen mir Tränen der Rührung die Augen, und auch jetzt, da ich dies niederschreibe, bin ich abermals vor Ergriffenheit dem Heulen nahe. Unmöglich wäre es mir, im Kommentar zu meinem Ahnenpaß Mohrungen zu erwähnen, ohne Emil Adlers zu gedenken, ohne ihm und den anderen polnischen Genossen, die bei seiner edlen Tat geholfen haben, zu danken und den Wunsch hinzuzufügen: Der Genius Herders möge uns Deutsche und Polen nach allem Bösen, das wir uns zugefügt haben, nun für immer in Freundschaft verbinden.

In Mohrungen ist mein Großvater und sind auch mein Vater und seine beiden Geschwister zur Welt gekommen, allein in demselben Haus am Markt, das im Erdgeschoß hinten die Druckerei und nach vorne heraus den Laden nebst Kontor beherbergte. Mein Großvater Ernst Harich brachte, begünstigt sowohl vom stetig wachsenden Informationsbedarf der Provinzbevölkerung wie von rasch aufeinanderfolgenden Wirtschaftskonjunkturen, in der wilhelminischen Ära die Firma auf die Höhe. Er schaffte moderne Maschinen an, stellte zusätzliche Arbeitskräfte ein und weitete das Sortiment aus. Im masurischen Bischofsburg wurde ein Filialladen eröffnet.

1897 zog die Familie samt Unternehmen nach Allenstein um. Diese Stadt im Ermland, überwiegend katholisch, mit starker polnischer Minorität, avanciert acht Jahre später, im Zuge einer Neugliederung der Provinz, zum Sitzt der Bezirksregierung von Südostpreußen. Sie besaß, wegen der Nähe der russischen Grenze, eine große Garnison, war von Berlin aus direkt mit dem D-Zug zu erreichen und erfreute sich, bei aufblühendem Gewerbe und Handel sowie dank des Zuzugs zahlreicher Offiziers- und Beamtenfamilien, einer rapide anwachsenden Einwohnerzahl mit zunehmendem protestantischen Anteil. 1880 hatte sie 7600 Bewohnter gezählt. 33000 waren es im Jahre 1910. Die Verschiebungen im Kräfteverhältnis der Klassen, Konfessionen und Nationalitäten bewirkten, daß dem Allensteiner deutsch-konservativen Bürgertum Polen, Juden, Katholiken und Sozialdemokraten als eins galten: als die fremdartige mürrisch-renitente Masse unten, von der Gefahr drohte.

Am neuen Wohnsitz gründete mein Großvater die »Allensteiner Zeitung«, die zwischen diesen reaktionären lokalen Stimmungen und dem zeitüblichen Nationalliberalismus vermittelnd zu lavieren pflegte. Er rief außerdem »Harichs landwirtschaftlichen Anzeiger für Ostdeutschland«

ins Leben, ein Fachblatt, das in der Folgezeit, durch Verbreitung moderner agrarwissenschaftlicher Erkenntnisse, dabei mithalf, Ost- und Westpreußen in landwirtschaftliche Überschußgebiete zu verwandeln, deren Erträge nach Berlin und bis ins Ruhrgebiet gingen. Mit redaktioneller Arbeit gab Ernst Harich sich nicht ab. Von Politik verstand er nicht viel, zum geschriebenen Wort hatte er kaum Beziehung. Rein kaufmännisch leitete er den Verlag, rein technisch die Druckerei, beides mit großem Erfolg: Bei Ausbruch des Ersten Weltkriegs war er der wohlhabendste Mann der Stadt. In den frühen Zwanziger Jahren veräußerte er jedoch das ganze Unternehmen, in Ermangelung eines geeigneten Nachfolgers aus der Familie, und beschloß sein Leben als Lotterie-Einnehmer. 1940 ist er im Alter von 81 Jahren gestorben.

Verheiratet hatte er sich mit Marie Anspach, der zehn Jahre jüngeren Tochter eines in Mohrungen diensttuenden Zollbeamten, der seinerseits aus einer ostpreußischen Bauernfamilie stammte. Das durchschnittlich hübsche, kastanienbraune, doch blauäugige Mädchen war eine Provinzlerin von beschränktem Hausfrauenverstand. Sie hielt Haus und Küche mustergültig in Ordnung, konnte vorzüglich braten, backen und einmachen, kannte tausend raffinierte Kochrezepte, machte dabei selbst fortwährend Süßigkeiten – die sie später als alte Dame, auf ärztliche Anordnung zu strenger Diät verurteilt, sogar noch ihren Enkeln vom Weihnachtsgabentisch stahl –, war aber auch eminent musikalisch, ein Talent übrigens, das ihrer ganzen Familie im Blut zu liegen schien. Ihr Bruder z.B., ein Rechtsanwalt, konnte in Schuberts Forellen-Quintett jeden Satz auf einem anderen Instrument meistern, ihre Schwestern Hedwig und Gena ernährten sich, nachdem ihnen früh die Männer gestorben waren, als angesehene, wenn auch etwas schrullige Klavierlehrerinnen im alten Westen Berlins. Marie selbst bereitete es, obwohl sie kaum je übte, keinerlei Schwierigkeit, auch die vertracktesten Klavierstücke fehlerfrei vom Blatt zu spielen. Diese Köchin, die am liebsten in breitem ostpreußischen Platt über Nichtigkeiten tratschte, brauchte sich nur an den Flügel zu setzen, und es brach ein Dämon aus ihr hervor. Einige namhafte Musiker der Zeit pflegten daher, wenn sie Konzertreisen nach Königsberg unternahmen, gern einen Abstecher nach Allenstein zu machen, wo sie im Hause Harich als bewunderte Gäste verwöhnt wurden und, zusammen mit Frau Marie als nahezu ebenbürtiger Kollegin, Hauskonzerte gaben. Ein Photo des großen Pianisten Konrad Ansorge, mit hymnischer Widmung, hatte einen Ehrenplatz in ihrem Boudoir.

Meinem Vater war allerdings das Virtuosentum seiner Mutter, wie das der Anspachs überhaupt, von früh auf tief verdächtig. Statt musikalisch nannte er es »kasimulisch«, womit er eine bei glänzender technischer Perfektion und staunenswerter Mühelosigkeit ins Seelenlose und Flache pervertierte Musikalität meinte, die jeder tieferen Beziehung zum geistigen Gehalt der dargebotenen Werke entbehrt. Seine eigene, wie er meinte, substanzreichere, vergeistigte Musikbegabung leitete mein Vater denn auch nicht von den Anspachs her, sondern von Eutritzscher Kantoren, die er, ohne jemals einen gesungenen oder gespielten Ton von ihnen gehört zu haben – sie waren lange tot –, aus puren geographischen Erwägungen in der Nähe des Thomaskantors Johann Sebastian Bach angesiedelt glaubte, wohingegen sich ihm in seiner Mutter bestenfalls die »Schaumschlägerei eines Liszt«, wenn nicht Schlimmeres, zu verkörpern schien.

Über die Maßen entwickelt war bei Marie Harich, geborener Anspach, außer der Passion für Bonbonniere der gesellschaftliche Geltungsdrang. Er ging so weit, daß er sogar den ökonomischen Interessen der Familie manch empfindlichen Streich spielte. Unter dem Druck seiner maulenden, schmollenden Frau sah mein Großvater, ein prosaischer, geschäftstüchtiger Mann, der gern jedes »Groschchen« gewinnbringend investiert hätte, sich zu seinem Leidwesen gezwungen, seine Läden in Allenstein, Mohrungen und Bischofsburg, wahre kleine Goldgruben, zu schließen bzw. zu veräußern, nur um zu erreichen, daß in seinem Haus die Offiziere der Allensteiner Garnison verkehren durften, die bis dahin den »Kofmich«, den Eigentümer eines offenen Geschäfts am Ort, als nicht standesgemäß hatten meiden müssen, so sehr verlockend die Wohlgerüche aus der Harichschen Küche ihnen auch längst in die Nase stachen. Größter Triumph im Leben meiner Großmutter: der Augenblick, da zum ersten Mal ein neu nach Allenstein versetzter Bataillonskommandeur, monokelbewehrt, hackenklappernd, den federbuschgeschmückten Helm unter den Arm geklemmt, bei ihr zur Antrittsvisite erschien. Mit dem Typ konnte in ihren Augen selbst Konrad Ansorge nicht konkurrieren.

Solch vornehm-martialische Gäste, meist adligen Namens, wurden erst in dem Landhaus in der Schloßfreiheit empfangen, und auch bei dessen kostspieliger Erwerbung, 1907, war der parvenuehafte Ehrgeiz meiner Großmutter die treibende Kraft. Das Landhaus ist heute noch das prächtigste Villengebäude in Stadt und Umgebung. Schräg gegenüber der von den Ordensrittern erbauten Burg der ermländischen Bischöfe, auf dem anderen Ufer der Alle gelegen, soll es nach dem Zweiten Weltkrieg jahrelang eine Musikhochschule beherbergt haben. Als ich es 1970 wiedersah, diente es bereits der Garnison von Olsztyn als Offiziersklub. Die Polen hatten den grauen, von wildem Wein und Clematis überwachsenen Putz von ehedem durch einen blendendweißen Anstrich ersetzt, der die Schönheit des Gebäudes erst voll zur Geltung kommen ließ. Den einst zu dem Landhaus gehörenden Garten meiner Großeltern, mit seinem Teich, seinen alten Bäumen, seinen von Blumenrabatten eingefaßten Rasenflächen, fand ich umzäunt als öffentlichen Park vor. In der Dämmerstunde, beim Gesang einer Nachtigall – und nur ostpreußische Nachtigallen können ja wirklich singen –, lustwandelten umschlungene Liebespaare am Fluß entlang.

Diese Sozialisierung des mir unvertrauten Anwesens billigte ich durchaus. Schmerzlich berührt dagegen war ich von dem Umstand, daß auf dem kleinen Hügel über dem Park die früher an den Gartenzaun angrenzende Jasminlaube fehlte, die mein Großvater, kurz nach dem Erwerb des Grundstücks, als fluchbeladenen Ort des Lasters dicht mit Stacheldraht hatte umwickeln lassen, damit kein Glied seiner ehrbaren Familie sich jemals darein niedersetze. Mit den Lastern meint er – und meine jetzt ich – die der Frau von Schönebeck, einer nymphoman veranlagten Beauté des Fin du siècle, die einen ihrer vielen Liebhaber, den Herrn Rittmeister von Gröben, zuerst mit kundigen Griffen von seiner Impotenz kuriert und ihn dann, als er darob ihr hörig geworden, zum Meuchelmord an ihrem Gemahl, dem in Allenstein dienstältesten Obristen, angestiftet hatte. Unter Küssen und Kosen wird wohl in jener Laube das blutige Komplott geschmiedet worden sein.

In der Neujahrsnacht des Jahres 1907 fiel der Pistolenschuß, der Herrn von Schönebeck niederstreckte, und er fiel im ersten Stock des Landhauses an der Alle, im späteren Arbeitszimmer meines Großvaters, abgefeuert von einem Meisterschützen, den sechs Jahre zuvor, mitten im europäischen Frieden, der Drang, sein männliches Unvermögen heroisch überzukompensieren, in den Burenkrieg getrieben hatte, von wo er ordengeschmückt heimgekehrt war, ohne daß dies genügt hätte, seiner Mannheit nennenswert auf die Sprünge zu helfen. Bei Maximilian Harden, in den »Prozessen«, kann man es nachlesen. Alsbald festgenommen und der Tat überführt, war der Mörder geständig. Doch in dem Glauben, der einzige Herzenserwählte seiner erotischen Lehrmeisterin zu sein, weigerte er sich standhaft, deren geistige Urheberschaft an seinem Verbrechen zuzugeben. Er weigerte sich so lange, bis der Untersuchungsrichter ihm Beweise dafür vorblätterte, daß es im Umkreis der Frau von Schönebeck, angefangen vom Bäckerjungen, der ihr morgens die Brötchen brachte, bis hinauf zu den respektabelsten Allensteiner Honoratioren – meinen Großvater selbstredend ausgenommen –, kaum ein männliches Wesen gab, das ihre glühenden Umarmungen nicht genossen hatte. Da endlich rückte der unglückliche von Gröben mit der ganzen Wahrheit heraus – und erhängte sich anschließend voll verzweifelter Enttäuschung in seiner Zelle mit dem Handtuch.

Nun erst nahm der eigentliche, der juristische Skandal, der einem Harden die Schamröte in die Wangen trieb, seinen Lauf: Frau von Schönebeck, obwohl schwer belastet, kam glimpflich davon. Staatsanwälte und Richter, zum Teil offenbar selbst in Amouren mit ihr verstrickt, billigten ihr mangelnde Zurechnungsfähigkeit zu. Und derselbe Psychiater, der mit seinem Gutachten dafür die Grundlage geschaffen hatte, nahm die angeblich Geistesgestörte in die Landesirrenanstalt Kortau auf, aber nur, um sie sehr bald als geheilt wieder zu entlassen, nachdem mutmaßlich auch er es mit ihr getrieben hatte. So ging die schöne Frau unbehelligt ins Ausland, gewährte noch zahllosen Kavalieren die legendären Wonnen ihres Alkovens und endete schließlich, als ihre Reize zu verblühen, ihre Formen zu erschlaffen begannen, durch Freitod. Irgendwo in Italien hat sie sich von einem Felsen ins Meer gestürzt.

Zurück zu meiner Großmutter, so hatten deren Wünsche in dem Maße, wie das Barvermögen ihres Mannes zunahm mit sich steigernder Gier um die Idee einer eigenen Villa gekreist. Nicht im Traum freilich hätte sie an das elegante, schloßartige Landhaus derer von Schönebeck zu denken gewagt. Indes kaum war der Oberst umgebracht, kaum seine Frau in Untersuchungshaft genommen, da stach Marie der Hafer: Warum sollte nicht sie zur Quasi-Schloßherrin taugen? In ihrer Bauernschläue erfaßte sie richtig, daß der schauerliche Ruf der Stätte, an der die Bluttat geschehen war, daß der ruinierte Name der Eigentümer, daß, besonders der befleckte Ehrenschild eines königlich-preußischen Regiments, dem nun daran gelegen war, so schnell wie nur möglich zu dem schimpflich Vorgefallenen auf Distanz zu gehen, den Kaufpreis von Haus und Grundstück gesenkt haben mußten. Tag und Nacht lag daher Marie ihrem Mann in den Ohren, schleunigst zuzugreifen. Und obwohl der das Anwesen als für einen Druckereibesitzer zu feudal empfand und seine »Groschchen« lieber, wenn schon nicht in neuen Druckmaschinen, so wenigstens in den günstig notierten Wertpapieren eines florierenden Industriezweigs angelegt hätte, gab er, wieder einmal, nach.

Billig kam ihm der Neuerwerb im Endeffekt nicht zu stehen. Denn sobald der Kauf getätigt war, hatte meine Großmutter den weiteren Einfall, unmöglich in einer von Blutdunst geschwängerten Atmosphäre je ihres Lebens froh werden zu können, ein Argument, mit dem sie beharrlich den Umbau des Ganzen ins Luxuriösere betrieb und die Anschaffung erlesenen Mobiliars, meist im Jugendstil, durchsetzte. Seufzend unterzeichnete ihr Mann einen Scheck nach dem anderen.

Im übrigen betrachtete er, mit robusteren Nerven ausgestattet, ums Schaurige folglich unbekümmert, für sein Teil den Fall mehr unter moralischen Gesichtspunkten, weshalb sein eigener Änderungswunsch sich als weniger aufwendig erwies. Was ihn störte, das war einzig die Jasminlaube der Frau von Schönebeck. Rief doch ihr Anblick Assoziationen wach, wie ein gläubig protestantischer Preuße sie eigentlich nicht haben durfte, wollte er im Grenzgebiet, unter feindseligem Gezücht aus Polen, Juden, Katholiken, Sozialdemokraten auf die Dauer sittlich bestehen. Und vollends ein Greuel war es dem neuen Eigentümer, sich seine Kinder, das heiratsfähige »Tochterchen« zumal, in der zur Sommerszeit betäubend süß duftenden Schandhöhle vorzustellen.

So entstand auf Ernst Harichs Geheiß unten, am Ufer der ewig dahinströmenden Alle, die man jetzt polnisch nennt, eine neue, mit wildem Wein bewachsene Laube, während oben auf dem Hügel die alte, am Gartenzaun, durch Stacheldrahtverhau unbenutzbar gemacht ward, nachdem der Gärtner von ihrem gänzlichen Abriß abgeraten hatte wegen des zur Neugier herausfordernden häßlichen Lochs, das dadurch in die dicht verfilzte hohe Jasminhecke gerissen würde. Erst der Sozialismus in Olsztyn hat, indem er den privaten Park in einen kommunalen, allgemein zugänglichen öffnete, Zaun, Hecke und Laube gleichermaßen zu Fall gebracht, nicht ahnend, wie buchstäblich er damit am Beispiel der Manen Frau von Schönebecks seinen Anspruch wahrmachte, auch in puncto Moral konsequenter zu verfahren als die vom Besitzdenken gehemmte Bourgeoisie.

Mein Großvater war da auf halbem Weg stehengeblieben. Wenn aber einer seiner Enkel oder Großneffen die Konfirmation hinter sich hatte, dann nahm der alte Buchdruck-Krösus den jeweiligen Knaben, und so zu Ostern 1939 auch mich, am Arm, führte ihn zu der umzäunten Laube hin und vertraute ihm »unter Männern«, in einer für die reifere Jugend leicht bearbeiteten Fassung, die gräßliche Geschichte der Frau von Schönebeck an, um mit den Worten zu schließen: »Siehst du, mein Jungchen, sowas bringen die Frauensleute fertig. Bleib du immer hübsch auf der Hut vor ihnen!« Man muß das ostpreußisch aussprechen, um den kostbaren Sinn der Warnung voll zu ermessen.

Mein Vater, Walther Harich, ist 1888 geboren worden, im »Dreikaiserjahr«, und zwar am 30. Januar, also noch zur Regierungszeit Wilhelms I., worauf er, aus stärkerer Antipathie gegen Wilhelm II., immer ein bißchen Wert gelegt hat. Seine Kindheit hat er in Mohrungen verbracht, wo er auch auf die Elementarschule ging. Das idyllische Städtchen blieb für ihn zeitlebens Gegenstand seliger Erinnerungen. In dem Jahr, das der Übersiedlung der Familie nach Allenstein folgte, kam er als Zehnjähriger auf das dortige altsprachlich-humanistische Gymnasium. Obwohl hochtalentiert, war er kein durchweg guter Schüler. Die Beschäftigung mit der Musik und das Schmökern nach eigener Wahl nahmen ihn von früh auf so stark in Anspruch, daß er viele Wissensgebiete vernachlässigte. In Geschichte und Deutsch aber, den Fächern, die ihn brennend interessierten, vertrat er Ansichten, die bei seinen Lehrern verpönt waren. Einmal, auf Untersekunda, blieb er sitzen. Teils zu der früheren Klassengemeinschaft, teils zu der neuen gehörten drei weitere überdurchschnittlich begabte Mitschüler, die sich gleich ihm in den Zwanziger Jahren auf künstlerischem Gebiet einen Namen gemacht haben und wie er heute so gut wie vergessen sind: Erich Mendelsohn als Architekt, Ernst Kamnitzer als Literat, Heinz Thießen als dem Arbeiterlied aufgeschlossener, der KPD nahestehender Chorleiter und Komponist. Mendelsohn und Kamnitzer waren Juden. Nach 1933 gingen sie ins Exil. Thießen hat in der Nazizeit politisch erhebliche Schwierigkeiten gehabt.

Mein Vater besaß noch eine ältere Schwester, Else mit Namen, und einen Bruder Ernst Werner, der jünger war als er. Else, ein ziemlich törichtes, zur Hysterie neigendes Wesen, aber mit herrlicher Altstimme begabt, erhielt ihren letzten Schliff als höhere Tochter in einem exklusiven Weimarer Mädchenpensionat und wurde dann rasch aufs vortrefflichste unter die Haube gebracht. Sie ehelichte einen strebsamen, konservativ gesinnten Juristen namens Ludwig Löffke, der, wesentlich älter als sie, kurz vor dem ersten Weltkrieg zum Landgerichtspräsidenten in Tilsit aufstieg und das, in den Jahren der Weimarer Republik, ungeachtet seiner monarchistischen Einstellung, bis zu seinem Tode, 1932, blieb.

Die alten Harichs hatten meinen Vater dazu auserkoren, dereinst die Firma zu übernehmen. Durch seinen Bruder dagegen, ihr jüngstes Kind, hofften sie unsere Sippe für alle Zeit fest mit der von ihnen andächtig bewunderten preußischen Militärkaste zu verbinden, zu welchem Zweck sie den eigentlich sensiblen, schüchternen Jungen zur Erziehung auf eine Kadettenanstalt gaben. Aus beiden Plänen wurde nichts. Ernst Werner zwar trat, wie daheim gewünscht, die Laufbahn des Berufsoffiziers in der kaiserlichen Armee an. Doch als blutjunger Leutnant fiel er vor Verdun. Und für meinen Vater kam es gar nicht in Frage, Juniorchef zu werden. Lange schwankend, ob die Musik oder die Dichtung oder die Literaturwissenschaft seine wahre Lebensbestimmung sei, weigerte er sich jedenfalls, den für ihn vorgesehenen Beruf zu ergreifen. Statt der anbefohlenen Volkswirtschaft studierte er zwischen 1909 und 1914 in München, Leipzig, Königsberg und Freiburg i.Br. Germanistik und Philosophie; in der erstgenannten Stadt zugleich Meisterschüler des großen russischen Geigers Alexander Petschnikoff, mit dessen Stieftochter Susanne er zeitweilig verlobt war. Der Versuch der alten Harichs, dem ungehorsamen

Sohn die Gelder zu sperren, verfing nicht. Lebensunterhalt und Studium konnte er mit seinem Violinspiel, notfalls als Caféhaus-Geiger, oder auch durch journalistische Gelegenheitsarbeiten selbst finanzieren. –

So war meinen Allensteiner Großeltern das Alter verdüstert. In der Zeit der Weimarer Republik glaubten sie, letztlich umsonst gelebt zu haben. Beide Söhne waren für sie ein Gegenstand der Klagen und des Grams. Während sie jedoch ihren folgsamen Sprößling, den toten Kriegshelden Ernst Werner, nachträglich mit einer Gloriole umgaben – im roten Salon des Landhauses gab es einen förmlichen Altar für ihn –, galt mein Vater ihnen als das schwarze Schaf der Familie. Was sie zusätzlich gegen ihn verbitterte, das waren abfällige Äußerungen über sie in Briefen von seiner Hand, die Ernst Werners Regiment in dessen Nachlaß gefunden und taktloserweise ihnen zugestellt hatten. Sie wußten nicht, daß mein Vater Kriegsbriefe seines Bruders an ihn, die ebensolche Ausfälle enthielten, stillschweigend vernichtet hatte, um die Eltern zu schonen, und deren Vorwürfe geduldig auf sich nahm, damit ihnen die wohltuende Illusion über die vermeintlich grenzenlose Kindesliebe des anderen, des besseren Sohnes erhalten blieben. Noch ungerechter waren die alten Harichs darin, daß sie meinem Vater seine Berufswahl wie eine Treulosigkeit gegenüber der Familie übelnahmen. Denn sie selbst waren es, die ihn von Anbeginn in die Richtung gedrängt hatten, in der er sich, für ihre Begriffe, so unheilvoll entwickelte. Sein Fehler beschränkte sich darauf, ein begabter Mensch zu sein, der den geistigen Betätigungen, zu denen man ihn im Elternhaus angehalten hatte, sich voller Erfolg und Freude an der Sache hingab.

Mein Großvater nämlich, den seine Eltern ausschließlich zum Schriftsetzer und Drucker hatten ausbilden lassen, empfand es an sich selbst als bedrückenden Mangel, den Redakteuren der »Allensteiner Zeitung«, seinen Angestellten, geistig nicht gewachsen zu sein und ihnen daher nie kompetent in ihre Arbeit dreinreden zu können. Jedesmal, wenn ihm in einem der hauseigenen Blätter ein Artikel nicht behagte, ärgerte er sich über sein Unvermögen. Außerdem hätte er seiner Firma gern noch einen Buchverlag, in der Art Gräfe & Unzers in Königsberg, angeschlossen, ein Projekt, das vollends über seinen Bildungshorizont hinausging. Das »Sohnchen« sollte dem allen eines Tages abhelfen, sollte als Verlagsleiter den Chefredakteuren intellektuell überlegen, sollte möglichst obendrein noch versierter Lektor sein. Und im Hinblick darauf wurde »Sohnchens« Hang zum Bücherverschlingen wie zum Verseschmieden eher ermuntert als gezügelt.

Meiner Großmutter wiederum erschien es um des gesellschaftlichen Prestiges willen wichtig, den künftigen Firmenchef, »unseren Kronprinzen«, wie sie ihn manchmal nannte, zu gehobener Salonfähigkeit zu drillen, wozu sich nach ihrer Lebenserfahrung als sicherstes Mittel die Pflege der Musik anbot. Bereits in Mohrungen, noch bevor der Knabe des Lesens und Schreibens mächtig war, drückte Marie ihm seine erste Violine in die Hand, ließ ihn private Musikstunden nehmen, wachte tyrannisch darüber, daß er regelmäßig übte, musizierte auch selbst oft mit ihm und ruhte und rastete nicht, bis sie ihn auf ihren Empfängen den Honoratioren der Stadt als eine Art Wunderkind präsentieren konnte. Als Gymnasiast durfte Walther von Allenstein aus, wo kein ortsansässiger Musiker ihm mehr etwas zu geben vermochte, alle vierzehn Tage nach Königsberg reisen, um vom Unterricht im Konservatorium zu profitieren und Konzerte zu besuchen.

Mit alledem wurden in ihm Fähigkeiten geweckt und Neigungen entfesselt, für die der Pflichtenkreis des väterlichen Unternehmens zu eng, zu prosaisch und der künstlerische Nachtisch-Bedarf auf den opulenten Diners der Mama, zum Mokka im gelben Salon, zu flach, zu substanzlos war. Und als sich herausstellte, daß das »Sohnchen« darüber hinauswuchs, da kannte das vorwurfsvolle Wehklagen der Eltern kein Ende. Einen smarten, geschäftstüchtigen Erben mit kultivierter Feierabend-Drapierung hatten sie sich heranziehen wollen. Herausgekommen war ein Bohémien, dazu ein aus Hochmut und Aufsässigkeit zusammengesetzter Rebell, der die Firma haßte, das Landhaus als verächtliches Sinnbild neureicher Protzerei empfand, die darin hofierten Offiziere und hohen Beamten, den Herrn Regierungspräsidenten nicht ausgenommen, spüren ließ, daß er sie für Kretins und Idioten hielt, und gar die Aussicht, Druckereibesitzer zu werden und zwei Provinzkäseblätter herauszugeben, mit Hohnlachen zurückwies.

Die Diskrepanz zwischen dem eigenen Künstlertum und den halb beruflichen, halb geselligen Anforderungen, denen es sich lebenslang unterordnen sollte, hat also die eingangs erwähnte Protesthaltung meines Vaters erzeugt. Ursprünglich richtete diese sich nur gegen sein Elternhaus und war dabei völlig unpolitisch. Sie erwuchs nicht aus Empörung über Mißstände der Gesellschaft. Zur Grundlage hatte sie vielmehr die alte romantische Antithese von Künstler und Bourgeois. Sie nährte sich auch keineswegs am Studium sozialdemokratischer Schriften – der Marxismus lag gänzlich außerhalb des Gesichtskreises Allensteiner Bürgersöhne –, nein, im Zeichen E.T.A. Hoffmanns stand sie, des großen Ostpreußen, der die Doppelbegabung von Musiker und Dichter schon einmal, damals in genialen Dimensionen, verkörpert hatte und dessen zentrales Daseinsproblem eben jene romantische Antithese gewesen war. Bei Hoffmann, in den Leiden seines Kapellmeisters Kreisler, erkannte der halbwüchsige Violinvirtuose wie in einem Spiegel die Bedrängnisse wieder, die ihn selber plagten, wenn er, von der ehrgeizigen Mama am Flügel begleitet, amusischen Fabrikanten und Regierungsräten mit den Kunststückchen Paganinis imponieren mußte und ihm dabei seine Zukunft als Unternehmer in Allenstein vor Augen stand.

Wie die Protesthaltung indes auch zustande gekommen sein mochte, den Gymnasiasten trieb sie, auf dem Schulhof und beim Nachhauseweg, den linken Elementen unter seinen Klassenkameraden, den Kamnitzer und Mendelsohn, in die Arme, und unter deren Einfluß nahm sie politische Färbung an im Sinne demokratischer Überlieferungen der deutschen Geschichte, die, von der Judenemanzipation nicht zu trennen, dem christlichen Bürgertum konservativer oder nationalliberaler Richtung längst bestenfalls gleichgültig, meist aber suspekt waren. Mendelsohn und Kamnitzer kamen aus Elternhäusern, die dem linken Flügel der Freisinnigen nahestanden, und Heinz Thießen und Walther Harich schlossen sich ihnen an.

Die vier jungen Leute stellten auf dem Allensteiner Gymnasium um die Jahrhundertwende das vor, was man damals »katilinarische Existenzen« nannte. In der Sekunda und Prima bildeten sie die Vorhut der Opposition gegen den herrschenden Zeitgeist, wie ihn das Lehrerkollegium repräsentierte. Namentlich das geltende Geschichtsbild zogen sie in den Zweifel, indem sie sich etwa erkühnten, Friedrich den Großen und Bismarck die Verhinderer der deutschen Einheit zu nennen. Gegen das hohe

Pathos der Sedanfeiern boten sie die Tradition der Volkserhebung von 1848 auf. Die Reichsflagge mißachteten sie. Heilig waren ihnen die Farben Schwarz-Rot-Gold. Besonders von Mendelsohn, dem angehenden progressiven Baumeister, wurde überdies in Kasernen, Schulen, Finanzämtern nachgekitschte Backsteingotik angeprangert, mit der die wilhelminische Ära die schöne alte Stadt an der Alle im Zuge ihrer Ausweitung und Modernisierung heillos verschandelte. Und mein Vater, aus Mohrungen kommend, steuerte zur gemeinsamen Ideologie noch seine glühende Verehrung Herders bei, woraus sich wiederum ergab, daß die politisch gleichgesinnten Freunde gegen das Dreigestirn unserer klassischen Philosophie und Dichtung, gegen Kant, Goethe und Schiller, zu denen die nationalliberalen Gymnasialprofessoren verehrungsvoll aufblickten, Hamann und Herder, Jean Paul und das Junge Deutschland auf den Schild erhoben.

Die Umtriebe der katilinarischen Gruppe gipfelten, kurz bevor der Schönebeck-Skandal Allenstein über die Grenzen des Reichs hinaus in Verruf brachte, in einer Aktion, die unliebsames Aufsehen im Lokalmaßstab erregte. Die Freunde gründeten ein Schüler-Kabarett, mit öffentlichen Vorführungen, die ihnen die Beschuldigung eintrugen, Majestätsbeleidigung begangen zu haben, weshalb die Behörden sich zum Einschreiten gegen sie genötigt sahen. In diesem Zusammenhang erhielt mein Vater, anscheinend der »Haupträdelsführer«, das Consilium abeundi, d.h., sein Eltern wurde nahegelegt, ihn von sich aus Wohnsitz und Schule wechseln zu lassen und auf diese Weise seinem offiziellen Rausschmiß, mit allen für seine Zukunft sich daraus ergebenden Konsequenzen, zuvorzukommen. Die entsetzten Harichs, erfüllt ebenso von Abscheu gegen radikale Tendenzen wie von Furcht um ihre Reputation, schickten den verstockten Sünder, ihren mißratenen Sohn, nicht ohne ihm einen Riesenkrach gemacht zu haben, nach Preußisch-Stargard, wo er als Externer sein Abitur machen mußte.

Das geschah zur selben Zeit, als die Familie eben in das inzwischen umgebaute Schönebecksche Landhaus in der Schloßfreiheit umgezogen war. Das Haus ist infolgedessen meinem Vater nie eigentlich zur Heimat geworden. Denn im Anschluß an das Stargarder Abitur, 1908, absolvierte er sogleich seinen Wehrdienst, danach begann er, wie gesagt, zu studieren, und als Student ist er wegen der innerfamiliären Spannungen mitunter nicht einmal in den Semesterferien nach Hause gefahren. Im gleichen Jahre 1914 aber, zu dessen Beginn er an der Universität Freiburg i.Br. bei Philip Witkop mit einer Dissertation über den bewunderten E.T.A. Hoffmann seinen Doktor-Titel erwarb, erlebte er eine Liebestragödie, an der er seelisch um ein Haar zerbrochen wäre, hätte nicht wenig später der Ausbruch des Weltkriegs seine Verzweiflung betäubt.

Beim Musizieren in einer kulturell aufgeschlossenen Freiburger Familie hatte mein Vater sich in das auf dem Flügel stehende Photo der Tochter des Hauses verliebt, eines wunderschönen Mädchens, das gerade in München Kunstgeschichte studierte. Spontan hatte er an die Angebetete geschrieben und dem Brief Gedichte von sich beigefügt, die sie tief anrührten. Es kam zu einem beiderseits fast täglichen Briefwechsel, der immer leidenschaftlicheren Inhalt annahm. In den bevorstehenden Semesterferien wollte man sich verloben. Für Tag und Stunde der Ankunft des Mädchens in Freiburg arrangierte mein Vater ein öffentliches Konzert. Durch einen gemeinsamen Bekannten ließ er die Freundin am Zug abholen und direkt vom Bahnhof in den Konzertsaal führen, wo auf der ersten Reihe für sie ein Platz reserviert war. Alles klappte aufs beste. In dem Augenblick, als sie den Saal betrat, spielte er, schöner und beseelter denn je, sein Glanzstück: Beethovens Kreuzersonate. Aber gleich nach dem Konzert war die Geliebte, bevor es zu der ersehnten ersten Begegnung mit ihr kam, plötzlich verschwunden und ließ sich tagelang von niemandem sprechen. Was war geschehen? Wie sich herausstellte, hatte der Anblick meines Vaters ihr einen so schwere Schock zugefügt, daß sie nie mehr mit ihm zusammentreffen wollte, geschweige ihm die Hand fürs Leben reichen. Der etwas kurzbeinige, zur Korpulenz neigende junge Mann mit den schütteren Haaren, den feisten Wangen, dem dickglasigen Kneifer des Kurzsichtigen auf der Knubbelnase, den sie da auf dem Konzertpodium schwitzend seinen Violinpart spielen gesehen, hatte trotz des Wohlklangs der von ihm hervorgezauberten Töne allzu jäh das romantische Bild zerstört, das sie von dem zärtlich werbenden Liebesbriefschreiber, dem gefühlvollen Lyriker, der obendrein auch noch ein begnadeter Virtuose sein sollte, monatelang in sich getragen hatte.

Mein Vater war wie vom Schlag getroffen. Enttäuschte Liebe und quälender Selbsthaß auf die derart abstoßend wirkende eigene Physis trieben ihn fast an den Rand des Selbstmords. Er warf seine kostbare Geige zu Boden und trampelte, bis sie zerstört war, auf ihr herum. Fluchtartig verließ er Freiburg, irrte einsam durch den Schwarzwald, kroch schließlich bei Bauern unter, denen er sich, mit dem Vorsatz, nie wieder in die städtische Zivilisation zurückzukehren, als Knecht verdingte. Und da ereilte ihn inmitten der Erntearbeit Anfang August 1914, in den Mobilmachungstagen, telegraphisch der Gestellungsbefehl, der ihn, den Reserve-Wachtmeister der Artillerie, zu den Waffen rief.

Den Krieg hat er vom ersten bis zum letzten Tag als Soldat mitgemacht. Er wurde mit dem Eisernen Kreuz II. Klasse ausgezeichnet und brachte es bis zum Reserve-Leutnant. Hauptsächlich war er an der Ostfront eingesetzt, zunächst im Baltikum bei der kämpfenden Truppe, später, nach einer Verwundung, als Presseoffizier beim Oberkommando Ost in Wilna (Vilnius), wo er übrigens Arnold Zweig persönlich kennenlernt, dessen »Novellen um Claudia« er sehr schätzte. Erst im Frühjahr 1918 versetzte man ihn an die Westfront, an der er dann bis zum militärischen Zusammenbruch der Mittelmächte Dienst tat. Die grauenhaften Eindrücke der im Westen miterlebten Materialschlachten formten ihn zum Pazifisten.

Während eines Heimaturlaubs (oder Lazarett-Aufenthalts?) hat mein Vater die junge, damals noch in Ausbildung begriffene Pianistin Margarete Schneider kennengelernt, eine Tochter des Schulrats in Frankfurt/Oder, die gegen Ende der Zwanziger Jahre unter dem Namen Eta Harich-Schneider eine international gefeierte Cembalo-Virtuosin geworden ist und bedeutende musiktheoretische Werke geschaffen hat. In ihr fand er seine erste Frau. Aus der im Krieg geschlossenen Ehe gingen zwei Kinder, meine Halbschwestern Lili (geboren 1917) und Susanne (geboren 1918), hervor. Solange diese Ehe bloß aus kurzen Fronturlauben und sehnsüchtiger Korrespondenz bestand, war sie glücklich. Nach dem Kriege zerbrach sie. 1922 wurde sie geschieden. Die beiden Töchter sprach das Gericht der Mutter zu.

Eta Harich-Schneider ist später als Professorin für Cembalospiel an die Berliner Musikhochschule berufen worden. 1940 folgte sie einem Ruf an die Universität Tokio. Während des zweiten Weltkriegs hat sie in

Japan, befreundet mit der Frau des Botschafters Ott, zu jenen Damen der deutschen Kolonie gehört, die zu dem sowjetischen Meisterkundschafter Richard Sorge, ahnungslos über dessen Geheimmission, mehr oder weniger intime Beziehungen unterhielten. Von den Töchtern heiratete Susanne, die unterdes als Lyrikerin und mit Erzählungen hervorgetreten war, 1937 den Berliner Buchhändler Hermann Kerckhoff und Lili 1939, nach abgebrochener Ausbildung zur Sopranistin, einen Syndikus der Mannesmann-Röhrenwerke in Düsseldorf namens Helmut Rasch. Eta ist nach dem zweiten Weltkrieg aus Japan heimgekehrt und hat sich im Alter in Wien niedergelassen. Susanne Kerckhoff endete 1950, zuletzt Ressortchefin an der »Berliner Zeitung«, durch Selbstmord. Lili Rasch erlag 1960 einem Kreislaufleiden.

Mein Vater verabscheute, wie gesagt, seit seiner Gymnasiastenzeit das Hohenzollern-Regime. Nichtsdestoweniger wünschte er während des ganzen ersten Weltkriegs seinem Vaterland den Sieg. Über Deutschlands Niederlage war er tief unglücklich. Er betrachtete sie aber als kleineres Übel gegenüber einer etwaigen Fortdauer des sinnlosen Mordens an den Fronten. Auch gehörte er in der Folgezeit nie zu denen, die sich an die Wahnvorstellung klammerten, daß bei längerem Ausharren des Hinterlands doch noch ein Triumph der deutschen Waffen oder auch nur ein günstigerer Friedensschluß erreichbar gewesen wäre. Die Dolchstoßlegende galt ihm als die gemeingefährlichste Dummheit seiner Generation. Und die Übernahme der Regierungsgewalt durch die Liberalen, das Zentrum und die Sozialdemokratie, den anschließenden Sturz der Monarachie, die Umwandlung des Deutschen Reichs in eine parlamentarisch-demokratische Republik begrüßte er aus ganzem Herzen. In diesem Sinne hat er sich 1918 auf den Boden der Novemberrevolution gestellt. Allerdings ohne sich jemals, sei es auch nur vorübergehend, der radikalen Linken anzuschließen, für deren weitergehende, sozialistische Ziele er ebensowenig Verständnis aufbrachte, wie ihm ein Jahr zuvor die russische Oktoberrevolution sympathisch gewesen war. Er war ein Pazifist und bürgerlicher Demokrat, nicht weniger, aber auch nicht mehr. Die Staatsmänner, denen er sein Vertrauen schenkte, hießen Erzberger, Ebert und Scheidemann. Und als er sich gegen Ende seines Lebens, in den Jahren der großen Wirtschaftskrise, unter vielen Vorbehalten den Kommunisten näherte, da geschah das einzig deswegen, weil er sich von einem Bündnis der bürgerlichen Demokratie mit ihnen die Abwehr des aufkommenden Hitlerfaschismus versprach. Die definitive Übernahme der Macht hat er, im Gegensatz zu seinem Freund Heinz Thießen, ihnen auch damals nicht gewünscht.

Aus der Armee entlassen, begab Walther Harich sich im November 1918 zunächst nach Berlin, wo seine junge Frau ihres Musikstudiums wegen mit den beiden kleinen Töchtern in einer Mietwohnung in Steglitz lebte. Doch bald rief sein Vater ihn hilfeflehend nach Alleinstein. Hier übte damals, für kurze Zeit und im Lokalmaßstab, ein Arbeiter- und Soldatenrat die politische Herrschaft aus, der, radikaler als die Räte in der Reichshauptstadt, u.a. erreicht hatte, daß der »Allensteiner Zeitung« eine spartakistisch redigierte Beilage angefügt werden mußte, die der Regierung in Berlin scharf mit Kritik von links zusetzte. Mein Großvater war darüber hell empört. Auf seine Bitte hin trat mein Vater für einige Wochen in die Redaktion ein und half diesen Einfluß zurückdrängen. Er tat dies vor allem deshalb, weil vor der Volksabstimmung, die über die Frage zu entscheiden hatte, ob der Süden Ostpreußens beim Reich verbleiben sollte, ein Teil der örtlichen Räte, durchsetzt von Angehörigen der besonders im Proletariat des Ermlands starken polnischen Minderheit, offen für den Anschluß an den neugegründeten polnischen Staat eintrat.

Die dadurch provozierten nationalpatriotischen Emotionen steigerten die ohnehin vorhandene Antipathie Walther Harichs gegen den linken Flügel der Revolutionäre, auch was das übrige Reichsgebiet betraf, in so starkem Maße, daß er in den Klassenauseinandersetzungen von 1919 auf der Seite der Konterrevolution kämpfte. So stellte er sich im Sommer, nachdem in Ostpreußen »Ruhe und Ordnung« eingekehrt war, noch der blutigen Aktion zur Verfügung, die der stockreaktionäre ehemalige Kolonial-General Paul von Lettow-Vorbeck auf Geheiß des preußischen Innenministers Gustav Noske in Hamburg gegen die Kommunisten durchführte. Sehr bald distanzierte er sich dann aber auch wieder von den konservativen Kräften der Weimarer Republik, was ihn erneut zu seinem Vater und besonders zu seinem Schwager Löffke in Tilsit in Gegensatz brachte. Diese standen 1920 dem Putsch des ostpreußischen

Generallandschaftsdirektors Wolfgang Kapp wohlwollend gegenüber. Er dagegen hielt zu den proletarischen und demokratischen Organisationen, die mit der Waffe des Generalstreiks die junge Republik gegen die ihr von rechts drohenden Gefahren verteidigten.

Wie im politischen Bereich, so zeigte sich auch im Berufsleben bald, daß das Bündnis, das Vater und Sohn 1918/1919 miteinander eingegangen waren, nur von begrenztem Wert und kurzer Dauer war. Denn nach wie vor lehnte der Sohn das Ansinnen, sich ganz in Allenstein niederzulassen, um die Leitung der väterlichen Firma zu übernehmen, ab. Selbst der Tod seines Bruders Ernst Werner, der, wäre er am Leben geblieben, im Geschäft für ihn notfalls hätte in die Bresche springen können, machte ihn nicht in seinen Entschlüssen wankend. Er bestand darauf, als freischaffender Künstler und Literat seinen Weg zu gehen. Ewig arbeitete er an der Umarbeitung seiner Dissertation in eine umfangreiche Hoffmann-Biographie und an seinem ersten Roman, »Die Pest in Tulemont«, zwei Büchern, die dann 1920 bei Erich Reiß in Berlin erschienen sind.

Somit stand mein Allensteiner Großvater, über 60 Jahre alt, ohne Nachfolger aus der eigenen Familie da und war gezwungen, sich vor dem kaum mehr hinauszuschiebenden Rückzug aufs Altenteil nach einem Käufer für sein Unternehmen umzusehen. Er fand einen zahlkräftigen Interessenten endlich in dem Pressekonzern des deutschnationalen Scharfmachers Alfred Hugenberg. Nach getätigtem Verkauf der Firma an ihn zog Ernst Harich sich verbittert von dem Beruf, den er liebte, zurück, um fortan seine »Groschchen« nur noch als Lotterie-Einnehmer zu mehren. Um aber den ungetreuen Sohn zu strafen, versagte er ihm nicht nur in den folgenden Jahren jegliche finanzielle Unterstützung, sondern setzte ihn auch testamentarisch – am liebsten hätte er ihn ganz enterbt – aufs Pflichtteil herab, indem er zur Universalerbin nunmehr seine Tochter Else, die Tilsiter Landgerichtspräsidenten-Gattin, bestimmte. 1932 ist sie, nach dem fast gleichzeitigen Ableben ihrer Mutter und ihres Mannes, nach Allenstein gezogen und hat dem Alten bis zu seinem Tode, 1940, den Haushalt geführt. Danach vermietete sie große Teile des Landhauses an der Alle und bewohnte die ihr verbleibenden Räume bis zur Flucht vor der näherrückenden Roten Armee, 1944/45, zusammen mit ihrer Tochter, meiner Cousine, der Gerichtsreferendarin Jutta Löffke.

Mein Vater war 1920 mit Frau und Kindern von Berlin-Steglitz nach München umgezogen. Er ernährte sich und die Seinen hier als Schriftsteller, nicht ohne daneben seine Tätigkeit als Musiker fortzusetzen. Ein gern gesehener Gast war er im Hause Thomas Manns, der, nach seiner Meinung, unter den zeitgenössischen Autoren die romantische Antithese von Künstler und Bourgeois, das Zentralproblem Hoffmanns, am tiefsten erfaßt hatte und am genialsten zu gestalten wußte. Unter den Dichtern der jüngeren, expressionistischen Generation stand meinem Vater in München Alfred Henschke, genannt Klabund, am nächsten, mit dem er sich so eng anfreundete, daß beide zeitweilig sogar die Wohnung teilten. Lockere Beziehungen bestanden zu Lion Feuchtwanger und anderen Literaten und Künstlern, am Rande zu dem jungen Bertolt Brecht. In einer Mischung aus Belustigung und Abscheu, dann aber mit wachsender Besorgnis beobachteten alle diese Intellektuellen die Anfänge der sich unmittelbar unter ihren Augen formierenden Nazibewegung.

Der Haß auf Hitler ist damals zu einer nicht mehr fortzudenkenden Komponente der politischen Ideologie meines Vaters geworden, und wilde Empörung löste in ihm die Nachricht von der Ermordung des Außenminister Walter Rathenau durch faschistische Freikorps-Banditen aus.

1921 verließ Eta Harich-Schneider, unter Mitnahme der Töchter, ihren Mann und begab sich abermals nach Berlin. Er seinerseits siedelte Ende 1922, nach erfolgter Scheidung, nach Königsberg über, nachdem soeben bei C.H. Beck in München sein Buch »Das Ostproblem« erschienen war. Darin hatte er der von ihm leidenschaftlich bejahten Rapallo-Politik Wirths und Rathenaus eine in sowohl Spenglers Stil weitausgreifende historisch-kulturphilosophische Fundierung zu geben versucht und zugleich ein Bündnis des Deutschen Reichs mit Sowjetrußland gegen Litauen und Polen, den osteuropäischen Vasallen der Entente, propagiert. Wahrscheinlich glaubte er, sich mit dieser Leistung einen Namen besonders im heimatlichen Ostpreußen gemacht zu haben, das durch den polnischen Korridor vom Reich abgeschnitten war. Ostpreußens spätmittelalterliche Geschichte wird in dem Buch in ihrem Verflochtensein mit der Geschichte Polens und Litauens breit abgehandelt, und von der empfohlenen Weiterentwicklung der Rapallo-Politik mochten die Ostpreußen sich eine Beseitigung des Korridors erhoffen, auch wenn das Buch diese revanchistische Schlußfolgerung nicht ausspricht.

Kurz nach seiner Ankunft lernte mein Vater in Königsberg auf einem Hauskonzert bei gemeinsamen Bekannten meiner Mutter, Anne-Lise Wyneken, kennen, eine Tochter Alexander Wynekens, des Verlagsleiters und Chefredakteurs der nationalliberalen, nun der Deutschen Volkspartei nahestehenden »Königsberger Allgemeinen Zeitung«. Die Vierundzwanzigjährige war seit Beendigung ihrer Schulzeit, noch im Kriege und nach abschließender Absolvierung eines Kurses in Stenographie und Schreibmaschine als Privatsekretärin ihres Vaters tätig, den sie auf Schritt und Tritt begleitete. Sie interessierte sich lebhaft für Kunst und Literatur, und dem Werben eines Schriftstellers, der überdies virtuos musizierte, konnte sie nicht lange widerstehen.

Anfang März 1923 schlossen meine Eltern die Ehe. Die Hochzeit fand, wie gesagt, in Allenstein statt. Auf diese Weise erschien der große Wyneken, Ostpreußens Presselord, Mitbegründer der DVP und Vorsitzender des Zeitungsverleger-Verbandes, im Landhaus an der Alle, und zwar nicht als irgendein illustrer Gast, sondern als neues Familienmitglied, mit dem man Duzfreundschaft schließen konnte. Darüber war meine Großmutter Marie Harich dermaßen stolz, daß sie ihren Koch- und Backkünsten, trotz Inflation, die Zügel schießen ließ, am Flügel ihre pianistischen Glanzstücke zum besten gab und zwischen ihrem Mann und ihrem Sohn eine Aussöhnung herbeizuführen versuchte. Im entscheidenden Punkt gelang ihr das nicht. Ernst Harich zeigte sich zwar ebenfalls geschmeichelt, freundlich und aufgeräumt, dachte jedoch nach wie vor nicht entfernt daran, meinem notleidenden Vater finanziell unter die Arme zu greifen, geschweige zu dessen Gunsten abermals das eigene Testament abzuändern. Daß der Sohn ihn zur Veräußerung der Firma gezwungen hatte, verzieh er ihm nie. Die Verehelichung mit einer Wyneken wog dieses Verbrechen nicht auf.

Über Frauenburg, wie gesagt, den Zielort der Hochzeitsreise, kehrte das junge Paar nach Königsberg zurück. Unterschlupf fand es zunächst in einem Zimmer der Wohnung Alexander Wynekens, dem im ersten Stock des Hauses Tragheimer Pulverstraße 23/24 die ganze Etage zur Verfügung stand. Für den alten Herrn hatte diese Regelung den Vorteil, daß er vorerst nicht auf seine ihm unentbehrlich gewordene Begleiterin zu verzichten brauchte. Als ich aber im »Pulverturm«, wie diese Wohnung im Familienjargon hieß, geboren wurde, am 9. Dezember 1923, änderte sich das. Die Säuglingspflege nahm von da an meine Mutter so stark in Anspruch, daß darüber ihr Vater, zu seinem Leidwesen, zu kurz kam.

Walther Harich, selbst parteilos, schwankte im allgemeinen zwischen der Deutschen Demokratischen Partei und der Sozialdemokratie, es sei denn, Männer wie Erzberger oder Wirth erwärmten ihn zeitweilig auch für den progressiven Flügel des Zentrums. In seinem viel weiter rechts stehenden Schwiegervater sah er darum, ähnlich wie im eigenen Vater, einen politischen Gegner. Doch nicht nur das: Er verachtete in dem alten Wyneken, der seit den Tagen Bismarcks jede politische Konjunktur gewissenlos mitgemacht und für sich ausgebeutet, der jüngst sogar, obwohl angeblich Liberaler, mit dem Kapp-Putsch geliebäugelt hatte, sich aber auch dabei wieder viele Hintertüren offengehalten, den Prototyp des spürsinnigen, zynischen Opportunisten, von dem er befürchtete, daß er, in zahlreichen Exemplaren und vielfältigen Schattierungen aus dem wilhelminischen Reich übriggeblieben, das politische Leben in dem neuen, demokratisch-republikanischen Gemeinwesen von Anbeginn vergiften werde.

Sich in Abhängigkeit von einem solchen Mann zu begeben, kam für ihn nicht in Betracht. Voller Mißtrauen witterte er in den großzügigen materiellen Angeboten des Alten, der, bei all seinen sonstigen Lastern, das gerade Gegenteil eines Geizkragens war, Bestechungsversuche. Standhaft wies er sie zurück, zugleich im Namen seiner jungen Frau, der er untersagte, sich von ihrem sie abgöttisch liebenden Vater und Chef Summen zustecken zu lassen, die über ihr Sekretärinnen-Gehalt hinausgingen. Pünktlich wurde von meinen Eltern, was im Inflationsjahr 1923 ziemlich sinnlos war, die jeweils fällige Miete für das überlassene Zimmer, für die Benutzung von Strom, Wasser und Gas mit diesem Gehalt verrechnet, das sie nach meiner Geburt dann überhaupt nicht mehr annahmen.

Indes huldigte Alexander Wyneken dem Prinzip: »Ins Feuilleton möglichst nur Radikale!« Unter dieser Devise gewährte er im Kulturteil seines Blattes links-bürgerlichen Literaten, sogar solchen, die mit dem Kommunismus sympathisierten, eine Art Narrenfreiheit. Aus gutem Grund: Literatur- und Theaterkritiken, die mit der Avantgarde des modernen Zeitgeistes in Fühlung standen, sicherten der »Königsberger Allgemeinen« in Kreisen der Intelligenz ein Stammleserpublikum, das sonst ganz zu der viel traditionsreicheren, demokratisch orientierten »Hartungschen Zeitung«, Wynekens Erzfeindin, der er in scharfem Konkurrenzkampf den Garaus zu machen hoffte, übergewechselt wäre. Und darauf fiel mein Vater herein. Sich von seinem Schwiegervater ans Feuilleton der »KAZ« vermitteln zu lassen hielt er für unbedenklich, denn hier befand er sich, bei höheren Honoraren, als die »Hartungsche« sie zahlen konnte, gleichwohl unter seinesgleichen, unter Redakteuren und freien Mitarbeitern, die sich, wo sie gingen und standen, von den Wynekenschen Leitartikeln distanzierten. Er hatte auch nichts dagegen einzuwenden, daß der Alte über seinen gleichgesinnten Freund Madsack in Hannover ihm die Chance eröffnete, regelmäßig für den Kulturteil des »Hannoverschen Anzeigers« zu schreiben.

Die Honorare, die mein Vater für seine Artikel erhielt, hätten allein schwerlich ausgereicht, seine neugegründete Familie über Wasser zu halten und überdies für Lili und Susanne an die in Berlin lebende Eta Alimente abzuführen. Deshalb verschaffte er sich ein zusätzliches Einkommen dadurch, daß er teils im Orchester des Königsberger Opernhauses Violine spielte, teils wieder, wie einst in den Studentenjahren vor dem Krieg, als Geiger in Cafés auftrat. Alle verdienten Gelder mußten 1923 übrigens immer sofort für »Sachwerte« ausgegeben werden, um nicht schon am nächsten Morgen durch die galoppierende Inflation entwertet zu sein.

In der Zeit, die dieser kräftezehrende Broterwerb ihm übrigließ, schuf Walther Harich seine Bücher, meist tief in der Nacht, im Lichtkegel einer Schreibtischlampe, die nach außen abgedunkelt war, weil meine Mutter und ich im selben Raum schliefen und nicht gestört werden durften. Das waren die äußeren Bedingungen, unter denen, bei immensem Zigarettenkonsum, seine zweite Dichter-Biographie, die über Jean Paul (800 Seiten stark), ferner seine Nachworte zu der von ihm edierten fünfzehnbändigen E.T.A. Hoffmann-Gesamtausgabe und die Anfänge seines historischen Romans »Witowd und Jagiello« entstanden sind. Die gesundheitlichen Folgen waren katastrophal. Eine schwere Grippe genügte, dem überanstrengten Herzen eine paroxysmale Tachykardie zuzufügen, von der er sich nie wieder erholt hat und die schon acht Jahre später zum Tode führte.

Zwischen meinen Eltern und meinem Großvater Wyneken ist es 1923/24 im »Pulverturm« häufig zu Reibereien gekommen. Sie hatten ihre Ursache vor allem in den meist in gereiztem Ton ausgetragenen politischen Kontroversen der beiden an Alter, Gesinnung und Mentalität so ungleichen Männer. Hinzu kam, daß der Alte die leiseste Kritik an Goethe stets persönlich übelnahm und ihm deshalb alles Einschlägige zuwider war, was der Jünger gesprächsweise über sein im Entstehen begriffenes Jean Paul-Buch äußerte. Verschärft ward der Konflikt durch die Eifersucht beider auf meine Mutter. Der damals schon auf 75 Lenze zurückblickende Wyneken, über dessen naiven Egoismus die komischsten Anekdoten in Umlauf waren, sah im Grunde nicht ein, wieso überhaupt er seine jüngste Tochter, die er ja eigens für sich, als Trost und Stütze seiner Greisenjahre, in die Welt gesetzt hatte, zur Ehe mit irgendeinem Mann, welchem auch immer, hergeben sollte, noch dazu nach dem Dahinscheiden seiner Frau, meiner Großmutter Anna Wyneken, geborene Müller, die Anfang 1923 verstorben war. In kurzen Abständen also schalt er meinen Vater, ihn von oben herab mit »junger Mann« anredend und plötzlich siezend, einen frechen Eindringling und Räuber, und dann wieder flehte er ihn nörgelnd und quengelnd an, ihm sein Kind zurückzugeben, wofür er ihm reiche Entschädigung, teils in bar, teils durch Vermittlung eines beliebigen anderen, »viel hübscheren« oder »noch reicheren« Mädchens, in Aussicht stellte. Mich wollte er gleich dazu kaufen und »wie einen Prinzen« erziehen lassen. Da nichtsdestoweniger meine Mutter an ihrem Vater hing, ja solche Angebote als rührend und für sie schmeichelhaft empfand, war ihr Mann nur desto erboster auf ihn.

Zum Bruch kam es schließlich, als mein Vater aus einem Jubiläumsanlaß über die Geschichte der Fahne Schwarz-Rot-Gold einen Artikel schrieb, den er, in dem nicht unbegründeten Glauben, er sei der Tendenz nach ungeeignet für die »KAZ«, in der »Hartungschen Zeitung« veröffentlichte. Schlimmeres konnte er seinem Schwiegervater nicht antun. Von Stund an war die Atmosphäre im »Pulverturm« so unerträglich gespannt, daß meine Eltern sich schleunigst eine eigene kleine Wohnung suchen mußten. Sie fanden sie in der Tiergartenstraße. Hier ist im April 1925 meine Schwester Gisela zur Welt gekommen. Und die Nähe des Königsberger Zoos hat es mit sich gebracht, daß wir im Kinderwagen vorzugsweise zwischen den Käfigen exotischer Tiere spazierengefahren worden sind, was wiederum zur Folge hatte, daß der erste vollständige Satz, den ich in meinem Leben ausgesprochen habe, lautete: »Böser Löwe stinkt!« Im Übrigen war meine Mutter mitsamt uns Kindern im »Pulverturm« nach wie vor willkommen. Obwohl sie politisch inzwischen unter dem Einfluß ihres Mannes stand, fand auch sie im Grunde, daß kein Glied der Familie sich jemals mit der »Hartungschen« einzulassen hatte. Da sie das zu Hause durchblicken ließ, wurde wenigstens ihr nichts nachgetragen.

Abseits der Honoratioren- und Mätressen-Bekanntschaften des alten Wyncken schufen meine Eltern sich in Königsberg einen eigenen Freundeskreis. Außer den ortsansässigen Dichtern Martin Bormann, Alfred Brust und Agnes Miegel, außer Journalisten wie dem Feuilleton-Redakteur Konrad Ehlert von der »KAZ« gehörten dazu der Literaturhistoriker Erich Jenisch und seine Frau Martha, die eine Tochter des Schauspielers Paul Wegener ist, ferner der Intendant des städtischen Schauspielhauses, Fritz Jessner (Bruder des namhaften Berliner Regisseurs Leopold Jessner) nebst seiner Ehefrau, die eine psychiatrische Klinik leitete, und Hilly Brumow, eine aus München stammende Solotänzerin an der Königsberger Oper. Unter den Verwandten meiner Mutter stand deren 16 Jahre älterer Bruder, der Theater- und Musikkritiker Hans Wyneken, »Hähnchen« genannt, den seiner Schrulligkeit wegen allerdings niemand recht ernst nahm, dem Kreis nahe. Häufig kamen die 8 Jahre ältere Schwester meiner Mutter, Susanne Heß-Wyneken, die als Journalistin die »KAZ« mit Korrespondenten-Berichten über das Berliner Kulturleben versorgte, und ihr Ehemann, der Sänger und Komponist Ludwig Heß, Professor für Kirchen- und Schulmusik an der Berliner Musikhochschule, angereist, die ihrerseits zu den erwähnten Königsberger Künstlern und Intellektuellen freundschaftliche Beziehungen unterhielten.

Mehrmals ist der 1925 zum Ordinarius an die Königsberger Universität berufene Germanist Josef Nadler, dem die Stammeseigentümlichkeiten als Erklärungsgrund aller literarischen Phänomene galten, in der Tiergartenstraße zu Gast gewesen. Nadler bemühte sich vergebens darum, meinen auf Unabhängigkeit versessenen Vater zu einer Hochschullaufbahn zu überreden, wie sie diesem auf Grund der Hoffmann- und der Jean Paul-Biographie unzweifelhaft offengestanden hätte. Das letztgenannte Buch, das just 1925, zum 100. Todestag Jean Pauls, herauskam, ist methodologisch, nicht zu seinem Vorteil, von Nadlers »Literaturgeschichte der deutschen Stämme und Landschaften« beeinflußt. Doch als von diesem Monumentalwerk wenige Jahre später der vierte und letzte, das 19. Jahrhundert behandelnde Band erschien, da war mein Vater über die reaktionäre Tendenz und die antisemitische Gesinnung, die, für ihn überraschend, darin zutage traten, dermaßen entsetzt, daß er sich von dem Verfasser schaudernd abwandte und, nach einem heftigen Krach, auch alle persönlichen Beziehungen zu ihm abbrach.

Im Sommer pflegten meine Eltern mit uns Kindern und einigen der genannten Freunde und Verwandten jedesmal an die nahe Ostsee-Küste zu verreisen, nach Rauschen bzw. nach Cranz oder auch auf die Kurische Nehrung, das nächst den masurischen Wäldern zweite landschaftliche Kleinod Ostpreußens. Auf der Nehrung besonders verbrachten viele Künstler aus dem Reich, meist expressionistische Maler aus Berlin, ihre Ferien, darunter Hungerleider, die den kurischen Fischern zur Bezahlung für gewährte Unterkunft ihre gemalten Dünen-Bilder hinterließen. Gelegentlich hielt Thomas Mann sich als Sommergast auf der Nehrung, in dem traumhaft schönen Nidden, auf, und der unreflektiert-urwüchsige Dichter Alfred Brust, der ihn und meinen Vater halb faszinierte, halb belustigte, hatte dort ein festes Domizil.

Walther Harichs frühen, literarisch anspruchsvollen Dichtungen war kaum Erfolg beschieden. Der mystisch-symbolistische Roman »Die Pest in Tulemont«, der im Sinnbild einer Pestkatastrophe den ersten Weltkrieg dichterisch zu bewältigen sucht, das expressionistische Versepos »Der Turmbau zu Babel«, von Alfred Mahlau mit wundervollen Steinzeichnungen illustriert sowie ein schmales Bändchen weiter zurückliegender neuromantischer Lyrik (sämtlich 1920/21 bei Erich Reiß erschienen) fanden nur geringe Beachtung. Zwei Dramen aus der frühen Schaffensperiode, »Der Tod des Popen Iwan« (auch zur Novelle verarbeitet) und »Der König und seine Frauen«, wurden nirgends aufgeführt. Und über die Programmatik des »Ostproblems« ging die Außenpolitik des Deutschen Reichs, indem sie unter Stresemann den Weg von Rapallo nach Locarno, d.h. zur Anlehnung an die Westmächte, beschritt, so schnell und gründlich hinweg, daß dem Buch bald von niemandem mehr aktuelle Bedeutung beigemessen wurde. (Erst 1939, im Zeichen des Hitler-Stalin-Pakts, ist bei einem Verleger die abgeschmackte Idee aufgetaucht, es erneut herausbringen zu wollen, worauf meine Mutter sich jedoch nicht einließ.)

Anerkennung fanden in Fachkreisen Walther Harichs umfangreiche literaturwissenschaftliche Leistungen, insbesondere die Hoffmann-Biographie, die rasch hintereinander vier Auflagen erlebte und der eine Kontroverse, die sie mit dem Hoffmann-Forscher Hans v. Müller heraufbeschwor, eher nützte als schadete. Doch Geld war mit derartigen Arbeiten nicht zu machen. Zu der aufgewandten Mühsal des Philologen standen die zu erzielenden Honorare in gar keinem Verhältnis. Zwar zerrannen meinem Vater seit dem Ende der Inflation seine Einkünfte nicht mehr von einem Tag zum anderen zwischen den Fingern. Zwar konnte er den zeitraubenden Broterwerb als Musiker aufgeben. Aber noch immer war er ein minderbemittelter Mann, und das mit nunmehr vier Kindern.

1926 trat ein Umstand ein, der seine materielle Lage verbesserte. Wegen unrechtmäßiger Inflationsgewinne war der Hugenberg-Konzern in einem langwierigen Prozeß u.a. dazu verurteilt worden, den Harichs in Allenstein für den Erwerb ihres Druckerei- und Zeitungsbetriebes eine große Geldsumme nachzuzahlen. In Anbetracht dessen hielt mein Vater es für gerechtfertigt, seine Eltern zu bitten, ihm seinen Pflichtteil an ihrem Vermögen auszuzahlen. Vorsorglich hatte er seinem literarisch völlig desinteressierten alten Herrn, nur um ihn günstig zu stimmen, die Jean Paul-Biographie gewidmet. Und tatsächlich, er bekam das Geld, freilich mit der Bedingung, daß er für sich und seine Angehörigen schriftlich auf alle weiteren Ansprüche an dem zu erwartenden Erbe verzichten mußte.

Er hätte nun während der folgenden Jahre in aller Ruhe, ohne täglich von akuten finanziellen Sorgen bedrängt zu sein, seine beiden bedeutendsten Erzählwerke außer »Witowd und Jagiello«, das großangelegte Familienepos »Der Aufstieg«, ein ostpreußisches Pendant zu den »Buddenbrooks«, vollenden können. Das tat er jedoch nicht. Des Lebens in der Provinz überdrüssig, verlockt von dem sich immer üppiger und anregender entfaltenden künstlerischen und literarischen Treiben Berlins, dazu gequält von dem Wunsch, aus der engen Mietwohnung, wo Küchengeräusch und Kindergeschrei ihn ständig bei der Arbeit störten, herauszukommen, kaufte er ein hübsches Einfamilienhaus mit Garten in Berlin-Tempelhof, Manteuffelstraße, und zog mit Frau und Kindern dorthin um.

Zwei Jahre später, 1928, genügte ihm auch diese Bleibe nicht mehr. Nochmals tüchtig draufzahlend, tauschte er sie gegen eine große, am See gelegene Villa in der Villenkolonie Wuthenow bei Neuruppin, 70 Kilometer nordwestlich Berlins, ein, wo er dann bis zu seinem Tode zwischen Wald und See, mit Privatsekretärin und mehrköpfigem Personal, mit Reitpferden, Kutsche, Auto, zwei Booten, großem Garten, wie ein wohlhabender Gutsbesitzer residiert hat. Die beiden anspruchsvollen Romane blieben derweil Fragmente, die als solche erst posthum – der Torso des »Aufstieg« erst 1972 – veröffentlicht worden sind.

Um diese Wendung zu begreifen, muß man wissen, daß mein Vater schon kurz vor dem unverhofften Vermögenszuwachs seiner Eltern sich unter dem Druck seiner kümmerlichen finanziellen Situation auf die Gepflogenheit seines Abgotts E.T.A. Hoffmann besonnen hatte, neben belangvollen Dichtungen zum Zweck des Gelderwerbs auch noch gängige Unterhaltungsliteratur mit dem »Vizekopf« zu schaffen. Zufällig verwirklichte zur selben Zeit Thomas Mann, zusammen mit dem betriebsamen H.G. Scheffauer, beim Verlag Th. Knaur sein Projekt, für ein breites Leserpublikum eine Serie in- und ausländischer niveauvoller Unterhaltungsromane herauszugeben. Meinem Vater gab dies den letzten Anstoß, bestimmte Ereigniskomponenten seiner Münchener Ehekrise mit Eta Harich-Schneider zu der spannenden Geschichte eines Gattenmords und seiner kriminalistischen Aufklärung auszubauen – eben für Thomas Manns und Scheffauers Reihe »Romane der Welt«. Und die sichere Überzeugung, damit sowieso schnell zu Geld zu kommen, ließ ihn, zusammen mit der Erfahrung, daß diese Art Arbeit ihm relativ mühelos von der Hand ging, mit dem wenig später eintreffenden Geldsegen aus Allenstein etwas sorglos umgehen und sich Wünsche erfüllen, die er sonst wohl zurückgestellt hätte.

Der Erfolg schien ihm recht zu geben. Der Roman, der 1927 unter dem reißerischen Titel »Angst« auf den Markt kam, war bei großer Auflage rasch vergriffen, die daraus fließenden Tantiemen beliefen sich auf beträchtliche Summen. Was Wunder, daß mein Vater, dadurch verführt, in rascher Folge einen Kriminalroman nach dem anderen, zwischen 1927 und 1931 acht an der Zahl, herausjagte. Der zweite, »Der Schatten der Susette«, erschien 1928 ebenfalls noch in der Reihe »Romane der Welt«. Die übrigen sind zunächst jeweils fortsetzungsweise in Zeitungen bzw. Zeitschriften, namentlich in der »Berliner Illustrierten«, hier abwechselnd mit dem Roman Vicki Baums, vorabgedruckt worden und wurden anschließend in die Serie der gelben Ullsteinbände aufgenommen, die man außer in Buchläden auch an Zeitungskiosken, besonders als Reiselektüre auf Bahnhöfen, erstehen konnte. Einige wurden obendrein verfilmt. Daneben lief die ebenfalls einträgliche Arbeit an einer Fülle großer Reportagen mit unterschiedlichster Thematik, »Berliner Plauderbriefe« genannt, für Madsacks »Hannoverschen Anzeiger«.

In kurzer Zeit stand unsere Familie materiell glänzend da. Auf dem Bankkonto meines Vaters standen beträchtliche Summen, er besaß eine Villa am See mit großem Garten, Auto, Reitpferden und vielköpfigem Personal. Aber um welchen Preis! Nur in zwei schmalen Bändchen, den Novellen »Letzte Ferien« (1928) und »Jean Paul in Heidelberg« (1929), ist Walther Harich noch einmal zu gehaltvoller Poesie zurückgekehrt. Und nur in dem Gegenwartsroman »Primaner« und einer satirischen Komödie (beides 1931) hat er sich erneut politisch relevanter Themen angenommen. Im Vertrauen auf eine normale Lebenserwartung hatte er geglaubt, es sich eine Zeit lang leisten zu können, der Vermarktung der Literatur, ihrer Depravierung zur Ware Konzessionen zu machen, und dabei den Vorsatz gefaßt, nach der Sicherung auskömmlicher, angenehmer Existenz den »Vizekopf« wieder zu verabschieden, um mit der Reife des Mittvierzigers in Werken von zeitüberdauerndem Wert noch sein Eigentliches und Bestes zu geben. Die Absicht schlug fehl. Der Tod machte einen Strich durch diese Rechnung.

Walther Harichs schriftstellerische Laufbahn dauerte nur zwölf Jahre. In dieser kurzen Zeit hat er ein Lebenswerk von kaum glaublichem Umfang geschaffen. Er war sicher der schnellstschreibende und wahrscheinlich auch der vielseitigste Literat der Weimarer Republik, aber eben durch seine Vielseitigkeit verzettelt und auf jedem der vielen Gebiete, auf denen er sich produktiv betätigte, jeweils von anderen, Größeren übertroffen – um nur die annähernd Gleichaltrigen zu nennen: als Erzähler von Lion Feuchtwanger und Arnold Zweig, als Reporter von Egon Erwin Kisch, als Verfasser wissenschaftlicher Dichterbiographien von Friedrich Gundolf, als Dramatiker von Brecht, Bruckner, Rehfisch und Zuckmayer, als Geschichts- und Kulturphilosoph von Spengler, gar als Lyriker von unabsehbar vielen. Heute liest ihn niemand mehr, und kaum kennt noch jemand seinen Namen. Walther Harichs ungeheure Produktivität wird aber erst deutlich, wenn man sich vergegenwärtigt, daß er in den Jahren 1924 bis 1931 auch ein vielbeschäftigter Journalist gewesen ist. Seine großen Reportagen, vor allem für den »Hannoverschen Anzeiger«, genannt »Berliner Plauderbriefe«, gehen in die Hunderte. Sie behandeln Themen aus allen Lebensbereichen, von Reise, Sport und Erholung über Technik und Wissenschaften, über Zeppelinfahrten, Sechstagerennen, Berliner Verbrecherkeller, Film, und Revue, bis Literatur und Musik, Philosophie und Politik, stellen alles mit großer Anschaulichkeit dar und sind leicht und flott geschrieben mit viel Humor gewürzt. Charakterlich war mein Vater ein gutmütiger, warmherziger, humorvoller Mensch, mit einem leichten Anflug von Provinzlertum und – protestantischer Religiosität (altmodische Eigenschaften, die er sich, als notwendige Ingredienzien des »östlichen Menschentums«, bewußt zu bewahren suchte). In politischen Auseinandersetzungen konnte er jähzornig sein. Unermüdlich war sein Fleiß, bis zu völliger Zersplitterung ging die Vielseitigkeit seiner geistigen Interessen. Was ihn am meisten verzettelte, war jedoch seine leidenschaftliche Musikliebe und – merkwürdigerweise – sein sportlicher Ehrgeiz. Einerseits übte er jeden Vormittag stundenlang Geige, trat bis zuletzt häufig in Kammermusikkonzerten auf und wollte es unbedingt dahin bringen, öffentlich als Solist in Berlin im Brahmschen Violinkonzert zu glänzen. Andererseits schielte er unentwegt nach dem Ruhm eines erfolgreichen Rennreiters in internationalen Galaturnieren und bracht daher einen großen Teil seiner Zeit nur mit und auf Pferden zu. Daneben konnte er sich aber auch nicht genugtun im Schwimmen, Eislaufen, Geräteturnen und Rudern. Nur diese Künste – die Musik und den Sport – nahm er im Grunde ernst, weil sie ihm das Letzte abverlangten (– der Sport schon deswegen, weil er ein massiger, dicker Mann war). Das Schreiben dagegen erledigte er leicht und schnell, mit der linken Hand. Sprachstilistisch war er Schauspieler bis zum Komödiantischen, bis zur Charakterlosigkeit. Es gab keine Stilrichtung, die er nicht nachahmen, der er sich nicht mühelos anpassen konnte. Er dichtete bald wie Rilke und Hoffmansthal, bald wie die Expressionisten. Seine Prosa war erst kafkaesk, dann tiefsinnig orakelhaft wie die Spenglers, dann von glatter, journalistischer Gewandheit, wie es der Illustriertenroman und die Reportagen verlangten, dann von der Neuen Sachlichkeit geprägt, schließlich – in »Letzte Ferien« und »Jean Paul in Heidelberg« – edelste Spätlese aus der Tradition der großen Realisten des 19. Jahrhunderts, von zuchtvollem Maß, von konservativer Kultiviertheit, gediegen wie Thomas Mann, nur schlichter, ohne dessen Satzbau-Verschnörkelungen. Alles in allem: ein merkwürdiger, widerspruchsvoller Stil

In ihren Tempelhofer Jahren und von Neuruppin aus haben meine Eltern intensiv am kulturellen und geselligen Leben Berlins teilgenommen. Sie gingen viel ins Theater, besuchten oft Konzerte, sahen sich die meisten neuen Filme an, verfolgten aufmerksam die Berliner Tagespresse der unterschiedlichsten politischen Richtungen, ließen sich keine halbwegs bedeutende Neuerscheinung auf dem Buchmarkt entgehen und standen im Gedankenaustausch mit Bekannten, die sie auf vielfältige Weise geistig anregten. Mein Vater wirkte aktiv im deutschen Pen-Club mit, zu dessen Mitgliedern er zählte, und gehörte, solange wir in Tempelhof wohnten, auch zu den Stammgästen des Romanischen Cafés, wo sich während der Zwanziger Jahre zwanglos die »Asphaltliteraten« zu treffen pflegten. Die in Berlin ansässigen Schriftstellerkollegen, die ihn als Persönlichkeiten am meisten fesselten, waren Arnold Zweig, Alfred Döblin, Ina Seidel und Armin T. Wegener. Unter den namhaften Schauspielern stand Paul Wegener meinen Eltern nahe, was sich aus deren Freundschaft mit den Jenischs in Königsberg ergab.

Auf Stoffsuche für seine Reportagen begab mein Vater sich in Industriebetriebe, Gerichtssäle und Filmateliers, in Verbrecherkeller und zu Modenschauen, in Varietés und auf Sechstage-Rennen. Einmal machte er einen Flug des Luftschiffs »Graf Zeppelin« mit. Illustriert wurden seine Beiträge für den »Hannoverschen Anzeiger« von dem Kokoschka-Schüler Hans Meyboden. Aus der Zusammenarbeit mit ihm erwuchsen bald freundschaftliche Beziehungen. Weitere Freundschaften entstanden zu dem Schriftsteller und Geigenbauer Julius Levin, bei dem damals die junge Marlene Dietrich Violinunterricht hatte, zu einem aus Allenstein zugereisten Germanistik-Studenten namens Erich Trunz und zu dem Horch-Vertreter Curt Burde, der mit den jeweils neuesten Auto-Modellen dieser Zwickauer Firma Reklamefahrten durch die Sahara unternahm. Von 1928 an kamen jedesmal zur Sommerszeit diese neuen Freunde und oft auch manche aus dem Königsberger Kreis scharenweise nach Wuthenow, um sich inmitten der märkischen Landschaft als stets willkommene Gäste meiner Eltern zu erholen. Soweit der Besuch in der Villa am Ruppiner See nicht unterzubringen war, wurde er bei Nachbarn einquartiert, die an Sommerfrischler Zimmer vermieteten.

In dem Jahr, das unserer Übersiedlung von Tempelhof nach Neuruppin folgte, brach die Weltwirtschaftskrise aus. Ein weiteres Jahr später errang bei den Reichstagswahlen Hitlers NSDAP ihren ersten riesigen Wahlerfolg. Beide Ereignisse beunruhigten meinen Vater aufs äußerste. Er bezog seine politische Orientierung vorwiegend aus der »Weltbühne« Carl von Ossietzkys, suchte und fand aber auch Kontakte zu Kommunisten, deren Beurteilung der Lage ihn brennend zu interessieren begann. Und obwohl die wirtschaftliche Katastrophe, auf die Deutschland offenbar zusteuerte, es ihm als ratsam erscheinen ließ, vorerst bei der einträglichen Unterhaltungsliteratur auszuharren, fühlte er sich doch auch gedrängt, mit politisch engagierten Werken warnend und anklagend gegen die heraufziehenden Gefahren anzukämpfen. In der Komödie »Sie sollen platzen« griff er satirisch die Unterordnung des technischen Fortschritts unter die Profitinteressen der kapitalistischen Konzerne an, und in dem Roman »Primaner« rechnete er scharf mit dem auf den Gymnasien der Weimarer Republik herrschenden reaktionären und chauvinistischen Ungeist ab, wobei er es an eindringlichen Warnungen sowohl vor den Konservativen alten Typs, den Deutschnationalen, als auch vor Hitler nicht fehlen ließ.

Der Roman, 1930 entstanden, ist zuerst in Fortsetzung in der »Vossischen Zeitung« und danach in Buchform bei Ullstein erschienen. Er erregte erhebliches Aufsehen. Die hohe Auflage, von 50 000 Exemplaren, war schnell vergriffen. Das behandelte Thema gedachte mein Vater in einem weiteren engagierten Erzählwerk, unter dem Titel »Studenten«, mit noch gesteigerter antifaschistischer Tendenz fortzuführen. Dazu kam es nicht mehr. Im Oktober 1931 starb seine Mutter in Allenstein. Im Anschluß an das Begräbnis begab er sich nach Königsberg, wo am Schauspielhaus »Sie sollen platzen« mit Claus Clausen in der Hauptrolle und unter der Regie Fritz Jessners, uraufgeführt wurde. Nach Neuruppin zurückgekehrt, hatte er für die Arbeit an den »Studenten« nur noch wenige Wochen. Sie reichten nicht aus, das Werk über seine Entwurfsskizze und die ersten Anfänge der Ausarbeitung hinaus gedeihen zu lassen. Am 14. Dezember 1931 setzte ein Gehirnschlag, bewirkt durch ein von der paroxysmalen Tachykardie zurückgebliebenes Blutgerinsel, dem Leben des Dreiundvierzigjährigen ein Ende. Bei der Morgenwäsche im Badezimmer, mit eben eingeseiften Wangen, den Rasierpinsel in der krampfartig fest geschlossenen Hand, stürzte er tot zu Boden.

Pfarrer Heinrich Wolfgang Seidel, Ehemann Ina Seidels und selber Schriftsteller, hat dafür gesorgt, daß mein Vater seine letzte Ruhestätte fast unmittelbar neben dem Grab E.T.A. Hoffmanns, in Berlin, auf dem Jerusalemer Friedhof, fand, und hat ihm auch die Grabrede gehalten. Die Pressenekrologe hoben die Vielseitigkeit des früh verstorbenen Musikers, Dichters und Literaturwissenschaftlers hervor, nicht ohne bedauernd zu tadeln, daß er jahrelang seine immense Produktivität an unwürdige Aufgaben verschwendet habe. Der Nachruf des »Völkischen Beobachters« beschränkte sich auf zwei Sätze: »Walther Harich ist gestorben. Er war ein böser Feind unserer Bewegung.« Als einziges Buch des Toten wurde anderthalb Jahre später den »Primanern« die Ehre zuteil, auf den Scheiterhaufen der Nazis öffentlich verbrannt zu werden. Zwölf Jahre lang hat das Werk dann auf dem Index der verbotenen Literatur gestanden, und auch nach 1945 wurde es nicht mehr neu aufgelegt.

Als mein Vater starb, war ich wenige Tage zuvor acht Jahre alt geworden und hatte schon eine Menge erlebt. Höchste Zeit wird es demnach – sollte man meinen –, daß ich nun zur Darstellung meiner eigenen Erfahrungen und Taten übergehe. Leider kann das an diesem Punkt noch nicht geschehen. Macht, wie gesagt, schon der Ahnenpaß, den ich dem Gymnasium auszufüllen verpflichtet war, es mir psychologisch unmöglich, so spricht erst recht unter sozialen Gesichtspunkten die Frauenemanzipation dagegen, zu deren Befürwortern ich mich zu rechnen bitte. Sie gebietet, wenn von meinen Vorfahren die Rede ist, die auf mütterlicher Seite, die Wynekens und die Müllers, mindestens als gleichwertig zu behandeln. Zurück also nochmals vom Ausgang der Weimarer Republik in eine entferntere Vergangenheit.

Mein Großvater mütterlicherseits, Alexander Wyneken, war der Sohn eines kngl. Hannoveranischen Juristen, der Gerichtspräsident in Hildesheim wird. Durch die Mutter ist er verwandt mit der jüdischen Bankiersfamilie Stieglitz, die in Rußland den Eisenbahnbau finanziert und nach ihrem Übertritt zur russisch-orthodoxen Kirche in den Petersburger Hochadel, die zaristische Diplomatie usw. aufsteigt. Alexander Wyneken ist das jüngste von zwölf Geschwistern, von denen die Brüder ausnahmslos hohe Offiziere, Beamte oder Geistliche werden und die Schwestern in den Adel heiraten.

Diese Verwandten von mütterlicher Seite gehörten alle den höchsten Gesellschaftskreisen an (z.B. Baron Lutz von Müldner und Mühlenheim, im 1. Weltkrieg Adjutant des Kronprinzen, nach 1918 Hofmarschall der Hohenzollern im Exil bis 1945; Baron Georges Wyneken, bis 1914 zaristischer Militärattaché in Wien; General Kannengießer-Pascha, Ausbilder der türkischen Armee vor dem 1. Weltkrieg, besiegte im Krieg bei Gallipoli Churchill; Baron v. Kortzfleisch, kommandierender General des Armeekorps Berlin-Brandenburg im zweiten Weltkrieg, leider aus »Treue zum Fahneneid« einer der Verhinderer des Putschs vom 20. Juli 1944, usw. usf.). – Da die Eltern von Alexander Wyneken welfisch-konservativ eingestellt sind und daher die Annexion des Königreichs Hannover durch Preußen (1866) ablehnen, drückt Alexander Wyneken sich bewußt vor der Teilnahme am Krieg 1870/71, studiert in Genf Nationalökonomie und wird anschließend, dank der Protektion durch seinen

Onkel, den Bankier Baron v. Stieglitz, Bankkaufmann in London und Petersburg.

Wegen seiner Liebesaffären mit Petersburger Ballettänzerinnen und Schauspielerinnen macht er sich aber gesellschaftlich unmöglich und wechselt, nunmehr schwarzes Schaf der Familie, zum Journalismus über.

Ein politisch übler Opportunist, war mein Großvater zugleich einer der vornehmsten und elegantesten Männer seiner Zeit, dabei witzig und amüsant, mit leidenschaftlichem Interesse an Literatur, Theater, Musik und Kunst, Gastgeber und Mäzen vieler berühmter Künstler, befreundet mit Hans v. Bülow, Cosima Wagner, Arthur Nikisch, Richard Strauß, Max Reger, Possart, Mitterwurzer, Steinrück, Bassermann, Agnes Sorma, Eleonora Duse, Else Lehmann, Felix Dahn, Hermann Sudermann, Alfred Kerr usw., usf.

Überdies war Alexander Wyneken Genußmensch durch und durch, von den Petersburger Jugendjahren her dem Luxus bis zum Exzeß ergeben, lebenslang in zahllose Liebesaffären verstrickt, die sich von Ballettmädchen über berühmte Operndiven bis zu Prinzessinnen aus den verschiedensten Dynastien erstreckten, und auf Reisen in aller Herren Länder, stets mit Luxusappartements in den ersten Hotels. Die Königsberger Marzipanbäcker benannten Torten nach ihm, und sein großer Diplomatenschreibtisch war nie etwas anderes als eine getarnte Konditorei und Hausbar.

Hinsichtlich der Wynekens ist da zu beachten, daß mein Königsberger Großvater im April 1848 als jüngstes von zehn Geschwistern das Licht der Welt erblickt hat und daß ihm wiederum in Gestalt meiner Mutter sein spätestes Kind erst geschenkt worden ist, als er im 51. Lebensjahr stand. Die Verschiebung der Generationen, die auf diese Weise in der Familie zustande kam, hatte kuriose Folgen. So saß meine Mutter im zarten Säuglingsalter gelegentlich weißhaarigen Vettern und Cousinen, statt Onkels und Tanten, auf dem Schoß, und später waren in sie als junges Mädchen ihre Neffen verliebt, die ihr mitunter sogar ein paar Jahre voraushatten, sie aber nichtsdestoweniger mit »Tante Annelie« anredeten. Einer davon, Hans Joachim Kannengießer, ein schmucker Kapitänleutnant zur See, sprach hartnäckigerweise, als meine Mutter verwitwet war, nochmals bei ihr mit einem Strauß dunkelroter Rosen vor und fragte sie: »Tante Annelie, willst du meine Frau werden?« Sie wollte nicht – so sehr auch, trotz aller intellektuellen Prägung durch meinen Vater, Matrosen und Marineoffiziere ihr stets als der Gipfel begehrenswerter Männlichkeit erschienen sind. Wäre dies allein ausschlaggebend gewesen, dann hätten damals wir Kinder einen unser Cousins zum Stiefvater bekommen.

Das eklatanteste Beispiel dafür, welch seltsame Konstellationen das Altersgefälle in der Gens Wyncken heraufbeschwören konnte, weist aber meine Militärlaufbahn auf. Zur selben Zeit, da Potsdamer Unteroffiziere mich als neunzehnjährigen Rekruten über den Kasernenhof am Ruinenberg scheuchten, war ein Vetter von mir, Joachim Freiherr von Kortzfleisch, der kommandierende General des übergeordneten Reserve-Armeekorps, dem sämtliche in Berlin und der Provinz Brandenburg stationierten Heeres-Verbände unterstanden.

Und zwei prominente Krieger unter unseren gemeinsamen Onkels gar hatten lange ausgedient. Der eine, Baron Lutz von Müldner und Mühlenheim, einst im Majorsrang Adjutant des Kronprinzen von Verdun, amtierte als greiser Hofmarschall der abgedankten Hohenzollern. Der andere, General a.D. Hans Kannengießer-Pascha, vor dem ersten Weltkrieg Ausbilder der verbündeten türkischen Armee, 1915 auf Gallipoli Sieger über Landmarine-Truppen Winston Churchills, lebte als uralter Pensionär in Neustrelitz.

Diese hohen Ränge und insbesondere die beiden aristokratischen Namen, die soeben gefallen sind, verweisen auf ein weiteres hervorstechendes Merkmal der Wynekens: auf deren Vornehmheit; im Kasinojargon der erwähnten Herren ausgedrückt: auf den »schnieken Stall«, aus dem die Wynekens stammen und der sie jederzeit dazu prädestiniert hat, selbst wieder in feine Kreise einzuheiraten. Die Harichs waren demgegenüber bloße Emporkömmlinge. Emporkommen konnte ein Wyneken gar nicht mehr, nur mehr oder weniger herunterkommen, und der Abstieg des Geschlechts begann, als mein Großvater den Beruf des Journalisten ergriff und sich eine Schauspielerin zur Lebensgefährtin erwählte, die er freilich – das mag ihm zugute gehalten werden – eingedenk seiner besseren Herkunft erst heiratete, als sie das dritte Kind von ihm unter dem Herzen trug.

Meine Großmutter, Anna Wyneken, gebürtig in Kassel, stammte aus einer Künstlerfamilie. Sie ist an sich eine äußerst lebenslustige, gern Champagner trinkende, stets zum Lachen aufgelegte und passioniert der heiteren Muse – von Cancan bis zum Kabarett – ergebene Frau, deren Dasein aber erst durch die sie diskriminierende Mätressenrolle und später durch die vielen sonstigen Amouren ihres Mannes verdüstert war. (Ende der neunziger Jahre soll sie sich zeitweilig mit Mitterwurzer getröstet haben.) Gegen Ende ihres Lebens übermäßig dick und schwer herzkrank ist sie kurz vor meiner Geburt gestorben.

Meine Mutter, Anne-Lise Harich, wurde 1898 in Königsberg geboren. Ihre Erziehung erfolgt zunächst nur durch Hauslehrer und französische Gouvernanten. Danach besucht sie eine Mädchen-Privatschule bis zur Sekundareife. Anschließend vom 18. bis zum 25. Lebensjahr – nach Erlernung von Stenographie und Schreibmaschine – ist sie Privatsekretärin, ständige Gesellschafterin und Reisebegleiterin ihres fünfzig Jahre älteren Vaters, der sie als sein Eigentum betrachtet, sie nie von seiner Seite läßt und streng darauf achtet, daß sie keinerlei Männerbekanntschaften machen kann. Seine fixe Idee: Er hat sie zuguterletzt noch gezeugt, um bis zu seinem Tode an ihr eine verläßliche Stütze zu haben.

Besucht die Tochter Geselligkeiten, so läßt der argwöhnische Vater sie jedesmal durch seine Diener abholen und nach Hause bringen. Dabei gibt es aber einmal eine Ausnahme: Anfang 1923 darf die Vierundzwanzigjährige allein und unkontrolliert ein Hauskonzert besuchen, weil es zwei Etagen über der elterlichen Wohnung, bei der Königsberger Pianistin Rosa Arnheim, stattfindet. Hier lernt sie den als Geiger mitwirkenden, vor kurzem in München geschiedenen Walther Harich kennen und beiderseitig entsteht Liebe auf den ersten Blick. Anfang März 1923 heiratet sie meinen Vater, der inzwischen ganz von München nach Königsberg übergesiedelt ist. Alexander Wyneken stimmt zu unter der Bedingung, daß das junge Paar in einem Zimmer seiner Stadtwohnung Logis nimmt, damit Anne-Lise seine Sekretärin und Gesellschafterin bleiben kann. Da jedoch die politischen Spannungen zwischen meinem Großvater und meinem Vater bald eine unerträgliche Atmosphäre schaffen, beziehen die Harichs 1924 in Königsberg eine eigene kleine Wohnung. Später ziehen sie nach Berlin und dann nach Wuthenow. Das Eheleben der Harichs ist sehr glücklich und harmonisch, beide Kinder gesund, munter, wohlbehütet zwischen See und Wald, Dorf und Kleinstadt aufwachsend. Dieses Wuthenower Idyll findet im Dezember 1931 jäh ein Ende durch den Tod meines Vaters. Dessen finanzielles Vermögen reicht allerdings aus, um der Witwe und den beiden Waisen für über 10 Jahre einen – wenn auch wesentlich bescheideneren – Lebensunterhalt zu sichern.

Durch den Tod der beiden ostpreußischen Großväter kommen 1939 und 1940 noch weitere Erbschaftsanteile dazu, so daß meine Mutter bis zum Kriegsende nicht arbeiten braucht und trotzdem beide Kinder »standesgemäß« erzogen werden und die höhere Schule besuchen können. Gleichwohl schränkt sie vorsorglich den Lebensstandard von Anfang 1932 an ein: An die Stelle des großen Chevrolet tritt ein kleiner DKW; die Reitpferde werden verkauft; das Personal wird bis auf eine Hausgehilfin entlassen; die obere Etage der Villa an den befreundeten Hauptmann Dischmann und dessen Familie vermietet, usw. 1932 bewirbt sich um Anne-Lise Harich der Hausarzt der Familie, ein in Neuruppin sehr angesehener jüdischer Internist namens Dr. Arthur Jacoby. Kurz vor dem Machtantritt Hitlers wird sie seine Geliebte und hat in den folgenden Jahren schon aus diesem Grund in der Kleinstadt Neuruppin, wo jeder jeden kennt, große Schwierigkeiten zu bestehen. Diese sind noch dadurch verschärft, daß die Harichs – auf Grund des Erfolgs der »Primaner«, die 1933 sogleich auf den Index gesetzt werden – allgemein als Antinazis gelten. Unglücklicherweise begeht die exaltierte 15jährige Tochter Dischmanns aus erster Ehe, Mathilde – ein vor kurzem aus den USA zugereistes Mädchen, das sich in Neuruppin nicht wohlfühlt – im Frühjahr 1933 nach dem Vorbild des Haupthelden der »Primaner« Selbstmord, nachdem sie den Roman aus der Wohnung der Harichs entwendet und heimlich gelesen hat. Mathildes Freund Horst v. Hülsen, ein Neuruppiner Sekundaner, den sie mit in den Tod hat reißen sollen und durch einen Pistolenschuß schwer verletzt hat, sagt aus, das Buch sei ihr durch meine Mutter geliehen worden. Zum Glück kann dies nicht eindeutig bewiesen werden. Die Tatsache, daß es in der geteilten Villa nicht zwei durch Wohnungstüren getrennte Wohnungen, sondern nur zwei offene Etagen gibt, macht die Gegendarstellung meiner Mutter wahrscheinlich, um so mehr die Eltern des toten Mädchens sie als sicher richtig bestätigten. Meine Mutter hält hartnäckig zu ihrem jüdischen Geliebten, muß aber ihre Beziehung zu ihm, besonders nach dem Erlaß der Nürnberger Rassengesetze, tarnen, um nicht wegen »Rassenschande« strafrechtlich verfolgt zu werden, was sofort die Aufhebung ihrer Erziehungsrechte an den eigenen Kindern zur Folge hätte. Erst täuscht sie der Außenwelt Krankheiten vor, die Arztbesuche von Dr. Jacoby rechtfertigen. Dann trifft sie mit ihm nur noch heimlich in Berlin zusammen, und zwar dann, wenn er in seinem Auto irgendeinen Patienten zur Operation in eine Berliner Klinik fährt, während »zufällig« sie zur gleichen Zeit per Bahn ihre in Berlin verheiratete Schwester besucht.

Schließlich verfallen beide, im Einvernehmen mit ein paar alten, zuverlässigen Freunde der Harichs, auf einen neuen Trick: Der eine oder der andere dieser Freunde, männlichen Geschlechts, logiert entweder jedes Wochenende oder, bei freiberuflicher Beschäftigung, sogar wochen- und monatelang in dem Wuthenower Haus, um den Eindruck zu erwecken, meine Mutter unterhielte Liebesbeziehungen zu »arischen« Männern und sei für Dr. Jacoby nur noch Patientin. Diesen Hilfsdienst leisten vor allem der inzwischen aus politischen Gründen von der Königsberger Universität entlassene Professor Jenisch, der in Berlin Bibliothekar geworden ist, der Maler Hans Meyboden aus Berlin und ein entfernter Neffe meiner Mutter, der Kapitänleutnant der Kriegsmarine Hansjoachim Kannengießer. Der letztere scheidet indes nach kurzer Zeit aus dem hilfreichen Komplott wieder aus, da er sich in seine Tante tatsächlich verliebt, die ihn aber zurückweist.

Außer Jacoby sind es diese drei »Tarnarier«, die – abwechselnd – den Kindern den Vater ersetzen. Meyboden begeistert sie für die bildende Kunst, Jenisch für die Literatur, und der naiv-harmlose Seeoffizier vom Linienschiff Hessen ermuntert sie bei allen möglichen Streichen, um sie zu Verbündeten seines Werbens um ihre Mutter zu machen. Gleichzeitig tun Jacoby und die Mutter alles in ihrer Macht Stehende, um die Kinder antinazistisch zu beeinflussen, hierbei unterstützt von Meyboden und Jenisch und dem – als ehemaliger Sozialdemokrat mißliebigen – Neuruppiner Studienrat Dr. Kuntz. Bei den Neuruppiner Spießern gerät meine Mutter in den Ruf eines männerverschleißenden Vamps, bleibt wegen ihrer wirklichen Liaison mit Dr. Jacoby aber jahrelang ungeschoren. Das geht gut bis zu der Kristallnacht im November 1938. Bei diesem Anlaß wird Dr. Jacobys Praxis und Wohnung völlig demoliert, seinen Röntgenapparat, seine Mikroskope usw. wirft man auf die Straße und vernichtet sie. Zufällig ist Dr. Jacoby gerade an diesem Tage wieder mit einem operationsbedürftigen Patienten nach Berlin gefahren. Und zufällig erleidet er bei der Rückfahrt durch den unverschuldeten Zusammenstoß mit einem Militärlastwagen einen so schweren Verkehrsunfall, daß man ihn mit schwersten Kopf- und inneren Verletzungen erst in ein Wehrmachtslazarett und von dort in das Jüdische Krankenhaus in der Großen Hamburger Straße in Berlin bringen muß. Es bedarf mehrerer Operationen und jahrelangen Klinikaufenthalts, um seine Gesundheit einigermaßen wiederherzustellen. In dieser ganzen Zeit kann meine Mutter ihn nicht sehen, da es »Ariern« streng untersagt ist, im Jüdischen Krankenhaus Besuche zu machen. Die lange Trennung führt vorübergehend zum Erlöschen dieser Liebe, denn Jacoby findet in dem Krankenhaus mit einer ihn aufopfernd pflegenden Jüdin zusammen, die Krankenschwester geworden ist, nachdem sie ihr Medizinstudium nicht hat beenden dürfen, und heiratet sie schließlich. 1940 geheilt entlassen, wird er Arzt bei der Jüdischen Gemeinde in Berlin und macht seine Frau zu seiner Sprechstundenhilfe. Neuruppin hat er nie wiedergesehen. Dort sind inzwischen für meine Mutter neue Komplikationen entstanden. Ihr nunmehr 16jähriger Sohn Wolfgang – meine Wenigkeit – hat im Frühjahr 1940, wie einst sein Vater in Allenstein, vom Neuruppiner Gymnasium aus politischen Gründen das Consilium abeundi erhalten. So schickt sie den Jungen nach Berlin zu seiner – dort mit dem Bücherhändler Hermann Kerckhoff verheirateten – Halbschwester Susanne, damit er ein Berliner Gymnasium besuche, und siedelt ein Jahr später zusammen mit Tochter Gisela ebenfalls nach Berlin über, erst provisorisch in den Grunewald, dann in eine Zehlendorfer Villa, die sie nach dem Verkauf des Wuthenower Grundstücks und Hauses käuflich hat erwerben können.

1941 in Berlin begegnet meine Mutter Dr. Jacoby wieder, der nunmehr bereits den gelben Judenstern tragen muß. Heimlich erneuern die beiden ihr Liebesverhältnis unter allergrößten Schwierigkeiten, weil jetzt die Begegnungen nicht mehr nur vor den Behörden, sondern obendrein auch noch vor der äußerst eifersüchtigen Ehefrau Jacobys verheimlicht werden müssen. Das geht so zwei Jahre, bis Dr. Jacoby und seine Frau von den Nazis nach Auschwitz abtransportiert und dort in der Gaskammer ermordet werden, zusammen mit Jacobys Vater, einem Neuruppiner Tuchhändler, und Jacobys Schwester. Damit findet meiner Mutter zweite – und letzte – Liebe ein noch schrecklicheres Ende als die erste. Sie ist 44 Jahre alt, als das geschieht. In dem männermordenden Krieg und danach sollte sie keinen sie begehrenden Mann mehr finden. Das Martyrium ihrer »rassenschänderischen« Liebe aber hat die von früh auf an großbürgerlichen Komfort gewöhnte, vor allem musisch interessierte und ziemlich unpolitische Dame zu einer fanatischen Antifaschistin reifen lassen. Sie kann Dr. Jacobys Leben nicht retten, weil die Behörden wissen, daß sie seit 10 Jahren mit ihm bekannt ist, sie also zuerst in Verdacht geriete, falls er untertauchen sollte. Aber sie hilft einem anderen verfolgten Juden: dem jungen Musiker Konrad Latte aus Breslau, der ihr Ende 1942, nachdem ihr Sohn Wolfgang zum Militär eingezogen worden ist, von der kommunistisch geführten Widerstandsgruppe ERNST (»Ernst« = Thälmann) ins Zehlendorfer Haus gebracht wird. Latte (damals Deckname Bauer, heute unter seinem richtigen Namen Leiter des Barock-Orchesters in Westberlin) kann sich über ein halbes Jahr lang bei ihr verstecken, wird von ihren Lebensmittelkarten miternährt und kriegt schließlich von ihren Ersparnissen bezahlte gefälschte Ausweispapiere, mit denen er im Sommer 1943, in der Absicht, sich in die Schweiz durchzuschlagen, ihr Haus verläßt. Erst dann flüchtet meine Mutter vor den sich mehrenden, allmählich ganz Berlin in Schutt und Asche legenden amerikanischen Bombenangriffen mit Tochter Gisela nach Neuruppin, zu der befreundeten Familie Kuntz. Im Juli 1945 kehren Gisela und sie definitiv nach Berlin zurück. Finanziell steht jetzt die Familie Harich vor dem Nichts. Ich, der im Spätsommer 1944 von der Wehrmacht desertiert und seither untergetaucht war, beginne Ende 1945 als Journalist Geld zu verdienen. Aber die Mutter will mir nicht auf der Tasche liegen und fängt daher – zum ersten Mal nach 20 Jahren Pause – ebenfalls wieder zu arbeiten an, wobei ihr zunächst ihre alten Stenographie- und Schreibmaschinenkenntnisse zugute kommen. Sie wird

Sekretärin des (kommunistischen, aus der sowjetischen Emigration heimgekehrten) Schriftstellers und Kritikers Fritz Erpenbeck, der im Henschel-Verlag die neugegründete Zeitschrift »Theater der Zeit« leitet. Auf Grund ihrer hervorragenden Literatur- und Theaterkenntnisse, ihres treffsicheren Urteils über die Beiträge der Mitarbeiter und ihrer einwandfrei antifaschistischen Vergangenheit avanciert meine Mutter bald zur Redakteurin bei der gleichen Zeitschrift, und die Belegschaft des Henschel-Verlages wählt sie, die Parteilose, zur Vorsitzenden der Betriebsgewerkschaftsleitung. Unter meiner und Erpenbecks Anleitung eignet sie sich die nötigsten Grundkenntnisse des Marxismus an. 1952 siedelt sie von Zehlendorf nach Ostberlin über. 1955 bezieht dort mit ihrem – von seiner Frau geschiedenen – Sohn Wolfgang eine gemeinsame Wohnung. Berufstätig bleibt sie 15 Jahre lang, bis sie 1960 – wahrscheinlich infolge des Kummers, den ihr die langjährige Strafhaft ihres Sohnes zugefügt hat – ihren ersten Herzinfarkt erleidet. Nach ihrer Genesung scheidet sie auf ärztliches Anraten aus ihrer Stellung beim Henschel-Verlag aus und wird Rentnerin. Als solche lebt sie – jetzt 73 Jahre alt – in Ostberlin, von ihren Kindern Wolfgang und Gisela Wittkowski, geb. Harich, unterstützt und umsorgt.

ZUR EIGENEN ENTWICKLUNG (1923 BIS 1972).

I. Aufenthaltsorte:

Geboren am 9. Dezember 1923 als Sohn von Dr. Walther Harich und Anne-Lise Harich, geb. Wyneken. Wohnhaft 1923/24 mit den Eltern bei Großvater Wyneken in Königsberg. 1924-26 bei den Eltern in deren kleiner Wohnung in Königsberg.

1926-28 bei den Eltern in deren Haus in Berlin-Tempelhof. 1928-1940 bei den Eltern (nach dem Tod des Vaters, 1931, bei der Mutter) in der Villenkolonie Wuthenow bei Neuruppin. 1940-41 bei Schwester und Schwager Kerckhoff in Berlin, Xantener Straße. 1941 mit Mutter und Schwester Gisela in Berlin-Zehlendorf, Stubenrauchstraße. In dieser Zeit aber ab Oktober 1942 Militärdienst in Strausberg, Potsdam, Döberitz und Marburg/Lahn, in Kriwoj Rog, Ukraine (Ende 1942) und am Mittelabschnitt der Ostfront (Sommer 1944), ferner Lazarett-Aufenthalte in Berlin, Landsberg/Warthe, Löwenberg (Schlesien), Jauer (Schlesien) und Breslau, Strafhaft im Wehrmachtsgefängnis Torgau (1943/44) und, nach Desertation, unter falschem Namen in verschiedenen illegalen Quartieren in Berlin bis Kriegsschluß. Nach dem Kriege 1945-49 in Westberlin, 1949-50 in Groß Glienicke (zwischen Berlin und Potsdam), seit 1950 in Ostberlin, von Anfang 1955 an zusammen mit der Mutter, diesmal große Unterbrechung 1956 bis 1964 durch Strafhaft in Berlin-Lichtenberg bzw. Bautzen. Nach Entlassung wieder Zusammenleben mit der Mutter, ab Frühjahr 1966 gleichzeitig aber auch gemeinsame Wohnung mit Gisela May (hier mit eigenem Arbeitsdomizil in der Bodenkammer).

Von 1927 bis 1940 jährlich mindestens eine mehrwöchige Reise nach Ostpreußen, zu den Großeltern in Allenstein und Königsberg, sowie in die Ostseebäder Rauschen und Cranz, wo Großvater Wyneken sich im Sommer aufhält; häufig mit Abstechern nach Mohrungen von Allenstein aus. 1937 und 1938 drei große Wanderfahrten in die östliche Mark Brandenburg, ins Rheinland und an die Nordsee. 1939 und 1940 Sommerferienaufenthalte in Kampen (Sylt) bzw. Ahrenshoop (Ostsee). 1951 bis 1956 jährliche Urlaubsaufenthalte in Ahrenshoop; 1965 abermals. 1966, ‘67 und ‘69 Urlaub in Thüringen, 1968 im Harz, 1970 an der polnischen

Ostseeküste und 1971 im Erzgebirge. Nach 1945 Westdeutschlandreisen: 1952 Vortragsreise für den Kulturbund zur Vorbereitung des Herderjubiläums von 1953 (Hamburg, Hannover, Düsseldorf, Speyer, Heidelberg, Frankfurt/Main, Stuttgart, Tübingen, München, wieder Hamburg); 1954 (Hamburg, Frankfurt/Main und Stuttgart; hier Teilnahme am Philosophenkongreß); 1955 (Frankfurt/Main; zur Buchmesse); 1956 (Hamburg). Auslandsreisen: 1948 Sowjetunion (Moskau, Leningrad); 1948 Tschechoslowakei und Österreich (Wien); 1955 Polen (Warschau, Krakau, Wroclaw, Poznan, Gdansk, Sopot, wieder Warschau; mit Philosophendelegation); 1956 Finnland (Helsinki; Vortrag zum Heine-Jubiläum); 1970 Polen (Kolobrzeg, Gdansk, Morag, Olsztyn, Urlaubsreise).

II. Berufslaufbahn:

1930-34 Knabenvolksschule in Neuruppin. 1934-42 humanistisches Gymnasium erst in Neuruppin, ab 1940 in Berlin-Wilmersdorf. Ab 1939 systematisches Selbststudium der Philosophie. 1940-42 Gasthörer an der Berliner Universität: Philosophie (bei N. Hartmann, Spranger, Odebrecht), protestantische Theologie (bei E. Seeberg), Germanistik (bei Koch), gelegentlich Kunstgeschichte (bei Pinder). Außerhalb der Universität philosophische Anleitung durch Prof. Dr. Junyn Kitayama (einem japanischen buddhistischen Missionar, der bei Jaspers mit einer Arbeit »Metaphysik des Buddhismus« – über den indischen Philosophen Vasubandhu – promoviert hat, bis 1945 Gastprofessor für Religions- und Geistesgeschichte Ostasiens in Marburg war und stellvertretender Direktor des Japan-Instituts in Berlin ist und seit Kriegsende in Prag lebt und doziert).

Betraut mit der stilistischen Redigierung von Kitayamas deutschsprachigen Buch- und Vorlesungsmanuskripten; in diesem Zusammenhang Mitarbeit an seinem Buch »Westöstliche Begegnung« und an der von ihm initiierten Übersetzung der Ontologie Kitraro Nishidas, eines japanischen buddhistischen Heideggerianers. Durch Kitayama vermittelt an verschiedene in Berlin lebende japanische Diplomaten, Bankkaufleute und Militärs, die mich für Erlernung der deutschen Grammatik, deutschsprachige Konversation und Erklärung der Stückinhalte vor Theaterbesuchen brauchen. Zu diesen Schülern gehören u.a. auch Admiral Nomura und der Leiter der Yokohama Specie-Bankfiliale, Dr. Kunio Miki. Parallel dazu Kennenlernen des Marxismus durch Theodor Hausbach (Anfang 1945 als Teilnehmer des Kreisauer Kreises hingerichtet). Fortsetzung des philosophischen Selbststudiums 1942-44 während diverser Lazarettaufenthalte. Nach dem Kriege 1945 persönlicher Referent des Präsidenten der Kammer der Kunstschaffenden, Paul Wegener. Danach reguläres Studium der Philosophie und Germanistik an der Humboldt-Universität (1946 bis 1951; in den Jahren 1949-51 als wissenschaftlicher Aspirant; Lehrer: Arthur Baumgarten, Lieselotte Richter, Walther Hollitscher in der Philosophie; Magon und Boeck in der Germanistik) und Marxismus auf einem Dozentenkurs für dialektischen Materialismus auf der Parteihochschule der SED (1948; Lehrer: Hermann Duncker, Anton Ackermann, Fred Oelßner, Klaus Zweiling, Arthur Baumgarten).

Das Studium zieht sich deswegen fast 7 Jahre lang hin, weil nebenbei Broterwerb als Journalist: Literatur- und Theaterkritiker am (französisch lizenzierten) »Kurier« in Westberlin (1945-46) und an der (sowjetischen) »Täglichen Rundschau« (1946 bis 1950). 1949-50 Ressortchef der Abteilung Theorie und Propaganda an der »Täglichen Rundschau« und einziges deutsches Mitglied des Redaktionskollegiums der – ebenfalls von der sowjetischen Besatzungsmacht herausgegebenen, 14-tägig erscheinenden – Zeitschrift »Neue Welt«.

Einstellung der journalistischen Tätigkeit 1950 zwecks Abfassung der Dissertation. Seit 1950 Lektoratsarbeit für den Aufbau-Verlag, die sich sachlich-thematisch und auch zeitlich besser mit der wissenschaftlichen Tätigkeit in Einklang bringen läßt als der Journalismus. Beim Aufbau-Verlag – zunächst gegen Honorarfixum – mit der Betreuung der philosophischen und wissenschaftlichen Buchpublikationen, allmählich aber in wachsendem Maße auch mit der Edition Klassikerausgaben deutscher Dichter betraut. Neben alledem von November 1948 bis Sommer 1952 Lehrauftrag für dialektischen historischen Materialismus an der Pädagogischen Fakultät der Humboldt-Universität. 1951 Promotion Summa cum laude mit Inaugural-Dissertation »Herder und die bürgerliche Geisteswissenschaft«. Anschließend 1951 bis 1954 Professor mit vollem

Lehrauftrag für Geschichte der Philosophie an der Philosophischen Fakultät der Humboldt-Universität (Vorlesungen und Seminarübungen vor allem über griechische und hellenistisch-römische Philosophie, Philosophie der Aufklärung und klassische deutsche Philosophie von Leibnitz bis Hegel und Feuerbach.) Ausscheiden aus der hauptamtlichen Universitätsstellung 1954 wegen der zeitlichen Belastung durch die damit verbundenen administrativen Verpflichtungen, aber Fortsetzung der Lehrtätigkeit an der Universität als (freiberuflicher) Lehrbeauftragter für Philosophiegeschichte bis Herbst 1956. 1952-1956 Mitherausgeber (zusammen mit Arthur Baumgarten, Ernst Bloch und dem mathematischen Logiker Karl Schröter) sowie Chefredakteur der »Deutschen Zeitschrift für Philosophie«. Hauptberuflich 1954-56 stellvertretender Cheflektor des Aufbau-Verlages, als solcher betraut mit der Leitung der Abteilungen »Philosophie und Wissenschaft« (von ihr u.a. die Werke von Ernst Bloch und Georg Lukács betreut) und »Klassiker-Ausgaben« (hier Initiator der Werk-Editionen von Lessing, Herder, Goethe, Schiller, E.T.A. Hoffmann, Heine, Gottfried Keller, Storm und Raabe, die z.T. erst während meiner Strafhaft vollendet worden sind und von denen die Goethe-Ausgabe heute noch nicht ganz abgeschlossen ist).

Eigenproduktion 1945-56: Zahllose Zeitungsartikel für den »Kurier«, die »Tägliche Rundschau«, die »Weltbühne« und den »Sonntag«; essayistische Zeitschriftenbeiträge bzw. Abhandlungen über philosophische und literaturwissenschaftliche Themen für die Zeitschriften »Aufbau«, »Einheit«, »Neue Welt!«, »Sinn und Form« und »Deutsche Zeitschrift für Philosophie«; Vorworte, Einleitungen usw. zu Buchpublikationen des Aufbau-Verlages; erste Buchveröffentlichung: »Rudolf Haym und sein Herderbuch. Ein Beitrag zur Aneignung des literaturwissenschaftlichen Erbes«, Berlin 1955.

Für die Tätigkeit als Literatur- und Theaterkritiker 1953 Heinrich Mann-Preis der Deutschen Akademie der Künste. In der Strafhaft 1957 bis 1964, soweit möglich, umfangreiche Lektüre vor allem klassischer und zeitgenössischer Belletristik; 1959 bis 1963 hauptsächlich manuelle Arbeit, daneben wöchentlich jeweils nur ein Buch aus der Anstaltsbibliothek; von Herbst 1963 bis zur Entlassung: Systematische Lektüre von Richardson, Fielding, Sterne, Smolett, Rousseau, Wieland, Goethe,

Schiller, Jean Paul und Hölderlin sowie mehrerer literaturwissenschaftlicher Werke zwecks Vorbereitung einer größeren Arbeit über Jean Paul.

Nach der Begnadigung ab Februar 1965 wissenschaftlicher Mitarbeiter des Verlages der Akademie der Wissenschaften, Redaktion Philosophie. In dieser Eigenschaft vor allem philologischer Betreuer der ersten historisch-kritischen Gesamtausgabe der Werke, Nachlaßschriften und Briefe von Ludwig Feuerbach (Herausgeber: Werner Schauffenhauer). Buchpublikationen nach der Haftentlassung: »Jean Pauls Kritik des philosophischen Egoismus« (Reclam-Verl., Leipzig – und Suhrkamp-Verl., Frankfurt/M. 1968); »Zur Kritik der revolutionären Ungeduld. Eine Abrechnung mit dem alten und dem neuen Anarchismus« (Kurzfassung im »Kursbuch« 19, 1969; vollständig Basel 1970; vollständig italienisch Mailand 1972). Essay »Heinrich Heine und das Schulgeheimnis der deutschen Philosophie«, erweiterte ältere Arbeit aus Einführung in Heines Schrift »Zur Geschichte der Religion und Philosophie in Deutschland« (Reclam-Verl., Leipzig 1966; Insel-Verl., Frankfurt/M. 1966). Essay »Satire und Politik beim jungen Jean Paul« (»Sinn und Form« 1967).

Noch unveröffentlichte größere Arbeiten, die nach 1964 entstanden sind: »Widerspruch und Widerstreit« (zur Frage des Verhältnisses von formaler Logik und Dialektik bei Kant, Fichte, Hegel und im Marxismus, ausgehend von einer neuen Deutung des Antinomienkapitels der »Kritik der reinen Vernunft«); »Hegels Konzeption der Philosophiegeschichte und ihre Vorgänger«; »Jean Pauls Revolutionsdichtung. Versuch einer neuen Deutung seiner heroischen Romane«. Daneben seit 1965 mitbeteiligt an der Zusammenstellung von Solo-Programmen für Gisela May, ferner an Programmheften für sie, und Berater bei ihrer Schallplattenproduktion. Daneben 1965 bis 1971 unentgeltliche dramaturgische Beratung der Intendantin des Berliner Ensembles, Helene Weigel; bei deren Nachfolgerin, Ruth Berghaus, nicht mehr.

III. Politische Entwicklung.

Herkunft aus gutbürgerlichen Verhältnissen mit stark akademischer, intellektueller und künstlerischer Atmosphäre. Von der anfänglichen Armut der Eltern 1923-25 in Königsberg nichts mitbekommen. Soziale Einstellung als Kind zunächst geprägt durch die Vorliebe für den Großvater Wyneken, der unter allen Erwachsenen am anziehendsten wirkt, weil er einen stets nach Eau de Cologne duftenden silbernen Bart hat; weil er mich aus seinem riesigen Schreibtisch, ohne Rücksicht auf die strengeren Ernährungsmaximen meiner Mutter, bis zum Übelwerden mit Konfekt und Marzipan füttert; weil er sofort, nachdem ich mit sechs Jahren Lesen und Schreiben gelernt habe, mit mir einen sich durch Jahre hinziehenden Briefwechsel aufnimmt; weil er überhaupt der einzige Erwachsende ist, der mit mir nicht herablassend wie mit einem Kind, spricht; weil sein Schreibtisch und die Wände seines Arbeitszimmers mit aufregend interessanten Photographien gepflastert sind, die z.B. Kaiser Wilhelm in Dragoneruniform mit Federbusch auf dem Helm oder Possart in der Maske Mephistos oder den Petersburger Baron Stieglitz in seiner vierspännigen Karosse oder den schmachtenden Augenaufschlag Agnes Sormas und den verschleiert melancholischen Blick Eleonara Duses zeigen, und der Großvater mir das alles erklärt. Seine höchsten Wertbegriffe »vornehm« und »exquisit« und seine äußerste Geringschätzung ausdrückende Redewendung »Die ist kein vornehmer Stil« (hannoveranisch gesprochen) mache ich mir schnell zu eigen. Von daher meine urwüchsige Freude an Schönheit, Gepflegtheit und Eleganz, von daher wohl auch meine spätere Vorliebe besonders für solche revolutionären Demokraten, die diesen Hang prononciert teilen – wie in rührend naiver Version Jean Paul, wie in weltmännisch spielender Weise Heine –, und von daher ganz sicher die Tatsache, daß mich der Marxismus in dem Augenblick wirklich überzeugt, wo ich zu begreifen beginne, daß seine Identifikation mit dem Proletariat auf die Überwindung von Roheit, Primitivität und Armseligkeit abzielt und nicht etwa deren Idealisierung zum Inhalt hat, daß – mit anderen Worten – Marx in dem Punkt das Vermächtnis Saint Simons fortsetzt und die Baboeufsche asketische Spielart des Kommunismus ablehnt.

Erste Berührung mit Politik 1927 oder 1928 in Berlin-Tempelhof, als meine Mutter mit mir zu einem Kinderfest geht, das die Kommunisten veranstaltet haben, wovon sie nichts ahnt, und mich mitten in der Kasperletheateraufführung aus diesem herrlichen Vergnügen wieder wegreißt, um fluchtartig mit mir an der Hand das Weite zu suchen, sobald ihr zu ihrem Entsetzen klar wird, wer die Veranstalter sind. Auf mein verzweifeltes Heulen eilt ein sächselnder Parteifunktionär – der erste von vielen meines Erdenlebens – herbei, um uns zum Bleiben zu bewegen. Rührend versucht er sich bei meiner Mutter einzuschmeicheln mit der Prophezeiung: »Der Gläne (kleine) iß doch batend (patent). Im Zukunftsstaat wird der sicher mal Büchermeester (Bürgermeister).« Trotzdem entfernen wir uns, zu meinem Kummer. – Zweites politisches Erlebnis, ebenfalls noch in Tempelhof: Meine Mutter wirft unter wütendem Schreien meinen Vetter Hans Löffke, einen schneidigen Studenten der Forstwirtschaft und Korpsbruder, aus dem Hause, weil er, zum Abendbrot bei uns eingeladen, den am gleichen Tisch sitzenden Schriftsteller Rudi Frank, einen jüdischen Kollegen meines Vaters, mit der Bemerkung beleidigt: »also nur an der Ostfront sind Sie im Krieg gewesen?! Na ja, wie all die Krummnasigen und Drückeberger!« (Die Ostfront galt im ersten Weltkrieg als ungefährlicher.) Löffke springt angesichts des Tobsuchtsanfalls meiner Mutter entgeistert auf, stürzt aus dem Haus und springt draußen mit einem Satz über den Gartenzaun, um sich zu entfernen.

An den Vorfall schließt sich ein später in der Familie viel diskutierter Briefwechsel an. Löffke schreibt an meinen Vater (den Bruder seiner Mutter), es sei ihm unbegreiflich, daß er sich schlecht benommen haben sollte; denn das würde ja gegen den Ehrenkodex seines Korps gehen. Und mein Vater antwortet: »Beruhige Dich, für Dein Korps reicht Dein Benehmen aus. Allerdings nicht für die von Dir verachteten intellektuellen Kreise.« – Von 1928 an bewegen die Kindheitsjahre in Neuruppin (mit Einschluß der jährlichen Reisen nach Ostpreußen) sich bereits ganz im Spannungsfeld der Haßfronten, die die späte Weimarer Republik zerreißen. Mein Vater hat in seinen letzten Jahren eine Privatsekretärin, die der KPD angehört: Fräulein Döppke, die sich vorzugsweise in Batik kleidete und Halsketten und Ohrringe aus Holz trägt. Eines Tages entdeckt sie, daß ich mit Bleisoldaten spiele, und ruft aus »Na bitte, der Herr Sohn des bürgerlichen Pazifisten!« Wortreich erklärt mein Vater ihr, daß dieses Spielzeug nicht von ihm stamme, sondern mir von dem Allensteiner Großvater zum Geburtstag geschenkt worden sei, und fügt dann ärgerlich hinzu: »Im übrigen seien Sie ganz still mit Ihren Moskauer Maiparaden!«. Woraufhin Fräulein Döppke mit dem Satz: Das ist etwas ganz anderes, Herr Doktor ... « eine langatmige politische Belehrung beginnt.

Fräulein Döppke wohnt in der nahen Siedlung Goldenhall, wo es, außer von Freunden des Kunstgewerbes (daher die Batik) und Vegetariern, auch von Linken wimmelt.

Hier freundet mein Vater sich mit der Familie des Steinmetzen und (dilettierenden) Bildhauers Bauer an, eines Kommunisten, der mit einer warmherzig mütterlichen, aber schlampigen dicken Frau und zahllosen Kindern ein strohgedecktes Häuschen bewohnt, worin es nach Kohlsuppe und Kinderpisse riecht. Während Bauer und mein Vater in lange politische Diskussionen versunken sind, spielen meine Schwester Gisela und ich mit den Bauerschen Kindern. – Eines davon, Michael Bauer, wird mein erster Freund. Auch Michael, ungefähr zwei Jahre älter als ich, bezeichnet sich als Kommunisten, kann aber nie recht erklären, was man sich darunter vorstellen soll. Bei sehr allgemein gehaltenen Beteuerungen wie »Teddy Thälmann ist jut«, »Moskau is prima«, »Mein Vater haut mit RFB die Reaktion in Klump« usw., läßt er es bewenden. Dies reicht denn auch nicht aus, um der viel und ganz anderen Suada eines prahlerischen, großstädtisch intelligenten anderen Jungen aus Berlin, standzuhalten, der im Sommer oft wochenlang bei seinem Großvater, einem laubenbesitzenden Neuruppiner Rentner, zu Besuch ist und als fanatischer Nazi auftritt. Dieser Knabe heißt Horst Müller, wir nennen ihn aber – nach dem Türschild am Gartentor seines Großvater – Aßmann. Aßmann erwirbt sich bei Michael und mir große Autorität vor allem dadurch, daß er uns sexuell aufklärt, wobei er gleichzeitig das Ansehen der Eltern in unserem Bewußtsein erschüttert mit der Versicherung: »Det machen die jeden Abend.« Durch solches Geheimwissen wirkt natürlich auch Aßmanns wortreiche politische Argumentation auf uns unwiderstehlich. Von ihm lerne ich im Grunde schon damals – 1930/31 – alle grundlegenden Nazitheorien kennen: die Dolchstoßlegende; die Rassentheorie; die Zurückführung von Arbeitslosigkeit und »Chaos« auf die Unfähigkeit der Demokratie; die Lehre, daß wir Deutschen, obwohl allen anderen Völkern haushoch überlegen, durch unsere »verdummte Humanitätsduselei« immer zu kurz gekommen seien, usw. Michael und ich sind so beeindruckt, daß wir – ohne Aßmann, aber um ihm zu imponieren – uns Kreide besorgen und die Häuserwände der ganzen »roten« Siedlung Gildenhall mit Hakenkreuzen beschmieren. Unsere Väter entdecken dies, prügeln uns durch und zwingen uns, unter Ohrfeigen, in ihrem Beisein das Geschmiere wieder abzuwaschen, während die Siedlungsbewohner aus den Fenstern gucken und mit ihnen darüber diskutieren, ob Prügel oder Argumente das bessere Mittel seien, den Kindern den Naziungeist auszutreiben.

Die anschließenden Argumente der Väter verfangen aber kaum, weil diese sich zu krampfhaft bemühen, sich dem kindlichen Fassungsvermögen anzupassen, während wir, von Aßmann als gleichrangig behandelt, längst daran gewöhnt sind, mit wörtlichen Zitaten aus Hitler- und Goebbelsreden überschattet zu werden.

Ein weiterer Nazieinfluß geht während der Ferienaufenthalte in Allenstein von besagtem Vetter Hans Löffke aus, den meine Eltern zwar schneiden, dessen Kontakte mit meiner Schwester und mir sich aber nicht verhindern lassen. Löffke imponiert mir schon durch seine grüne Försteruniform, die vielen Geweihe in seinem Zimmer, die Jagdhunde, die ihn ständig umkläffen, seine Gewehrsammlung und durch sein interessantes Stottern beim Sprechen. Und Löffke bringt mir die erregend abenteuerlichen Seiten des Rechtsextremismus nahe: die »Heldentaten« der Freikorpskämpfer und Femenmörder, der Organisation Consul und der Brigade Erhard. Von ihm lerne ich auch die ersten Nazilieder »Hakenkreuz am Stahlhelm / Schwarzweißrotes Band / Die Brigade Erhard / Werden wir genannt.« Entsetzt wirken meine Eltern, als ich ihnen das stolz vorsinge, diesem Einfluß mit langen Belehrungen entgegen. Zur Ergänzung seiner politischen Aufklärungsvorträge schenkt mein Vater mir einen Bildband mit dem Titel »Schwarzrotgold«, worin alle Wappen und Fahnen dieser Couleur, vom Mittelalter über das Wartburgfest und die Achtundvierziger Revolution bis zum Autoständer des Reichspräsidenten, abgebildet sind. Da ich zur gleichen Zeit von meinen älteren Halbschwestern gerade weibliche Handarbeiten erlernt habe, bestricke ich dem Vater zu Weihnachten, um ihn zu versöhnen, einen Kleiderbügel mit einem wollenen Überzug in seinen geliebtem Schwarzrotgold, was den Vetter Löffke wieder, unter dem Weihnachtsbaum im Allensteiner Landhaus, nach dem Absingen von »Stille Nacht, Heilige Nacht«, beim gegenseitigen Geschenke Besehen zu dem wütenden Ausruf veranlaßt: »Schwarzrot-Mostrich, Schwarzrot-Dünnschiß.«

Im Sommer 1931 kommt Hitler zu einer Wahlkundgebung nach Neuruppin. In einer riesigen Menschenmenge auf dem Sportplatz zeigt mein Vater meiner kleine Schwester und mir den schwitzenden, brüllenden, wild gestikulierenden Mann im Braunhemd und sagt: »Seht ihn euch genau an.« Hinterher erklärt der Vater uns, daß das der böseste Mensch auf Erden sei, daß er den lieben Onkel Julius Lewin und den lieben Onkel Jeßner und die liebe Tante Hilli ermorden wolle (alles Juden aus unserer Bekanntschaft), daß wir, wenn Hitler zur Regierung käme, alle im Krieg umkommen würden, daß der Krieg etwas Furchtbares sei, daß sich da die Soldaten gegenseitig Bajonette in den Bauch stießen, bis die Därme heraushingen und sie unter Qualen verbluteten, usw. Kaum ein halbes Jahr später ist mein Vater gestorben.

1932 beginnt Dr. Jacoby meiner Mutter den Hof zu machen. Er ist Mitglied des sozialdemokratischen Reichsbanners Schwarz-Rot-Gold und setzt die antifaschistischen Belehrungen des nun toten Vaters fort. Allerdings ist Jacoby gleichzeitig auch scharf antikommunistisch eingestellt, daher der erste Mensch in meinem Leben, aus dessen Mund ich die bekannten Warnungen vor den »Extremisten von rechts und links«, die Parole »Diktatur gleich Diktatur« usw., höre. Unter seinem Einfluß läßt meine Mutter denn auch die Beziehungen zu den Bauers allmählich einschlafen, nachdem der kommunistische Bauer noch meinem Vater den Grabstein gesetzt hat. Schon immer waren ihr, der damenhaften, gepflegten Frau, der verwöhnten Tochter Alexander Wynekens, die Bauers ein wenig unappetitlich. Ich setze die Freundschaft mit Michael zwar fort, aber dessen Kommunismus steht selber auf sehr wackligen Füßen. 1933 verlassen die Bauers, nachdem SA-Leute den Vater einmal geschlagen haben, die Neuruppiner Gegend, zusammen mit ihrer Genossin Döppke. Aus Angst vor dem Naziterror wollen sie sich irgendwo niederlassen, wo niemand sie kennt, und sich von der Politik zurückziehen. So entschwinden die Kommunisten für 7 Jahre – bis 1940 – ganz aus meinem Gesichtskreis.

Noch aktiver als die NSDAP ist in den Jahren vor 1933 in der Ruppiner Gegend der Stahlhelm, die paramilitärische Organisation der Deutschnationalen. Schon 1932 wird die »Lindenallee«, in der wir leben, in »Franz Seldte-Allee« umbenannt, bei welcher Gelegenheit es zu einem großen Stahlhelm-Aufmarsch, ganz in Feldgrau, kommt. Zu der Jugendorganisation des Stahlhelm, der sogenannten Scharnhorst-Jugend, gehören zwei halbwüchsige Jünglinge in der Villenkolonie Wuthenow, zu denen ich bewundernd aufblicke und die schon deswegen tief beeindruckend sind, wie sie sich, als Zwillinge, ununterscheidbar ähnlich sehen; die Brüder Stute. In den heftigen Diskussionen zwischen Müller-Aßmann einerseits und den Stutes andererseits lerne ich die feinen Nuancen von echtem Faschismus und traditionellem Konservatismus und Nationalismus kennen. »Ihr Scheißer«, sagt Aßmann, »von euch will der Arbeeter nischt wissen, und Seldte sieht ja ooch wie'n Jude aus.« 1933 wird der Stahlhelm geschlossen in die SA übernommen. Vater Stute wird Adjutant des Ruppiner SA-Standartenführers, die Söhne gehen zur Hitlerjugend. Frau Stute, die ich wegen ihrer Frisuren heiß liebe – sie ist weizenblond und trägt manchmal Schnecken über den Ohren und dann wieder die Zöpfe rundum Hinterkopf und Stirn geschlungen wie die Frau Wilhelm Tells im Königsberger Stadttheater –, Frau Stute versucht vergebens, meine Mutter für den Eintritt in die NS-Frauenschaft zu gewinnen.

Inzwischen ist jener Seldte, »der ooch wie'n Jude aussieht!, in Hitlers Kabinett Reichsarbeitsminister geworden.

Im Frühjahr 1933 sehen meine Mutter, Dr. Jacoby und ich bei einer Autofahrt durch Neuruppin, wie der Kommunist Muchow, ein Arbeiter, in Handschellen von zwei Polizisten flankiert, abgeführt wird. Dies Bild prägt sich mir unauslöschlich ein durch Muchows aufrechte, männliche, beinahe stolze Haltung und durch sein aufgekrempeltes Hemd mit offenem Kragen, der die Brusthaare sehen läßt. Aber Muchow hat durch seine eingedrückte Boxernase ein ziemlich häßliches Gesicht und trägt große blaue Tätowierungen auf den Armen. Dieser Anblick verleitet Dr. Jacoby – das spätere Auschwitz-Opfer – zu dem Ausruf: »Also wenn man sich so einen Kerl ansieht, dann ist man doch irgendwie erleichtert, daß jetzt mit den Kommunisten aufgeräumt wird.« 1929-33 lungern überall in und um Neuruppin, auch in der Nähe unserer Villa im Wald, zahllose Arbeitslose herum. Ich liebe es, mich an sie heranzumachen und mich mit ihnen zu unterhalten. Mein Vater toleriert das und ist oft begierig, von mir zu erfahren, was diese Leute mir zu sagen hätten. Auch betont er, daß sie »arme Opfer eines grundverkehrten Wirtschaftssystems« seien. Meine Mutter aber mißbilligt meine Kontakte mit den Arbeitslosen und wird darin 1932 von Dr. J. unterstützt. »Das ist kein Umgang für Dich«, meinen sie.

Auf der Neuruppiner Knabenvolksschule 1930-34 kaum nazistische Beeinflussung. Der parteilose Rektor Kähler hält die Politik möglichst überhaupt aus Unterricht und Schulbetrieb heraus. Die Lehrer, besonders der liberale Klassenlehrer Griese, mit dessen Sohn ich befreundet bin, stehen der Weimarer Republik loyal gegenüber. Meine Mitschüler sind überwiegend Kinder von unpolitischen oder sozialdemokratisch denkenden Arbeitern. Aber im Laufe des Jahres 1933 beginnen einige Vierzehnjährige aus der obersten Klasse die Gleichaltrigen und Jüngeren intensiv für den Eintritt in das Deutsche Jungvolk, die Unterorganisation der HJ für die Zehn- bis Vierzehnjährigen, zu werben. Der aktivste unter ihnen »Pussel« Weinstrauch, Sohn eines Tischlermeisters, ist sogar »alter Kämpfer« und daher bereits Jungenschaftsführer (was in der Armee dem Unteroffizier entspricht). Er macht sich an mich heran und lockt mich durch sein herrliches Fahrtenmesser, das auf dem Schaft eine silberne Sigrune und auf dem blitzblanken Blatt, in der Handschrift Baldur von Schirachs, die vielversprechende Aufschrift »Blut und Ehre« trägt. Dieser Anblick besiegt alle demokratischen Einflüsse, denen ich zu Hause ausgesetzt bin. Ein solches Messer will ich unbedingt auch haben, und so setze ich monatelang meiner Mutter zu, mir den Beitritt zum Jungvolk zu erlauben. In den endlosen Diskussionen versucht sie, mir das auszureden, hält sie mir vor, daß mein Vater sich im Grabe umdrehen würde. Aber ängstlich geworden durch die öffentliche Verbrennung der »Primaner«, die Weiterungen der Selbstmordaffäre Mathilde Dischmann (siehe oben) und das Gerede der Neuruppiner um sie und Dr. J., gibt meine Mutter schließlich im Frühjahr 1934 nach, so daß ich bei Eintritt ins Gymnasium bereits frischgebackener »Pimpf« bin und mindestens einmal wöchentlich, bei Fanfaren- und Trommelklang, Landsknechts- und SA-Lieder singend, im Braunhemd hinter der schwarzen Fahne mit der Sigrune marschiere – als einer der Jüngsten meist im letzten Kolonnenglied. –

Die Lehrer auf dem Neuruppiner Friedrich-Wilhelm -Gymnasium, das ich 1934-40 besuche, sind fast durchweg Konservative und Nationalisten oder sogar mehr oder weniger aktive Nazis. Von gleichem Geist die überwiegende Mehrzahl der Mitschüler. Besonders der Deutsch- und Geschichtsunterricht durch und durch nazistisch. Auch der Biologieunterricht ganz auf die »wissenschaftliche« Begründung der Rassentheorie ausgerichtet. Einzig im Religionsunterricht schwache, zaghafte humane Tendenzen. Trotzdem war mein eigenes Nazitum in den folgenden Jahren nie ganz ungebrochen und ab Herbst 1938 vollständig überwunden. Hier die Gründe:

1. Schon auf der Volksschule hat sich herausgestellt, daß ich – wie meine Mutter, im Gegensatz zu meinem Vater – ein sehr schlechter Turner und Sportler bin. Die Forcierung der Leibesübungen, im Dienste der Wehrertüchtigung, ist aber eine entscheidende Komponente der nazistischen Jugenderziehung, die mich von daher mit Abneigung und Ressentiments erfüllt. Um den Mangel an sportlicher Tüchtigkeit zu kompensieren, kehre ich die »Intellektbestie« (für die Nazis ein Schimpfwort) heraus.

2. Vom ersten Augenblick meiner Gymnasialzeit an stürzen sich auf mich voller Neugier die Schüler der obersten Gymnasialklassen, vor allem die Primaner, weil ich ihnen als Sohn des Verfassers des berühmt-berüchtigten, von den Nazis inzwischen verbotenen Buchs »Primaner« interessant bin, das sie alle verschlungen haben. Ihr Interesse ist um so größer, als die Lehrer vermuten, daß die Verhältnisse am Neuruppiner Gymnasium Modell gestanden hätten für gewisse Partien diese Romans, vor dem daher im Unterricht oft gewarnt worden ist. Dieses Interesse der so viel Älteren schmeichelt mir sehr, und unter Vernachlässigung meiner Mit-Sextaner bemühe ich mich, ihm gerecht zu werden. Zwei Oberprimaner nun finde ich besonders faszinierend, und das gerade sind Antinazis: Hansjoachim Kitzing, Primus der Oberprima, Sohn eines vor kurzem verstorbenen Buchhändlers, und Gerhard Kuhlbrodt, Sohn eines ehemaligen sozialdemokratischen Oberregierungsrats im Erziehungswesen, der 1939 wieder zum Mittelschüler degradiert und in seine Heimatstadt Neuruppin versetzt worden ist. Kitzing zeichnet sich durch geniale Geistesgaben aus, dichtet und schriftstellert, hat enorme Litera-

turkenntnisse, hat schon Briefe von Thomas Mann bekommen (die er mir stolz zeigt), bezieht über Oesterreich heimlich Werke der deutschen Emigrationsliteratur und ist homosexuell; sein Abgott und Vorbild ist Oscar Wilde, sein größter Wunsch: der Geliebte von Wildes – inzwischen siebzigjährigem – Lustknaben Lord Alfred Douglas zu werden, zu dem er – Kitzing – nach Paris durchbrennen möchte. (Aus diesem Plan wird nichts. Kitzing wird erst kaufmännischer Lehrling in Hamburg, muß dann zum Militär und fällt im Krieg.) Bei Kuhlbrodt handelt es sich um einen – ebenfalls sehr belesenen und geistig stark interessierten – kühlen, witzigen Ironiker, der wie der Prototyp eines Berliner Asphaltintellektuellen der zwanziger Jahre aussieht, Medizin studieren will und gar nicht homosexuell ist, sondern, im Gegenteil, schon enorme Frauengeschichten hinter sich hat – über die er Dinge zu berichten weiß, neben denen die Sexualaufklärung durch Müller-Aßmann verblaßt.

Beide Oberprimaner verachten Hitler und die Nazis, machen sich über meine Jungvolkmitgliedschaft unentwegt lustig, bekräftigen die Meinung meiner Mutter, daß mein Vater sich ob dieser meiner Verirrung im Grabe herumdrehen würde, und machen mir klar, daß ich überhaupt nicht mitreden könne, solange ich nicht die Werke der verbotenen Schriftsteller – Heinrich Manns, Thomas Manns, Arnold Zweigs, Franz Werfels, Lion Feuchtwangers, Brechts, Ludwig Renns, Erich Kästners, Kurt Tucholskys, Erich Maria Remarques, Stefan Zweigs usw, usf. – gelesen hätte.

Durch Kuhlbrodt lerne ich noch dessen ein Jahr älteren Bruder Hans kennen, der in Rostock Germanistik und Pädagogik studiert, an den Wochenenden oft in Neuruppin weilt und sehr ähnliche Ansichten vertritt; durch Kuhlbrodt und Kitzing einen Angestellten der ehemals Kitzingschen Buchhandlung namens Neumann, der für Rilke und Hoffmannsthal schwärmt und aus romantisch-sentimentaler Grundstimmung von den Nazis ihrer Roheit wegen nichts wissen will, obwohl er die militant-demokratischen Auffassungen der Brüder Kuhlbrodt auch nicht teilt. Der Umgang mit diesen vier achtzehn- bis zwanzigjährigen jungen Männern, der 1934 einsetzt und sich bis tief in die Kriegsjahre hinein erstreckt, entfremdet mich in wachsendem Maße dem Nazitum und führt vor allem, als erstes dazu, daß nun bei mir auch der antinazistische Einfluß daheim, von seiten meiner Mutter, Dr. Jacobys, Professor Jenischs und des – inzwischen als »entartet« bekämpften – Malers Meyboden (eines Schülers von Oskar Kokoschka), an Autorität gewinnt.

3. Der Dienst im Jungvolk gefällt mir auf die Dauer deswegen nicht, weil es mir nicht behagt, immer gehorchen und strammstehen zu müssen und in den letzten Kolonnengliedern zu marschieren. Brennend gerne würde ich selber im Jungvolk eine Führerrolle spielen und die anderen kommandieren. Aber dazu bin ich noch viel zu jung. Es nützt mir nichts, daß ich gegen meinen Jungenschaftsführer »Pussel« Weinstrauch bei dem ihm vorgesetzten Jungzugführer Nieder-Schabbehard, einen windspielartig schmalen Knaben aus gutbürgerlicher Familie, in niederträchtigster Weise intrigiere. Nieder-Schabbehard hört sich alles interessiert an, aber kommt nicht auf die Idee, »Pussel« zu entthronen und mich an seine Stelle zu setzen. Ja, als ich naiv genug bin, mich zu Hause vor meiner Mutter und im Gymnasium vor Kuhlbrodt und Kitzing meiner Intrigen gegen »Pussel« zu rühmen, werde ich von beiden Seiten so grausam als Denunziant und übler Charakter beschimpft, daß mir Hören und Sehen vergeht. Ich füge mich also als Pimpf in das leidige Kommandiertwerden, aber es macht mir immer weniger Spaß, zumal der Dienst körperlich oft sehr anstrengend ist und ein neuernannter Fähnleinfüher, Günther Baumann, sich als ein seine Untergebenen bewußt schikanierender Sadist erweist (der erste dieser Art, der mir im Leben begegnet und mich einen Vorgeschmack der Nazikaserne spüren läßt).

4. Von einschneidender Bedeutung für meine politische Entwicklung ist 1934/35 der Kampf um die Schülermützen. Ich hänge an dem HJ-Fahrtenmesser mit der Aufschrift »Blut und Ehre«, ich hänge aber ebenso auch – und vielleicht noch mehr- an der dunkelblauen Mütze mit Goldlitzen und Lacklederschirm, die ich als Sextaner tragen darf. Und am meisten hänge ich an der Aussicht auf die mir noch bevorstehenden andersfarbigen Kopfbedeckungen: hellgrün mit Silber für Quintaner, dunkelbraun mit Gold für Quartaner, hellblau mit Gold für Untertertianer, hellbau mit Silber für Obertertianer, weiß (aus changierendem Atlas, unvorstellbar schön!) mit Gold für Unter-, mit Silber für Oberprimaner, dazu für jede Fremdsprache ein Stern am Mützenrand – fünf Sterne also, falls man sich – wie Kitzing – für beide Wahlsprachen, Englisch und Hebräisch, zusätzlich zu den obligaten Latein, Griechisch, Fran-

zösisch, entschließt. Das alles macht der Feldzug zunichte, den just 1934 die Hitlerjugend – vermutlich um mehr Arbeiterkinder für sich zu gewinnen – im Namen »nationalsozialistischer Volksgemeinschaft« gegen die bunten Symbole des »Standesdünkels« der Gymnasiasten zu führen beginnt, indem sie diesen die Mützen vom Kopf reißt, sie mit den Fahrtenmessern durchbohrt und zerschneidet, sie auf die Erde wirft und auf ihnen herumtrampelt.

In Zivil bin ich Opfer dieses Treibens; sobald ich die Pimpfuniform anhabe, muß ich mich selber daran beteiligen – eine schizophrene Situation.

5. Vom fünften Lebensjahr an bin ich immer in irgendjemanden verliebt, und zwar bis etwa zum 13. Lebensjahr wahllos in männliche und weibliche Wesen (das mit den männlichen gibt sich dann; homoerotische Neigungen habe ich später nie mehr gekannt). Als ich zehn Jahre alt bin, entbrenne ich leidenschaftlich – bis zu völliger Appetit- und Schlaflosigkeit – für einen ungefähr ein Jahr älteren bildschönen Knaben, den ich gelegentlich in Neuruppin von ferne auf der Straße sehe und der so fein und wohlerzogen wirkt, daß es ein Rätsel scheint, wieso er nicht aufs Gymnasium geht. Eines Tages lernen wir – meine Mutter, Schwester und ich – seine Eltern und ihn selbst durch Dr. Jacoby kennen: Es ist Manfred Schottlaender, der Sohn eines im Ort ansässigen Generalagenten der Victoria-Versicherung. Die Familie ist jüdisch. Entzückt und glücklich werbe ich um Manfreds Sympathie und werde, bei den Schottlaenders bald aus und ein gehend, sein einziger Freund. Und nun erlebe ich aus nächster eigener Anschauung die furchtbaren Schikanen, denen dieser arme Junge – der einzige Jude dieser Altersklasse in der Stadt – von seiten der Behörden und vor allem durch viele Gleichaltrige, die ihn anspucken, verprügeln, verhöhnen oder zumindest wie einen Leprakranken meiden, ausgesetzt ist.

Als man schließlich mich in die Verfemung mit einbezieht und mir im Jungvolk wegen meines verdächtigen »nichtarischen« Umgangs wiederholt Vorwürfe macht, als man dann auch noch meine Mutter wegen Dr. Jacoby zu beschimpfen anfängt – sie sei »auch so eine Judenhure« –, trete ich im Frühjahr 1935, kurz nach meiner Versetzung in die Quinta, wieder aus dem Jungvolk aus.

Dr. Jacoby und meine Mutter sind über diesen Schritt außerordentlich beunruhigt und sehen darin eine große Gefahr. Kitzing, Neumann und die Brüder Kuhlbrodt aber bestärken mich darin, und die Familie Schottlaender feiert mich als Helden. Leider kann ich mich in diesem Glanze nicht lange sonnen, denn schon ein halbes Jahr später ziehen die Schottlaenders nach Berlin, um ein weiteres Jahr später von dort nach Südamerika zu emigrieren, während Kitzing und Gerhard Kuhlbrodt, nachdem sie ihr Abitur gemacht haben, nach Hamburg bzw. Rostock gehen. Der Kontakt mit Kitzing wird in den folgenden Jahren selten – erst im Kriege belebt er sich wieder-, und mit den Kuhlbrodts treffe ich – bis 1940 – nur noch ein-, zweimal im Monat zusammen, wenn sie über das Wochenende nach Neuruppin kommen.

In meiner Schulklasse war ich bei Eintritt ins Gymnasium einer der ganz wenigen, die schon dem Jungvolk angehörten; jetzt bin ich der einzige, der nicht dazugehört. – In meiner Isolierung versuche ich mir nun, für das Jungvolk einen Ersatz zu schaffen. Dafür gibt es zwei Vorbilder: Erstens hat sich in der nächst höheren Gymnasialklasse, der Quarta, dank der Initiative eines Schülers namens Fritz Wendtland eine Gruppe gebildet, die sich OPU (von »omnes pro uno«) nennt. Ihre Mitglieder gehören zwar dem Jungvolk an, sind aber von dem Dienst dort nicht befriedigt und reagieren ihre Sonderinteressen außerhalb der manipulierten Organisation in einem spontaneren eigenen Zusammenschluß ab – gänzlich unpolitisch, ohne jede oppositionelle Tendenz, nur um angenehmerer Freizeitgestaltung willen. Dieser Gruppe würde ich gerne beitreten, aber in ihr müßte ich mich Wendtland unterordnen, während ich selber gern Chef wäre. Zweitens hat mir Dr. Jacoby Felix Dahns »Kampf um Rom« geschenkt, ein Buch, das ich mit Begeisterung verschlungen habe, wobei mir darin am meisten die gegen das Gotenregime gerichtete Katakombenverschwörung unter Führung des edlen stoischen Römers Cetegus gefallen hat. Dem will ich nacheifern. Also versuche ich, in der Quinta ein Pendant zur OPU unter dem Namen »Katakombenverschwörung« mit mir als Cetegus zu schaffen. Leider machen meine Mitschüler, die mir vom ersten Gymnasialjahr her wegen meines intensiven Umgangs mit den Oberprimanern übel gesinnt sind und mir nach meinem Austritt aus dem Jungvolk vollends mißtrauisch gegenüberstehen, nicht mit. Dies zwingt mich, mir die anderen Katakombenverschwörer außerhalb des Gymnasiums zusammenzusuchen. Zugänglich zeigen sich ca. ein Dutzend halbwüchsige Arbeiterjungen vom Neuen Markt, dem armseligsten Neuruppiner Stadtteil. Sie sind nicht HJ-Mitglieder, und ich gewinne sie dadurch, daß ich den einen oder anderen von ihnen gelegentlich zum Eisessen einlade. Als im Frühjahr 1936 die Organisation genügend gefestigt ist, erkläre ich der OPU den Krieg. Dies geschieht aus völlig unpolitischen Motiven, auch ohne jede persönliche Aversion gegen Wendtland und seine Freunde, nur aus Spaß an der Aktion als solcher, an den diplomatischen »Notwechseln«, die ihr vorausgehen, den schwierigen Verhandlungen, Ultimaten usw.

Aber meine Freunde vom Neuen Markt tragen in die Auseinandersetzung sofort ihren Klassenhaß hinein, und als Wendtland die Kriegserklärung annimmt, kommt es zu einer furchtbaren, todernsten, sich durch Tage hinziehenden Schlägerei, bei der mehrere Quartaner verletzt, ihre Kleider zerrissen und ihre Fahrräder bis zur Unbrauchbarkeit kaputtgemacht werden. Auf Beschwerde der Eltern beim Direktor des Gymnasiums, Baege, greift dieser ein, nimmt mich streng ins Verhör, löst OPU und Katakombenverschwörung unter Androhung schwerer Strafen auf und bedeutet meiner Mutter, er sei nahe daran, mich von der Schule zu werfen, weil ich eine illegale Organisation aus »asozialen Elementen« gegründet hätte. Mit Mühe gelingt es meiner Mutter, den Direktor zu besänftigen. Sie muß ihm versprechen, mit meinem Einzelgängerdasein Schluß zu machen und vor allem dafür zu sorgen, daß ich wieder ins Jungvolk eintrete, wo ich meinen Abenteuerdrang in staatserhaltender Weise betätigen könne.

Inzwischen ist durch ein Reichsjugendgesetz die Mitgliedschaft in Jungvolk bzw. Hitlerjungend auch obligatorisch geworden. So werde ich im Sommer 1936 abermals Pimpf, aber nun nicht mehr in der straffen Neuruppiner Organisation, sondern – aus Desinteresse an der Sache – in der Jungenschaft, die in dem nahen Dorf Wuthenow existiert, wo der Dienst, mit lauter Bauernkindern als Mitgliedern, seltener stattfindet und sehr lasch gehandhabt wird. Die Wuthenower Jungenschaft gehört zum Fähnlein 7. Als dieses im Frühjahr 1937 in dem Städtchen Altruppin sein Jahrestreffen hat, fragt plötzlich ein höherer Jungvolkfüher, wer von uns neu eine Jungenschaft übernehmen wolle. Wie von allen guten Geistern verlassen melde ich mich. Diesmal ist nicht die Sucht nach dem Fahrtenmesser, wie drei, vier Jahre zuvor, sondern der Ehrgeiz, eine Führerrolle zu spielen, stärker als alles andere, stärker auch als meine unter den oben genannten antinazistischen Einflüssen schon recht bewußten und durchdachten Überzeugungen. Man überträgt mir die Führung der Jungenschaft Radensleben im Fähnlein 8, was bedeutet, daß ich jedesmal bei Hitze und Kälte, durch Wind und Wetter eine Dreiviertelstunde lang über Land radeln muß, um mit meinen »Leuten« Dienst machen zu können. Mit Begeisterung und voller Energie stürze ich mich in diese Aufgabe, leite in Radensleben sofort eine intensive Mitgliederwerbung ein, die die Stärke der Jungenschaft beinahe verdoppelt, führe Geländespiele nach strategischen Konzeptionen durch, renoviere das heruntergekommene Jungvolkheim, halte Reden, die gedruckt im »Völkischen Beobachter« stehen könnten – die erste anläßlich des Ablebens von General Ludendorff Ende 1937 – und exerziere meine Truppe in schneidendem Kasernenhofton wie ein preußischer Feldwebel. Meine innere Situation ist dabei völlig schizophren, denn zu Hause mit den Meinen und an den Wochenenden im Gespräch mit Kuhlbrodt stimme ich allen antinazistischen Äußerungen zu – und zwar ohne zu heucheln –, aber sobald ich mich in Radensleben befinde, verwandle ich mich – ebenfalls ohne Heuchelei – von der sich verselbständigenden Lust am Redenhalten mitgerissen in einen fanatischen Nazi. Das schwierigste Hindernis, das der von mir ehrgeizig erstrebten Entwicklung der Randenslebener Jungenschaft zur Mustergültigkeit im Wege steht, besteht darin, daß sie schwer verschuldet ist. Seit Jahren haben die Mitglieder keine Beiträge mehr gezahlt. Ich suche die Eltern einzeln auf, und in den Gesprächen stoße ich immer wieder auf die schreckliche soziale Situation, in der sich diese Menschen – in der Mehrzahl Landarbeiter des Ritterguts Radensleben oder abhängige, verschuldete Kleinbauern – befinden. Offensichtlich sind sie zahlungsunfähig, und da nach ihren einleuchtenden Ausführungen daran der Rittergutsbesitzer, Herr v. Quast, die Schuld trägt, suche ich diesen auf und stelle an ihn das Ansinnen, die Beitragsschulden für die ganze Jungenschaft aus seiner Tasche zu bezahlen. Herr von Quast kann mich nicht hinauswerfen, denn meine Mutter gehört zur Hautevolée von Neuruppin, Dr. Jacoby ist sein behandelnder Arzt und ich lenke das Gespräch gleich eingangs so, daß ich ihm, v.Quast, ausgiebig von meiner adligen Verwandtschaft, besonders dem Hohenzollern-Hofmarschall v. Müldner und Mühlenheim, erzählen kann. Auch gefällt dem Gutsherrn, daß ich durch Fontane-Lektüre weiß, daß einer seiner Altvordern im vorigen Jahrhundert als höchster Verwalter der preußischen Kunstsammlungen diese um große Schätze vermehrt hat. So verhandelt er mit mir auf gleichem Fuß und hört sich aus meinem Munde höflich alles an, was ich über seine Ausbeutungspraktiken, die schändlich niedrige Bezahlung seiner Landarbeiter, das schreiende Elend in deren Hütten ringsum zum besten gebe. Dann verteidigt v. Quast sich mit langen nationalökonomischen Ausführungen über die schwierige Lage der Landwirtschaft im allgemeinen und des ostelbischen Großgrundbesitzes im besonderen. Ich halte dem entgegen, daß seine 10.000 Morgen Land ein gewaltiger Reichtum seien, daß er in einem über und über mit altitalienischen Gemälden vollgestopften riesigen Schloß lebe, daß seine Tochter drei Reitpferde hätte, usw. Er meint, ich verstünde nichts von Ökonomie, und setzte mir geduldig auseinander, wieso ihm trotzdem das Wasser bis zum Hals stehe. Außerdem solle ich mich bei den Landarbeitern mal erkundigen, wieviel sie von ihrem Lohn sinnlos vertrinken würden, usw. Schließlich gehen mir die Argumente aus. Ich gebe zu, daß mir seine Gesichtspunkte neu seien, und begebe mich zurück in die Katen derjenigen zwei, drei Landarbeiter, die am meisten und scheinbar überzeugendsten über Herrn v.Quast geschimpft haben. Dort mache ich mir seine Argumentation zu eigen und höre daraufhin von ihnen Gegenargumente, die mir auch wieder richtig zu sein scheinen. So mit den neuen Erkenntnissen gewappnet, suche ich abermals den Herrn v. Quast auf und diskutiere wieder mit ihm. Nach mehrmaligem Hin und Her ist mir klar, daß beide Teile recht haben: die Arbeiter gegen den Gutsherrn wegen ihrer geringen Bezahlung und auch insofern, als das Saufen der einzige Trost ist, der ihnen in ihrer Verzweiflung bleibt, er aber, weil er finanziell unter übermächtigen Zwängen steht, die weit über Randensleben hinausgreifen und an denen er so unschuldig ist wie sie. Diese Auffassung grenzt bereits, mir selber unbewußt, an antikapitalistische Systemkritik. Aber Herr v. Quast akzeptiert sie mit Freuden, weil sie ihn persönlich von unehrenhaftem Verhalten freispricht, und erklärt sich bereit, mit einer einmaligen Zahlung die geschuldeten Jungvolkbeiträge aller Randenslebener Pimpfe zu übernehmen, vorausgesetzt, daß von nun an durch pünktliche Kassierung der monatlich fälligen Groschen für Ordnung in der Jungenschaftskasse gesorgt werde.

Als ich das Geld beim Jungbann-Verwalter in Neuruppin abliefere und berichte, wie ich dazu gekommen bin, überträgt man mir sofort, außer dem Randenslebener Führerposten, auch noch das Amt des Geldverwalters für das gesamte Fähnlein 8, das über die Pimpfe in nicht weniger als zehn Dörfern zu beiden Seiten des Südteils des Ruppiner Sees gebietet: Wustrow (das große Dorf, in dem das Stammschloß des Husarengenerals von Ziethen, des Schöpfers der preußischen Kavallerie aus der Zeit des Alten Fritz, steht; Fähnlein-»Standort«), ferner Gnewikow, Karwe, Lichtenberg, Radensleben, Pabstum, Altfriesack, Langen, Dammkrug und Buskow.

Fähnleinführer ist mein Klassenkamerad Rudi Lahs, der schläfrig-phlegmatische Sohn des Wustrower Gastwirts, den ich dafür gewinne, meine Finanzierungsmethode nunmehr in allen zehn Dörfern zu praktizieren. Von ihm autorisiert, lasse ich mir auf eigene Kosten Visitenkarten drucken und mache – wie ich das von den Gepflogenheiten meiner vornehmen Verwandtschaft aus Kaisers Zeiten gehört habe – »Antrittsbesuche« als »der neue Fähnlein-Geldverwalter« bei den Herrschaften Jacobs in Gnewikow, von dem Kneesebeck in Karwe, v. Ziethen Schwerin in Wustrow, einem weiteren v. Quast in Langen usw., küsse den Damen die Hand, bewundere mit Kennerblick die an den Wänden hängenden Gemälde und Gobelins, richte Grüße von meiner Mutter aus, lenke die Unterhaltung so, daß zwanglos die aristokratischen Teile meiner Familie mütterlicherseits zur Sprache kommen, gehe dann behutsam zum eigentlichen Thema – zur Finanznot in der jeweiligen örtlichen Jungenschaftskasse – über, beleuchte die elende Lage der Landarbeiter, erteile aber jedesmal, unter Hinweis auf umfassende Wirtschaftsverflechtungen, an denen ja niemand schuld sei, moralische Generalabsolution für die Gutsbesitzer und erreiche am Ende immer, was ich will. Schwer fällt mir das nur in den Dörfern, in denen es keine Großgrundbesitzer gibt: in Altfriesack und Lichtenberg. Da habe ich mit hartköpfigen Großbauern aus der Gemeindeverwaltung zu tun. Aber es stellt sich heraus, daß es da wieder Jugendetats gibt, die seit Jahren nie voll ausgeschöpft worden sind, was mir ein für die Betreffenden überaus peinliches politisches Druckmittel in die Hand gibt, so daß ich nicht nur Jungvolkbeiträge bekomme, sondern außerdem noch Geldsummen für die Instandsetzung der verwahrlosten Räumlichkeiten, die dem Jungvolk für seine Heimabende zustehen. Nach wenigen Wochen sind die Finanzen des Fähnlein 8 geregelt, und ausschließlich meiner Tüchtigkeit wegen, ohne daß ich im mindesten gegen Rudi Lahs intrigieren müßte, ernennt der Neuruppiner Jungbannführer mich zum Fähnleinführer des Fähnlein 8 (was einem Hauptmann und Kompaniechef in der Armee entspricht).

Damit habe ich, nunmehr 14 Jahre alt, den höchsten Gipfel meiner Karriere als Nazi erreicht. Und einer der von mir besuchten Gutsherrn macht mir das moralisch zum Vorwurf und erinnert dabei an meinen Vater, mit der mir schon bekannten Redewendung, der drehe sich im Grabe um: der Vetter des Randenslebener Grundbesitzers, Herr v. Quast in Langen, dem dreckigsten und verkommensten Dorf meines Reviers, verkommen deshalb, weil sein Herr ein Privatgelehrter ist. Als ich den Langener Quast aufsuche, finde ich im halbverfallenen Schloß in einer mit Büchern vollgestopften Stube einen Intellektuellen vor, der bei der Erwähnung meiner adligen Verwandtschaft angeekelt abwinkt, dann unter ärgerlichem Kopfschütteln, ohne jede Diskussion sofort einen Scheck über die erbetene Geldsumme ausschreibt und mir mit der Bemerkung: »Du solltest dich schämen, mein Junge, im Braunhemd herumzulaufen. Hast du denn nicht die 'Primaner' gelesen?«, die Tür weist. – Die Betroffenheit über diese Abfuhr hält bei mir nicht lange vor, weil die Schizophrenie meiner Situation und Einstellung im Frühjahr 1938 vorübergehend aufgehoben wird durch die Annexion Österreichs. Auch zu Hause ist man von der Schaffung »Großdeutschlands« allgemein angetan, zumal sie ohne jedes Blutvergießen erreicht worden ist. Selbst die alten Sozialdemokraten – Dr. Jacoby, der Vater Kuhlboldt, Studienrat Kuntz – fallen vorübergehend um, sich daran erinnernd, daß schon Karl Marx 1848 die großdeutsche Republik gewollt habe, daß 1918 Sozialdemokraten und Kommunisten in Deutschland sowohl wie in Deutschösterreich für dessen Anschluß an das Reich gewesen seien, den damals nur die Westmächte, in offenkundigstem Widerspruch zum Selbstbestimmungsrecht der Völker vereitelt hätten, usw.

Es macht sich Respekt vor Hitlers außenpolitischem Geschick breit. Es kommen Parolen auf wie die, daß manchmal auch böse Kräfte objektiv etwas Gutes bewirken. All dies macht der Hingabe, mit der ich meine Fähnleinführer-Pflichten erfülle, ein gutes Gewissen. Hinzu kommt der gefährliche Einfluß eines neuen jungen Klassenlehrers am Gymnasium: Otto Tinius, genannt Ock, der Studienrat und HJ-Gefolgschaftsführer zugleich ist, sich von uns Schülern, selbst im Unterricht, duzen läßt, uns mit modernen Unterrichtsmethoden den Schulbesuch zum erstem Mal zum Genuß macht, dabei Begeisterung ausstrahlt, warmherzig, teilnehmend und verständnisvoll wirkt, sich mit Feingefühl der persönlichsten Sorgen jedes einzelnen annimmt und damit eine Naziagitation verbindet, die auf raffinierteste Weise an Verstand und Ehrgefühl zu appellieren scheint. Ock ist unser Ordinarius und unterrichtet uns zugleich in Französisch, in Englisch (das um diese Zeit obligatorisch wird und das bisherige Griechisch aus dem Lehrplan verdrängt) und in Sport. Zum ersten Mal im Leben habe ich es in ihm mit einem Turn- und Sportlehrer zu tun, der mich auch auf diesem – meinem bisher schwächsten – Gebiet zu Erfolgserlebnissen gelangen läßt, der es dazu bringt, daß ich ein passabler Fußballer werde und vor allem Spaß am Boxen kriege.

Ock auch sorgt – als HJ-Führer – dafür, daß sich im Sommer 1938 zahlreiche Neuruppiner Hitlerjungen und Pimpfe kostenlos an einer herrlichen Rheinlandfahrt beteiligen können, und im Herbst organisiert er – als Studienrat – eine Sonderfahrt seiner Klasse an die Nordsee, nach Brunsbüttelkoog, Husum, Westerland, Helgoland, Cuxhaven und Hamburg, mit Fußwanderungen auf den äußersten Koogdeichen, mit Storm-Gedenkfeier in Husum, mit Nordsee- und Elbmündung-Dampferfahrten, mit abschließendem Opernbesuch in Hamburg, all dies unter humorvoller Duldung unserer Reiseflirts. Von den Werken meines Vaters scheint Ock viele gelesen zu haben. Das »Ostproblem« und die »Primaner« kennt er jedenfalls genau. Mit größtem Geschick macht er mir den Roman madig, indem er gleichzeitig »einzelne sehr wertvolle Gedanken« in dem anderen Buch lobend hervorhebt und meinen toten Vater einen,

»bei all seinen Irrtümern«, »genialen und grundehrlichen« Mann nennt. So kommt es, daß ich im Sommer 1938 ein lupenreiner Nazi bin. Aber dies hält nicht lange vor. Die folgenden Ursachen führen zum endgültigen Bruch mit dem Nazitum:

1.) Meine Lektüre wird literarisch seriöser. Im Bücherschrank zu Hause steht u.a. das gesamte literarische Schaffen der von den Nazis ins Exil getriebenen Schriftsteller. Meine Mutter, Professor Jenisch, die Brüder Kuhlbrodt und der junge Buchhandlungsgehilfe Neumann machen mich unentwegt auf sie aufmerksam. Schon um mitreden zu können, lese ich diese Sachen. Über Felix Dahns »Kampf um Rom« siegen die »Buddenbrooks« von Thomas Mann. Arnold Zweig, Kurt Tucholsky, Erich Kästner (als Kinderbuchautor sowieso geliebt), Erich Maria Remarque und Ludwig Renn machen mir eindringlich das Entsetzliche des Krieges klar und wirken damit in meinem Bewußtsein der militaristischen Komponente des Nazitums entgegen.

2.) Im Herbst 1938 gerät Deutschland durch die Sudetenkrise an den Rand des Krieges, was bewirkt, daß die Stimmung vom Frühjahr bei den eigentlich antinazistischen Erwachsenen, besonders bei meiner Mutter, Dr. Jacoby, Dr. Kuntz und dem Vater Kuhlbrodt, sehr schnell wieder umschlägt und sie auf Hitlers wahnwitziges Abenteurertum zu schimpfen beginnen. Zusammen mit der Lektüre besagter Antikriegsliteratur leuchten mir ihre Argumente vollständig ein, und ich beginne mit wachsendem Entsetzen zu erkennen, daß die Geländespiele, die ich als Fähnleinführer organisiere, Teil einer vormilitärischen Ausbildung der Pimpfe sind und somit der Kriegsvorbereitung dienen. Damit will ich, als Leser Remarques und Arnold Zweigs, nichts zu tun haben.

3.) Seit 1937 werden wir Gymnasiasten im Herbst immer wochenlang zur Kartoffelernte auf die Güter in der Umgebung Neuruppins geschickt – eine Arbeit, die uns von Sonnenaufgang bis -untergang in Anspruch nimmt, physisch viel zu anstrengend für uns ist und mit Pfennigen bezahlt wird. Da ich einem Erntekommando in Gnewikow – im Bereich meines Fähnleins – zugeteilt bin, muß ich mir ganz besondere Mühe geben, vorbildhaft flink zu sein, was zu einer solchen Überanstrengung meiner Kräfte und Nerven führt, daß ich noch nachts im Traum, in einer Art Schlafwandel aufrecht im Bett sitze und in der Bettwäsche nach Kartoffeln wühle, statt im Schlaf Erholung zu finden. Meine Mutter, die diesen Zustand mit Sorge beobachtet, regt sich ungeheuer darüber auf, daß die Nazis, um für die zum Militär gepreßte erwachsene männliche Bevölkerung einen Ersatz zu schaffen, Zwangsarbeit für Kinder eingeführt hätten. Die wenigen Landarbeiter, die noch in Gnewikow für die Kartoffelernte zur Verfügung stehen und selber völlig erschöpft sind, bestätigen mir in Gesprächen, daß dies genau zutrifft, und selbst Frau Rittergutsbesitzer Jacobs, eine Erznazisse, klagt darüber, daß der immer maßloser werdende Menschenbedarf der Wehrmacht ständig die Bergung der Feldfrüchte gefährde. Auch von dieser Seite her wird mir so die nahe Kriegsgefahr mit ihren schon jetzt für das ganze Land bösen Konsequenzen eingebleut.

4.) Zum ersten Mal beginnen sich zur gleichen Zeit auch in meiner Schulklasse bei einigen wenigen Kameraden oppositionelle Tendenzen zu regen, vor allem bei Dieter Baege, dem Sohn des Direktors des Gymnasiums, einem zarten, nervösen hochintelligenten Knaben; bei dem gutmütigen, mit den Sorgen der Landbevölkerung intim vertrauten Wustrower Gastwirtssohn Rudi Lahs, meinem Vorgänger als Fähnleinführer; bei Bodo Braune, dem Stiefsohn eines Stabsarztes vom Panzerregiment 6, das bei Neuruppin stationiert ist und wo die Vorbereitungen zur Mobilmachung in vollem Gang sind; sowie bei dem gegen jede Autorität renitenten Hans Ulrich Lehrke, dem einzigen Arbeiterjungen in der Klasse, Sohn eines vor kurzem verstorbenen Arbeiters der Minimaxwerke und einer Krankenpflegerin der Neuruppiner Irrenanstalt. Mit diesen Jungen schließe ich mich immer enger zusammen, und unsere Gespräche über die Kriegsgefahr erhalten allmählich einen immer subversiveren Inhalt.

5.) Zum entscheidenden Anlaß meiner endgültigen Abkehr vom Nazitum aber wird im November 1938, nachdem die akute Kriegsgefahr durch das Münchener Abkommen gebannt scheint, die Kristallnacht mit ihren Abscheu erregenden pseudospontanen, in Wahrheit zentral gelenkten Progromen. Es gibt in Neuruppin nur ganz wenige Juden. Umso augenfälliger ist in der kleinen Stadt die Scheußlichkeit dessen, was man ihnen und ihrer Habe antut. Unmittelbar betroffen ist die mit uns befreundete Familie Jacoby. Dem Vater brandschatzt man sein Tuchlager – in einer Zeit, in der Stoffe immer rarer werden. Dem Sohn zertrümmert man – während er einen operationsbedürftigen Patienten im eigenen Auto nach Berlin, in die Charité fährt (siehe oben) – seinen Röntgenapparat, seine Mikroskope und sonstigen Arbeitsinstrumente, eine Gemeinheit und Unmenschlichkeit, wie sie satanischer nicht gedacht werden kann. Ungeheure Erregung und tobender Haß bemächtigen sich meiner Mutter und ihrer Bekannten. Auch ich werde davon angesteckt, bin hell empört, schäme mich meiner Fähnleinführerwürde bis zum Ekel vor mir selbst. Unter Tränen vertraue ich mich in einem Gespräch unter vier Augen Ock Tinius an. Traurig versucht er mich zu beschwichtigen, aber ich spüre deutlich, daß auch er – der glühendste idealistische Nazi weit und breit – die Aktion mißbilligt. Kreidebleich, mit schwarzen Rändern unter den Augen, eingefallenem Gesicht und zitternden Händen sitzt der sonst bis zur Ausgelassenheit fröhliche Mann vor mir da. Als ich ihn wieder verlasse, steht es eisern fest für mich, daß ich mich vom Jungvolk zurückziehen und auch nie in die reguläre Hitlerjugend (der Vierzehn- bis Achtzehnjährigen) oder irgendeine andere braune Organisation mehr eintreten werde. –

Es ist dies mein zweiter Bruch mit dem Jungvolk. Aber im Unterschied zum erstem Mal, Frühjahr 1935, vollziehe ich ihn jetzt – Ende 1938 – nicht in demonstrativer Form, sondern – reifer und vorsichtiger geworden – unter Vorwänden. Den ersten Vorwand liefert das Nachlassen meiner Leistungen in der Schule – infolge der übermäßigen Beanspruchung durch die Fähnleinfüherpflichten, der beiden Wanderfahrten ins Rheinland und an die Nordsee, der physischen Erschöpfung durch Erntehilfe und – meiner immer umfangreicher werdenden belletristischen Lektüre. Mein Herbstzeugnis weist schlechtere Zensuren auf als alle früheren – meist überdurchschnittlich guten – Zeugnisse.

Im Einvernehmen mit mir wendet meine Mutter sich an Ock und legt ihm nahe, sich als Leher und als HJ-Führer dafür zu verwenden, daß man mich von meiner Funktion entbindet, aber vorläufig auch davon absieht, mich zur regulären HJ zu überstellen, solange, bis ich die Versetzung zu Ostern 1939, in die Untersekunda, hinter mir habe. Ock findet ihre Gesichtspunkte vernünftig und will sehen, was sich machen läßt. Indes kommt meinen Rückzugsplänen noch ein zweiter Umstand zustatten; von Ocks Turn- und Sportunterricht begeistert, habe ich probeweise in einer Jungenschaft meines Fähnleins – im »Standort« Wustrow – zusammen mit Rudi Lahs einen freiwilligen Kursus im Boxsport eingerichtet und mir dafür vom Jungbann die Anschaffung von ein paar Boxhandschuhen bewilligen lassen. Rudi Lahs und ich erteilen, unter Nachahmung von Ocks Methoden, den Unterricht selbst. Eines Tages erscheint der Jungbannführer in Wustrow, um den Kursus zu inspizieren. Wir sind gerade beim Einüben von Verteidigungsstellungen. Der Jungbannführer sieht eine Weile zu, und plötzlich ruft er aus: »Das nennt Ihr Boxen? Ihr seid ja ein schlapper Verein«, zieht sich selber Boxhandschuhe an und stürzt sich auf einen der Jungen, um ihn brutal zusammenzuschlagen. Ausgerechnet ist dies ein schmaler, zarter Knabe aus aristokratischem Hause, der mit blutender Nase laut weinend davonläuft: Der Vater, ein emigrierter Balte namens v. Koskul, kommt noch am selben Abend zu mir und überhäuft mich mit Vorwürfen, wie ich dazu käme, den Jungvolkdienst zu Brutalitäten zu mißbrauchen, die die Gesundheit der Kinder gefährdeten. Diesen Vorfall benutze ich, um brieflich von dem Jungbannführer zu verlangen, daß er sich bei Herrn v. Koskul zu entschuldigen habe. Als der Jungbannführer das höhnisch ablehnt mit der Bemerkung, er habe ganz im Sinne des Führers gehandelt, der die Pimpfe zu stahlharten Männern erzogen sehen wolle, lege ich unter Protest meine Funktion nieder mit der Begründung, meine Autorität in Wustrow sei durch den Jungbannführer ein für allemal untergraben worden. Ock Tinius gibt mir in der Sache recht, setzt dem Jungbannführer die Unmöglichkeit seines Verhaltens auseinander – als HJ-Gefolgschaftsführer ist Ock vom Jungvolk unabhängig und kann sich das leisten – und macht ihm bittere Vorwürfe darüber, daß er einen seiner tüchtigsten Fähnleinführer vergrault habe.

Gleichzeitig setzt Ock im Hinblick auf mein Nachlassen in der Schule meine zeitweilige Beurlaubung vom Jungvolkdienst überhaupt durch. Ende 1938 ist damit meine Nazikarriere endgültig beendet. Als für mich nach der Versetzung in die Sekunda, diesmal mit wesentlich besseren Noten, die Übernahme in die reguläre HJ spruchreif wird (über 15 Jahre alte Pimpfe dürfen nur mit Führungsfunktionen im Jungvolk verbleiben), schütze ich erfolgreich Krankheit – teils chronische Gallenbeschwerden, teils Schmerzen im Knie – vor, um mich davor zu drücken. HJ-Mitglied werde ich dann nicht mehr. Abgesehen von meiner Jungvolkzugehörigkeit 1934-35 und 1936-38, habe ich zu keiner Naziorganisation gehört. Das Vortäuschen von Krankheiten aber soll von nun an für mich ein virtuos gehandhabtes Mittel werden, mich allen Anforderungen von seiten der Nazibehörden und -organisationen zu entziehen, die entweder meinen Bildungsgang stören oder — im Kriege- mein Leben gefährden oder mit meinen antifaschistischen Grundsätzen unvereinbar sein würden. Mit 15 Jahren werde ich ein Genie unüberführbaren Simulierens.

Vier Faktoren vertiefen und befestigen am Vorabend des Zweiten Weltkriegs meine antifaschistische Gesinnung:

1.) Im März 1939 okkupiert Hitlerdeutschland die Rumpf-Tschechoslowakei. Dies ist dasjenige Verbrechen, mit dem Hitler bei den mich beeinflussenden Erwachsenen in Neuruppin und bei mir selbst auch die letzten nationalistisch motivierten Sympathien für seine Außenpolitik definitiv zerstört. Hatten wir die Annexion Österreichs ein Jahr zuvor noch gutgeheißen, hatten wir an der Sudetenkrise vom September nur das Riskieren eines Kriegsabenteuers beanstandet, gegen die Angliederung der Sudetengebiete an Deutschland aber an sich nichts einzuwenden gehabt, so verabscheuen wir in Hitler von nun an den Vertragsbrecher und den imperialistischen Eroberer, der fremde Nationen unterwirft. Daß die Tschechen ins Reich gezwungen werden und einen Protektoratsstatus erhalten, verabscheuen wir.

2.) Im April stirbt, 91 Jahre alt, mein Großvater Wyneken. Bei Gelegenheit seiner Beerdigung werde ich in Königsberg mit meinem Vetter, dem General v. Kortzfleisch, bekannt, der mit seinen Truppen soeben das Memelgebiet besetzt hat. Aus Kortzfleischs Äußerungen geht eindeutig hervor, daß die Wehrmacht sich jetzt auf einen Krieg mit Polen vorbereite. Die Hetze gegen Polen in den darauffolgenden Monaten bestätigt das immer deutlicher. – Erneut stürze ich mich in die Lektüre pazifistischer und antimilitaristischer Literatur aus den zwanziger Jahren und beurteile alle kommenden Ereignisse im Lichte der aus diesen Werken bezogenen Erkenntnisse. (Parenthese: A propos Kortzfleisch! Es war einer der größten Fehler meiner Mutter, daß sie auf die Pflege der

Beziehungen mit diesem Mann, der sie – seine um mehr als zehn Jahre jüngere »Tante« – offensichtlich verehrte, nicht den geringsten Wert gelegt hat, und zwar deswegen nicht, weil ihr der Umgang mit einem »Militärstiefel«, wie sie es nannte, einfach langweilig war. Als Kortzfleisch im Kriege kommandierender General des stellvertretenden Armeekorps III wurde, d.h. sämtliche Wehrmachtstruppen in Berlin und der Mark Brandenburg befehligte, wich sie seinen wiederholten Bemühungen, mit uns freundschaftlich zu verkehren, aus, und ich Idiot bestärkte sie darin. Dabei hätte Kortzfleisch mir, als ich 1942 zum Wehrdienst eingezogen wurde, sehr leicht irgendeinen Druckposten in Berlin oder Umgebung verschaffen und mir damit die großen Mühen, mich dem Krieg zu entziehen, ersparen können. Auf diesen einfachen Gedanken kamen wir gar nicht. Und auch das: Kortzfleisch hätte leicht von uns und unseren antifaschistischen Freunden politisch beeinflußt werden können, möglicherweise hätte er unter diesem Einfluß am 20. Juli 1944 anders gehandelt, als er es dann leider getan hat, und von seinem Verhalten vor allem hingen Erfolg oder Mißerfolg des Anti-Hilterputsches ab. So gesehen, sind wir also durch unsere Gleichgültigkeit diesem hochgestellten Verwandten gegenüber am Scheitern des Putsches mitschuldig.)

Wie weit Kortzfleischs Sympathie für uns, besonders für meine Mutter, ging und wie er sich seinen, auch andersdenkenden, Verwandten gegenüber verpflichtet fühlte, geht daraus hervor, daß er im Herbst 1943, auf Bitten meiner Mutter, nicht nur mich vor einem sicheren Todesurteil bewahrt, sondern auch unseren jüdischen Freund Konrad Latte alias Bauer vor Auschwitz gerettet hat, nachdem unsere Bemühungen, Latte am Leben zu erhalten, ebenso kläglich gescheitert waren wie mein erster Desertationsversuch. (Doch darüber mehr weiter unten!)

3.) Nach dem Tode ihres Vaters Wyneken will meine Mutter nicht einen sie deprimierenden Sommerurlaub in Ostpreußen verbringen. Auf meinen Rat gehen wir im Sommer 1939 nach Kampen auf Sylt, das ich im Vorjahr auf der von Ock Tinius initiierten Nordseefahrt kennengelernt habe. In Kampen erholen sich auch meine Halbschwester Susanne Kerckhoff und ihr Mann, der Berliner Buchhändler, und durch die Kerckhoffs lerne ich ihren Freund, den Schriftsteller Ernst v. Salomon und dessen Frau Ille kennen, die gleichfalls »Kampener« sind. Wie Kerckhoff ist auch von Salomon ein alter Rechtsextremist aus den zwanziger Jahren (beteiligt am Rathenau-Mord und wegen Hochverrat zu 5 Jahren Zuchthaus verurteilt gewesen, sein Roman »Die Geächteten«, noch vor 1933 erschienen, eine Rechtfertigung dieser Aktivitäten): Und wie Kerckhoff ist auch von Salomon, von Hitler tief enttäuscht, nach 1933 zum glühenden Antinazi geworden.

Durch von Salomons und Kerckhoffs Belehrungen wird mir der Nazismus jetzt auch noch aus der Sicht der von Hitler Abgefallenen suspekt, nachdem ich bisher nur die Argumente der liberalen bis sozialdemokratischen Anti-Hitler-Kritik gekannt habe. Dies komplettiert meine politischen Gesichtspunkte und erweitert meinen politischen Horizont wesentlich. In voller Deutlichkeit erstehen vor mir Verbrechen, die Hitler bereits vor der Machtergreifung, im Zusammenhang mit der Strasser-Affäre, und dann vor allem am 30. Juni 1934, bei seiner blutigen Abrechnung mit den Linken um Röhm, begangen hat. Gleichzeitig bahnt sich in Kampen meine spätere innige Freundschaft mit der mir völlig gleichgesinnten Halbschwester Susanne Kerckhoff an, für die ich in den vorausgegangen Jahren als Gesprächspartner noch zu klein war, die sich aber auch von mir als Jungvolkführer ferngehalten hat. Dieser Bann zwischen uns ist jetzt gebrochen.

4.) Unmittelbar nach unserer Heimkehr aus Kampen bricht mit dem Überfall Hitlerdeutschlands auf Polen der Zweite Weltkrieg aus, dem wir von der ersten Stunde an und bis zum Ende völlig ablehnend, stets den »Feindmächten« den Sieg wünschend, gegenüberstehen – mit täglichem Abhören von BBC London und später, ab 1941, auch Radio Moskau.

In Neuruppin begegne ich in den ersten Kriegstagen einem meiner früheren »Katakombenverschwörer« vom Neuen Markt, dem Arbeiterjungen Kraus, der inzwischen Soldat geworden und in Wien stationiert ist. Von ihm erfahre ich, daß die Österreicher, weit entfernt, von »Großdeutschland« noch begeistert zu sein, sich in ihrer Majorität in dumpfem Haß gegen das Hitlerregime verzehren. Der einzige Neuruppiner Nazi, der allen diesen Einflüssen vielleicht noch entgegenwirken könnte, Ock Tinius, wird sofort bei Kriegsausbruch zum Militär eingezogen –

ein Jahr später ist er bereits gefallen. Der Unterricht am Gymnasium liegt wieder ganz in den Händen der konservativen und faschistischen alten Knacker, denen jede Fähigkeit, auf junge Menschen Begeisterung auszustrahlen, abgeht. Eng schließe ich mich gegen diese Lehrer mit meinen gleichgesinnten Schulkameraden Bodo Braune, Dieter Baege, H.U. Lehrke und Rudi Lahs zusammen. Systematisch versuchen wir, andere Mitschüler auf unsere Seite zu ziehen und gegen den Krieg zu beeinflussen. Bei Wolfgang Preuß, Sohn des Hilfsschuldirektors in Neuruppin; Günther Pauly, Sohn eines Dorfpfarrers; Günther Selig, Sohn eines Mittelschullehrers; Konrad Hartmann, dem »Dandy« der Klasse, Sohn eines Prokuristen, gelingt uns das. In den Wintermonaten, die durch Kohlenknappheit die ersten Kriegsfolgen spürbar machen und häufig Kälteferien bringen, drängen wir die Nazis in der Klasse – Gorgas, Teller, Rönnefahr – in die Isolierung. Mehr und mehr schenkt uns auch der sonst unpolitische »Sumpf«, bestehend aus den Großbauernsöhnen Deter und Condereit, dem Altruppiner Apothekerssohn Wagnitz, dem kleinen v. Ziethen (Nachfahren des friderizianischen Husarengenerals), dem Rittergutsbesitzerssohn v. Voigtländer sowie Eberhard Voigt, Sohn der Witwe eines Offiziers der Handelsmarine, Gehör. Um die derart erfolgreiche Agitation abzusichern, bilden sich in dem aktiv antinazistischen Kern der Klasse Methoden der Konspiration heraus.

Im Frühjahr 1940 werde ich plötzlich zum Jungbannführer beordert. Mit den furchtbarsten Beschimpfungen und Bedrohungen wirft er mir vor, ein Volksverräter zu sein, Zersetzung zu betreiben, die Klassenkameraden gegen den Führer aufzuwiegeln. Offensichtlich bin ich denunziert worden. Ich streite alles ab und verlange empört eine Untersuchung. Wenig später versammelt sich die ganze Klasse im Jungbannbüro. Meine Freunde entlasten mich und versichern, an meiner Treue zu Deutschland« sei nicht zu zweifeln. Feindselige Äußerungen hätten sie von meiner Seite nie gehört. Gorgas und Teller behaupten, unter wörtlicher Zitierung von Äußerungen, die ich tatsächlich getan habe, steif und fest das Gegenteil. Ich bezeichne sie als Lügner und Intriganten. Andere Nazis aus der Klasse erklären, zwar »nichts Genaues« zu wissen, mir aber Subversion »durchaus zuzutrauen«. Der »Sumpf« schweigt. Belastend ist, daß ich mich stillschweigend aus dem Jungvolk herausgeschlichen habe, nicht in die HJ eingetreten bin und auch seit Anfang 1939 keine Mitgliedsbeiträge mehr gezahlt habe. Ich rede mich auf meine – vorgetäuschten – Leiden, auf Überbeanspruchung durch die Schularbeiten u. dgl. heraus. Da die Beweise gegen mich anscheinend nicht ausreichen, schickt der Jungbannführer uns schließlich nach Hause. Aber wenige Tage später bestellt Direktor Baege meine Mutter zu sich und eröffnet ihr, daß der örtliche Kreisleiter der NSDAP, Kerner, meine Entfernung aus Neuruppin wünsche; ich sei ein subversives Element und würde staatsfeindliche Ideen ins Gymnasium hineintragen. Ihm, Baege, bleibe nichts anderes übrig, als mir das Consilium abeundi zu erteilen, d.h. mich aus der Schule zu werfen – falls ich dem nicht durch Übersiedlung an einen anderen Ort und Eintritt in ein anderes Gymnasium zuvorkäme. Da Baeges Sohn zu meinen engsten gleichgesinnten Freunden zählt, ist Baege einerseits an meiner Entfernung aus Neuruppin besonders interessiert, andererseits aber auch geneigt, die ganze Sache möglichst zu vertuschen und mir weitere Untersuchungen, mit hochnotpeinlichen Verhören meiner Mutter und anderer Eltern, zu ersparen. So bewahrt die Entscheidung meiner Mutter, das Consilium abeundi anzunehmen, uns vor allen Weiterungen.

Inzwischen ist mein Freund, der Medizinstudent Gerhard Kuhlbrodt, von Rostock nach Berlin übergesiedelt, um sich an der Berliner Universität auf sein Staatsexamen vorzubereiten, das er, um der Einziehung zur Wehrmacht zu entgehen, mit vielen Tricks immer weiter hinausschiebt. Von Berlin aus kommt Kuhlbrodt häufig nach Neuruppin. Häufig besuche umgekehrt ich ihn in Berlin, wo er in der Georgenstraße 44, nahe dem Bahnhof Friedrichstraße, eine kleine Atelierbude bewohnt, umsorgt und mit üppigen Lebensmittelzuwendungen versehen von seiner neuesten Freundin, einer jungen Dame aus Helsinki: Tertu Ojonen, die mit diplomatischem Status in der Paßabteilung der finnischen Gesandtschaft tätig ist. Hans Kuhlbrodt ist beim Militär. Meine Freundschaft mit Gerhard tritt jetzt in ihr intensivstes Stadium – bis 1942 auch er zum Kriegsdienst, als Arzt bei der Organisation Todt, eingezogen wird. Und durch Kuhlbrodt lerne ich den im selben Haus in der Georgenstraße wohnhaften ambulanten Buchhändler Georg Pintzke kennen, der in der Universitätsgegend auf offner Straße mit einem Handwagen antiquarische

Bücher feilbietet, und dieser Pintzke ist Kommunist. Als ich daher nach den Sommerferien 1940 nach Berlin, zu den Kerckhoffs, übersiedle, stehe ich bereits unter kommunistischem Einfluß. Andererseits aber habe ich in den – diesmal in Ahrenshoop an der Ostsee verbrachten – Ferien die Familie des Theologenprofessors Erich Seeberg aus Berlin kennengelernt, der in Ahrenshoop ein Sommerhaus besitzt. In Seebergs Tochter Erika bin ich – unglücklich – verliebt, und ihr Vater findet so großen Gefallen an Gesprächen mit mir, daß er mich auffordert, in Berlin seine Vorlesungen und Seminare zu besuchen, womit nunmehr auch schon meine ersten akademischen Beziehungen geknüpft sind. Zwischen »schwarzem« Universitätsbesuch und marxistischer Beeinflussung durch Pintzke u.a. wird sich mein Leben in den Jahren 1940-42 in Berlin, bis zur eigenen Einberufung zu Wehrmacht, abspielen. Eingeschult werde ich im Spätsommer 1940 am Bismarck-Gymnasium in Berlin-Wilmersdorf, etwa 20 Minuten Fußweg von der Wohnung meiner Schwester und meines Schwagers, in der Xantenerstraße am Olivaer Platz, entfernt. Als »Neuem« begegnet man mir, wie in solchen Fällen bei Schülern häufig, mißtrauisch und leicht höhnisch. Selbst überwältigt vom Glanz der Großstadt, führe ich dies auf meine Herkunft aus dem Provinznest Neuruppin zurück, deren ich mich schäme, und versuche meine Minderwertigkeitskomplexe durch intellektuelle Überheblichkeit, Prunken mit Belesenheit, arrogantes Verhalten auch zu den Lehrern – denen ich mit Vorliebe ihre philosophische und literarische Ignoranz nachweise überzukompensieren.

Gerne lasse ich mich von meinen erwachsenen Freunden – Kuhlbrodt u.a. – mittags am Schulportal abholen, um auch damit zu renommieren. Unbedingt will ich mit diesen Mitteln die Führungsrolle wiedergewinnen, die ich in Neuruppin seit Anfang 1939 als subversiver Zersetzer am Gymnasium und davor im Jungvolk als Fähnleinführer innegehabt habe. Doch das mißlingt nicht nur, sondern hat für mich katastrophale Konsequenzen. Unter den neuen Schulkameraden mache ich mich nur verhaßt, oft verabfolgt man mir Klassenkeile, und alle meine Versuche, einzelne Freunde zu gewinnen, scheitern. Dies belastet mich mit einem so schweren Trauma, daß mir physisch übel wird, wenn ich mich dem Gymnasium nur nähere, und so beginne ich in wachsendem Maße, die Schule zu schwänzen, entweder unter Vorwänden, die die Kriegssituation schafft (angebliche Verkehrsschwierigkeiten wegen der Verdunkelung oder der Bombenangriffe), oder auch aus vorgeschützten Krankheitsgründen, wobei meine Schwester Susanne mich, sooft ich nur will, mit Entschuldigungszetteln unterstützt. Aber die Schulschwänzerei hat noch einen weiteren Grund: Berlin bietet meinen immer vielseitiger sich entfaltenden geistigen Interessen – vor allem an der Universität – so reiche Anregungen, daß ich bereits in eine Studentenrolle hineinwachse und das, was es am Gymnasium zu lernen gibt, viel zu kleinkariert finde. Oft sitze ich in Stunden, die ich in der Schule verbringen müßte, in Universitätsvorlesungen. Häufige Theaterbesuche, stundenlange Diskussionen mit interessanten Erwachsenen, dann auch Broterwerb durch Erteilen eigener Unterrichtsstunden beanspruchen die übrige Zeit, und bestenfalls werden mit der linken Hand, zwischendurch die Schularbeiten erledigt. Dies alles führt schließlich dazu, daß mein Klassenlehrer sich erst an meine Schwester, dann auch – durch ihre Vermittlung – an meine aus Neuruppin herbeireisende Mutter wendet und ihnen klarmacht, daß es so mit mir nicht weitergehe. Das Gespräch zu Dritt ergibt, daß ich für den weiteren Besuch des Bismarck-Gymnasiums nicht in Frage komme, einerseits wegen meiner Unbeliebtheit bei den Mitschülern, andererseits deswegen, weil ich überhaupt viel zu frühreif bin, um in ein reguläres Gymnasium überhaupt hineinzupassen. Der zu Rate gezogene Direktor rät meiner Mutter schließlich, mich auf eine Privatschule, die, außer von Gleichaltrigen, auch von erwachsenen Spätabiturienten besucht wird, aufs Abitur vorbereiten zu lassen. Dort würde ich mich wohler fühlen, konzentrierter lernen und mehr leisten.

So werde ich im Frühjahr 1941 Schüler der Fackelmannschen Privatschule in Berlin-Wilmersdorf. In der Tat begegnen die Kameraden mir hier wesentlich freundlicher, zumal auch ich gelernt habe, mich zu ihnen anders zu verhalten als zu den Mit-Primanern des Bismarck-Gymnasiums. Zwei Erwachsene unter ihnen werden meine Freunde: Klaus Asch, Sohn eines jüdischen Kaufmanns aus Warschau und einer »arischen« deutschen Mutter aus großbürgerlicher Familie – Asch ist Anhänger der Ideen Walther Rathenaus – und ein kaufmännischer Angestellter namens Kaufmann, mit 35 Jahren der Älteste der Klasse, ein Mann der sein Abitur nachmachen will, um seine soziale Lage zu verbessern. Beide sind entschiedene Antifaschisten, Kaufmann ist Marxist; von ihm erhalte ich zum ersten Mal heimlich ein marxistisches Buch geschenkt: eine Volksausgabe des I. Bandes des »Kapitals« von Marx, während mir bis dahin – von Pintzke – marxistische Literatur immer nur leihweise überlassen worden ist.

Auch andere, jüngere Mitschüler wollen vom Nazitum nichts wissen. Zum Verhängnis wird mir nur, daß ich mich vor diesen Kameraden durch eine »Heldentat« auszuzeichnen suche, um zu beweisen, daß ich als Antifaschist den Asch und Kaufmann, trotz meiner Jugend, bereits ebenbürtig bin. Die Gelegenheit dazu ergibt sich im Sommer 1942 durch das Hausaufsatz-Thema »Was bedeutet uns Heinrich von Kleists 'Hermannschlacht' heute?« Es ist die letzte Deutscharbeit, von deren Ergebnis die Zulassung zum Abitur abhängt, das von den Privatschülern vor einer staatlichen Kommission abgelegt werden muß (in unserem Fall im Frühjahr 1943), bei den vom Wehrmachtskommando besonders Begehrten gegebenenfalls sogar schon vorher, als sogenanntes Notabitur. Der Aufsatz, den ich schreibe, ist nun eine einzige Provokation. Ich stelle darin – mit der Ironie der Swiftschen Satiren – die These auf, daß die »Hermannschlacht« das einzige Werk unserer klassischen Nationalliteratur sei, das uns Deutschen heute – 1942/43 – noch etwas zu sagen habe, da nur darin die rücksichtslose Grausamkeit mit den Feinden gepredigt werde, die der Führer mit Recht von uns verlange. Herder, Goethe und Schiller hätten uns verweichlicht – was ich mit vielen wörtlichen Zitaten, die alle gegen Krieg und Unmenschlichkeit gehen, beweise. Also, folgereich, sei es das beste, die ganze klassische deutsche Literatur, mit der einzigen Ausnahme der »Hermannschlacht«, genauso zu verbieten und zu verbrennen wie die antinazistische Exilliteratur, die nachweislich ihr Erbe angetreten hätte.

Goethes Maxime »Edel sei der Mensch, hilfreich und gut« z.B. führe zum Hochverrat usw. usf. Fest überzeugt, durch den Scheinernst, mit dem ich diese ungeheuerlichen Thesen vortrage, vor Verfolgung geschützt zu sein, gebe ich den Aufsatz ab. Der Erfolg ist, daß Direktor Fackelmann meine Mutter zu sich bestellt und ihr erklärt, der Aufsatz erfülle den Tatbestand staatsfeindlicher Agitation; ich müßte sofort seine

Schule verlassen und noch froh sein, daß er, Fackelmann, von einer Anzeige bei der Polizei absehe; meine Zulassung zum Abitur komme überhaupt nicht in Frage. Damit ist meine Schulzeit von heute auf morgen beendet

Reguläres Abitur habe ich nie gemacht. (Allerdings kann ich gleich nach dem Kriege nachweisen, daß ich mir durch fast neunjährigen Gymnasiumsbesuch, mit guten bis ausgezeichneten Leistungen, die für das Abitur nötige Bildung erworben habe und schließlich nur aus politischen Gründen vom Abitur ausgeschlossen worden bin, so daß man mich 1946 nach einer kinderleichten formellen Prüfung, die eigentlich mehr den Charakter einer Unterhaltung hat, zum Universitätsstudium zuläßt.) –

Von der Übersiedlung nach Berlin an bewege ich mich 1940-42 bis zum Militärdienst ausschließlich in Kreisen, in denen es Nazis überhaupt nicht gibt, in denen man mit nazistischen Ansichten ein verachteter Außenseiter wäre. Da sind erstens die Leute, die ich durch die Kerckhoffs kennenlerne, unter ihnen der verbotene Schriftsteller Dr. Erich Kästner und der – seit seiner KZ-Entlassung unter Polizeiaufsicht stehende ehemalige sozialdemokratische Reichstagsabgeordnete Dr. Theodor Haubach, der Anfang 1945 als Teilnehmer des Kreissauer Kreises von den Nazis hingerichtet wird. Da sind zweitens einige jetzt in Berlin ansässige alte Freunde meiner Eltern aus der Köngisberger bzw. Neuruppiner Zeit, sowie der Professor Jenisch und auch der die Nazis tödlich hassende Apotheker Gerd Wilcke, der in seiner Freizeit »entartet« komponiert und zufällig, ohne mit den Kerckhoffs bekannt zu sein, ebenfalls enge Beziehungen zu Theo Haubach unterhält. Da sind drittens mein Intimus Gerhard Kuhlbrodt und die ihm politisch gleichgesinnten oder noch radikaleren Leute (wie der Kommunist Pintzke). Hinzu kommen viertens die antinazistisch eingestellten älteren Klassenkameraden bei Fackelmann, allen voran Asch und Kaufmann, und drei vom Studium ausgeschlossene Halbjuden, die sich, wie ich, als Schwarzhörer an der Universität zu bilden suchen (zum Teil mit stillschweigend duldendem Wissen einiger Professoren): Alexander Peter Eismann (ernährt sich als Zeitschriftenausträger und Versicherungskassierer; geht nach dem Kriege in die USA); Hansjoachim Streisand (Sohn eines Antiquariatsbuchhändlers; wird nach dem Kriege Professor für Geschichte an der

Humboldt-Universität) und Hans Zehden (mit abgebrochenem Jurastudium; hervorragender Pianist; ernährt sich als Unterhaltungsmusiker in Lokalen). Fünftens wäre noch die Familie des Theologieprofesssors Seeberg zu nennen, der zwar nur konservativer Nazigegner ist, aber an mir einen Narren gefressen hat und sich daher immer mit großer Toleranz meine radikalen Tiraden anhört.

Im wesentlichen beschränkt die Opposition in diesen Kreisen sich darauf, heimlich, im stillen Kämmerlein alliierte Sender abzuhören, die Zeitereignisse gegenüber vertauenswürdigen Bekannten in antinazistischem Sinne zu kommentieren und im übrigen ohnmächtig die Faust in der Tasche zu ballen. Aber einige gehen weiter. Ich werde darauf gleich zurückkommen, will aber vorher noch die geistigen Einflüsse streifen, die meine antifaschistischen Überzeugungen in den Jahren 1940-42 vertiefen:

1.) Da ich sehr knapp bei Kasse bin – das mir von meiner Mutter bewilligte Taschengeld beträgt 5 Mark im Monat, und ich bin bereits starker Raucher –, muß ich Geld verdienen. Ich versuche es zunächst damit, daß ich mich auf Zeitungsannoncen melde, in denen Privatunterricht für zurückgebliebene Oberschüler gesucht wird. Fast durchweg lehnen mich die Interessenten als zu jung ab, obwohl ich mich zwei Jahre älter mache (was sich in der Folgezeit dann viele Jahre lang, bis in die Friedensjahre hinein, in anderen beruflichen Zusammenhängen aber als sehr zweckmäßig erweisen sollte).

Eines Tages empfiehlt mir eine junge Schauspielerin aus dem Freundeskreis von Kuhlbrodt, Irmgard Tapper, mich an den stellvertretenden Direktor des Japan-Instituts, Professor Dr. Junyi Kitayama, dessen in Berlin ansässige japanische Landsleute immer jemanden für Grammatikunterricht und deutschsprachige Konversation brauchen und dafür sehr gut zahlen. Kitayama vermittelt mir mehrere solche Stellen, nimmt mich dafür aber in wachsendem Maß auch für seine eigene Arbeit in Anspruch, nachdem er sich in ausführlichen Gesprächen von meinem Interesse für Philosophie überzeugt hat.

Er ist eigentlich buddhistischer Geistlicher; als ich ihn kennenlerne, mit bischofsähnlichem Rang. Seine Kirche (oder Sekte? Oder Orden?) hat ihn schon in den zwanziger Jahren zu Missionszwecken nach Europa geschickt. Hier hat er Philosophie studiert – bei Husserl, Heidegger und Jaspers – und in Heidelberg bei Jaspers mit einer Arbeit, »Metaphysik des Buddhismus«, über den indischen Scholastiker Vasabandhu promoviert. Kitayama spricht nicht nur fließend Deutsch, sondern hat auch umfassende Kenntnisse der deutschen Philosophie und Literatur, besonders der klassischen, und philosophiert und dichtet in deutscher Sprache, allerdings mit gelegentlichen grammatikalischen Fehlern und stilistischen Unbeholfenheiten. Er betraut mich mit der Redigierung seiner Vorlesungs- und Buchmanuskripte. Vorlesungen hält er jeden Monat ca. 5 Tage lang in der Universität Marburg über Religions- und Geistesgeschichte Ostasiens als Honorarprofessor.

In Marburg ist er mit dem dortigen Ordinarius für Philosophie, Julius Ebbinghaus, einem Kantianer, befreundet, dessen zeitweilig in Berlin weilenden Sohn Carl Hermann Ebbinghaus ich durch K. kennenlerne. Beide schwärmen wir den interessanten asiatischen Weisen an, der uns ausführlich seine Philosophie auseinandersetzt und besonders mir auch viele kostbare philosophische Bücher aus seiner Bibliothek leiht (Cassierer, Husserl, Scheler, Heidegger, Jaspers, Klages, Freud, die große »Völkerpsychologie« von Wundt u.a.)

An zwei deutschen Übersetzungen aus dem Japanischen wirke ich als stilistischer Redakteur mit: an Kitayamas »Westöstlicher Begegnung«, einem Buch, das die Weisheit Ostasiens durch Analogien in der deutschen Philosophie und Dichtung für deutsche Leser verständlich zu machen sucht, und an Kitaro Nishidas »Intelligibler Welt«, einer aus Buddhismus und Heidegger gemixten Fundamentalontologie (beide bei de Gruyter im Kriege erschienen, 1941 bzw. 1942).

Politisch ist Kitayama sehr zurückhaltend, nach dem Beginn der japanischen Aggression in Ostasien Ende 1941 eher kriegsbejahender als meine übrigen Freunde. Nichtsdestoweniger übt er auf mich in einem wichtigen Punkt einen entschieden positiven Einfluß aus: indem er mir unermüdlich klarmacht, daß die Naziideologie und die sie vorbereitenden philosophischen Konzeptionen, von Nietzsche bis zu den diversen Irrationalismen der zwanziger Jahre, den absoluten Tiefpunkt der deutschen Kulturentwicklung bedeuten, daß es, gemessen etwa an Goethe und Hegel, Ausgeburten eines beispiellosen Niedergangs sind.

2.) Durch den Sozialdemokraten Haubach und den Kommunisten Pintzke werde ich gleichzeitig mit dem Marxismus bekannt. Haubach macht mich eindringlich auf Marx, Engels, Kautsky, Mehring, Hilferding und Rosa Luxemburg aufmerksam und erläutert auch im Gespräch einige Grundbegriffe der marxistischen politischen Ökonomie, allerdings immer unter »revisionistischer« Distanzierung vom Marxismus-Leninismus sowjetischer Provenienz. Da er mir aber, weil unter Polizeiaufsicht stehend, nie marxistische Bücher leihen kann, bin ich bei der Beschaffung dieser Lektüre auf Pintzke angewiesen, und durch ihn werde ich – wenn auch zunächst in ziemlich roher, primitiver Form (Pintzke ist ein belletristisch belesener Prolet und alles andere als ein theoretischer Kopf) – mit dem kommunistischen Standpunkt vertraut.

Der Einfluß von Kaufmann, mit der Fackelmannschen Privatschule, wirkt später, von 1941 an, subtiler und geistig niveauvoller in gleicher Richtung. Bei Pintzke verbinden sich mit der kommunistischen Agitation unaufhörliche Warnungen vor den furchtbaren Konsequenzen, die falsche politische Entscheidungen, etwa aus Karrieregründen, für mein persönliches Wohlergehen haben würden. Wenn ich mir z.B. einfallen lassen sollte, nach dem Abitur Reserveoffizier zu werden, würde »die Kommune« mich nach dem Kriege aufhängen; es sei schlimm, daß ich Jungvolkführer gewesen sei; diesen Fehler könne ich nur durch einwandfrei antinazistisches Verhalten wiedergutmachen usw.

3.) Professor Erich Seeberg setzt mir die Gedanken und Bestrebungen der bekennenden Kirche, in ihrem stillen Widerstand gegen das Hitlerregime, auseinander und erzählt mir dabei viel von dem Kampf des – im KZ sitzenden – Martin Niemöller und vom antinazistischen Schweizer Theologen Karl Barth.

4.) Bei alledem ist mein kommunistischer Mentor, Pintzke, bei den KPD-Parolen von vor 1933 stehengeblieben und hat so gut wie nichts von der antifaschistischen Volksfrontpolitik des VII. Weltkongresses der Komintern mitgekriegt. Pfaffen rangieren für ihn gleich hinter Nazis und Offizieren, weshalb er meine Bekanntschaft mit Professor Seeberg tief mißbilligt. Sozialdemokraten sind für ihn Arbeiterverräter, so daß ich kaum wagen kann, ihm gegenüber meine Bekanntschaft mit Haubach oder dem Vater der Kuhlbrodts zu erwähnen.

Dieser Umstand läßt mich damals nie auf den Gedanken kommen, meine verschiedenen antinazistischen Freunde – von Pintzke über Haubach und Kästner bis zu Prof. Seeberg – zusammenzuführen. Mit ihnen allen sympathisierend, wäre ich dafür der recht Mann. Aber es kommt mir so vor, als seien ihre Standpunkte trotz der gemeinsamen Aversion gegen Hitler völlig unvereinbar.

5.)Was ich am Marxismus teils von Haubach, teils von Pintzke – oder später auch Kaufmann – lerne bzw. mir durch Lektüre der von ihnen empfohlenen Bücher zu eigen mache, erfährt sogleich eine philosophische Vertiefung dadurch, daß ich an der Universität bei Spranger Vorlesungen über Kant und Hegel höre und in den Vorlesungen und Seminarübungen von Nicolai Hartmann zugleich mit derjenigen Richtung der modernen bürgerlichen Philosophie bekannt werde, die durch ihre realistische Erkenntnistheorie, ihrem Atheismus und manches andere dem dialektischen und historischen Materialismus verhältnismäßig am nächsten steht. –

Auch der Beginn meiner Teilnahme am antifaschistischen Widerstandskampf fällt in die Jahre 1940-42, freilich zunächst in sehr bescheidenem Umfang.

Hier die wichtigsten einschlägigen Tatsachen:

1.) Schon 1940 benutzt Haubach mich gelegentlich, unter dem Siegel strengster Verschwiegenheit, dafür, als sein Briefbote zu Leuten zu fungieren, die er, wegen der Polizeiaufsicht, die über ihn verhängt ist, nicht selber anrufen oder anschreiben oder ohne weiteres besuchen kann. Vertrauenswürdig für diese Aufgabe erscheine ich Haubach dadurch, daß, unabhängig voneinander, sowohl Gerd Wilcke als auch die Kerckhoffs mich ihm gegenüber als zuverlässig geschildert haben. Wilcke deutete mir gegenüber an, daß Haubach an illegalen Aktivitäten teilhabe – was sich 1944 durch das Auffliegen des Kreissauer Kreises und im Februar 1945 durch Haubachs Hinrichtung als zutreffend bestätigen wird.

2.) Auch Pintzke dürfte an illegalen Aktivitäten beteiligt sein, zumindest von ihnen wissen. Dies wird mir klar, als Pintzke mir 1941 minutiös die dann tatsächlich stattfindende Brandstiftung in der nazistischen Hetzausstellung »Das Sowjetparadies« im Berliner Lustgarten voraussagt. Zwischen 1945 und 1950 (seinem Tode) beteuert Pintzke mir gegenüber dann häufig, daß er illegal gekämpft habe, was aber möglicherweise eine Übertreibung sein kann.

3.) Den wichtigsten Illegalen unter meinen Bekannten jener Jahre aber lerne ich 1941 in W.K. Nohara kennen, der zwar als Schriftsteller zu den linksbürgerlichen Literaten der zwanziger Jahre gehört (Rowohlt-Autor), aber als Sohn eines japanischen Vaters und als japanischer Staatsangehöriger seit Kriegsbeginn – teils um seine Frau, eine lettische Jüdin, besser schützen zu können, teils wegen der Lebensmittelzuwendungen für das diplomatische Korps – mit Diplomatenstatus an der Berliner japanischen Botschaft arbeitet.

Berater des japanischen Botschafters Oshima ist auch Kitayama, er in kulturellen Fragen. 1941 stellt Kitayama mir für Diktate im Zusammenhang mit den Arbeiten, die ich für ihn zu erledigen habe, mehrmals wöchentlich stundenweise in der Berliner japanischen Botschaft, Tiergartenstraße, ein Zimmer und eine Schreibkraft zur Verfügung (in dem bescheideneren, beengten Japan-Institut in der Brückenallee wäre beides nicht zu haben). So kommt es, daß ich in der Botschaft W.K. Nohara und eine Schweizerin namens Maja Schirmer kennenlerne, die dort ebenfalls arbeitet und mit der er (vorläufig platonisch) befreundet ist. Mit beiden bin ich bald, auf Grund gemeinsamer literarischer Interessen und gemeinsamer politischer Überzeugungen, ein Herz und eine Seele; Frl. Schirmer, Mitte 30, verliebt sich sogar in mich, woraus aber wegen meiner damaligen sexuellen Hemmungen nichts wird, weshalb sie bald mit Prof. Kitayama ein Verhältnis anfängt und später – im Winter 1943/44 – Noharas Geliebte wird.

Nohara scheint ein völlig unernster Mensch zu sein – der witzigste, einfallsreichste, ironischste Spaßvogel, der mir je im Leben begegnet ist, dabei nicht nur schriftstellerisch, sondern auch als Maler hochbegabt, jedoch – scheinbar – keines ernstzunehmenden Gedankens und Gesprächs fähig, weil es nichts gibt, worüber er sich nicht lustig machen würde, und sein ganzes Leben von Narrheiten durchzogen ist (z.B. hat er in seiner Wohnung nur Geschirr, das aus Bahnhofsgaststätten zusammengestohlen worden ist). Indes stellt sich bei näherer Bekanntschaft heraus, daß in diesem Mann ein fanatischer, hartnäckiger, zielbewußter Widerstandskämpfer steckt. Nachdem er mir in mehreren Unterhaltungen unter vier Augen politsch »auf den Zahn gefühlt« hat, vertraut er mir an, daß er alles in seinen Kräften Stehende tue – und tun wolle –, um die Niederlage Hitlerdeutschlands, Japans, Italiens zu beschleunigen und damit den Krieg abzukürzen. Sein Hauptplan ist der Aufbau einer weitverzweigten antinazistischen Widerstandsorganisation in ganz Deutschland, für die es, wie er meint, in allen größeren Städten bereits potentielle Keime und Ansatzpunkte gebe. Das entscheidende Hemmnis, diese Kräfte zusammenzufassen, sieht Nohara darin, daß die Verbindungen zwischen den Gleichgesinnten im ganzen Land weder brieflich noch telephonisch geknüpft werden könnten, sondern sich nur in Gesprächen unter vier Augen herstellen ließen, daß es aber auch unmöglich sei, von Stadt zu Stadt zu reisen, um, unter Ausnutzung alter Bekanntschaften, solche Gespräche zu führen. Um dem abzuhelfen, will er ein Tarnunternehmen gründen, das einen harmlos wirkenden Vorwand für derartige Reisen hergeben soll.

Schließlich verfällt er auf das Projekt einer für das verbündete Japan werbenden politisch-kulturellen, aber auch unterhaltenden Zeitschrift, deren Vorbereitung den Aufbau eines Apparats für Abonnement- und Inseratenwerbung erfordern und unter dieser Tarnung für die Widerstandsorganisation nötige Reisetätigkeit ermöglichen werde. Dabei soll ich mithelfen, und ich bin dazu grundsätzlich bereit. Das Projekt bleibt aber zunächst im Stadium der Planung stecken; es werden 1941/42 zwischen Nohara und mir lediglich immer wieder die Schwierigkeiten seiner Realisierung und die Mittel und Wege, dieser Schwierigkeiten Herr zu werden, erörtert.

Im Frühsommer 1942 eröffnet Nohara mir dann, daß er jetzt über ein anderes Mittel verfüge, das Hitlerregime zu bekämpfen: In Stockholm habe er einen gleichgesinnten Mittelsmann, den er, Nohara, laufend mit kriegswichtigen Informationen versorge, die ihm bei seiner Tätigkeit für Botschafter Oshima in Berlin zugänglich würden. Der Mittelsmann leite dieses Material weiter an die Alliierten, und zwar sowohl an die westlichen als auch an die Sowjetunion. (Daß dies keine bloße Renommage ist, sondern zutrifft, erhellt daraus, daß Nohara 1945, unmittelbar nach Kriegsschluß, unter ehrenvollsten Umständen von den Russen nach Moskau gebracht wird und von ihnen, bei seiner Rückkehr im Sommer

1946, eine durch die sowjetische Besatzungsmacht beschlagnahmte Villa bei Jüterborg als Wohnsitz erhält; erst 1948 ist er von dort, im Einverständnis mit den Russen, wieder nach Westberlin übergesiedelt, wo er bis zu seinem Tode, Anfang der fünfziger Jahre, als Journalist tätig war.)

In Noharas Begleitung befanden sich während seines Aufenthalts in der Sowjetunion 1945/46 seine Ehefrau – eine lettische Jüdin, die jetzt noch in Westberlin lebt –, seine Freundin Maja Schirmer und sein Sohn Erik Nohara, der auch jetzt noch zu meinen Freunden zählt – wohnhaft ebenfalls in Westberlin.

Nach dem Ausbruch der Feindseligkeiten zwischen der Sowjetunion und Japan, August 1945, haben die Noharas und Frl. Schirmer sich in Rjasan aufgehalten; auch von dort aus ist Nohara d.Ä. häufig zu Gesprächen nach Moskau geholt worden, mutmaßlich als Berater im Sowjetisch-Japanischen Krieg. Nach der Rückkehr aus der Sowjetunion ließ Nohara sich von seiner Frau scheiden und lebte dann bis zu seinem Tode nur noch mit Maja Schirmer zusammen. Mit seiner Spionagetätigkeit für die »Feindmächte« begründet Nohara 1942 mir gegenüber, wieso er hinsichtlich seines anderen Widerstandprojekts vorläufig inaktiv bleiben möchte.

1943 aber kommt er – als ich bereits beim Militär bin – auf den alten Zeitschriftenplan, als Tarnung für den Aufbau einer illegalen Organisation, wieder zurück, und in seinem, Noharas, Auftrag unternehme ich erste Schritte zur Verwirklichung dieses Planes, die aber schließlich scheitern. – Bei den Kerckhoffs lebe ich 1940/41 nur kaum ein Jahr lang. Meine Halbschwester Susanne hat sich in meinen halbjüdischen Freund Zehden verliebt, und Kerckhoff läßt sich durch seine Eifersucht dazu hinreißen, die Zehdens unter antisemitischen Schmähungen zu bedrohen. Da Susanne, Zehden und ich laufend die Vorlesungen Nicolai Hartmanns an der Berliner Universität besuchen – Susanne als reguläre Studentin, Zehden und ich als Gasthörer -, verlangt Kerckhoff, um diese Kontakte zu erschweren, von dem Vater Zehden – einem jüdischen Rechtsanwalt –, daß er die Vorlesungsbesuche seines Sohnes unterbinden solle; andernfalls werde er, Kerckhoff, die Schwarzhörerei anzeigen. Diese Drohung stößt Kerckhoff am Telephon in meinem und Susannes Beisein aus. Ich mache daraufhin Kerckhoff einen Riesenkrach, werfe ihm seine nazistische Vergangenheit aus den zwanziger Jahren vor, breche jede Beziehung mit ihm ab und verlange von Susanne, sich auch von ihm zu trennen. Dann begebe ich mich zu den Zehdens, um ihnen meine Solidarität zu beteuern und klarzustellen, daß ich mit Kerckhoffs Drohungen und Schmähungen nichts zu tun hätte.

Wenige Tage später ziehe ich bei Kerckhoffs aus und wieder zu meiner Mutter und Schwester, die inzwischen von Neuruppin nach Berlin übergesiedelt sind.

Vorübergehend leben wir in Berlin-Grunewald in einer gemieteten Villa, ab Herbst 1941 in Berlin-Zehlendorf im eigenen Haus. Mit Kerckhoff spreche ich den ganzen Krieg über kein Wort mehr. Erst nachdem er zum Militär einberufen ist, besuche ich Susanne noch einmal in Berlin-Karolinenhof, in dem Haus, das die Kerckhoffs sich dort – nach meinem Auszug aus ihrer Wohnung in der Xantener Straße – gekauft haben. Ansonsten bleiben auch meine Beziehungen zu Susanne für den Rest des Krieges kühl und distanziert. – Ich verüble es ihr, daß sie, trotz des Zehden-Vorfalls, der Kinder wegen an der Ehe mit Kerckhoff festzuhalten wünscht. – Im Spätsommer 1942 werden meine Freunde Kuhlbrodt und Pintzke zum Wehrdienst einberufen, Kuhlbrodt zur Organisation Todt als Truppenarzt. Bei Kriegsende 1945 obliegt Kuhlbrodt die ärztliche Betreuung eines Kriegsgefangenenlagers in Norwegen. Da in dem Lager überwiegend sowjetische Kriegsgefangene festgehalten werden, überstellen die Engländer bei der Befreiung Norwegens Kuhlbrodt den Russen. Von ihnen wird er wegen seiner Tätigkeit als Lagerarzt, die nach ihrer Auffassung den Tatbestand des Kriegsverbrechens erfüllt – ob in diesem Fall zu Recht oder Unrecht, habe ich nie klären können-, zu 25 Jahren Zwangsarbeit verurteilt. Nach seiner Überstellung an den Strafvollzug der DDR bemühe ich mich darum, ihn freizubekommen mit dem Argument, daß ich ihm in hohem Maße meine Entwicklung zum Antifaschisten zu verdanken hätte. Dies nützt ihm aber nichts. Erst 1955 wird er aus der Haft entlassen und geht dann nach Westberlin, um dort eine Arztpraxis aufzumachen.

1955/56 habe ich noch Briefe mit ihm gewechselt. Gesehen habe ich ihn nicht mehr. – 1940/41 hält sich gelegentlich zu Urlauben Hansjoachim Kitzing in Berlin, bei seinem Bruder, auf. Freundschaft und

Gedankenaustausch zwischen uns erneuern sich. Aber dann fällt Kitzing an der Ostfront. – Im Jahre 1941, noch bei den Kerckhoffs ansässig, werde ich zum ersten Mal für den Militärdienst gemustert. Da ich chronische Gallenbeschwerden vortäusche, stuft man mich nur als gvH (»garnisonsverwendungsfähig Heimat«) ein. Im Spätsommer 1942 erhalte ich den Einberufungsbefehl zur Wehrmacht. Professor Kitayama erwirkt, mit Unterstützung der japanischen Botschaft, einen Aufschub mit der Begründung, daß er für mich eine uk-Stellung (Unabkömmlichkeitsstellung) beantragen wolle; durch meine Arbeit für ihn sei ich für die Pflege der deutsch-japanischen Bündnisbeziehungen wichtig geworden. Dies führt dazu, daß ich zu einer Unterredung in das Gestapo-Hauptquartier in der Prinz Albrecht-Straße vorgeladen werde.

Dort wird mir nahegelegt, ich solle meine guten Beziehungen zu Professor Kitayama und anderen Japanern dazu ausnutzen, der Gestapo laufend Informationen über die japanische Botschaft zu liefern. Ich mache dem Gestapobeamten zweierlei klar:

a) ich hätte bei den Japanern keinerlei Einblicke in irgendwelche Angelegenheiten, die für die deutschen Behörden interessant sein könnten, sondern würde nur zu Sprachunterricht und zum Redigieren philosophischer Manuskripte mit gänzlich abseitigem Thema gebraucht;

b) es sei für mich »bei aller Liebe zum Führer« – ein unerträglicher Gedanke, einen so zuverlässigen Verbündeten Deutschlands wie das japanische Kaiserreich bespitzeln zu sollen;

c) ich fühlte mich Professor Kitayama wegen seiner philosophischen Anregungen und seiner steten Fürsorge für mein leibliches Wohl (Lebensmittelzuwendungen) zu so großem persönlichen Dank verpflichtet, daß ich es nicht übers Herz bringen würde, mich unaufrichtig zu ihm zu verhalten. Nach diesen Darlegungen werde ich mit dem Wort: »Na, bitte schön, wenn Sie nicht wollen. Wir zwingen niemanden«, höflich entlassen, wobei man mir unter Strafandrohung Stillschweigen auferlegt.

Wenige Tage später wird Kitayamas uk-Stellungsgesuch abgelehnt, und ich erhalte einen zweiten, diesmal endgültigen Gestellungsbefehl zum 15. Oktober 1942. Von da an bin ich Soldat, werde aber, weil gvH geschrieben, nur bei den Landesschützen in Strausberg ausgebildet. Ende November 1942 erfolgt meine Versetzung in das von deutschen Truppen besetzte Gebiet der Sowjetunion, nach Kriwoj Rog, einer Bergarbeiterstadt in der Ukraine. Hier erfahre ich, daß ich bei der Bewachung sowjetischer Kriegsgefangener eingesetzt werden soll, die bei Kriwoj Rog im Bergbau arbeiten. Unmittelbar neben den Wohnunterkünften der Landesschützen-Kompanie, der ich zugeteilt werde, befindet sich ein großes Kriegsgefangenenlager. Die Vorstellung, die dort festgehaltenen Menschen bewachen zu sollen, ist mir derartig grauenhaft und zugleich mein Heimweh in der tristen, fremden Umgebung so groß, daß ich den Entschluß fasse, mich der mir zugedachten Aufgabe sofort zu entziehen, und sei es um den Preis, meine Lage als Soldat noch zu verschlechtern. Noch während der Ausbildung für den Wachdienst melde ich mich daher beim Kompaniechef und bitte ihn, mich noch einmal ärztlich untersuchen zu lassen, um festzustellen, ob ich nicht vielleicht doch nur »kv« (kriegsverwendungsfähig) sei.

Der bisherige Militärdienst nämlich sei mir gesundheitlich so gut bekommen, daß ich kaum noch Gallenbeschwerden hätte, und im Falle meiner kv-Schreibung wolle ich versuchen, Reserveoffizier zu werden. Mit Freuden schreibt man mich »kv« und schickt mich, da die Landesschützen nun nicht mehr zuständig für mich sind, schon Anfang Dezember wieder nach Strausberg zurück, von wo aus ich wenig später zu einem Grenadierersatzbataillon nach Potsdam versetzt werde, d.h. zur regulären Infanterie. Hier erhalte ich nochmals eine – diesmal höhere – infanteristische Grundausbildung. Mein Hauptproblem besteht jetzt darin, es zu der Bewerbung als Reserveoffiziersanwärter möglichst nicht kommen zu lassen; denn an einer derartigen Laufbahn ist mir, bei meiner absolut negativen Einstellung zu Hitler und seinem Krieg, erst recht nicht gelegen. Anfang 1943 kommt mir, nach einem längeren Übungsmarsch, eine Art Hexenschuß zu Hilfe. Als ich über Sonntag auf Wochenendurlaub in Berlin-Zehlendorf weile, werden meine Beschwerden so schlimm, daß ich mich kaum noch bewegen kann. Meine Mutter läßt einen uns privat seit vielen Jahren bekannten Oberstabsarzt kommen, der in der Nähe wohnt. Es ist Dr. Kreiselmeier, verheiratet mit Susanne Kreiselmeier-Petschnikoff, der zeitweiligen Verlobten meines Vaters aus seiner Münchener Periode vor dem ersten Weltkrieg. Obwohl wir wissen, daß Kreiselmeier Antinazist ist, haben wir keine Ahnung von seiner intensiven

Beteiligung am antifaschistischen Widerstandskampf, als Mitglied der – kommunistisch geführten – Saefkow-Gruppe.

Erst gegen Ende des Krieges wird uns das bewußt, als Kreiselmeier verhaftet und kurz danach zum Tode verurteilt und hingerichtet wird, ein Schicksal, das meine Mutter und Kreiselmeiers Witwe dann zu engster Freundschaft zusammenschweißt. Kreiselmeier untersucht meine Beschwerden und meint, es könne Hexenschuß, vielleicht aber auch Ischias sein. Wenn ich mich nicht nach Potsdam zurückbegeben könne, um dort das Revier aufzusuchen, müsse ich mich bei der Berliner Stadtkommandantur krank melden. Dies tue ich – nicht ohne vorher von Kreiselmeier in merkwürdig suggestiver Weise über sämtliche Symptome von Ischias – »einer objektiv kaum feststellbaren Krankheit«, wie er beiläufig bemerkt – aufgeklärt worden zu sein. Durch ein Arztbuch, das wir zu Hause haben, ergänze und vertiefe ich meine neuen Kenntnisse, und von Stund an steht für mich fest, daß das Vortäuschen von Ischias in Zukunft das Mittel sein wird, mich dem verhaßten Kriegsdienst unter Hitlers Fahnen zu entziehen. Mit einem Sanitätskraftwagen werde ich in ein Lazarett im Nordosten Berlins, in der Nähe des Zentralviehhofs, gebracht, während sich meine Hexenschußbeschwerden bereits zu bessern beginnen. Nach zwei, drei Tagen bin ich wieder völlig gesund, aber ich täusche so meisterhaft die – nie vorhanden gewesenen – Ischiassymptome vor, daß man mich 6 Wochen lang in dem Lazarett beläßt.

Ebenso günstig wie die Nichtfeststellbarkeit dieses vermeintlichen Leidens ist die Tatsache, daß es bei jeder Gelegenheit wiederkehren und sich über viele Monate, unter Umständen sogar das ganze Leben lang, hinziehen kann. Günstig ist ferner, daß von einem bestimmten Krankheitsstadium an Spaziergänge – hinkend, am Stock – zur Behandlung gehören, so daß ich gar nicht wochenlang im Bett zu liegen brauche, sondern sehr viel Stadturlaub bekomme und auch für Erledigungen für die Lazarettverwaltung eingesetzt werde. Um alle Möglichkeiten des Ischias auszukundschaften, werde ich »loyalerweise« im Laufe von sechs Wochen wieder beschwerdefrei und daher, mit vierzehntägigem Genesungsurlaub, aus dem Lazarett entlassen. Am letzten Urlaubstag simuliere ich wieder »Bewegungsunfähigkeit«, wiederhole die Krankmeldung bei der Berliner Kommandantur und komme abermals in ein Lazarett, diesmal nach Berlin-Tempelhof, wo ich nunmehr Monate verbringe, nach dreiwöchiger Bettlägerigkeit mit fast täglichem Stadturlaub von mittags bis 22 Uhr abends, an den Wochenenden sogar 36 Stunden lang. Wegen der Bombenangriffe wird dann allerdings dieses Lazarett im Sommer 1943 von Berlin nach Landsberg an der Warthe verlegt, und dort »genese« ich allmählich wieder, weil ich nun auch noch, außer den 14 Tagen Genesungsurlaub, den mir mittlerweile zustehenden jährlichen Erholungsurlaub von 14 Tagen antreten will. Erst im Anschluß daran begebe ich mich im Spätsommer 1943 wieder in die Kaserne nach Potsdam. – Während meines Aufenthaltes in Kriwoj Rog, November/Dezember 1942, hat sich zu Hause in Zehlendorf folgendes ereignet. Mein halbjüdischer Freund Klaus Asch ist vorübergehend verhaftet worden, ohne Anschuldigung, nur zum Zweck einer »Überprüfung« der Berliner Halbjuden bestimmter Altersstufen. In der Haft hat Asch einen anderen jungen Halbjuden namens Wolfgang Borchardt kennengelernt. Borchardt wird kurz vor Asch aus der Haft wieder entlassen und sucht in dessen Auftrag mit – beruhigenden – Grüßen meine Mutter auf. Diese steht inzwischen vor dem Problem, daß ihr, nach meiner Einberufung zum Militär, irgendein wildfremder Mensch als Zwangsuntermieter in die nun zu große Wohnung gesetzt werden könnte. Borchardt – ein Jurastudent, der als Halbjude sein Studium hat abbrechen müssen und sich als Portier in einem Hotel am Anhalter Bahnhof sein Brot verdient, nebenbei aber Cello spielt und geistig vielseitig interessiert ist – sucht seinerseits dringend ein Zimmer bei zuverlässigen Antinazis, weil er – was er meiner Mutter zunächst verheimlicht – in enger Verbindung mit der – kommunistisch geführten Widerstandsgruppe ERNST steht. So kommt es, daß meine Mutter Borchardt sofort als Untermieter bei sich aufnimmt. Wir bewohnen den ersten Stock des Zehlendorfer Hauses. Im Erdgeschoß lebt eine – ebenfalls die Nazis hassende und mit meiner Mutter bald eng befreundete – Oberstleutnantswitwe, Frau Volk, mit ihrer Tochter Rosemarie, die aber z.Zt. Nachrichtenhelferin bei einem hohen Militärstab der deutschen Besatzungstruppen in Paris ist und nur gelegentlich zu Urlauben kommt, auch sie antinazistisch eingestellt.

Als ich aus Kriwoj Rog über Strausberg nach Potsdam komme und von dort aus zu Stadturlauben nach Hause fahren darf, finde ich in Zehlendorf die neue Konstellation bereits vor. Schnell freunde ich mich mit dem gleichgesinnten Borchardt an. Bei einem dieser Urlaube treffe ich zu Hause aber noch einen weiteren jungen Mann, einen Logiergast an, der mir unter dem Namen Konrad Bauer vorgestellt wird. Meine Mutter, Frau Volk und Borchardt eröffnen mir, daß Bauer, seines Zeichens Pianist, ein von Auschwitz bedrohter Volljude aus Breslau ist, der sich in letzer Minute seiner Festnahme durch Untertauchen in die Illegalität hat entziehen können.

In Berlin hat ihm, wie einer Reihe anderer »getauchter« Juden, Deserteure usw., die Widerstandsgruppe ERNST weitergeholfen, und durch Borchardt, der mit dieser Gruppe Verbindungen unterhält, ist er im Hause meiner Mutter untergebracht worden; meine Mutter, Frau Volk und Borchardt ernähren ihn von ihren Lebensmittelrationen. Er selbst hält sich nicht Tag und Nacht in unserer Wohnung versteckt, sondern verdient sich seinen Lebensunterhalt als freiberuflicher Organist in verschiedenen Kirchen in Zehlendorf und Dahlem, bis ihm dies von der Widerstandsgruppe untersagt wird, die es für zu gefährlich hält, daß er immer noch seine Breslauer Ausweispapiere benutzt.

Alles ist darauf abgestellt, den Bauer – sein wirklicher Name ist Latte, was wir aber damals nicht wissen – mit gefälschten Ausweispapieren zu versehen, um ihn dann möglichst in die Schweiz zu lancieren. Mit der Beschaffung gefälschter Dokumente aber hapert es zu diesem Zeitpunkt bei der Gruppe ERNST noch, so daß Bauer-Latte bis tief in den Sommer 1943 hinein bei uns bleibt.

Während meiner ersten beiden Lazarett-Aufenthalte 1943 habe ich zu Hause ständig mit ihm Umgang. Dr. Erich Kästner und einer meiner japanischen »Schüler«, der liberal gesinnte Bankkaufmann Dr. Kunio Miki, tragen, durch meine Vermittlung, dazu bei, seine Ernährung zu sichern; beide sind in die Sache eingeweiht und halten dicht, erfahren aber über die Widerstandsgruppe nichts. Im Sommer 1943 zieht Latte von uns weg, nachdem ihm endlich ein gefälschter Personalausweis beschafft worden ist, den alle Beteiligten für ausreichend halten. Seinen Versuch, in die Schweiz zu gelangen, bricht er aber unterwegs wegen verschiedener Komplikationen ab und begibt sich nach Berlin zurück, wo er – mit Genehmigung der Gruppe – bis zum nächsten Emigrationsversuch eine von

Borchardt als sicherer Unterschlupf bezeichnete Pension in der Nürnberger Straße bezieht. Von hier aus wird er, protegiert von dem Dirigenten Schüler und von der – zur Gruppe ERNST gehörenden – Ballettmeisterin Tatjana Gsovski (oder Gsowsky) – als Korrepetitor an der Staatsoper tätig.

In unserer Zehlendorfer Wohnung lebt inzwischen Borchardt allein, nachdem meine Mutter und meine Schwester wegen der Bombenangriffe Berlin verlassen und sich nach Neuruppin zu der befreundeten Familie des sozialdemokratischen Studienrats Dr. Werner Kuntz begeben haben. – Die Widerstandsgruppe ERNST wird geführt von Alex Vogel und seinem engsten Freund und Vertrauten, dem jungen Halbjuden Wolfgang Schmidt. Vogel ist Sohn eines Berliner Arbeiters, hat vor 1933 mit Begabtenstipendium ein Gymnasium besucht und Abitur gemacht und anschließend an der Berliner Universität Mathematik studiert. Früh in den Kommunistischen Jugendverband und 1931 in die KPD eingetreten, war er bis zu deren Verbot Sekretär der Roten Studentengruppe an eben dieser Hochschule. Von 1933 bis 1941 hat er sich als deutscher Sprachlehrer für Diplomaten der Sowjetbotschaft ernährt. Zu seinen Schülern aus der Zeit des Botschafters Dekanassow gehört u.a. der damalige Botschaftssekretär Wladimir Semjonow, später jahrelang hoher Kommissar der Sowjetunion für Deutschland, jetzt der Chef der sowjetischen Delegation bei den SALT-Gesprächen in Wien und Helsinki.

Vieles spricht dafür, daß Vogel in jener Zeit Doppelagent war. – Wahrscheinlich hat er der Gestapo vorgetäuscht, in ihrem Dienst die sowjetische Botschaft auszukundschaften, in Wahrheit aber für die Russen gearbeitet. Diese gefährliche Rolle muß er sehr erfolgreich gespielt haben, denn anders wäre es unerklärlich, wieso er sich nach dem Überfall Hitlerdeutschlands auf die Sowjetunion 1941 sofort kriegsfreiwillig melden und prompt auch zum Militärdienst eingezogen werden konnte. Durch mehrmaliges »Versprengtsein« an der Ostfront und somit mehrmaliges Wechseln des Truppenteils hat Vogel dann – innerhalb der Wehrmacht seine Spuren verwischt, um schließlich 1942 – ähnlich wie ich ein Jahr später mit meinem simulierten Ischias – durch Injektionsspritzen bei sich selbst Gelbsuchtsymptome hervorzurufen, die es ihm erlauben, sich nacheinander in diversen Berliner Lazaretten festzuhalten, von wo aus er mit

Hilfe seines Freundes Wolfgang Schmidt, der als Halbjude vor dem Eingezogenwerden sicher ist, systematisch seine sich nach und nach über ganz Berlin ausdehnende Widerstandsgruppe aufbaut.

Hauptaufgabe der Gruppe ist zunächst – 1942/43 – die Unterbringung von Illegalen (Juden, Deserteuren, entlaufenen Kriegsgefangenen und Häftlingen), später die Durchführung von Flugblattaktionen und das Sammeln von Waffen und Munition für die Vorbereitung eines Aufstandes. Nach dem Krieg wird Vogel zunächst (1945-48) Vorsitzender der Zentralen Entnazifizierungskommission für Kulturschaffende unter der Oberhoheit des Alliierten Kontrollrats; in dieser Eigenschaft setzt er z.B. gegen die Amerikaner und mit Unterstützung durch die Russen die Wiederzulassung Furtwänglers zur Dirigenten-Tätigkeit durch.

1949 erhält Vogel, nach der Auflösung der Entnazifierungskommission, eine Anstellung an der sowjetamtlichen »Täglichen Rundschau« und wird von der dortigen SED-Gruppe zum Sekretär gewählt. – Als Borchardt uns 1942 den Bauer alias Latte ins Haus bringt, wissen wir zwar, daß dies im Auftrage einer antifaschistischen Gruppe geschieht, haben aber zu Vogel und Schmidt noch keinerlei direkte Beziehungen und kennen auch weder ihre Namen noch ihre Aufenthaltsorte. Erst 1944 komme ich mit beiden in unmittelbaren Kontakt, der sich dann im Falle Vogels bis in die fünfziger Jahre hinein fortsetzt. Wolfgang Schmidt, nach 1945 öffentlicher Ankläger bei der von Vogel geleiteten Entnazifizierungskommission, emigriert Ende der 40er Jahre nach Australien. (Schmidt war kein Kommunist, sondern linker Liberaler von Gesinnung und parteilos.)

Bauer alias Latte und Borchardt dagegen stehen bereits in dem Augenblick, als wir sie Ende 1942 kennenlernen, unter der Befehlsgewalt von Vogel und Schmidt, die ihre Hilfe für die Illegalen stets mit der kategorischen Forderung verbinden, diese hätten sich vollständig der Disziplin der Gruppe unterzuordnen.

Neben dieser illegalen Beziehung läuft 1943 in Berlin noch eine mit W.K. Nohara weiter, den ich bereits im Januar/Februar, während meines ersten Lazarettaufenthalts, über die Existenz der Gruppe ERNST informiere und der sich daraufhin vornimmt, seine eigenen Leute zum geeigneten Zeitpunkt mit ihr zu fusionieren. Vordringlich aber scheint es Nohara jetzt zu sein, durch Realisierung seines alten Zeitschriftenprojekts nunmehr die über Berlin hinausgreifende, sich über ganz Deutschland erstreckende illegale Organisation aufzubauen. Diesen Entschluß teilt er mir mit. Um der Tarnung und Sicherheit willen hält es Nohara für besonders wichtig, daß nicht er das Zeitschriftenprojekt von sich aus anregt, sondern man es – scheinbar unabhängig von ihm – ausheckt und dann erst an ihn, als den dafür fachlich zuständigen Mann der japanischen Botschaft, heranträgt.

Nach Beratung darüber, wie dies eingefädelt werden könnte, erhält Nohara zufällig Kenntnis davon, daß unsere Familie mit der des UFA-Filmregisseurs Felix v. Eckardt (dessen gleichnamiger Vater war Chefredakteur des »Hamburger Fremdenblatts« und als solcher mit meinem Großvater Wyneken befreundet) gut bekannt ist. (1945 trat v. Eckardt d.J. in die CDU ein, nach 1949 war er jahrelang Bundespressechef unter Adenauer.)

Durch gesellschaftliche Vermittlung Eckardts – meint Nohara – könne ich sehr leicht an die interessanteste und einflußreichste Dame der Berliner japanischen Kolonie herankommen: an die Sängerin Michiko Tanaka, die Frau des Schauspielers Viktor de Kowa. Ich solle versuchen, mit der Tanaka gut Freund zu werden, in ihren Salon einzudringen, und dort, scheinbar von mir aus, aus eigener Initiative, die Idee der Gründung einer deutschsprachigen Propagandazeitschrift für Japan vortragen. Wegen meiner Jugend und meines Status als ganz junger Soldat werde die Herkunft des Projekts besonders spontan und unverfänglich wirken. Sei es dann so weit, daß die Sache von anderen Japanern aus dem Freundeskreis der Tanaka gutgeheißen werde, dann solle ich der Tanaka selbst, einer sehr gutmütigen, weichherzigen Frau, unter dem Siegel der Verschwiegenheit anvertrauen, daß sich bei mir mit dem Projekt noch eine egoistische Absicht verbände, nämlich die, für den Redaktionsstab – oder den Verlag – der Zeitschrift UK gestellt zu werden.

Sei dies der Tanaka erst einmal klar, dann werde sie erst richtig in die Sache einsteigen und das Projekt unter Ausnutzung aller ihrer Beziehungen, sowohl in höchsten Nazikreisen als auch in der japanischen Botschaft, fördern. Und wenn auf diese Weise Botschafter Oshima mit dem Gedanken bekannt werde und ihn aufgreife, dann werde man unweigerlich ihn, Nohara, zu Rate ziehen und ihn auch zum Chefredakteur ernennen.

Von Beginn des zweiten Lazarettaufenthaltes in Tempelhof an bin ich nun während des ganzen Sommers 1943 (mit Ausnahme der in Landsberg an der Warthe verbrachten Wochen) im Auftrage Noharas damit beschäftigt, das von diesem ausgeklügelte Projekt zustande bringen zu helfen. Es gelingt mir, durch Felix v. Eckhardt Frau Tanaka kennenzulernen, ihre Sympathie zu gewinnen, von ihr zu Geselligkeiten im Hause de Kowa eingeladen zu werden und dabei in auffälligster Weise die Idee mit der Zeitschrift zu propagieren. Desgleichen erwärmt die Tanaka sich auch prompt für meinen uk-Stellungs-Wunsch, genau so, wie Nohara es vorausgesagt hat. Aber leider wendet sie sich nicht an Oshima, sondern an einen ganz anderen Mann, den sie – nicht ganz zu Unrecht – für zuständiger hält: an den Generalsekretär der Deutsch-Japanischen Gesellschaft Assessor Kröger, an den sie mich empfiehlt. Und Kröger ist von der Idee zwar sehr angetan, hat aber eine ganz andere Leitung der Redaktion im Sinn: nämlich als japanischen Chefredakteur Professor Kitayama und als dessen deutschen Stellvertreter den jungen Publizisten Friedrich Luft (den ich damals noch nicht kenne, zu dessen Heranziehung es auch nicht mehr kommt, der aber Herrn Kröger deswegen geläufig ist, weil sich das Haus der Deutsch-Japanischen Gesellschaft in unmittelbarer Nähe von Lufts Wohnung befindet).

Die ganze Sache läuft also schief. Von Nohara erhalte ich daraufhin die Weisung, einerseits das Projekt bei Kröger zwar weiter voranzutreiben, andererseits aber die Aufmerksamkeit der Tanaka auf ihn, Nohara, zu lenken und vor ihr gleichzeitig Kitayama als einen für journalistische Tätigkeit ungeeigneten Gelehrten hinzustellen. So verhalte ich mich auch. Da mir zu dieser Zeit zufällig durch den antinazistischen Schauspieler Alfred Beierle der in einem Hause am Kurfürstendamm lebende, mit Beierle gleichgesinnte Werbeleiter für die Zeitschriften des Vobach-Verlages bekannt wird, gewinne ich, von diesem unterstützt, den Direktor des Vobach-Verlages, Bauermeister, für das Projekt.

Bauermeister und Kröger gelangen zu einer grundsätzlichen Einigung, die unter anderem einschließt, daß der mir inzwischen völlig hörige Schulze und ich gemeinsam Vertrieb und Werbung organisieren sollen (ich nach uk-Stellung, für die sich Kröger und Baumeister gemeinsam einzusetzen versprechen).

Andererseits führe ich mit der Tanaka Gespräche, die ich psychologisch so lenke, daß sie von sich aus auf den Einfall kommt – oder zu kommen glaubt –, der einzig geeignete Mann für den Posten des Chefredakteurs sei Nohara, und diesen Gedanken sowohl Oshima als auch dem Präsidenten der Deutsch-Japanischen Gesellschaft – einem pensionierten Admiral, dessen Name mir entfallen ist – beibringen will. So stehen die Dinge, als sich mein insgesamt vierwöchiger Genesungs- und Erholungsurlaub vom Spätsommer 1943 dem Ende zuneigt. Und während ich bereits wieder in Potsdam Dienst tue, überzeuge ich auf Wochenendurlauben in Berlin Schulze von der Notwendigkeit, den aktiven Kampf gegen die Nazis aufzunehmen und hierfür eine getarnte Organisation aufzubauen, die sehr leicht unter dem Deckmantel unseres Projekts versteckt werden könnte.

Schulze – der in dem Zusammenhang wichtigste Mann – ist so gut wie gewonnen, und das Eintreten der Tanaka für die Verwendung Noharas als Chefredakteur steht unmittelbar bevor, da treten Ereignisse ein, die den ganzen schlau eingefädelten Plan zum Scheitern bringen: Ich sehe mich plötzlich zu meinem ersten, mißlingenden Desertionsversuch gezwungen, und wenige Wochen nach meiner Verhaftung erleiden die Leipziger Druckereien des Vobach-Verlages durch einen Bombenangriff so schwere Schäden, daß Direktor Bauermeister das Projekt für vorläufig undurchführbar erklärt. Nohara resigniert, noch bevor es zu seiner Beauftragung durch Oshima und die Deutsch-Japanische Gesellschaft gekommen ist, und Kröger, an sich ein fieser Nazi, hält mittlerweile die Kriegslage für so ungünstig, daß er sich nur zu gerne von dem geplanten neuen Propaganda-Organ der Achse Berlin-Rom-Tokyo ganz zurückziehen möchte. So wird aus der Sache nichts.

Seit Anfang September 1943 läuft das uk-Stellungs-Gesuch für mich. Aber anstatt den Erfolg abzuwarten und mich derweil mit politischen Äußerungen zurückzuhalten, verleitet ein hoffnungsvoll stimmendes Ereignis der internationalen Politik mich dazu, unter meinen Kameraden in der Potsdamer Ruinenbergkaserne Agitation gegen den Krieg zu treiben, und dies wird denunziert. In Italien ist Mussolini durch den Marschall Badoglio gestürzt worden. Alles spricht dafür, daß Italien aus dem Krieg ausscheiden und sich möglicherweise sogar auf die Seite der Alliierten stellen wird. Darüber bin ich hellauf begeistert, und diese italienischen Vorgänge bilden den Ausgangspunkt meiner Agitation. Sie gipfelt in der Forderung: »Jetzt brauchen wir einen deutschen Badoglio!« Derartige Äußerungen entschlüpfen mir auch, als ich mich eines Tages mit einigen Kameraden auf einem Arbeitseinsatz in der unmittelbaren Umgegend von Potsdam befinde. Tags darauf werde ich zum Gerichtsoffizier des Bataillons zitiert, der mir meine Äußerungen vorhält. Ich streite alles ab, er aber erklärt, es gäbe Zeugen, und nimmt ein Protokoll auf. Als er damit fertig ist, begeht er den Fehler, zwar auf meine Festnahme zu verzichten, mir aber panische Angst einzujagen mit den Worten: »Das kommt vors Kriegsgericht, und dann ist die Rübe ab!« Zum Schluß befiehlt er mir, mich unverzüglich »auf Stube« zu begeben und die Kaserne nicht mehr zu verlassen.

Ich halte mich daran nicht, sondern verlasse die Kaserne auf schnellstem Wege, fest entschlossen, mich dem drohenden Verfahren wegen »Zersetzung der Wehrkraft« durch Fahnenflucht zu entziehen. Da am Bahnhof Potsdam eine Wehrmachtstreife steht und ich keinen Urlaubsschein habe, fahre ich mit der Straßenbahn nach Babelsberg, steige dort in die S-Bahn und begebe mich nach Zehlendorf, in unsere Wohnung. Zufällig ist gerade Wolfgang Borchardt anwesend (Bauer alias Latte wohnt bereits in der Nürnberger Straße, meine Mutter und Schwester sind in Neuruppin). Ich berichte Borchardt, was geschehen ist. Auch er sieht im sorfortigen Desertieren die einzige Chance für mich und rät mir, mir Zivilsachen anzuziehen und mich in den nächsten Tagen über Bauer-Latte der Gruppe ERNST anszuschließen. Wir vereinbaren noch, für den Fall seiner Vernehmung, die Version, daß ich ihm vorgelogen hätte, ein paar Tage Urlaub mit Zivilerlaubnis bekommen zu haben, und mit unbekanntem Ziel verreist sei. Schnell ziehe ich mich um, hänge die Uniform in den Kleiderschrank, packe einen Koffer mit den nötigsten Utensilien, tue in ihn aber auch Soldbuch und Erkennungsmarke – ohne zu wissen, warum, nur in dem Gefühl, daß ich sie vielleicht doch noch brauchen würde –, und begebe mich zunächst zu demjenigen Bekannten von mir, der ein Maximum an unabhängigem Status mit einem Maximum an liberaler Gesinnung in sich vereinigt: zu meinem einstigen Schüler, dem japanischen Bankkaufmann Dr. Miki, nach Zehlendorf-West.

Auch Miki erzähle ich von dem Vorfall in Potsdam. Auch er meint, Desertion und Untertauchen seien die einzige Rettung für mich und verspricht, mir nach Kräften zu helfen. Er hat für Erholungszwecke ein Zimmer bei einem Gastwirt in Bad Saarow-Pieskow gemietet. Mit einem Empfehlungsschreiben von ihm, Miki, an diesen Mann soll ich mich zunächst dort aufhalten, abseits der Stadt, in der auf Schritt und Tritt Streifen drohen, und solange, bis ich sichere gefälschte Papiere habe, die er, Miki, finanzieren werde. Ich bleibe die Nacht über in Mikis Villa.

Am nächsten Morgen fahre ich nach Bad Saarow. Zu meinem Entsetzen ist der ganze Ort voll von SS, die dort gerade eine Übung abhält. Mikis Wirt nimmt mich zwar gerne auf, verlangt von mir aber die Ausfüllung eines Anmeldungsformulars. Da er mich wenigstens nicht nach einem Ausweis fragt, schreibe ich irgendwelche ausgedachten Personalangaben hinein, um Miki möglichst wenig zu belasten. Zugleich wird mir klar, daß die Tatsache der Anmeldung unweigerlich Nachprüfungen zur Folge haben muß. Verzweifelt irre ich in den Wäldern um Saarow umher, bis es dunkel wird. Dann hole ich heimlich meinen Koffer aus dem Zimmer und fahre wieder zurück nach Berlin, mit dem Ziel, mich mit Konrad Bauer in Verbindung zu setzen. Telefonisch erreiche ich ihn in der Nürnberger Straße. Wir verabreden uns auf dem Tauentzienplatz. Todmüde an meinem Koffer schleppend, berichte ich ihm, was in Potsdam geschehen ist. Auch Bauer meint, es sei richtig, daß ich geflohen sei.

Er will gleich am nächsten Tag die Gruppe verständigen. Er ist überzeugt, daß sie mich gut werde brauchen können und mir sicher auch helfen werde. Falsche Papiere zu besorgen sei jetzt kein so großes Problem mehr wie noch vor Monaten. Außerdem lasse der Zusammenbruch des italienischen Faschismus darauf schließen, daß der Krieg bald zu Ende sein werde. Dann nennt Bauer mir noch den Namen einer Pension am Kurfürstendamm, die todsicher sei und wo nach Papieren nicht gefragt werde. Dort solle ich mich hinbegeben und dann am nächsten Morgen zu ihm in die Nürnberger Straße zum gemeinsamen Frühstück kommen. Am Tage könne ich mich in seinem Pensionszimmer aufhalten, und er werde unterdessen die Gruppe benachrichtigen.

Als wir in der Nürnberger Straße vor seiner Haustür sind, bin ich so kaputt und schwach, daß ich ihn bitte, meinen Koffer zu sich zu nehmen, was er bedenkenlos tut. Völlig erschöpft schleppe ich mich durch Hinterstraßen zu besagter Pension, in der Nähe des Olivaer Platzes. In der Tat bekomme ich hier ohne jede Formalität ein Zimmer. Aber am nächsten Morgen früh um 5 Uhr klopft es laut an meine Tür: Polizei, eine Razzia. Zwei Schutzleute wollen meinen Ausweis überprüfen. Ich habe nichts bei mir. Überzeugt, daß dies das Ende ist, gebe ich zu, desertierter Soldat zu sein. An einer Kette führt man mich ab ins nächste Polizeirevier am Emser Platz. Es ist der 15. September 1943.

Wenige Stunden spater bringt mich ein Gefangenenwagen der Feldgendarmerie ins Gefängnis der Stadtkommandantur der Wehrmacht, Prinz Louis Ferdinand-Straße, in der Nähe des Bahnhofs Friedrichstraße. Hier werde ich verhört. Ich erkläre, ich sei auf Grund einer Denunziation zu Unrecht beschuldigt worden, staatsfeindliche Äußerungen getan zu haben, und die Äußerungen des vernehmenden Gerichtsoffiziers hätten mich in eine Panik hineingetrieben. Mit der Desertion hätte ich mein Leben retten wollen. Man sperrt mich in einen Keller mit vielen anderen aufgebrachten Deserteuren. Zwei Tage später werde ich von einem Unteroffizier des Potsdamer Reservebataillons abgeholt und mit Handschellen per S-Bahn nach Potsdam gebracht. Unterwegs fragt der Unteroffizier, wo sich meine Uniform befinde. Als ich antworte: »Zuhause im Kleiderschrank«, besteht er darauf, daß wir die Fahrt unterbrechen und unsere Zehlendorfer Wohnung aufsuchen, damit ich mich umziehen kann. Unmöglich könne er mich in Potsdam in Zivilkleidern abliefern.

In der Wohnung erkläre ich ihm, mein Soldbuch und meine Erkennungsmarke seien in einem Koffer bei einem Bekannten, dem ich gesagt hätte, daß ich Zivilurlaub hätte. Nach kurzem Zögern fordert der Unteroffizier mich auf, dort anzurufen und dafür zu sorgen, daß diese Dinge schleunigst herbeigeschafft würden. Am Telefon erfahre ich, daß auch Bauer der Razzia am 15. September zum Opfer gefallen sei. Es hätte sich, sagt seine Wirtin, herausgestellt, daß es sich bei ihm um einen Juden handle. Mein Koffer sei auch beschlagnahmt worden. In ganz Berlin hat diese Razzia stattgefunden. Tausende von Illegalen hat man gefaßt. Es gelingt mir noch, einen Zettel mit der Nachricht von meiner Verhaftung für den – abwesenden – Borchardt in der Wohnung zu hinterlegen. Dann werde ich nach Potsdam gebracht, diesmal sofort in die Arrestzelle.

Nach nochmaliger Vernehmung durch den Gerichtsoffizier transportiert man mich drei, vier Tage später zur Haftanstalt des Divisionskriegsgerichts in der Gardes du Corps-Straße, einem alten Arrestantenhaus aus der Zeit Friedrichs des Großen.

Auf ein Telegramm von Borchardt hin eilt meine Mutter sofort nach Berlin, und jetzt, in der höchsten Not, besinnt sie sich auf ihren Neffen, den General v. Kortzfleisch, der seit mindestens zwei Jahren mit seinem Stab am Hohenzollerndamm residiert und dessen Einladungen sie immer ausgewichen ist. Kortzfleisch empfängt sie sofort, will die Sache prüfen, erklärt aber, er könne »natürlich« nicht in ein schwebendes Verfahren eingreifen. Das tut er dann aber doch, und zwar sehr energisch und zweckdienlich. Anders wären die folgenden Vorgänge ein absolutes Rätsel, die ich freilich nur aus Mutmaßungen rekonstruieren kann, weil nach der Erledigung des Falles Kortzfleisch für meine Mutter dann nie mehr zu sprechen sein wird und wir ihn nach dem Kriege wieder ganz aus den Augen verlieren.

An das Kriegsgericht in Potsdam ergeht die Weisung, mein Delikt so weit wie möglich zu bagatellisieren, unter Ignorierung aller politischen Aspekte und ohne von meinem Kontakt mit einem untergetauchten Juden auch nur im mindesten Notiz zu nehmen. Bauer alias Latte wird gleichzeitig mit der Begründung, daß er mit einem desertierten Soldaten in Verbindung gestanden habe, für ihn also die Wehrmacht zuständig sei, dem Judendezernat der Gestapo, das alle anderen bei der Razzia gefaßten Juden sofort nach Auschwitz transportieren läßt, aus den Klauen gerissen und für Wochen als Untersuchungshäftling ins Jüdische Gefängnis in der Großen Hamburger Straße gebracht, wo ihm schließlich im November 1943 während eines nächtlichen Fliegeralarms durch Zuspielen eines Schlüssels die Flucht ermöglicht wird.

Den Rest des Krieges verbringt er völlig unbehelligt als Musiker (Zivilangestellter) bei der Wehrmachtstruppenbetreuung. (Nach dem Kriege hält er sich erst kurz in Düsseldorf auf, wird dann Korrepetitor in Berlin, dann Kapellmeister am Stadttheater in Bautzen und schließlich Leiter des Barockorchesters in Westberlin, was er heute noch ist.)

Meinen Koffer beschlagnahmt die Wehrmacht. Nach der Strafverbüßung in Torgau erhalte ich ihn ohne jeden Kommentar zurück. Die Erkennungsmarke wird mir noch während der Potsdamer Untersuchungshaft, das Soldbuch nach meinem Prozeß ausgehändigt. Es ist klar, daß der Mann, der diese Rettungsaktion ins Werk gesetzt hat, in den Jahren zuvor gänzlich gefahrlos von uns und unseren Bekannten im antinazistischen Sinne hätte beeinflußt werden können – vielleicht mit dem Effekt eines anderen Verhaltens am 20. Juli 1944, als es – ein Dreivierteljahr nach meiner ersten Desertion – allein in seiner Macht stand, durch Auslösung der Walküre-Aktion dem Anti-Hitlerputsch in der Bendlerstraße zum Erfolg zu verhelfen.

Während meiner Potsdamer Untersuchungshaft kommt es ein einziges Mal zu einer Vernehmung durch einen Kriegsgerichtsrat. Den ganzen Komplex meiner Äußerungen über die Italienkrise schiebt der Mann mit einer Handbewegung beiseite. Ihn interessiert nur, daß ich mich für zwei Tage unerlaubt von der Truppe entfernt hätte – aus welchen Gründen auch immer —, aber, wie er mir suggeriert, schon am zweiten Tage »eigentlich« wieder gewillt gewesen sei, nach Potsdam in die Kaserne zurückzukehren. Als ich wegen des Koffers mit dem Soldbuch und der Erkennungsmarke zu einer – einstudierten, zwischen Bauer und uns bis ins einzelne verabredeten – Erklärung darüber ansetze, wie es zu unserer Bekanntschaft mit diesem jungen Mann gekommen sei, von dessen jüdischer Herkunft und Illegalität wir nichts geahnt hatten, winkt der Kriegsgerichtsrat gelangweilt ab und meint, das gehöre nicht zur Sache; es würde nur vor Gericht einen schlechten Eindruck machen, wenn ich da von »irgendwelchen Judengeschichten« reden würde; in der Wehrmacht gäbe es keine Juden.

Dementsprechend verläuft dann der Prozeß. Die Anklage wird von demselben Kriegsgerichtsrat erhoben, der mich verhört hat, das ganze Verfahren in 10 Minuten abgewickelt. Man verurteilt mich zu einer geringfügigen Gefängnisstrafe; von der ich nur ein Vierteljahr in Haft verbüßen soll, davon allerdings sechs Wochen bei Wasser und Brot. Die Reststrafe wird zum Zweck der Frontbewährung ausgesetzt, die aber nicht bei einem Strafbataillon, sondern bei der regulären Fronttruppe erfolgen soll. Unmittelbar nach der Urteilsverkündung werde ich auf freien Fuß gesetzt und kehre in die Kaserne am Ruinenberg zurück, wo inzwischen die ganze Kompanie, in der ich staatsfeindlich agitiert habe, mitsamt meinen mutmaßlichen Denunzianten, versetzt worden ist. Ich versehe wieder den Garnisonsdienst eines normalen Soldaten, bis man mich – ungefähr drei Wochen später – zusammen mit einem Trupp anderer ungefesselter Deliquenten ins Wehrmachtsgefängnis »Fort Zinna« in Torgau an der Elbe transportiert.

Nach dem Kriege erfahre ich durch den Potsdamer Bataillonsadjutanten von 1943, dem ich zufällig in der U-Bahn begegne, wie seinerzeit mein Ankläger, jener Kriegsgerichtsrat, dem Bataillon gegenüber meine milde Bestrafung plausibel gemacht hat: Es sei rechtlich unzulässig gewesen, daß der Gerichtsoffizier mich zwar bedroht, aber meine sofortige Festnahme verabsäumt hätte. Der ehemalige Adjutant fügte hinzu, dem Gerichtsoffizier seien aus diesem Fehler aber keinerlei Nachteile erwachsen, und so hätten er und der Bataillonskommandeur das gegen mich ergangene milde Urteil »stillschweigend geschluckt«.

Von Oktober 1943 bis Januar 1944 bin ich Häftling in Torgau. Wochenlang lebe ich von Wasser und Brot. Anschließend werde ich zum Außendienst zugeteilt, kriege aber eine Angina, weshalb man mich im Innendiest verwendet: im Aktenkeller, wo ich neue eingegangene Schriftstücke in abgelegte Häftlingsakten einkleben muß. So habe ich Gelegenheit, Hunderte von Wehrmachtsstrafprozessen anhand der Akten kennenzulernen.

In der Kompanie, der ich angehöre, mache ich eine Reihe hochinteressanter Bekanntschaften: degradierte Generäle (so der ehemalige Platzkommandant von Warschau, General Herwarth von Bittentfeld); Wehrkraftzersetzer von Format (so Rudolf Göring, der gleichzeitig Neffe von Hermann Göring und, über seine Mutter, Urgroßneffe von Friedrich Engels ist); indische Kriegsgefangene von der Afrikafront, die sich, durch die Parolen Subhas Chara Boses, in die Indische Legion der SS haben locken lassen und dann zu Meuterern geworden sind, als man sie, statt zur Befreiung Indiens, gegen die Sowjetunion einsetzen wollte; Untersuchungsgefangene des von Berlin nach Torgau evakuierten Reichskriegsgerichts, Männer, mit denen ich bei Fliegeralarmen im Keller Gespräche im Flüsterton führen kann, darunter ein französischer Admiral, aber auch sogenannte Bibelforscher, primitive Sektenanhänger, die den Wehrdienst verweigert haben und felsenfest überzeugt sind, im Augenblick ihrer Hinrichtung sofort im Paradies zu sein; scharenweise Elsässer, die sich als französische Patrioten fühlen; dann wieder kriminelle Zuchthäusler, für die Torgau Übergangsstation vom nichtmilitärischen Strafvollzug zum Dienst im Bewährungsbataillon ist, usw.

Im Januar 1944 werde ich von einem Unteroffizier abgeholt und zu meiner Truppe gebracht, aber diesmal nicht nach Potsdam, sondern nach Berlin, wo das Bataillon zu Aufräumungsarbeiten in der von Bombenangriffen verwüsteten Stadt eingesetzt ist. Zu Hause erfahre ich durch Wolfgang Borchardt, daß Konrad Bauer durch den illegalen Kontakt mit mir vor Auschwitz bewahrt worden ist: Der Koffer mit meinem Soldbuch und meiner Erkennungsmarke darin hat die ihn verhaftende Polizei bei der Razzia am 15. September veranlaßt, Bauer nicht in einen Judentransport nach Polen zu stecken – was seinen sicheren Tod bedeutet hätte –, sondern ihn als Untersuchungshäftling ins Jüdische Gefängnis zu bringen, von wo aus ihm wie durch ein Wunder die Flucht geglückt sei (daß das »Wunder« den Namen Kortzfleisch trägt, ist mir unklar; erst nach dem Kriege beginne ich dies zu begreifen, als mir Konrad selbst die Geschichte seiner Flucht erzählt).

In getrennten Gesprächen raten Borchardt und Nohara (der inzwischen Schirmers Geliebter geworden ist und mit ihr zufällig in dem Hotel am Anhalter Bahnhof, wo Borchardt Portiersdienste versieht, seine Flitterwochen verbracht hat) mir dringend davon ab, mich der vom Kriegsgericht angedrohten »Frontbewährung« auszusetzen; auch bei der regulären Truppe sei das mit hochgradiger Wahrscheinlichkeit mit dem Tod gleichzusetzen und ein Überlaufen für Frontbewährer so gut wie ausgeschlossen. Nach dem Scheitern des Zeitschriftenprojekts, infolge der Bombeneinschläge an den Leipziger Druckereien des Vobach-Verlages, sieht Nohara keine Möglichkeit mehr, eine über Berlin hinausgreifende illegale Organisation aufzubauen. Außerdem meint er, die Nazis würden an einer Propagierung des japanischen Bundesgenossen nicht mehr sonderlich interessiert sein, weil Japan ihr Verbündeter einzig gegen die Westmächte sei und sie sich mit diesem gegen die Russen arrangieren wollen; schon deswegen sei das Zeitschriftenprojekt als

Tarnmittel nunmehr illusorisch geworden. Im übrigen ist Nohara so von seiner Passion für die Schirmer in Anspruch genommen, daß er für politische Aktivitäten kaum noch Interesse zu haben scheint. Meinem Rat, über Borchardt an die Gruppe ERNST Anschluß zu gewinnen, weicht er aus. Erst später, im Herbst 1944, wird Nohara wieder aktiv, als er, unter Mitnahme von Geheimdokumenten der Japanischen Botschaft, mit der Schirmer zusammen in ein Häuschen bei Strausberg, im Osten Berlins, also der sich nähernden Ostfront entgegen, zieht, in der Absicht, sich durch die Russen befreien zu lassen und ihnen dieses Material zu übergeben – immer unter der Voraussetzung, daß die Westmächte wahrscheinlich bereits in einem Flirt, wenn nicht mit Hitler, so mit den hinter ihm stehenden kapitalistischen Kräften, begriffen seien. (Auch den 20. Juli deutet Nohara in diesem Sinne und lehnt ihn aus dem Grunde ab.)

Borchardt richtet mir von der Gruppe ERNST aus, sie sei bereit, mich als Mitstreiter in ihre Reihen aufzunehmen, und werde mich, wenn es soweit sei, auch unterbringen und mit gefälschten Dokumenten versehen. Ich solle aber solange wie irgend möglich, auf irgendeinem Druckposten oder, am besten, wieder im Lazarett, formell bei der Wehrmacht bleiben, selbst auf die Gefahr, für den Untergrundkampf vorerst auszufallen. Wenn man mich brauche, werde man mir das sagen. So benutze ich einen Wochenendurlaub, um meinen alten Trick mit dem Ischias zu wiederholen. Diesmal beläßt man mich in einem Berliner Lazarett nur einen Tag lang – wegen der sich immer mehr häufenden Bombenangriffe –, schon am nächsten Tag geht es per Lazarettzug nach Schlesien.

»Bewegungsunfähig« werde ich einem Reservelazarett in Löwenberg zugeteilt. Hier erregen die philosophischen Bücher auf meinem Nachttisch die Aufmerksamkeit des behandelnden Oberstabsarztes Dr. Maskus, eines grimmig aussehenden älteren Herrn mit eisgrauem Spitzbart. Als ich einigermaßen wieder krauchen kann, lädt Maskus mich zu einem Gespräch in das Zimmer ein, das er in einem anderen Gebäude des Lazaretts bewohnt. Die Wände sind vollgestellt mit Philosophie, vor allem mit Platon, Aristoteles, sowie den Kirchenvätern und den Scholastikern; die kostbare, vom Vatikan herausgegebene Gesamt-Edition der Werke von Thomas von Aquin ist mit dabei. Maskus, so erfahre ich, war zuerst

Zahnarzt, ist dann Internist geworden und hat schließlich auf eigene Faust auch noch Philosophie zu studieren begonnen. Aristoteles und Thomas sind seine Götter. Dem Thomas zuliebe will er Katholik werden. Der Löwenberger katholische Pfarrer erteilt ihm bereits Konversionsunterricht. Ich bin, wegen meiner Philosophiekenntnisse, für Maskus ein »gefundenes Fressen«. So läßt er mich in das Lazarettgebäude, worin er wohnt, umquartieren, damit ich mehrmals in der Woche nächtelang in seinem Zimmer mit ihm philosophisch diskutieren kann, teils allein, unter vier Augen, teils unter Hinzuziehung jenes Löwenberger Pfarrers, der nun auch mich zum Katholizismus bekehren will, während ich meinerseits Maskus und den Pfarrer mit Hegel, Feuerbach, Marx und Nicolai Hartmann bekannt mache.

Maskus, der mächtig trinkt, offenbart mir bald auch im Suff seinen Abscheu gegen das Hitlerregime. Leider habe er, sagt er, kein anderes Mittel, den Krieg zu bekämpfen, als offenkundige Simulanten zu decken, wahrscheinliche Nazigegner so lange im Lazarett zu behalten, wie es nur irgend gehe, und dafür Faschisten, auch wenn sie noch nicht kuriert seien, mit der Verdächtigung, sie simulierten, zur Truppe zu schicken.

Die Art, wie in Löwenberg Entlassungen und Nichtentlassungen gehandhabt werden, bestätigt seine Behauptungen. So fasse ich mir ein Herz und vertraue ihm an, daß ich selber Simulant sei, was ihn überrascht, worüber er aber hellauf begeistert ist. Sogleich erklärt er, mein Ischias befände sich in einem Stadium, das bis zur Kapitulation des Dritten Reiches andauern werde und nur durch einen Druckposten in der Lazarettschreibstube, häufige Urlaube nach Berlin und philosophische Diskussionen mit ihm, Maskus, sachgemäß behandelt werden könne. Prompt werden mir in Löwenberg alle diese Privilegien zuteil.

Am Tage betätige ich mich als Lazarettschreiber, nächtens entweder als Maskus' Gesprächspartner oder als Liebhaber seiner hübschen Sekretärin, Ruth Keller, und jedes Wochenende, von Sonnabend Nachmittag bis Montag früh, bin ich in Berlin. An diesen Wochenenden beginne ich nun bereits, illegal für die Widerstandsgruppe ERNST zu arbeiten, indem ich ihr so gut wie alle meine antinazistisch gesinnten Bekannten als Helfer zuführe: den Apotheker Gerd Wilcke und dessen sozialdemokratisch gesinnte Freunde in Schöneberg, darunter vor allem

– als interessantesten, nützlichsten Mann – einen mit Theodor Haubach befreundeten Oberfeldwebel Werth, der im OKW als Funker tätig ist; die – jetzt ebenfalls in Berlin, beim OKW, und nicht mehr in Paris, Dienst tuende – Rosemarie Volk (Tochter unserer Zehlendorfer Mieterin); sie versorgt die Gruppe mit sehr nützlichen blanko gestempelten Briefbögen des OKW, Urlaubsscheinen, Marschbefehlen, Dienstreiseausweisen und ähnlichen Dokumenten; verschiedene Journalisten aus dem Königsberger Freundeskreis meiner Eltern (Wilhelm Renner, Konrad Ehlert u.a.); den ganzen Kreis um Alfred Beierle und dessen Hausmitbewohner Schulze am Kurfürstendamm; meinen Freund Alexander Peter Eismann; dazu zahlkräftige Geldgeber wie Viktor de Kowa, Paul Wegener und Dr. Kunio Miki; Leute, die günstige illegale Quartiere stellen können, usw.

Leider unterbricht aber ein plötzliches Malheur in Löwenberg diese Aktivität und den Löwenberger Aufenthalt überhaupt. Jedesmal nämlich, wenn ich in der Nacht bei Frl. Keller gewesen bin, steige ich in den Morgenstunden durch ein immer offenstehendes Souterrain-Fenster wieder ins Lazarett ein, so daß ich beim Wecken so tun kann, als sei ich seit dem Zapfenstreich ordnungsgemäß in meinem Bett gewesen. Eines Tages aber ist dieses Fenster von innen verriegelt: Ein Sanitäter, der mir, als dem Favoriten des Oberstabsarztes und seiner Sekretärin, nicht wohlwill, ist mir auf die Schliche gekommen und hat es zugemacht. So muß ich am Eingang klingeln und werde wegen unerlaubten Fernbleibens nach dem Zapfenstreich dem Chefarzt, Oberfeldarzt Dr. Hauenschild, zur Bestrafung gemeldet. Hauenschild bestraft mich mit drei Tagen Arrest. Diesen verbüße ich zwar sehr angenehm, weil Maskus mir (statt der Bibel) die Hegelmonographie von Glockner in die Zelle schmuggelt und Frl. Keller mich mit vorzüglichem Essen (statt Wasser und Brot) traktieren läßt. Aber als ich die Strafe verbüßt habe, läßt Hauenschild mich in sein Büro kommen, hält mir meinen – inzwischen aus Potsdam eingetroffenen – Strafauszug unter die Nase und ordnet meine sofortige Entlassung zur Truppe an. Maskus ist todunglücklich und tut alles, um mir noch einen weiteren Aufschub meiner Frontbewährung zu verschaffen. Mein Ischias, meint er, sei durch völlig vereiterte Mandeln verursacht, und wenn die mir nicht herausoperiert würden, würde ich bald wieder bewegungsunfähig auf der Nase liegen und der Frontbewährung weiter entzogen bleiben.

Mit diesem Argument setzt er durch, daß ich zunächst in ein Speziallazarett für Hals-, Nasen-, Ohrenkrankheiten nach Seidenberg überwiesen werde. Insgeheim gibt Maskus mir aber den Rat, mir die Mandeloperation noch für mögliche prekäre Situationen in der Zukunft aufzusparen und zu dem Zweck, auf dem Wege nach Seidenberg, wieder einen Ischiasanfall zu simulieren, um in ein anderes Lazarett zu kommen.

An diesem Punkt nun muß, um den weiteren Gang der Dinge verständlich zu machen, noch eine private Episode eingeschaltet werden. Bei meinen Wochenendreisen nach Berlin habe ich einmal im Wartesaal in Liegnitz eine aus Baden gebürtige bildhübsche Schauspielerin vom Stadttheater Jauer angesprochen, die mir dadurch auffiel, daß sie ein in ihr Strumpfband eingeklemmtes Reclamheft unter dem geschürzten Rock hervorholte, um daraus irgendeine klassische Rolle zu memorieren. Unser Gespräch im Wartesaal dreht sich ums Theater, und ich prunke mit meinen Kenntnissen der glanzvollen Berliner Aufführungen von Gründgens, Fehling, Hilpert, Karl-Heinz Martin, Legal usw. Schließlich fragt die Schauspielerin – Anna Maria Huber – mich, was ich denn von Beruf sei, und in meiner Sucht, ihr etwas Ausgefallenes zu bieten, gleichzeitig aber auch unter dem Eindruck meiner Löwenberger Debatten mit Maskus und dem Pfarrer über Thomas v. Aquin, behaupte ich, ich sei eigentlich Novize des Jesuitenordens und wohnhaft im Jesuitenkloster Oppeln; man habe mich aber, weil ich noch nicht die Weihen empfangen, zum Militär eingezogen. (Meine Faszination durch das eben gelesene Buch René Fülöp-Millers, »Macht und Geheimnis der Jesuiten«, spielt bei dieser Renommage eine entscheidende Rolle.) Fräulein Huber ist völlig verwirrt, zeigt sich aber höchst interessiert, und regt an, daß wir unsere Adressen austauschen und Briefe wechseln sollten – was dann auch geschieht.

Als ich nun in Löwenberg aus dem Arrest entlassen werde, ist plötzlich das – unangemeldet aus Jauer herbeigereiste – Frl. Huber da, und ich habe, vor und nach dem zweiten Rapport beim Oberfeldarzt, meine liebe Not damit, mich abwechselnd ihr und Frl. Keller zu widmen, ohne daß die beiden Mädchen das merken. Als nun Maskus mir den Ratschlag mit dem Hinhalten der Mandeloperation gibt, dränge ich – um bei dem bevorstehenden Abschied von der mir doch viel inniger verbundenen Ruth Keller nicht gestört zu sein – das Frl. Huber zum Bahnhof, mit dem Versprechen, daß ich ihretwegen in ein Lazarett nach Jauer gehen würde. Sie ist aber gerade von Jauer urlaubsweise zu ihren Eltern ins Badensche unterwegs, und so muß ich ihr das weitere Versprechen geben, mich mindestens bis 14 Tage nach ihrer Rückkehr in Jauer festzuhalten, damit wir noch etwas voneinander hätten.

In Seidenberg eingetroffen, suche ich ein paar Tage später den »Spieß« (Hauptfeldwebel) des HNO-Lazaretts auf und lüge ihm vor, meine Freundin in Jauer sei durch mich schwanger, hätte riesige Schwierigkeiten mit ihren verständnislosen Eltern und ich müsse schleunigst dort hin, um das arme Mädchen zu schützen und die Sache durch einen Heiratsantrag in Ordnung zu bringen. So wird mir noch vor der vorgesehenen Tonsillektomie ein zweitägiger Urlaub nach Jauer gewährt, und den nutze ich, dort angekommen, aus, um wieder einen Ischiasanfall zu simulieren und mich »bewegungsunfähig« ins Jauersche Lazarett transportieren zu lassen. Diesmal aber komme ich an einen Stabsarzt, der mich sofort als Simulanten und Drückeberger durchschaut, mir mit dem Kriegsgericht droht und, um für Anklage und Bestrafung die nötigen Beweise zu schaffen, meine Überführung ins Beobachtungslazarett Breslau (Vorstation zur Untersuchungshaft) anordnet. Was mich rettet, ist die Eigenschaft des Ischias, unter Umständen auch sehr schnell wieder verschwinden zu können.

Der Stabsarzt ordnet zwar an, daß mir keine Medikamente gegeben werden sollen. Aber in der Nacht jammere ich der Nachtschwester so viel von meinen Schmerzen vor, daß sie mir nicht nur Tabletten gibt, sondern mich auch mit dem Heizkasten behandelt. Der Erfolg: Bei der Visite am nächsten Morgen stehe ich frisch und munter neben meinem Bett, erkläre, der Anfall sei vorüber, dem Dienst an der Front stehe nichts mehr im Wege. Wütend besteht der Stabsarzt auf meiner Verschickung nach Breslau. Aber er muß die erst beantragen, und es dauert 14 Tage, ehe seinem Gesuch stattgegeben wird. Als der Stabsarzt das mit der Begründung, ich sei Simulant, ablehnt, wende ich mich mit meiner Beschwerde an den Chefarzt, erkläre darin empört, daß die unerhörte

Anschuldigung durch nichts bewiesen sei, und kriege den Urlaub. Bis zur Rückkehr von Frl. Huber in Jauer bleiben zu können, scheint aussichtslos. Aber es kommt zur Bekanntschaft mit einer anderen, viel interessanteren Dame. Frl. Huber hat mich bei einem Ehepaar Lucas aus Berlin avisiert, das vor den Bombenangriffen nach Jauer geflüchtet ist. Es sind wohlhabende Leute, er Direktor einer Schallplattenfirma, bei der Ende der zwanziger Jahre die »Dreigroschenoper« aufgenommen worden ist, und daher mit Brecht bekannt; beide literarisch und musikalisch sehr interessiert.

Erfreut, in dem kleinen Städtchen unterhaltsame Abwechslung zu finden, nehmen die Lucas mich mit großer Herzlichkeit auf. Ich bin fast täglich bei ihnen, muß aber nun leider ihnen gegenüber den – im Liegnitzer Wartesaal gegenüber Frl. Huber begonnenen – Schwindel, Jesuitennovize zu sein, fortsetzen, was ich, gewappnet durch Fülöp-Miller-Lektüre, tue.

Eines Tages nehmen die Lucas mich zu der ihnen bekannt gewordenen Frau des Jauerschen Landrats mit, einer Prinzessin Schaumburg-Lippe. Als ich »Prinzessin« höre, bin ich sofort entschlossen, mich in sie zu verlieben. Aber ihr Anblick entbehrt aller Reize, hat so enttäuschend wenig zu tun mit dem, was ich mir, immer noch von Grimms »Märchen« her, unter einer Prinzessin vorstelle, daß ich von meinem Entschluß schnell wieder abkomme. Die Liebe aber, die mein Gefühl für sie schon parat gehabt, überträgt sich ebenso schnell auf ihre anwesende Freundin, Frau v. Wülfing, eine sehr schöne, gepflegte Engländerin, die mit einem bekannten Berliner Rechtsanwalt verheiratet war, bis der, bei Beginn des Krieges, in den ersten Verdunkelungsnächten, durch einen Verkehrsunfall ums Leben kam. Seither lebt diese Engländerin, verwitwet, aber durch den Krieg auch an der Rückkehr in ihre Heimat gehindert, in Berlin, und vor den Bombenangriffen hat sie bei ihrer Freundin, der Jauerschen Landrätin, Zuflucht gesucht.

Ich finde, Frau v. Wülfing sieht viel mehr wie eine Prinzessin aus als die richtige Prinzessin und verliebe mich in sie, in ihre Gepflegtheit, ihre schönen braunen Augen, obwohl sie mit ihren 50 Jahren wesentlich älter ist als ich, allerding jünger als 50 aussieht. Und nun geschieht es, daß Frau v. Wülfing, bei dem Stichwort »Jesuitennovize«, an der Frömmigkeit Geschmack findet, durch mich in den Katholizismus eingeweiht werden möchte, dabei – auf Parkspaziergängen – durch mein Dozieren über die Lehren der Kirchenväter und der Scholastiker zunehmend in erotische Stimmungen gerät und mich schließlich, unter Beteuerungen ihres schlechten Gewissens gegenüber der Heiligen Kirche, in ihr Schlafzimmer zieht und verführt.

Unterbrochen ist die Liebesepisode im Sommer 1944 dreimal – erst durch zwei Aufenthalte in Breslau, dann durch vorübergehenden Dienst an der Ostfront. 124 Tage nach meiner Ankunft in Jauer werde ich, obwohl längst fröhlich und gesund auf den Beinen, sicherheitshalber auf einer Trage im Sanitätsauto nach Breslau gebracht (an demselben Tage, als die Alliierten in der Normandie landen). In Breslau gelingt es mir aber, den Kraftfahrer dazu zu bewegen, mich auf freien Fuß zu setzen, damit ich mir erst einmal die Stadt ansehen kann, bevor ich das Beobachtungslazarett aufsuche. Als ich mich dann am Abend, kurz vor Zapfenstreich dort melde, erfahre ich zu meiner Verblüffung, daß man von meiner Einweisung nichts weiß. Ich kriege Verpflegung und einen Marschbefehl nach Jauer und werde zurückgeschickt.

Der Jauersche Stabsarzt tobt, kann aber nichts machen. Wieder dauert es fast 14 Tage – mit täglichen Stadturlauben – ehe ich erneut nach Breslau transportiert werden kann. Dort lerne ich dann kurz ein außerordentlich interessantes Milieu kennen: lauter Soldaten, die teils allnächtlich bettnässen, teils blind zu sein behaupten, teils von epileptischen Krämpfen heimgesucht werden und alle im Verdacht des Simulieren stehen. Mit mir können die Ärzte nichts anfangen, denn ich erkläre, beschwerdefrei zu sein, und daß mein letzter Ischiasanfall simuliert war, läßt sich vier Wochen danach nicht beweisen. Ich werde aber nicht etwa zu meiner Truppe nach Potsdam geschickt, sondern, obwohl kv geschrieben, wieder zu dem Lazarett in Jauer, da man meine Einweisung zur Beobachtung beantragt hat.

Abermals große Wut bei dem Jauerschen Stabsarzt, der nun zehn Tage warten muß, ehe ihm die Breslauer Befunde über mich zugehen, aber, als täglicher Stadturlaub für mich und, in Anbetracht des inzwischen aus Baden heimgekehrten Frl. Huber, peinliches Hin- und Herpendeln zwischen ihr (mit der es aber platonisch bleibt) und Frau v. Wülfing. Schließlich muß ich zu meiner Truppe, die jetzt aber nicht mehr in Potsdam steht, sondern in Döberitz, am Ort des großen Truppenübungsplatzes bei Berlin. Hier erlebe ich, aus der Sicht des kleinen Soldaten, den 20. Juli mit – in Gestalt eines plötzlichen Walkür-Alarms, der ebenso plötzlich wieder abgeblasen wird – nicht zuletzt deswegen, weil mein privatim so bewährter Vetter Kortzfleisch nun doch schmählich versagt –, und in Berlin erfahre ich durch Dr. Wilcke und Werth, daß Theodor Haubach als Verschwörer verhaftet worden ist.

Eingehend bespreche ich meine Situation mit Borchardt und mit Nohara. Beide sind der Ansicht, daß nach dem Aufenthalt im Breslauer Beobachtungslazarett und den Vermutungen, die der Jauersche Stabsarzt in meinen Entlassungsbefund geschrieben haben dürfte, neuerliches Ischiassimulieren für mich zu riskant sein dürfte. Beide auch sind eingeschüchtert durch die Niederschlagung des 20. Juli-Putsches. Und da Borchardt meint, mit der Widerstandstätigkeit müsse jetzt erst einmal ganz kurz getreten werden, scheint mir die Bereitschaft der Gruppe ERNST, mich jetzt als Deserteur in Reihen aufzunehmen, äußerst fraglich zu sein. So lasse ich es geschehen, daß man mich sehr schnell zur Ostfront abstellt.

Aber während des Transports dorthin habe ich noch einmal unwahrscheinliches Glück. Auf dem Bahnhof Brandenburg fragt der Kompaniefeldwebel der Marschkompanie, wer Schreibarbeiten erledigen kann. Ich melde mich, und er teilt mich dazu ein, ohne zu wissen, daß ich Frontbewährer bin. So kriege ich ein Sonderabteil mit den Personalunterlagen (Wehrpässen) einer ganzen Kompanie und muß darin die vorgedruckten Benachrichtigungen ausfüllen, die dem Ersatztruppenteil für jeden einzelnen abgestellten Soldaten mitteilen, wohin der Betreffende gekommen ist. Diese Chance mache ich mir zunutze und entferne aus den Wehrpässen die ihnen beigefügten Strafregisterauszüge, darunter auch meinen. Auf dem Bahnhofsklo in Schneidemühl spüle ich sie, in kleine Stücke zerrissen, herunter. Ja, ich verständige im Zug auch noch die anderen Frontbewährer aus der Kompanie, daß von den über sie verhängten Strafen nichts mehr bekannt sei.

Die Fahrt geht ins Baltikum, wo sie aber plötzlich stockt, weil eine Eisenbahnverbindung vom »Feind« unterbrochen worden ist. Man leitet daher den Transport in eine andere, ebenfalls truppendürftige Frontgegend, d.h. erst nach Ostpreußen zurück und dann an den Mittelabschnitt der Ostfront, ins östliche Polen, Gegend von Bialystok. Die Marschkompanie wird auf verschiedene Divisionen verteilt; ich komme zu der – dem sogenannten Kavalleriekorps der Heeresgruppe Mitte unterstellten – 129. Infanteridivision, und zwar, weil inzwischen als Schreiber bewährt, zu einem Kompanietroß. Hier ist es in den folgenden Wochen meine – durch den Rückzug vor den nachdrängenden Russen bedingte – Aufgabe, jeden Morgen die in der vordersten Linie stehende Kompanie auf einem möglichst vor Feindbeschuß sicheren Wege dorthin zu lotsen, danach die Leichen der Gefallenen, zwischen den leeren Essenkübeln, zurück zum Standort des Troß zu transportieren und dort nach dem Diktat des Kompaniefeldwebels auf einer Schreibmaschine die Benachrichtigungen an die Hinterbliebenen zu tippen, bis – fast allnächtlich – der Befehl zum weiteren Rückzug kommt, was jedesmal bedeutet: die Troßwagen packen, die Feldküche mit Tarnung versehen und – sich »geordnet absetzen«.

Da ich für die morgendlichen Erkundungen zur vordersten Linie meist weite Wege zurücklegen muß, kriege ich ein Pferd, und, unterwegs von Feldgendarmen nach meiner Funktion befragt, nenne ich mich weisungsgemäß eine »Mischung von Meldereiter und Kompanieschreiber«. Nähere ich mich der Front, dann binde ich das Pferd an einen Baum, möglichst geschützt im Wald, und lege die weitere Strecke zu Fuß oder sogar auf dem Bauch robbend zurück, wie bei Preußens gelernt. Binnen kurzer Zeit ist die ganze Division – teils durch Tod, teils durch Gefangennahme, teils durch Versprengtsein einzelner Bataillone – bis auf kleine Reste zusammengeschmolzen. Der Troß meiner Kompanie wird aufgelöst, und wir erhalten den Befehl, uns zu einem anderen Regiment, zwecks Auffüllung seiner Reihen, in Marsch zu setzen.

Unterwegs tue ich so, als hätte ich Durchfall, setze mich ausgiebig zum Kacken an den Straßenrand nieder, und als mein Kompaniefeldwebel und die Troß-Unteroffizere außer Sicht geraten sind, entferne ich mich in anderer Richtung, bis ich auf ein nach Westen fahrendes Pferdefuhrwerk stoße, dem ich mich mit einem Ischias-Anfall anvertrauen kann.

Die Benachrichtigung nach Döberitz, bei welcher Truppe ich gelandet bin, habe ich nie abgeschickt, sondern zerrissen; die Truppe selbst existiert nicht mehr. Also sind meine Spuren so verwischt, daß ich es mir leisten kann, wieder von meinem altbewährten Finten Gebrauch zu machen. Man schafft mich in ein Reservelazarett nach Allenstein in Ostpreußen. Obwohl ich dort aber Verwandte – in dem schönen Landhaus meines Großvaters Harich – habe, ist mir diesmal daran gelegen, den Lazarettaufenthalt abzukürzen, um so schnell wie möglich nach Berlin zurückzukommen, denn angesichts des Vormarsches der Russen im Osten und der Amerikaner in Frankreich scheint mir jetzt die Situation für die Vorbereitung eines Aufstandes in Deutschland herangereift zu sein.

Rasch werde ich in Allenstein wieder gesund – mit dem verblüffenden Ergebnis, daß man mir – 14 Tage Heimaturlaub gewährt und mich auch mit einem riesigen Freßpaket, »Führerpaket« genannt, ausstattet. Ich fahre zuerst für zwei Tag nach Jauer, um noch einmal Frau v. Wülfing zu umarmen, und dann nach Berlin. Jetzt macht Wolfgang Borchardt mich endlich direkt mit den Chefs der Gruppe ERNST, Alex Vogel und Wolfgang Schmidt, bekannt, die mich sofort der Gruppe verpflichten, wobei Vogel mir, im Hinblick auf meine philosophischen Ambitionen, ein Exemplar von Lenins »Materialismus und Empiriokritizismus« in die Hand drückt, das ich zu Hause, in Zehlendorf, in einem Zuge verschlinge. Vogel und Schmidt bemühen sich derweil, nachdem ich neue Paßphotos von mir habe anfertigen lassen, um gefälschte Papiere für mich. Ich kriege ein neues Soldbuch auf den Namen »Mario Glasberg« (Romanfigur meines Vaters), das mich als Angehörigen der in Potsdam stationierten Propaganda-Kompanie ausweist, dazu eine – auf gedrucktem Kopfbriefbogen ausgestellte und unterstempelte – Bescheinigung, aus der hervorgeht, daß ich ein – jede Wehrmachsstreife aus dem Konzept bringender – Sonderfall bin: nämlich von der Potsdamer Propagandakompanie zeitweilig zum OKW abgestellt und dort beim Verbindungsstab des OKW zur japanischen Militärmission als Dolmetscher tätig.

Außerdem kriege ich ein Dokument, das besagt, ich hätte die Erlaubnis, ständig Zivil zu tragen. Und für den äußersten Notfall übergibt Vogel mir auch noch eine Pistole und Munition. Nachdem der Urlaub abgelaufen ist – den ich bereits vollständig mit Aktivitäten für die Gruppe ausfülle, und zwar als Vogels Kurier -, wird mir aber nicht sofort gestattet, in die Rolle jenes »Mario Glasberg« zu schlüpfen. Vielmehr soll ich mich jetzt zu festgesetzter Stunde zu einem Lazarett nach Berlin-Buch begeben und mich dort, Unfähigkeit zu sprechen vortäuschend und auf meinen Kehlkopf weisend, melden, in Uniform, als Wolfgang Harich und mit meinem richtigen Soldbuch. Das tue ich. Der diensthabende Arzt, Stabsarzt Dr. Rau, ist Mitglied der Gruppe. Er nimmt mich in das Lazarett auf, erledigt ordnungsgemäß alle damit zusammenhängenden Formalitäten, sagt mir, in welchem Ton ich nach zweitägiger Behandlung wieder sprechen können soll, und gibt mir dann täglich Stadturlaub, damit ich mich wieder der Aktivität für die Gruppe widmen kann. Das geht so lange gut, bis das Lazarett von einer Kommission durchgekämmt wird. Jetzt endlich werden mir dort – um weiteren Aufschub zu ermöglichen – die vereiterten Mandeln herausgenommen, und anschließend werde ich zu meinem neuen Ersatztruppenteil nach Marburg an der Lahn geschickt, um ordnungsgemäß, aber mit der Weisung der Gruppe, mich dort sofort freiwillig an die Ostfront zu melden, den zu erwartenden Truppentransport jedoch in Berlin oder in der Nähe von Berlin zu verlassen, um dann erst endgültig »Mario Glasberg« zu werden.

So verfahre ich. Mein Aufenthalt in Marburg dauert nur zehn Tage, und da ich dort ein völlig unbeschriebenes Blatt bin, befördert man mich, in Anbetracht meiner nunmehr zweijährigen »Dienstzeit«, zum Gefreiten. Die Abende verbringe ich bei Kityamas Freund, dem Philosophieprofessor Ebbinghaus, und seiner blutjungen Frau, die um den kurz zuvor verstorbenen Max Kommerell (vermutlich war er ihr Freund) trauert. Mit anderen Marburger Bekannten von mir, einem Scheringdirektor, der mit einer Schwester Eta Harich-Schneiders verheiratet ist, habe ich wütende politische Auseinandersetzungen; sie glauben und hoffen immer noch auf Hitlers Sieg.

Der Transport an die Ostfront erfolgt diesmal in Viehwagen. In Göttingen verlasse ich den Zug wegen angeblichen Durchfalls. Als ich von der Brille aufstehe, ist der Zug ohne mich abgefahren. Ich suche den Bahnhofskommandanten auf, schildere ihm mein Pech, und er schickt mich mit einem Marschbefehl zu einer Frontleitstelle nach Berlin. In Berlin kriege ich auf dem Stettiner Bahnhof, zur Frontleitstelle unterwegs, wieder einen Ischiasanfall. Man transportiert mich in ein Reservelazarett nach Wilmersdorf, wo mich Wolfgang Schmidt aufsucht, um mir weitere Instruktionen zu geben. Jetzt lautet Vogels Befehl: Schnellstens wieder gesund werden, aber nicht mehr zur Frontleitstelle gehen, sondern als »Mario Glasberg« in Zivil untertauchen bei einer Frau Marietta Grelling am Hirschsprung in Berlin-Dahlem. Dort finde ich, außer Frau Grelling, einen Jugoslawen namens Nenat Stefanowicz vor, den sie ebenfalls versteckt hält, der aber merkwürdigerweise Vogel und Schmidt noch gar nicht kennt. Nenat ist der Sohn des Vizeverkehrsministers in der letzten souveränen jugoslawischen Regierung, hat sich 1941 Tito angeschlossen, war politischer Kommissar des Titoschen Sturmbataillons, ist als solcher von den Nazis gefangengenommen und in ein deutsches KZ gebracht worden und dort unter den abenteuerlichsten Umständen ausgebrochen. Seither lebt er illegal, hat aber keinerlei Verbindungen mit irgendwelchen antifaschistischen deutschen Gruppen. Frau Grelling, die ihn anscheinend liebt, findet, er habe »nun genug geleistet«, und behandelt ihn als ihren Privatbesitz.

Ich sei ihr durch Alfred Beierle ins Haus geschickt worden – seit Anfang des Jahres ein Vogel-Mann –, und das sei etwas ganz anderes. Als Nenat klar wird, daß ich illegale Verbindungen habe, fährt er sofort aus der Haut und verlangt, ich solle ihn mit den entscheidenden Leuten zusammenbringen. Er brenne darauf, zu kämpfen, und habe es satt, immer nur versteckt zu werden und die Daumen zu drehen. Von der Begegnung mit Vogel, die ich arrangiere, ist er tief beeindruckt. »Das könnte der deutsche Stalin werden«, sagt er. Von Stund an ist der temperamentvolle, mit allen Wassern der Konspiration und Illegalität gewaschene jugoslawische Kommunist einer der aktivsten führenden Köpfe der Gruppe ERNST, ein wenig problematisch allerdings durch die Bedenkenlosigkeit, mit der er bei der Beschaffung von Geldern und Nahrungsmitteln von kriminellen Mitteln Gebrauch macht (Überfall auf einen Geldbriefträger, Wegreißen von Damenhandtaschen nach der nächtlichen Entwarnung vor dem Ausgang eines Luftschutzbunkers, usw.).

Zwischen ihm und dem moralistisch strengen Wolfgang Schmidt kommt es daher zu Kontroversen, die Vogel zu schlichten Mühe hat.

(Nach dem Kriege wird Nenat Stefanowicz erst Mitarbeiter der jugoslawischen Militärmission in Berlin, dann kehrt er in seine Heimat zurück.) Meine Aufgabe besteht in den folgenden Monaten vor allem in Kurierdiensten in alle Teile Berlins, im Beschaffen von Waffen aus Privatbesitz und in der Mitwirkung bei Sabotageakten und Flugblattaktionen.

Als Kurier lerne ich viele von Vogels Anhängern kennen, darunter an Prominenten die Ballettmeisterin Tatjana Gsowsky, den Dirigenten Leo Borchard, die Schrifstellerin Ruth Andreas-Friedrich u.a. – , aber auch viele einfache Arbeiter und Angestellte im Norden und Osten Berlins, einen Schneidermeister französischer Herkunft in Staaken usw., dazu einige Journalisten aus der Potsdamer Propagandakompanie, von denen anscheinend mein gefälschtes Soldbuch stammt, darunter Helmuth Kindler, den späteren Leiter des Kindler-Verlages. Meine Quartiere wechsele ich ständig, einmal deswegen, weil es mein Kurierdienst so mit sich bringt, wenn ich mir unnötige Aufenthalte auf der Straße ersparen will, zum anderen, weil es den Quartiergebern doch meist unangenehm ist, daß sich ein bestimmter junger Mann, der seinem Aussehen nach eigentlich beim Militär sein müßte, ständig bei ihnen aufhält statt nur vorübergehend, besuchsweise. Meine Quartiergeber sind u.a.: Viktor de Kowa und seine japanische Frau; Alfred Beierle und Schulze am Kurfürstendamm, Ecke Lehniner Platz; Paul Wegener in Wilmersdorf; Marietta Grelling in Dahlem und August Lorey in Dahlem.

Nur zu Hause in Zehlendorf lasse ich mich nie blicken, weil es ja möglich ist, daß man dort nachforscht, was aber – wider Erwarten – bis Kriegsschluß nie geschieht. Meine Spuren scheinen sich für die Wehrmacht vollständig in Nichts aufgelöst zu haben. – Während des letzten Urlaubs, den ich noch in Zehlendorf verbrachte, habe ich eines Tages an einer Omnibushaltestelle eine hübsche, elegant angezogene junge Asiatin angesprochen, von der sich alsbald herausstellte, daß sie eine Tochter des Gesandten von Thailand, General Chuthin ist. Sie heißt Nong Yau Chuthin. Schnell entwickelt sich zwischen uns eine beiderseits leidenschaftliche Zuneigung, und Nong Yau wird für ca. 2 Jahre meine Lebensgefährtin, bis im Oktober 1946 das unmittelbar bevorstehende Ablaufen ihres Passes und die Angst vor dem zweiten, voraussichtlich wieder harten Nachkriegswinter 1946/47 sie schließlich doch bewegen, sich von mir zu trennen und über die USA nach Siam zurückzukehren, nachdem ihr Vater, der Gesandte, bereits im Mai 1945 mit Hilfe der Russen den Heimweg über Moskau angetreten hat.

Nong Yau wohnt nicht in der Gesandtschaft (Am Wilden Eber), sondern einzeln in deren Nähe, bei einer mit dem Gesandten befreundeten Familie Lorey. August Lorey seinerseits ist Nazi. Freund des Wirtschaftsministers Walther Funk und Leiter der Reichsgruppe Druck und Papier. An sich völlig unpolitisch, wird Nong Yau aus purer Liebe zur zuverlässigen Mitverschwörerin meiner Illegalität, und über eine polemische Analyse der nazistischen Rassenirrlehre, die ihr, als Asiatin, natürlich suspekt sein muß, politisiere ich sie dann auch ein bißchen im antinazistischen Sinne, so daß ihr klar wird, daß ich für eine gerechte Sache kämpfe. Ohne etwas von meiner Illegalität zu erwähnen, führt sie mich bei den Loreys ein und setzt durch, daß ich dort auch gelegentlich bei ihr, als ihr Liebhaber, übernachten darf. So komme ich mit den Loreys ins Gespräch und stelle fest, daß sie in panischer Angst vor dem Kriegsende leben. Diese Situation nutze ich dazu aus, auch Lorey – mit der Aussicht auf glimpfliche Behandlung nach dem Kriege, mit dem Appell, seine Nazisünden wiedergutzumachen – in die Widerstandsarbeit hineinzuziehen. Er weiht einen seiner Untergebenen namens Schöpflin, den Sohn des ehemaligen sozialdemokratischen Reichstagsabgeordneten gleichen Namens, ein und veranlaßt ihn, Druckereien ausfindig zu machen, die unsere Flugblätter drucken könnten (bisher stellen wir sie umständlich mit Matritzen auf Abziehapparaten her).

Loreys und Schöpflins Versuche ziehen sich bis in die letzten Kriegstage hin, scheitern aber immer wieder, entweder weil es in den Druckereibelegschaften unsichere Leute gibt oder weil die Druckereien, von denen wir ohne Bedenken Gebrauch machen könnten, kurz vor Aufnahme der Arbeit durch Kriegseinwirkung zerstört werden. Es bleibt also bei den Abziehapparaten.

Sylvester 1944/45 ist Lorey zu seinem Freund Funk in dessen Villa am Wannsee eingeladen. Er will nicht hingehen, aber ich zwinge ihn, das doch zu tun und mich, als angeblich auf Urlaub befindlichen jungen Soldaten aus seiner Bekanntschaft, mitzunehmen. So verschaffe ich mir den makabren Genuß, als Illegaler das letzte Sylvester des Dritten Reiches bei einem der höchsten Naziführer mitzuerleben. Natürlich ist Loreys Haus als Unterschlupf für mich besonders sicher: Er gehört zu Führungsschicht Nazideutschlands, und seine Mieterin Nong Yau Chuthin hat einen exterritorialen Status. Nach dem Kriege wird Lorey von den Russen verhaftet. Ich bemühe mich darum, ihn unter Hinweis auf seine - wenn auch späten und schwachen – Verdienste um den Widerstandskampf freizubekommen, aber es gelingt mir nicht. Einen Wehrwirtschaftsführer und langjährigen Vertrauten Walther Funks geben die Russen nicht heraus. Nong Yau und mir bleibt nur übrig, Loreys verzweifelter, kranker Frau beizustehen, bis sie im Sommer 1946 stirbt. Ihn habe ich nie wiedergesehen.

Im Zusammenhang mit dem 20. Juli hat man auch meinen Lehrer, den Philosophen und Professor Eduard Spranger, verhaftet. Spranger hat gelegentlich philosophische Vorträge in jener Mittwochsgesellschaft gehalten, deren regelmäßige Zusammenkünfte von den Verschwörern um Beck und Goerdeler für ihre Treffs benutzt worden sind. Heimlich treffe ich mich mit Sprangers innerlich verzweifelter, nach außen bewundernswert gefaßter Frau. Sie erklärt, ihr Mann hätte von dem wahren Zweck der Mittwochsgesellschaft nichts geahnt.

Andere Prominente, wie z.B. Max Planck, der dort auch Vorträge gehalten hätte, waren nicht festgenommen worden. Ich erinnere sie daran, daß ihr Mann mit ihr nach 1933 jahrelang in Japan in der Emigration gelebt, ehe er mit den Nazis seinen Frieden gemacht habe, und daß er seither bei den Japanern in allerhöchstem Ansehen stehe. Sie solle doch versuchen, der Frau des japanischen Botschafters, Frau Oshima, ihr Leid zu klagen. Vielleicht werde der Botschafter für Spranger intervenieren. Auf diese Idee ist Frau Spranger noch nicht gekommen. Sie weiß auch nicht, wie sie an die Oshima herankommen soll. Das vermittle ich ihr, einerseits durch Michiko Tanaka, andererseits wieder durch meinen bewährten Freund Dr. Miki. Frau Oshima lädt Frau Spranger ein und bittet anschließend ihren Mann, Spranger zu helfen. Oshima interveniert bei Himmler persönlich, und tatsächlich wird Spranger im November 1944 auf freien Fuß gesetzt. Gerührt feiern wir in seiner Dahlemer Wohnung Wiedersehen, und seither sieht er in mir seinen Lebensretter, wofür er mir nach dem Kriege – und noch 1954 auf dem

Philosophenkongreß in Stuttgart – immer wieder überschwenglich dankt. Obwohl Spranger Konservativer ist, gelingt es mir denn auch im Sommer 1945, ihn dazu zu bewegen, zusammen mit Johannes R. Becher (ZK-Mitglied der KPD) und Paul Wegener den »Kulturbund zur demokratischen Erneuerung Deutschlands« zu gründen. Spranger ist zu der Zeit der erste Nachkriegsrektor der Berliner Universität. Wie er aber schon damals – reichlich verfrüht – aus seiner konservativen Einstellung heraus die Amerikaner dazu bringen will, die Universität unter ihre Fittiche zu nehmen und in Dahlem (!) zu etablieren, überwirft er sich sowohl mit der Volksbildungsverwaltung der sowjetischen Besatzungszone als auch mit dem – 1945 noch von progressiven Leuten durchsetzten – amerikanischen Besatzungsapparat, mit der Folge, daß man seine Dahlemer Villa beschlagnahmt und ihm zum Wohnen den eigenen Keller überläßt. Tief gekränkt und von allen Seiten im Stich gelassen, verläßt er daraufhin Berlin und geht nach Tübingen.

Die letzte Aufklärungsaktion der Gruppe ERNST wird von Vogel, Schmidt und Nenat Stefanowicz sorgfältig vorbereitet und groß aufgezogen. In allen Stadtteilen Berlins beschmieren wir in einer Nacht mit Schlemmkreide die Wände mit dem Wort »NEIN!«, und in der nachsten Nacht verteilen wir überall Flugblättter, die das Wort erklären: Nein, Berlin soll nicht Kriegsgebiet werden, die Soldaten sollen untertauchen oder überlaufen, aber nicht kämpfen; kein Berliner soll durch Unterstützung der Hitlerwehrmacht mit dazu beitragen, daß seine Heimatstadt vollends zerstört wird. Und jeder, der mit diesen Forderung einverstanden ist, soll seinerseits zur Kreide greifen und das NEIN an die Wände schreiben, damit alle sehen können, wie groß die Anzahl derer ist, die den Krieg ablehnen. Unterschrift: Widerstandsgruppe ERNST.

Mir wird für die Aktion der Teil Charlottenburgs nördlich der Kaiserallee bis südlich zur Siemensstadt, im Osten bis etwa Höhe Sophie Charlotte-Platz, im Westen bis Anfang Heerstraße, zugeteilt. Als Leiter einer kleinen Gruppe, von ungefähr fünf, sechs Mann, beschmiere ich zwei Nächte lang Häuserwände und Trottoirs und auch die Treppenflure zufällig offenstehender Häuser, und in der zweiten Nacht verteilen wir in der gleichen Gegend Tausende von Flugblättern. In beiden Nächten zerschneiden wir gleichzeitig bei vielen parkenden Autos die sämtlichen vier Reifen mit Messern – unser hauptsächlich praktizierter Sabotageakt schon in den vorausgegangenen Monaten, der von der Überlegung ausgeht, daß nur kriegswichtige Autos zugelassen sind (Erfinder: Nenat Stefanowicz). Um beweglich zu sein und bei Gefahr schnell fliehen zu können, haben wir Fahrräder, die übrigens ohnehin in Berlin das einzig zuverlässige Verkehrsmittel zu werden beginnen. Die Ausbreitung der NEINs über Berlin macht einen imponierenden Eindruck. Auf meinen Inspektionsfahrten im Auftrag Vogels finde ich die NEINs in den folgenden Tagen in Charlottenburg, Wilmersdorf, Schmargendorf, Dahlem, Steglitz, Friedenau, Tiergarten, Stadtmitte, Gesundbrunnen, Friedrichshain, Prenzlauer Berg in überwältigender Fülle vor, aber bis nach Wannsee im Südwesten und Buch im Nordosten (hier ist Dr. Rau am Werk) sollen sie, wie man hört, anzutreffen sein. Am eindrucksvollsten ist die Arbeit, die zwei Gebrauchsgraphiker aus der Gruppe, Heinz Schwabe und Wuttke, am Kurfürstendamm zwischen Olivaer Platz und Gedächtniskirche, mit breitem Pinsel geleistet haben; dort sind sogar die Schaufenster und abgestellte PKWs mit NEIN beschmiert. (Schwabe habe ich seinerzeit auf einer Kurierfahrt im Auftrag Wolfgang Schmidts eine Pistole überbracht; Wuttke ist mir während des kurzen Lazarettaufenthalts in Wilmersdorf, nach meiner Entfernung von dem Marburger Ostfronttransport, bekannt geworden, als – phantastischer Zufall – er, Wuttke, mich dort für die gleiche Widerstandsgruppe ERNST zu gesinnen versuchte, der ich längst angehörte und auf deren zweiten leitenden Mann, Wolfgang Schmidt, ich gerade wartete, um von ihm die Weisung für mein endgültiges Untertauchen zu bekommen.)

Am Tage nach der Aktion ziehen ganze Trupps von Polizisten, SA-Leuten, NS-Amtsträgern usw. durch die Straßen, um, mit Wassereimer und Wischlappen bewehrt, die NEINs wieder abzuwischen. Aber dann kommt, offenbar von seiten des findigen Goebbels, der ja immer noch Gauleiter von Berlin – und nicht nur Propagandaminister – ist, ein neuer Befehl, und jetzt wird von den Polizisten usw. über die NEINs, statt sie zu tilgen, das Wort »Kapitulieren?« geschrieben. Auf einer Beratung in der Wohnung der Gsowsky überlegen Vogel, Schmidt, Stefanowicz, Dr. Rau und ich hin und her, wie wir dem entgegenwirken sollen. Uns fällt nichts ein, als die Flugblattaktion, mit dem selben Text, fortzusetzen.

Dann macht der Zusammenbruch des Verkehrswesens in Berlin, samt Einstellung des S- und U-Bahnverkehrs, uns weitere Aktionen dieser Art unmöglich. Die Schlacht um Berlin beginnt, und, voneinander isoliert, warten wir in den verschiedensten Teilen Berlins die Befreiung durch die Russen ab. Auch als Glasberg trage ich nicht ständig Zivil, sondern zuweilen auch, je nachdem, wie es für die Bewältigung einer gerade anstehenden Aufgabe zweckmäßig erscheint, Wehrmachtsuniform – als desertierter Meldereiter von der Ostfront immer noch mit Lederbesatz an den Hosen und in Reitstiefeln. Meine gefälschten Papiere lassen beide Möglichkeiten zu.

Ende April übernachte ich wieder einmal bei Nong Yau – diesmal in Uniform. Am nächsten Morgen soll ich mich in mein zweites Dahlemer Quartier, am Hirschsprung, zu Frau Grelling, begeben, um dort – in Zivil – mit Dr. Rau zusammenzutreffen, der mir eine Weisung von Vogel überbringen wird. Unkorrekterweise ziehe ich mir nur eine Ziviljacke über, während meine Unterpartie kavalleristisch bekleidet ist. Als ich mit dem Fahrrad die Cecilienallee (jetzt Pacelliallee) überquere, sehe ich, wie dort ein Soldatentrupp die Straßen vermint. Bei Frau Grelling klingelt das Telephon: Eine Freundin aus Zehlendorf ruft an und meldet, daß bei ihr bereits die Russen seien. Kurz danach erfolgt ein sowjetischer Artillerieangriff, der uns in den Keller fliehen läßt. Als die Schießerei vorbei ist, hören wir draußen sowjetische Panzer die Straße Im Dol heraufrollen. Dr. Rau und ich – beide in Zivil, aber ich in meinen Uniformhosen – stürzen mit hocherhobenen Händen auf die Straße, dem ersten Panzer entgegen, und deuten auf unsere Hosentaschen, wo unsere Pistolen stecken, die man uns abnimmt. Dann verständigen wir die russischen Soldaten über die Verminung der Ecke Dol-Cecilienallee-Miquelstraße, auf die die Panzerkolonne zurollen will. Ein sowjetischer Offizier dankt uns mit Umarmungen, kritzelt auf je einen Zettel für jeden von uns etwas Unleserliches in russischer Sprach, was sich später als eine Bescheinigung darüber herausstellt, daß wir die Sowjetarmee vor Schaden bewahrt hätten, und schickt uns wieder in Frau Grellings Haus zurück.

Zu meinem großen Glück stecke ich dort auch meine beiden Soldbücher – das echte und das gefälschte – zu mir. Denn kurz danach werde ich von anderen, das Haus der Grelling durchsuchenden Sowjetsoldaten wegen meiner Uniformhose festgenommen und als Kriegsgefangener ins Hinterland, Nähe S-Bahnhof Sundgauer Straße geschickt. Wie Vogel mir angeraten hat, ersuche ich dort darum, mich mit dem nächsten Nachrichtenoffizier zusammenzubringen und ihm zu sagen, ich sei »ein Freund von Utschitiel (russische Wort für *Lehrer*)«; er, der »Lehrer (nämlich Sprachlehrer an der Sowjetbotschaft 1933-41)« hätte dieses Kennwort mit seinen »Schülern«, darunter dem Botschaftssekretär Semjonow, vereinbart. Aber die Russen verhalten sich mir gegenüber ungläubig, bis sie einen gut Deutsch sprechenden Offizier holen, dem ich, als Beweisstücke für meine Illegalität, meine beiden Soldbücher und den russisch bekritzelten Zettel vorlege. Daraufhin erst fragt man mich nach der Gruppe ERNST aus und läßt sich von mir die Adressen nennen, wo Vogel, Schmidt und Nenat Stefanowicz sich aufhalten könnten. Schließlich werde ich von einem Leutnant, der mir eine Zivilhose bringt, nach Dahlem, in Frau Grellings Haus, zurückgebracht, wo nun in den nächsten Tagen Dr. Rau und ich mit unseren russisch bekritzelten Zetteln Frau Grelling vor Vergewaltigungen schützen, bis sie einen Rotarmisten findet, der ihr gefällt und mit dem sie unvergewaltigt anbändelt. Dieser Soldat versorgt uns dann alle drei mit Speck und Brot.

Unterdessen verläuft die Hauptkampflinie tagelang zwischen dem Hirschsprung und dem Platz, Wilder Eber, wo derweil im Gesandtschaftsbunker, noch hinter der deutschen Frontlinie, Nong Yau, die Familie Lorey und Nong Yaus Vater, der Gesandte Chuthin, hocken, dieser in siamesischer Generalsuniform, bewaffnet in einer Hand mit der thailändischen Staatsflagge (mit drei Elefantenköpfen), in der anderen mit einem Photo, das ihn mit Molotow zeigt.

Als der Platz Am Wilden Eber erobert ist, lockt das Molotowbild sogleich einen sowjetischen General herbei, der dafür sorgt, daß Nong Yau und ihr Vater unter den Schutz der Roten Armee gestellt werden. (Als von Japan besetztes Land ist Thailand Verbündeter Deutschlands nur gegen die Westmächte, im Kriege Deutschland-UdSSR aber neutral.) Am 5. Mai kommen die beiden Siamesen wieder nach Dahlem zurück. Jetzt erst sehe ich Nong Yau wieder. Sie klärt nun ihren Vater, zu dessen Entsetzen, über ihre Liebschaft zu mir auf und weigert sich, zusammen mit ihm über Moskau nach Thailand zurückzukehren. Vorläufig wolle sie in Berlin bleiben, jedenfalls solange, bis ihr Paß abgelaufen sei. Es gibt zwischen Vater und Tochter einen Riesenkrach, aber die Tochter bleibt unbeugsam, und der Vater reist allein ab.

In zwei Zimmern des Loreyschen Hauses nehmen Nong Yau und ich vorläufig Quartier. Solange, bis die Amerikaner dieses Haus in der Miquelstraße beschlagnahmen (im Juli) und nur noch Frau Lorey gestatten, als ihr »Housekeeper« den Keller zu bewohnen. Nach der Beschlagnahmung beziehen Nong Yau und ich provisorisch eines der ehemaligen illegalen Quartiere der Gruppe ERNST, in einem Hinterhof in der Xantener Straße, wenige Schritte vom dem Haus entfernt, wo ich 1940/41 bei den Kerckhoffs gelebt habe. Im Oktober 1945 finden wir schließlich eine Wohnung wieder in Dahlem, diesmal Im Dol, wo ich dann auch noch nach Nong Yaus Abreise nach Siam (Oktober 1946) bis Anfang 1949 wohnen bleibe.

Wolfgang Borchardt hat unser Haus in Zehlendorf bereits 1944 verlassen, um sich – aus familiären Gründen und aus Furcht vor eventuellen Nachforschungen nach mir – nach München zu begeben, und hat unsere Wohnung einer anderen Halbjüdin zur Verfügung gestellt, die dann aber auch, aus Angst vor den nahenden Russen, nach Westen geflüchtet ist. Meine Mutter und meine Schwester Gisela befanden sich derweil in Neuruppin, bei der Familie Dr.Kuntz, so daß Frau Volk und ihre Tochter in dem Haus allein waren, das dann ebenfalls die Amerikaner, bei ihrem Einrücken in Westberlin, sogleich beschlagnahmen.

Als im Juli 1945 meine Mutter und meine Schwester Gisela nach Berlin zurückkehren, weist man ihnen provisorisch eine andere Wohnung in derselben Straße zu, eine Wohnung, die aber so klein ist, daß sie nicht auch noch Nong Yau und mich beherbergen kann, weshalb es beim Getrenntwohnen der Familie in Zehlendorf und in der Xantener Straße (später Im Dol) bleibt. Als uns dann das Haus in Zehlendorf von den Amerikanern wieder zurückgegeben wird, bin ich bereits ins sowjetisch besetzte Gebiet übergesiedelt (1949 nach Großglienicke, 1950 nach Ostberlin). – In den ersten Nachkriegstagen sind meine und Dr. Raus Verbindungen mit Alex Vogel abgerissen. Aber kurz nachdem Dr. Rau sich auf den Weg nach Buch gemacht hat, um dort wieder seinen Arztpflichten nachzukommen, fährt vor dem Loreyschen Hause in der Miquelstraße ein Jeep mit sowjetischen Offizieren vor, aus dem, als einziger Zivilist, Alex Vogel aussteigt, um mich zu bitten, über ihn und unsere gemeinsame Widerstandsarbeit einen Bericht zu schreiben. Zwei Tage später holt er ihn bei mir ab. Ungefähr eine Woche danach bestellt Wolfgang Schmidt mich, im Auftrage Vogels, in jenes illegale Quartier in der Xantener Straße, das ich wenige Wochen später zusammen mit Nong Yau vorübergehend als Notunterkunft beziehen werde. Als ich dort eintreffe, drängen sich dort auf winzigem Raum ungefähr 30 Personen, alles führende Leute der Gruppe ERNST, darunter Schmidt, Stefanovicz, Rau und andere, die ich bereits kenne, aber auch Leute, die ich nie gesehen habe. Plötzlich kommt ein sowjetischer Offizier, befiehlt uns, auf einen draußen haltenden Lastwagen aufzusteigen und bringt uns zu einem Stab der Roten Armee nach Friedrichsfelde. Die Nacht und den nächsten Vormittag über hält man uns dort fest. Auf Strohsäcken schlafen wir in einer leeren Mietwohnung. Nacheinander werden einzelne von uns zu Verhören geholt, andere wieder nicht, ich auch nicht. Und am nächsten Mittag transportiert uns der Lastwagen dann zu unseren Privatquartieren zurück, jeden einzelnen zu dem seinen, was sich, weil die Fahrt kreuz und quer durch ganz Berlin geht, bis in den Abend hinzieht.

Ich habe keine Ahnung, was das Ganze soll – wahrscheinlich eine Überprüfung unserer antinazistischen Aktivitäten, die durch Vogel den Russen mitgeteilt worden sind. Die Gruppenmitglieder, die verhört worden sind, halten – auch in der Folgezeit – den Mund. Vogels enge Beziehung zu den Russen wird mir erst wieder deutlich, als im Sommer 1945 das Deutsche Theater wiedereröffnet wird und ich, vor Beginn der Vorstellung, sehe, wie Vogel sich in der Proszeniumsloge mit einem schmalen, glatzköpfigen Mann in sowjetischer Diplomatenuniform umarmt und küßt und die Schultern klopft: es ist der Gesandte Wladimir Semjonow, damals politischer Berater von Marschall Shukow. Kurz nach der zweitägigen Friedrichsfelder »Haft« (wenn man sie so nennen soll) werde ich in Dahlem (nicht im Gebäude der thailändischen Gesandtschaft, wie dies später immer wieder behauptet worden ist, sondern im Hause Lorey, in der Miquelstraße, als Untermieter Nong Yaus) von einem jungen Mann namens Wolfgang Leonhard aufgesucht, der mich im Auftrage des Zentralkomitees der KPD sprechen möchte und geradewegs, wie er sagt, aus

Moskau kommt, als Mitarbeiter des Nationalkomitees »Freies Deutschland« und Angehöriger einer vom stellvertretenden KPD-Vorsitzenden Walter Ulbricht geleiteten Gruppe, die, sozusagen, das politische »Vorauskommando« des ZK sei. Leonhard hat, wie er sagt, »läuten hören«, daß ich Antifaschist bin, fragt mich, ob ich bereit sei, am Wiederaufbau eines antifaschistischen, demokratischen Deutschland mitzuwirken, und setzt mir, als ich das bejahe, die – mir sehr vernünftig erscheinenden – Grundsätze auseinander, nach denen die KPD, in loyalem Zusammenwirken mit allen anderen antinazistischen Elementen, bis hin zu Nazigegnern aus dem konservativen Bürgertum, aber in besonders enger Freundschaft mit den Sozialdemokraten, diesen Wiederaufbau ins Werk zu setzen gedenkt.

Nach meinen Spezialinteressen befragt, erkläre ich, vor allem kulturell interessiert zu sein. Daraufhin rät Leonhard mir, mich der Kultur- und Volksbildungsabteilung irgendeines der sich neu formierenden Stadtbezirksämter zur Verfügung zu stellen. Dann verabschiedet er sich wieder.

Magistratsbeamter zu werden habe ich nun allerdings keine große Lust. Mein Plan ist, Philosophie zu studieren. Aber da Professor Spranger mir sagt, daß es mit der Wiedereröffnung der Universität noch gute Weile haben werde, begebe ich mich nach Wilmersdorf, in dasjenige Bezirksamt, wo – wie ich weiß – schon andere Leute aus der Gruppe ERNST dabei sind, einen neuen, demokratischen Bezirksverwaltungsapparat aufzubauen. Hier finde ich eine – mir bis dahin unbekannte – Frau Dilthey vor, die eine Tochter des Philosophen Wilhelm Dilthey zu sein behauptet (was aber ganz unwahrscheinlich ist; nach ihrem mutmaßlichen Alter hätte der 1833 geborene Dilthey sie als Mittsechziger zeugen müssen). Diese Dame fragt mich erst nach meinen Literatur-, Theater- und Kunstkenntnissen aus und erklärt mir dann, Leute meines Bildungsstandes würden dringend im Gebäude der ehemaligen Reichskulturkammer in der Schlüterstraße gebraucht.

Ich begebe mich dorthin und werde Zeuge, wie sich in diesem Haus, vor kurzem noch Amtssitz des berüchtigten Staatsrats Hinkel, gerade der soeben vom Sowjetischen Stadtkommandanten, Generaloberst Bersarin, eingesetzte »Bevollmächtigte des Kriegskommandos der Stadt Berlin für

Kunstangelegenheiten« mit seinem Stab einrichtet. Es ist Klemens Herzberg, ehemaliger Verwaltungsdirektor Max Reinhardts, ein alter Jude, den seine »arische« Freundin bis zur Befreiung bei sich versteckt gehalten hat und der nun, im Auftrage Bersarins, so schnell wie möglich, noch vor dem Eintreffen der Westmächte, das Berliner Kulturleben wieder in Gang bringen soll. Mit Herzberg zu Bersarin vorgedrungen ist ein Herr Gericke, ein agiler Managertyp, eigentlich aus der Industrie, der nun das Sekretariat des Kunstbevollmächtigten aufbaut. Meinen Freund Alexander Peter Eismann hat Gericke bereits zu seinem persönlichen Referenten ernannt, und beide suchen händeringend nach den beiden Generalintendanten der Staatsoper, Tietjen, und des Staatlichen Schauspielhauses, Gründgens, die sie ein paar Tage später dann auch ausfindig machen, die aber nur noch vorübergehend in ihren Ämtern verbleiben (Gründgens geht sogar für Monate in sowjetische Haft).

Eismann stellt mich Gericke und Herzberg vor, und die machen mich, nachdem sie von meinen Aktivitäten für die Gruppe ERNST gehört haben, sofort zu ihrem Mitarbeiter. Meine erste Aufgabe besteht darin, für die Sicherstellung der Akten der Reichskulturkammer zu sorgen. Nach kurzem Ansehen stelle ich fest, daß das Aktenmaterial politisch so ungeheuer interessant ist, daß ich allein dafür nicht die Verantwortung tragen kann. Also dringe ich darauf, daß Eismann Alex Vogel und Wolfgang Schmidt herbeischafft, damit wir gemeinsam eine Lösung finden. Vogel ist dafür, das ganze Material unverzüglich in den Bereich Berlins schaffen zu lassen, der unter allen Umständen sowjetisch besetzt bleiben wird; die Westmächte würden mit den Akten nur Mißbrauch treiben. Aber in den folgenden Wochen findet sich in ganz Berlin – weder bei den Sowjets noch bei den sich neu formierenden deutschen Behörden – eine Stelle, die die Wichtigkeit dieser Angelegenheit begreifen oder gar gewillt und imstande sein würde, den Transport durchzuführen. So bleiben, zu Vogels Ärger, die Akten an Ort und Stelle, bis die Schlüterstraße Teil des britischen Sektors wird, woraufhin die Amerikaner und Engländer unverzüglich im Gebäude der Kulturkammer eine zentrale Entnazifizierungskommission für Kulturschaffende zu etablieren beschließen, die sich bei ihren Recherchen auf das Hinkelsche Aktenmaterial stützen soll. Da erst werden die Sowjets auf die Angelegenheit aufmerksam. In der Schlüterstraße erscheint Oberstleutnant Sudakow von der Sowjetischen Militäradministration und läßt sich von Vogel, Schmidt, Eismann und mir erklären, worum es geht. Als Sudakow hört, daß Entnazifizierungsverfahren gegen Künstler durchgeführt werden sollen, ist er entsetzt. Die nazistische Belastung von Künstlern sei völlig belanglos, darin herumzuwühlen ohne jeden Sinn. Lenin hätte den großen Schaljapin, der ein begeisterter Gefolgsmann des Zaren gewesen sei, nach der Oktoberrevolution ungehindert singen lassen, ohne daß das irgend etwas geschadet hätte. Wir Deutschen sollten um Himmels willen unsere Künstler, die Nazis gewesen seien, ungeschoren lassen und uns darauf konzentrieren, die wirklichen Kriegsverbrecher, die aus der großen Industrie, aus dem Junkertum, aus der Staatsverwaltung und dem Militärapparat, zur Strecke zu bringen.

Aber es hilft nichts, die Kulturkammer liegt in den Westsektoren, die Westmächte bestehen auf der Entnazifizierungskommission, und Sudakow bleibt nichts anderes übrig, als für eine personelle Besetzung der Kommission zu sorgen, die seinen toleranten Intentionen entspricht. So setzen die Sowjets im Kontrollrat durch, daß Alex Vogel Vorsitzender dieser Kommission und Wolfgang Schmidt ihr öffentlicher Ankläger wird. Für die Verwaltung der Hinkelschen Akten in der Schlüterstraße schlage ich die Schwester meiner Mutter, Susanne Heß-Wyneken vor, und mache ihr klar, daß sie sich strikt nach den Weisungen Vogels und Schmidts richten soll. Später wird ihr noch meine Schwester Gisela, nach deren Rückkehr aus Neuruppin, als Sekretärin zugeteilt. Bei dieser personellen Besetzung gelingt es – trotz ständigen Drängens der Amerikaner nach »scharfem Durchgreifen« – einigermaßen, zu verhindern, daß das neuaufblühende Berliner Kulturleben unnötig Schaden erleidet, nur weil die westlichen Besatzer ihrer reaktionären, prokapitalistischen, die wirklichen Kriegsverbrecher schonenden Politik gern ein antifaschistisches Tarnmäntelchen umhängen möchten.

Schmidt spielt den Amerikanern und Engländern den Unerbittlichen vor, aber Vogel sorgt, auf diskreten Wunsch der Russen, dafür, daß die Urteile so milde und schonend wie möglich ausfallen. Die Absicht der Amerikaner, Künstler wie Furtwängler, Gründgens usw. auf Jahre hinaus auszuschalten, wird durchkreuzt.

Bei der positiven Wiederaufbauarbeit in der Schlüterstraße stellt sich schon nach ganz kurzer Zeit heraus, daß Klemens Herzberg seiner Aufgabe in keiner Weise gewachsen ist. Noch bevor die Westmächte in Berlin einziehen, wird er daher von den Russen wieder abgesetzt und erhält, als Trostpflaster, die Stellung wieder, die er schon unter Max Reinhardt gehabt hat, d.h., er wird wieder Verwaltungsdirektor des Deutschen Theaters und der Kammerspiele. Sein Amt in der Schlüterstraße wird umgewandelt in eine »Kammer der Kunstschaffenden« für Großberlin, zum Präsidenten dieser Kammer ernennt Generaloberst Bersarin den Schauspieler Paul Wegener, der den Russen schon wegen seines Aussehens ungeheuer vertraut und sympathisch ist.

Wegener ist ein alter Freund unserer Familie, und schon Anfang 1944 habe ich ihn, bei meinen Berliner Wochenendurlauben von Löwenberg aus, dazu gebracht, die Widerstandsgruppe ERNST zu unterstützen. Später war auch seine Wohnung in der Nähe des Breitenbach-Platzes mein gelegentliches illegales Quartier. Selbst an der NEIN-Aktion hat der alte Mann sich in der Nähe seines Hauses beteiligt. Als Wegener nun mich unter den Mitarbeitern des Herzbergschen Stabes entdeckt, ernennt er mich sofort zu seinem persönlichen Referenten. Und nun beginnen die Wochen, in denen Wegener, Gericke, Eismann und ich mit fieberhafter organisatorischer Tätigkeit in der riesigen zerstörten Stadt, in der erst ganz allmählich Strom, Wasser, Lebensmittelversorgung und Nahverkehrsmittel wieder zu funktionieren beginnen, das Kulturleben wieder in Gang bringen, indem wir Schriftstellern, Schauspielern, Musikern, Malern usw. Wohnunterkünfte, Kleidung und erhöhte Lebensmittelrationen verschaffen, Theaterräume renovieren lassen, Musikinstrumente und Kostüme sammeln, Theaterintendanten und Generalmusikdirektoren einsetzen, Lizenzen für Kabaretts erteilen, die Maler zur Organisation von Kunstausstellungen ermutigen, den Schauspielern den Probenbesuch ermöglichen durch Einrichtung von Sonderbuslinien, die an ihren Wohnungen vorbeiführen usw. usf. – das alles tatkräftig unterstützt von Sudakow, aber nach dem Einrücken der Westmächte mit dem Klotz der Entnazifizierungskommission am Bein, über die die Amerikaner und Engländer unsere Arbeit ständig personalpolitisch zu stören versuchen, wovor uns nur die Besonnenheit und politische Erfahrung unseres Freundes Vogel schützt. Besonders üble Störenfriede sind hierbei der Amerikaner Josselson und der ihm völlig hörige Engländer Major Kolby, beide erzreaktionär und kommunistenfeindlich – in diesem Punkt von den Nazis kaum zu unterscheiden – und beide voller Wut darüber, daß die Russen mit unserer Hilfe bereits die ganze künstlerische Intelligentsia Berlins belastet oder nicht, auf ihrer Seite haben. (Erst die separate Währungsreform von 1948, mit der nun auf einmal begehrenswerten Westmark, und die gleich darauf einsetzende antisowjetische Hetze um die sogenannte »Berliner-Blockade« haben das Kräfteverhältnis in diesem Punkt dann zugunsten des Westens verändert. Da erst entdeckten viele Künstler, denen wir drei Jahre zuvor zu Butter aufs Brot und tragbaren Hosen verholfen hatten, während Vogel ihre an Hinkel gerichteten Treueschwüre unter den Tisch fallen ließ, ihre Liebe zum Abendland und zur westlichen Freiheit.)

Das Sonderbarste an alledem ist, daß Wegener den Kommunismus fast so sehr ablehnt, wie er den Faschismus abgelehnt hat. Aber die generöse Kulturfreundlichkeit Sudakows und der anderen sowjetischen Kulturoffiziere und die Tatsache, daß im Apparat der Kunstkammer gerade die Kommunisten den Kollegialitätssinn unterstützen, den er, Wegener, nachdem die Nazis gestürzt sind, auch gegenüber politisch belasteten Künstlern bewahren möchte, entwaffnen den siebzigjährigen großen Mimen vollständig, so daß von seiner antikommunistischen Einstellung praktisch nicht viel mehr übrigbleibt als der gelegentliche Ausruf: »Ach, ihr mit eurem Scheißmarxismus«.

In meiner Nachbarschaft in Dahlem läßt sich im Juni 1945 der aus der Sowjetunion heimgekehrte Dichter Johannes R. Becher mit seiner Frau und zwei weiteren deutschen Kommunisten aus der Moskauer Emigration, dem Schfriftsteller Fritz Erpenbeck und dem Journalisten Heinz Willmann, nieder. Becher ist ZK-Mitglied. Bekannt werden wir dadurch, daß Frau Lorey und Nong Yau mit anderen Frauen aus der Nachbarschaft die Villa aufräumen helfen, die Becher und seinen Genossen zugewiesen worden ist. Die hübsche junge Siamesin fällt Becher auf. Er läßt sich von ihr erzählen, was sie nach Berlin verschlagen hat. Dabei kommt die Sprache auch auf mich und meine Tätigkeit bei Paul Wegener, und zu diesem Mann eine Verbindung herzustellen ist für Becher, im Hinblick auf seine Mission, den »Kulturbund zur demokratischen Erneuerung Deutschlands« zu gründen, so interessant, daß er mich zu sich bestellt, mich aufs herzlichste aufnimmt und mir stundenlang seine Gedichte vorliest. In den Tagen darauf bringe ich ihn, Erpenbeck und Willmann erst mit dem ebenfalls in der Nähe wohnenden Geheimrat Professor Eduard Spranger und dann auch mit Wegener zusammen. Spranger und Wegener sind, unabhängig voneinander, bereit, bei der Kulturbundgründung mitzutun. Der Gründungsaufruf trägt zunächst nur vier Unterschriften: Becher, Spranger, Wegener und Winzer (dieser ist damals Dezernent für Kultur bei dem neugebildeten Berliner Magistrat, später war er Außenminister der DDR). Die Gründungsversammlung findet kurz danach in Bechers Dahlemer Villa statt. Es sind ca. 39 Personen anwesend, denen Frau Becher und Nong Yau belegte Brote reichen. Im einzelnen erinnere ich mich an Dahrendorf (für die SPD, Vater des jetzigen Bonner FDP-Politikers), Ferdinand Friedensburg (CDU), Ernst Lemmer (CDU), Arthur Lieutenant (stellvertretender LDPD-Vorsitzender), Pfarrer Dilschneider (für die evangelische Kirche), einen mir namentlich unbekannten katholischen Geistlichen (als Vertreter des Kardinalerzbischofs Graf Preysing, der gegenüber der Becherschen Villa residiert), Bernhard Kellermann, Spranger, Wegener, Becher, Erpenbeck, Willmann, Gericke, Eismann, den Maler Carl Hofer, den Maler Max Pechstein, den Dirigenten Leo Borchard.

Es wird beschlossen, ein gemeinsames Manifest zu erlassen, eine gemeinsame Gründungskundgebung im Rundfunkhaus in der Masurenallee zu veranstalten, ein Sekretariat zu bilden, einen Verlag und eine Zeitschrift zu gründen (sie erhalten wenig später den Namen Aufbau-Verlag und »Aufbau«; dessen erster Chefredakteur wird der spätere DDR-Kulturminister Gysi) und mit Mitgliederwerbung zu beginnen. Sitz der Organisation wird dasselbe Haus in der Schlüterstraße, worin auch die Kammer der Kunstschaffenden untergebracht ist, so daß von nun an Wegener und Becher in ihren Amtsräumen Nachbarn sind (bis die Engländer 1947 den Kulturbund ohne jede Begründung aus diesem Domizil hinauswerfen und er gezwungen ist, nach Ostberlin überzusiedeln).

Becher schlägt den Schriftsteller Bernhard Kellermann als Präsidenten des Kulturbundes vor, womit die Majorität der Anwesenden aber nicht einverstanden ist; sie will, daß er, Becher, selbst Präsident werde.

Auf der Kundgebung sprechen dann Becher, Kellermann, Wegener, der Anglist Professor Schirmer, Pfarrer Dilschneider und – auf Wegeners und Bechers Wunsch – ich als Vertreter der jungen Generation. Von dem erkrankten Spranger wird eine Grußadresse verlesen. Unter Leitung von Leo Borchard spielen zum ersten Mal wieder nach dem Kriege die Berliner Philharmoniker. Über Rundfunk wird die Kundgebung übertragen: Als ich das Funkhaus verlasse und mich auf mein Fahrrad schwinge, um nach Hause zurückzuradeln, sehe ich auf der Ostwestachse die ersten Truppenkontingente der Westmächte in Berlin einziehen. 10 Tage später ist die Bechersche Villa in Dahlem von den Amerikanern beschlagnahmt und Becher gezwungen, nach Ostberlin umzuziehen. Kurz danach knüpft der amerikanische Kulturoffizier Josselson ein längeres politisches Gespräch mit mir an, in dessen Verlauf ich von meiner Sympathie für die großartig konstruktive Besatzungspolitik der Russen und meiner Hochachtung vor den riesigen Leistungen des neuen Magistrats keinen Hehl mache. Drei Tage später beschlagnahmen die Amerikaner auch das Loreysche Haus, in dem ich mit Nong Yau zwei Zimmer bewohne, und binnen 12 Stunden müssen wir es verlassen, wobei wir nur unsere allernötigste Habe in die provisorische Unterkunft in der Xantener Straße mitnehmen dürfen. Meine Bücher z.B. müssen in der Miquelstraße bleiben, und Nong Yau darf nur vier Kleider mitnehmen.

Paul Wegener betrachtet die Kammer der Kunstschaffenden nur als eine Übergangssituation, die jeden Sinn verlieren wird, sobald die Berliner Theater, Orchester, Kunstgalerien, Kabaretts usw. – wieder normal, unter ordnungsgemäßen Leitungen, funktionieren werden. Er ist voll großer Initiative und Energie und mit wirklich konstruktiven Ideen und reichen praktischen Erfahrungen dabei, überall möglichst gute Startbedingungen zu schaffen, und er findet es großartig, daß man ihm, einem musischen Menschen, die Verantwortung dafür übertragen hat, aber er denkt nicht daran, Kulturpapst zu werden, sondern sehnt sich danach, so bald wie möglich wieder seiner eigenen Berufung, als Schauspieler, zu leben. So beginnt er noch während seiner Präsidentschaft mit Proben für »Nathan der Weise« im Deutschen Theater, unter der Regie Fritz Wistens, des letzten Schauspieldirektors am Jüdischen Kulturbundtheater, das nach 1933 von den Nazis für wenige Jahre geduldet worden war. Bald nach der Premiere zieht Wegener sich allmählich von seinem Amt zurück und fördert die Bestrebungen, die kulturpolitischen Funktionen der Kammer nach und nach auf das Kultur- und Volksbildungsdezernat des Berliner Magistrats zu übertragen. Größtes Verständnis hat folglich Wegener auch dafür, daß ich ebenfalls nicht Kulturfunktionär zu bleiben gedenke. Er ist völlig einverstanden damit, daß ich mein Universitätsstudium fortsetze bzw. regulär erst eigentlich beginne, sobald es nur möglich ist.

Aber Nur-Student zu werden kommt für mich aus pekuniären Gründen nicht in Betracht: ich muß in Nong Yau eine verwöhnte junge Dame ernähren (die in Siam schon als Kind über eigene Lakaien verfügte und überaus anspruchsvoll in bezug auf ihre Kleidung ist) und außerdem, wenigstens teilweise, für meine Mutter und meine Schwester Gisela sorgen, die, als sie im Juli 1945 aus Neuruppin nach Berlin heimkehren, finanziell vor dem Nichts stehen. Hinzukommt, daß ich das elende Kommiß- und Illegalendasein allzu satt habe, um mir jetzt selber eine weitere Durststrecke, als stipendienabhängiger Student, zuzumuten. So beschließe ich, das bevorstehende Philosophie- und Germanistikstudium an der Berliner Universität mit gleichzeitiger journalistischer Tätigkeit zu verbinden, die mich und die Meinen »standesgemäß« ernähren soll.

Zu der im Sowjetsektor erscheinenden Presse könnte ich jederzeit gehen. Sie sagt mir politisch im wesentlichen auch zu, aber ich mag ihre Sprache nicht und finde sie journalistisch schlecht gemacht. Die in den Westsektoren von den Engländern und Amerikanern herausgegebenen Zeitungen sind in der Beziehung entschieden reizvoller. Bereits wenige Wochen nach der Befreiung lerne ich in Wegeners Büro einen Mann kennen, den ich als Schriftsteller außerordentlich verehre: Erik Reger, Verfasser des – in der Nazizeit verbotenen – Romans »Union der festen Hand« (Rohwolt), das seinerzeit in aufsehenerregender Weise die verborgenen Beziehungen des Kruppkonzerns zur politischen Reaktion der Weimarer Republik und zum aufkommenden Hitlerfaschismus entlarvt hat. Reger war in der Nazizeit zusammen mit dem Literaturhistoriker

Paul Wiegler und dem genialen Literatur- und Theaterkritiker Paul Rilla Lektor des Deutschen Verlages und des Propyläenverlages im Ullsteinhaus Tempelhof. In meinem Beisein setzt er nun Wegener in der Schlüterstraße ein Zeitungsprojekt auseinander, das er den Russen und der KPD unterbreiten möchte, für die er sich anscheinend entschieden hat.

Wegener soll ihn dort protegieren. Dabei aber kommt nichts heraus. Die KPD hat ihre eigenen Redakteure, die langjährige Genossen sind; die Russen geben die von ihren Leuten editierte »Tägliche Rundschau« heraus, und die übrigen Zeitungen im Sowjetsektor sind Parteiorgane der CDU bzw. LDPD.

Also scheitert Regers Zeitungsprojekt, und es spricht alles dafür, daß ihn dies zu dem fanatischen Antikommunisten gemacht hat, der er wenig später, unter schmählichem Verrat an seiner linken Vergangenheit, geworden ist. Daran, sein Projekt an die Amerikaner heranzutragen, hat Reger zunächst nicht gedacht. Dagegen aber beginnen die Amerikaner ihrerseits, kurz nach ihrem Einzug in Berlin, im Druckhaus Tempelhof eine – von ihnen zu lizenzierende – »unabhängige« deutsche Tageszeitung vorzubereiten, wobei ihnen ein Schriftsteller und Journalist namens Peter de Mendelssohn behilflich ist, der eigentlich zur englischen Besatzungsmacht gehört. Chefredakteur soll Paul Wiegler werden, stellvertretender Chefredakteur Rudolf Kurz, beide prominente Mitglieder des Präsidialrats des Kulturbundes, Wiegler später zusammen mit Johannes R. Becher Gründer der Zeitschrift »Sinn und Form«, Kurz später Chefredakteur des – sowjetisch lizenzierten – Boulevardblatts »Nachtexpreß«.

Vorläufig ist Wiegler noch Theaterkritiker der von der amerikanischen Besatzungsmacht, unter Chefredaktion von Hans Wollenberg, herausgegebenen »Allgemeinen Zeitung«. Als ich von dem Projekt Mendelssohn-Wiegler-Kurz höre, wende ich mich, noch während meiner Tätigkeit als Wegeners Sekretär, an Wiegler (der auf meinen Vater Walther Harich große Stücke hält) und bitte ihn, mich für die neue Zeitung zu engagieren. Er ist einverstanden, und ich nehme auch bereits, von Wegener großzügig beurlaubt, an den ersten vorbereitenden Redaktionssitzungen in Tempelhof teil. – Plötzlich aber werden Wiegler und Kurz von den Amerikanern ausgeschaltet, die nicht, wie vorgesehen, ihnen, sondern Erik Reger, Erwin Redslob (den ehemaligen Reichskunstwart der

Weimarer Republik), Walter Karsch (einem früheren »Weltbühnen«-Mitarbeiter aus der Zeit Ossietzkys) und dem Verleger v. Schweinichen die Lizenz erteilen und Reger zum Chefredakteur machen. Das Organ kriegt den Namen »Der Tagesspiegel« und entwickelt sich in der Folgezeit schnell zu einem – journalistisch anspruchsvollen, aber inhaltlich ganz üblen – antikommunistischen Hetzblatt. Makabrerweise hat nicht nur Reger sich erst bei den Kommunisten anbiedern wollen, sondern ist auch Karsch sogar Mitglied der KPD geworden, gleich nach deren Wiederzulassung im Juni. Es ist offensichtlich, daß beide von den Amerikanern gekauft sind, während Wiegler und Kurz sich nicht haben kaufen lassen. – Wiegler empfiehlt nun eine Reihe seiner Mitarbeiter an Reger, darunter auch mich – und zwar noch bevor die erste Nummer des »Tagesspiegels« erschienen ist. Reger ist auch völlig damit einverstanden, mich in seine Redaktion zu übernehmen, und die erste Aufgabe, die er mir, nach einem Gespräch über meine Literatur- und Theaterkenntnisse, anvertraut, besteht darin, daß ich eine Kritik über eine Premiere von »Macbeth« unter Karl-Heinz Martin im Hebbeltheater, mit Walter Frank und Hilde Körber in den Hauptrollen, schreiben soll. Ich habe die Premierenkarten schon in der Hand, aber als ich abends das Hebbeltheater betrete, werde ich von Karsch abgefangen, der mir sagt, meine Mitarbeit am »Tagesspiegel« sei den Amerikanern unerwünscht. Reger habe daher in letzter Minute ihm, Karsch, die Kritik übertragen müssen. Als ich am nächsten Tage bei Reger anrufe, beteuert er mir seine Unschuld, sagt, daß ihm die Sache äußerst peinlich sei, und legt mir nahe, selbst bei den Amerikanern vorzusprechen. Dies tue ich auch, und wer empfängt mich? Mr. Josselson, der mir eröffnet, meine Verwendung als Journalist käme nicht in Frage, weil ich Mitglied der SS gewesen sei. Fassungslos und empört weise ich die Verleumdung zurück. Josselson verspricht mir, die Sache im Hinblick auf meinen Einspruch noch einmal gründlich untersuchen zu wollen. Diese Untersuchung zieht sich dann durch viele Wochen, bis in den Herbst hin – Wochen, in denen ich die zuständige amerikanische Dienststelle mit Eingaben bombardiere, die meine politische Vergangenheit minutiös, unter Angabe vieler Zeugen, richtigstellen. Am Ende erklärt Mr. Josselson mir, ich sei Opfer eines bedauerlichen Irrtums, an dem ich aber selber insofern nicht ganz unschuldig sei, als ich aus Versehen im amerikanischen Fragebogen die Daten meiner Jungvolkzugehörigkeit in die SS-Spalte eingetragen hätte; die Bearbeiter des Fragebogens wieder hätten den Fehler begangen, sich nicht klarzumachen, daß ein 1923 geborener junger Mann unmöglich zwischen 1934 und 1938 Mitglied der SS gewesen sein könne.

Natürlich ist das alles reiner Schwindel, den Fragebogen hatte ich mit größter Sorgfalt ausgefüllt, und als ich Josselson bitte, ihn mir doch einmal zu zeigen, lehnt er das mit der Begründung ab, einmal abgegebene Fragebögen seien geheime Verschlußsachen, auch für die, die sie ausgefüllt hätten. Inzwischen hat der »Tagesspiegel« unter Reger eine Entwicklung genommen, die es mir als ausgeschlossen erscheinen läßt, dort eine mir zusagende politische Heimat zu finden und so verzichte ich darauf, mich noch einmal bei Reger zu bewerben. – Ungefähr zur gleichen Zeit wird im französischen Sektor die Lizenzzeitung »Der Kurier« gegründet. Chefredakteur ist ein ehemaliger Mauthausen-Häftling namens Carl Helferich, stellvertretender Chefredakteur Paul Bourdin (später Vorgänger Felix von Eckhardts im Amt des Bundespressechefs unter Adenauer), der Verlag Moßner, der das Blatt herausgibt, identisch mit dem des im Sowjetsektor erscheinenden Zentralorgans der Liberaldemokraten, »Der Morgen« (das heute noch existiert).

Das Feuilleton liegt in den Händen von Carl Linfert (früher »Frankfurter Zeitung«, bei Kriegsende beim »Reich« und Ernst Lewalter (früher bei der »Woche«). Hier werde ich als freier, fester Mitarbeiter angenommen, und die Feuilletonredaktion ist von meinen Beiträgen, insbesondere meinen wöchentlich erscheinenden Dichterparodien unter dem Pseudonym »Hipponax«, bald so angetan, daß sie mich viel beschäftigt und mir auch immer häufiger die Theaterkritik überträgt.

Im Einverständnis mit Wegener, der sich seinerseits kaum noch mit der Kammer der Kunstschaffenden abgibt, lege ich meine Funktion als sein persönlicher Referent und Sekretär nieder, widme mich dann von Oktober 1945 an bis zum Beginn des Universitätsstudiums – 1946 – ausschließlich der Arbeit am »Kurier« und bin innerhalb weniger Monate einer der populärsten Feuilletonisten und Kritiker Berlins. –

Unmittelbar nach ihrem Einrücken in Berlin beginnen die Amerikaner und Engländer mit Hilfe der von ihnen kontrollierten Presseorgane und

Rundfunkstationen eine – erst vorsichtig dosierte, dann sich allmählich steigernde – antikommunistische Hetze. Sie machen sich dabei die großen Schwierigkeiten zunutze, mit denen der Berliner Magistrat beim Wiederaufbau der vor allem durch Bombenangriffe der Westmächte verwüsteten Stadt zu ringen hat. Dies erscheint mir von vornherein als große Gemeinheit, weil ich Respekt habe vor den Politikern, die nach Zusammenbruch und Kapitulation in die Bresche gesprungen sind und unter unsäglichen Mühen Berlin wieder lebensfähig gemacht und vor Hungertod, Chaos und Seuchen bewahrt haben. Noch niederträchtiger finde ich, daß in diese Hetze allmählich auch Argumente einer demagogischen Systemkritik am Sozialismus sowjetischer Provenienz einfließen, die diesen unter dem Schlagwort »Totalitarismus« mit der faschistischen Diktatur gleichsetzen. Erstens handelt es sich bei dem, was die Sowjets für Deutschland anstreben, evidentermaßen gar nicht um eine Kopie ihres eigenen Systems, denn warum hätten sie dann als erste Besatzungsmacht außer der KPD auch die SPD, die CDU und die LDPD zulassen sollen, wie sie es faktisch im Juni getan haben? Zweitens kann der sowjetische Sozialismus als solcher mit dem Hitlerfaschismus schon deswegen nicht gleichbedeutend sein, weil beide sich bekanntlich als Todfeinde gegenübergestanden haben. Und drittens zielt diese Gleichsetzung beider offensichtlich darauf ab, die antinazistischen Stimmungen der Massen, die nach der Katastrophe von 1945 sehr stark geworden sind, von den wahren Schuldigen – den Kräften des Großkapitals vor allem – abzulenken und gegen diejenige Partei zu richten, die von Hitler am blutigsten unterdrückt worden ist und ihn am energischsten und mutigsten bekämpft hat – gegen die KPD.

Es sind diese Überlegungen, die mich gegen den neuen Antikommunismus schon zu der Zeit immun machen, als ich noch parteilos und bei der Westberliner bürgerlichen Presse tätig bin. Die antikommunistische Hetze verschärft sich in dem Maße, wie die KPD und die SPD, die gleich nach ihrer Wiederzulassung ein Programm der Aktionseinheit beschlossen haben, sich im Laufe des Jahres 1945 einander so weit annähern, daß ihre Fusion spruchreif wird. Der »Tagesspiegel« der Herren Reger und Karsch macht sich zuerst zum Instrument des Kampfes gegen die Vereinigung der beiden Arbeiterparteien. Er sieht darin eine »totalitaristische« Gefahr, die die Demokratie gefährde. In einem langen Brief weise ich Reger nach, daß das völliger Unsinn sei. Er, als Verfasser von »Union der festen Hand«, müsse doch am besten wissen, was in der Weimarer Zeit eine Aussöhnung und Verschmelzung von KPD und SPD für die von ihm selbst in jenem Buch entlarvten totalitaristischen Umtriebe des Kruppkonzerns bedeutet haben würde; sie hätten diesen Umtrieben ein schnelles, gründliches Ende bereitet. Anhand von Zitaten aus dem Buch beweise ich, daß er, Reger selbst, genau diese Ansicht seinerzeit ganz unmißverständlich ausgesprochen hat. Ich sei – so füge ich hinzu – in gewisser Hinsicht auch gegen eine Fusion von SPD und KPD skeptisch, aber nur, weil ich die Befürchtung hätte, daß die revolutionäre Linie der KPD durch den Sozialdemokratismus verwässert werden könnte. Reger antwortet mir nicht, läßt mir aber durch einen mit mir im selben Hause, Im Dol, wohnenden Verlagsangestellten des »Tagesspiegels« ausrichten, die letztere Bemerkung von mir sei so naiv, daß man mich politisch überhaupt nicht ernst nehmen könne. Damit hat er natürlich recht. Aber diese Meinung kommt bei mir nicht von ungefähr; sie ist der Restbestand des ultralinken Einflusses von Pintzke aus den Jahren 1940/41/42, der Pintzkeschen Unkenntnis der Beschlüsse des VII. Kominternkongresses.

Mit Pintzke, der gleich nach dem Kriege gesund und munter in Berlin wieder auftaucht und die Leitung einer Buchhandlung unter dem S-Bahnbogen Friedrichstraße übernimmt, sowie mit Vogel, Nenat Stefanowicz und anderen Kommunisten diskutiere ich über meine linksradikalen Bedenken gegen die Fusion. Sie reden sie mir aus. Die beiden Arbeiterparteien seien früher einmal, vor dem ersten Weltkrieg, eine einheitliche Partei gewesen. Die Gründe, aus denen sie sich getrennt und verfeindet hätten, seien inzwischen durch die Erfahrung mit dem Hitlerfaschismus gegenstandslos geworden. Einerseits müsse jeder Sozialdemokrat einsehen, daß sowohl das Umfallen 1914 (Bewilligung der Kriegskredite) als auch die konterrevolutionäre Politik der Partei 1918 falsch gewesen sei, daß beide Fehler die zu Hitler führende Entwicklung begünstigt hätten.

Andererseits hätte aber auch die KPD begriffen, auf Grund einer falschen taktischen Orientierung, mit der SPD als Hauptgegner, vor 1933 Fehler begangen zu haben, durch die sie an Hitlers Machtergreifung objektiv mitschuldig geworden sei. Diese beiderseitige Selbstkritik von SPD und KPD schaffe ihre Gegensätze aus der Welt.

Im übrigen sei wegen des Zusammenbruchs des staatlichen Gewaltapparats (Wehrmacht, Polizei, politische Strafjustiz) zur Verwirklichung des Sozialismus in Deutschland eine gewaltsame Revolution nicht mehr nötig, so daß auch die Kommunisten den friedlichen demokratisch-parlamentarischen Weg bejahen könnten, wie ihn der Sozialdemokratismus befürworte. Voraussetzung für ein erfolgreiches Beschreiten des friedlichen Wegs sei allerdings, zu verhindern, daß die Sozialdemokratie durch ihre opportunistischen Traditionen jetzt ins Fahrwasser der kapitalistischen Westmächte gerate, und dieser Gefahr beuge am sichersten die Fusion mit der KPD vor.

Die Argumentation leuchtet mir im wesentlichen ein. Vor allem finde ich, daß sie sich auf höherem geistigen Niveau bewegt als die Argumente der – vom »Tagesspiegel« favorisierten – Fusionsgegner, die sich nicht einmal genieren, dem von Grotewohl und Fechner geführten fusionswilligen SPD-Vorstand vorzuwerfen, »von den Russen korrumpiert« zu sein, obwohl es durchweg Männer sind, die in der Nazizeit ihre Standfestigkeit bewiesen haben, und obwohl es für jeden einzelnen von ihnen sehr leicht wäre, den materiell viel lohnenderen Verlockungen des Westens nachzugeben, zumal manche unter den unangenehmsten Begleitumständen in Westberlin wohnhaft sind.

So bekehre ich mich zu der Verschmelzung und setze mich im Winter 1945/46 als Parteiloser auf offenen SPD-Versammlungen in verschiedenen Westberliner Stadtbezirken für sie ein. Anfang 1946 (ich glaube im Februar) werde ich schließlich Mitglied der KPD.

Der erste politische Vorgang, der mich dann kurz danach in der Überzeugung bestärkt, daß diese Entscheidung richtig gewesen sei, ist die Urabstimmung in der Westberliner SPD-Mitgliedschaft Ende März, ein Ereignis, das das Manipuliertsein der Fusionsgegner durch die Westmächte zweifelsfrei eindeutig macht. Diese Urabstimmung ist erstens in den Parteistatuten der SPD überhaupt nicht vorgesehen. Zweitens stimmen in ihr nur 47% der Westberliner SPD-Mitglieder gegen eine sofortige Fusion mit der KPD, während die übrigen entweder gar nicht zur Abstimmung gehen, wie es der SPD-Parteivorstand gefordert hat, oder für die Fusion stimmen. Und drittens votiert mehr als die Hälfte der in den Westsektoren abstimmenden SPD-Leute – nämlich 14 000 von 23 000 –, wenn auch nicht für die Fusion, so doch für die Fortsetzung des Bündnisses beider Parteien – und das trotz einer monatelangen antikommunistischen Kampagne in allen Westberliner Massenmedien. Nichtsdestoweniger wird das Ergebnis als ein gewaltiger Sieg des »freiheitlichen Westens« gefeiert und nichtsdestoweniger glauben die Fusionsgegner in der Westberliner SPD-Führung, solche Hätschelkinder der Amerikaner wie Franz Neumann, Mattick, Suhr, Klingehöfer, auch Willy Brandt und später besonders der beinahe schon faschistisch anmutende Ernst Reuter, sich durch dieses Ergebnis legitimiert, alle Beziehungen nicht nur zur KPD, sondern auch zum eigenen Parteivorstand abzubrechen, um schließlich die Feindschaft gegenüber der SED zum obersten Dogma ihrer Politik zu machen. Diese Belehrung über westliche Demokratie reicht mir.

Der französich lizenzierte »Kurier« hat in den Jahren 1945/46, unter Leitung des parteilosen Carl Helferich, noch eine zwar nicht prokommunistische, aber den Sowjets gegenüber verhältnismäßig loyale Linie, und seine Kritik an der KPD bzw. SED ist wenigstens in einem höflichen, sachlichen Ton gehalten. Das liegt daran, daß an der Regierung in Paris bis 1947 noch Kommunisten beteiligt sind, daß der Verlagsleiter Moßner gleichzeitig Eigentümer des sowjetisch lizenzierten Verlages ist, bei dem die LDPD-Zeitung »Der Morgen« erscheint und daß Helferich als einziger bürgerlicher Chefredakteur Berlins aus dem KZ kommt und zwar aus Mauthausen, wo er die Solidarität vieler kommunistischer Leidensgenossen, darunter des KPD-ZK-Mitglieds Franz Dahlem, schätzen gelernt hat.

Trotzdem mache ich sehr bald die Erfahrung, daß man mir, ungeachtet meiner Star-Position als Feuilletonist und Kritiker, nur solange Meinungsfreiheit gewährt, solange ich rein kulturelle Themen behandle, daß meinem publizistischen Wirken aber in politischer Hinsicht auch am »Kurier« enge Grenzen gesetzt sind.

Im Frühjahr 1946 zirkuliert unter den Intellektuellen eine hektographierte Schrift von Ernst Jünger mit dem Titel »Der Frieden«. Jünger ist in den zwanziger Jahren der Prototyp des »vornehmen«, »kultivierten«, sprachstilistisch hochstehenden Rechtsextremen und Militaristen und als solcher selbstverständlich geistiger Wegbereiter der Hitlerdiktatur gewesen. In der Nazizeit selbst hat er sich, unter voller Bewahrung seiner faschistischen Gesinnung, nur von pöbelhaft-plebejischen Aspekten des Nazitums vorsichtig distanziert, so vorsichtig, daß seine »Marmorklippen«, die diese Tendenz aufweisen, mit Goebbels' Duldung zum Bestseller werden konnten.

In der Schrift »Der Frieden« nun wird die neue, die Nachkriegsvariante der antikommunistischen Hetze, nämlich die demagogische Gleichsetzung von Nazismus und Kommunismus, von demselben Jünger mit »niveauvollen« Stilmitteln zubereitet, die sie für anspruchsvolle Geister eingängig machen, und es gleichzeitig dem konservativen Flügel der 20. Juli-Verschwörer, darunter namentlich der deutschen Besatzergeneralität um Stülpnagel in Paris, zu der Jünger engste Beziehungen unterhalten hat, als größtes historisches Verdienst angerechnet, ein Bündnis Deutschlands mit den Westmächten gegen die Sowjetunion angestrebt zu haben.

Ich finde die Jüngersche Schrift so abscheulich und gefährlich, daß ich gegen sie für den »Kurier« einen polemischen Artikel schreibe, in dem ich u.a. anhand von Zitaten Jüngers auch dessen militärische Gesinnung beweise. Der Abdruck diese Artikels wird von dem französischen Zensuroffizier, Oberst Ravoux, verweigert. Als ich Ravoux daraufhin zur Rede stelle, erklärt er mir klipp und klar, daß er Jüngers persönlicher Freund aus dessen Pariser Besatzerzeit sei und schon deswegen Anfgriffe auf ihn im »Kurier« nicht dulde. Kurze Zeit danach erkrankt Ravoux, und ich benutze diese Gelegenheit, um den Artikel doch im »Kurier« zu veröffentlichen; der stellvertretende Zensor, ein französischer Leutnant, läßt ihn durch.

Als Ravoux seine Arbeit wiederaufnimmt, macht er mir einen Höllenkrach und verlangt von dem Chefredakteur, daß er mich an Redaktionssitzungen nicht teilnehmen lasse. Helferich gibt nach, und besonders sein Stellvertreter Paul Bourdin (Pariser Korrespondent der »Deutschen Allgemeinen Zeitung« während des Krieges, also selber nazistisch belastet; später vorübergehend Pressesprecher Adenauers) benimmt sich fortan immer feindseliger zu mir, mäkelt in gehässigster Weise an meinen Beiträgen herum, zwingt das Feuilleton zu Streichungen in meinen Artikeln, ohne daß ich vorher gefragt werde, und verbreitet unter den Kollegen das Gerücht, ich hätte den Auftrag, den »Kurier« kommunistisch zu unterwandern. Ein weiteres Vorkommnis ähnlicher Art führt dann zu meinem Bruch mit dieser Zeitung.

Bei einer Geselligkeit der Redaktionsmitglieder lerne ich Rudolf Pechel, den Herausgeber der »Deutschen Rundschau«, kennen, einer konservativen Zeitschrift, die unter Hitler noch lange Jahre erscheinen konnte, bis sie schließlich doch unterdrückt wurde, weil sie zwischen den Zeilen versteckte Kritik an gewissen Aspekten des Naziregimes geübt haben sollte. Pechel, entzückt von Nong Yau und begeistert von meinen literarischen Parodien, will mich als Mitarbeiter für die »Deutsche Rundschau« gewinnen. Ich sehe mir diese daher näher an und stoße auf einen Leitartikel, in dem Pechel das eben erschienene Buch eines Schweizer liberalen Nationalökonomen namens Röpke über den grünen Klee gelobt hat. Dieses Buch verschaffe ich mir. Es behandelt die deutsche Frage und mündet mit seinen Schlußfolgerungen ein in die an die Westmächte adressierte Empfehlung, sich mit dem deutschen Großbürgertum gegen die Sowjetunion zu verbünden, *auch um den Preis, daß Deutschland gespalten werden müsse.* Das hat Pechel in seinem lobenden Artikel verschwiegen, und genau das ziehe ich nun in einer Polemik ans Licht, die ich dem »Kurier« zum Abdruck anbiete. Alle sind entsetzt, eine Veröffentlichung kommt nicht in Frage.

Röpke – sagt man – meine es doch gut mit Deutschland, und Pechel sei, weil Opfer des Faschismus, tabu. Das langt mir, diese Art »Meinungsfreiheit« habe ich satt. – Inzwischen habe ich in dem Ostberliner Künstlerklub »Die Möwe«, wo ich in meiner Eigenschaft als Theaterkritiker Klubmitglied bin, eine Reihe recht angenehmer sowjetischer Kulturoffiziere und Journalisten kennengelernt. Es sind Major Dymschitz (Leiter der Kulturabteilung der Sowjetischen Militäradministation, von Beruf Publizist und Kritiker); Major Ilja Fradin (Leiter des Filmreferats in dieser Kulturabteilung; später Kulturoffizier in Halle; von Beruf Literaturhistoriker, einen der besten sowjetischen Balzac-Kenner; später als Verfasser der besten sowjetischen Brecht-Monographie bekannt geworden); Major Mosjakow (sowjetischer Betreuer erst der »Möwe«, später des

»Hauses der Kultur der Sowjetunion«); Major Auslender (Kulturoffizier in Dresden); Hauptmann Barski (Kontrolloffizier für die Opern- und Operettenhäuser; von Beruf Musikkritiker); Oberstleutnant Schemjakin (stellvertretender Chefredakteur der »Täglichen Rundschau«); Hauptmann Pereswetow (stellv. Feuilletonchef der »Täglichen Rundschau«; beide von Beruf Journalisten). Die Bekanntschaft hat zunächst rein geselligen Charakter. Aber in einer wichtigen kulturpolitischen Frage komme ich eines Tages mit Dymschitz auch in engen sachlichen Kontakt. Es handelt sich um die Intendanz des Deutschen Theaters und der Kammerspiele. Für diesen Posten hatte seinerzeit – 1945 – Paul Wegener seinen Freund, den Regisseur Ernst Legal, vorgeschlagen, unter Legal Jürgen Fehling als Chefregisseur, den alten Herzberg als Verwaltungsdirektor. Dieser Vorschlag ist damals gescheitert, einerseits weil Fehling sich Legal nicht unterordnen, sondern selbst Intendant werden wollte, andererseits weil die KPD das Deutsche Theater und die Kammerspiele für ihren – mit der Gruppe Ulbricht aus Moskau heimkehrenden – Genossen Gustav von Wangenheim beanspruchte und sich die Auseinandersetzungen Wegener mit Fehling und Legal zunutze machen konnte, um Wegeners Konzeption als unpraktisch zu bezeichnen. So bekam Legal die Staatsoper (wohin Herzberg als Verwaltungsdirektor mit ihm ging), Wangenheim – gegen schwere Bedenken Wegeners – das Deutsche Theater und die Kammerspiele, und Fehling gründete, beleidigt, in Zehlendorf eine eigene Truppe.

Von Anbeginn meiner Kritikertätigkeit am »Kurier« nun bekämpfte ich die Intendanz Wangenheim und zwar mit zwei Argumenten: Wangenheim habe nicht das künstlerische Niveau, ein Berliner Theater zu leiten, und seine Intendanz mache es noch unwahrscheinlicher als die Legals, den potentesten Regisseur, Fehling, an das führende Theater Berlins, eben das Deutsche, zu binden. Nach der Haftentlassung von Gründgens schlug ich vor, diesen zum Intendanten zu ernennen, wobei ich u.a. darauf hinwies, daß Gründgens es am Staatstheater immer verstanden habe, den schwierigen Fehling sowohl zu bändigen als auch produktiv zu machen. Es sind diese Meinungsäußerungen, die Dymschitz veranlassen, mit mir das Gespräch zu suchen. Aufmerksam hört er sich an, was ich an Wangenheims Aufführungen, seinem Spielplan, seiner Leitungstätigkeit zu kritisieren habe und gibt mir schließlich in allen wesentlichen Fragen recht. Für personalpolitische Interessen selbst der besten und fortschrittlichsten Partei sei das Haus Otto Brahms und Max Reinhardts zu schade, sagt er. Aber den Gründgens kriege er beim besten Willen nicht durch. Bei aller Liebe zur deutschen Kunst könne die SMA einen preußischen Staatsrat aus der Zeit des Dritten Reiches nicht als Intendanten schlucken, nur als Regisseur. Ob ich einen anderen Vorschlag in petto hätte. Nach einigem Überlegen nenne ich daraufhin den Namen Wolfgang Langhoffs, eines hervorragenden Schauspielers und Regisseurs aus der Schule Louise Dumonts, der als Kommunist, berühmt geworden durch Buch und Lied »Die Moorsoldaten«, während der Nazizeit mit Emigrantenstatus am Zürcher Schauspielhaus gewirkt hat und 1945 Generalintendant in Düsseldorf geworden ist. Dymschitz will es sich überlegen.

Wenige Wochen später ist Langhoff Intendant des Deutschen Theaters und der Kammerspiele, mit der Weisung, unbedingt Fehling an diese Häuser zu binden (was aber dann, trotz alles Liebeswerbens von Langhoff, an Fehlings Größenwahn leider scheitert): Es liegt auf der Hand, daß das Verhalten von Dymschitz mir gegenüber von dem eines Josselson oder Ravoux sehr vorteilhaft absticht. Nach dieser Erfahrung bin ich von den sowjetischen Kulturoffizieren hellauf begeistert; später bedauere ich aufs tiefste, daß diese kultivierten, sensiblen, hochgebildeten Männer mit wachsender Souveränität der DDR von viel unsichereren, unbeholfeneren, weniger kenntnisreichen, stureren Kulturfunktionären aus dem Parteiapparat der SED abgelöst werden.

Paradoxerweise ist es der – eigentlich parteiverräterische – Angriff auf einen von der KPD protegierten Intendanten, der mich noch während meiner Tätigkeit am »Kurier« zum kulturpolitischen Berater der Sowjets macht, und die Tatsache, daß Langhoff sich als Intendant außerordentlich bewährt, verstärkt in der Folgezeit meinen Einfluß auf Dymschitz.

Als im Sommer 1946 die Berufung Langhoffs zum Intendanten perfekt ist, bin ich bereits vom »Kurier« weggegangen und Mitarbeiter der sowjetamtlichen »Täglichen Rundschau« geworden.

Schon in den Wochen davor habe ich in der »Möwe« meinen neuen russischen Bekannten gegenüber gelegentlich etwas von meinen Schwierigkeiten beim »Kurier« erwähnt und dabei auch halb scherzhaft einmal die Bemerkung fallengelassen: »Wenn das so weitergeht, dann komme ich zu Ihnen.«

Dymschitz und die anderen Russen ihrerseits schätzen mich anscheinend als Publizisten sehr, auch politisch, vor allem wegen meines Angriffs auf Ernst Jüngers »Frieden« im »Kurier« und wegen der längeren Polemiken, die ich in der Kulturbundzeitschrift »Aufbau« erst gegen Erik Reger und dann auch gegen Jünger veröffentlicht habe. (In dem Beitrag über Reger habe ich nachgewiesen, daß die Linie des »Tagesspiegels« die linken Überzeugungen desavouiert, denen Reger einst in seiner »Union der festen Hand« verpflichtet gewesen ist, und der Essay über Jünger stellt eine ausführliche und fundiertere Fassung der Polemik aus dem »Kurier« dar.)

Trotzdem sind die Russen zunächst dagegen, daß ich zu ihnen übergehe. Dymschitz meint, im großen und ganzen sei der »Kurier« doch eine recht achtbare linksliberale Zeitung, und man müsse vermeiden, daß sich die Linie dieses Blatts durch den Fortgang progressiv eingestellter Mitarbeiter nach rechts verschiebe. Aber dann kommt es am »Kurier« zu dem Krach um Pechel, zu der Weigerung der Redaktion, meine Polemik gegen ihn abzudrucken. Auf einer Party bei der Schauspielerin Helga Zülch und ihrem bulgarischen Freund in Dahlem erzähle ich dem anwesenden Bergelson davon, und dieser meint, das gehe nun zu weit; jetzt sei es wohl doch besser, daß ich mir das nicht bieten ließe. Die »Tägliche Rundschau« sei bereit, meinen Artikel gegen Röpke und Pechel abzudrucken, und wenn ich wolle, könne ich überhaupt bei ihr Feuilletonist und erster Theaterkritiker werden. So geschieht es. Der Chefredakteur, Oberst Kirsanow, und sein Stellvertreter, Oberstleutnant Shemjakin, engagieren mich ohne Verpflichtung zu redaktioneller Tätigkeit, und der erste Beitrag von mir, der in der »Täglichen Rundschau« erscheint, ist jener Anti-Röpke-Pechel-Artikel. Pechel antwortet in der »Deutschen Rundschau« mit einem ärgerlichen Angriff auf mich, der mir einerseits – in stark übertreibender Weise – »Genialität« bescheinigt, mir andererseits aber einen üblen Charakter vorwirft. Da Pechel seinerzeit von den Nazis verfolgt worden ist und jetzt von mir »verfolgt« wird, trägt sein Artikel geschmackvollerweise die Überschrift »Von Himmler zu Harich«.

Als besonders üblen Zug kreidet Pechel mir an, daß ich »aus dem sicheren Port« eines sowjetischen Besatzungsorgans gegen ihn – und Röpke – polemisiert hätte. Er vergißt dabei die Kleinigkeit, daß ich es vorher aus dem weit weniger »sicheren Port« des französisch lizenzierten »Kurier« zu tun versucht habe, was mir nur wegen der dort herrschenden »westlichen Meinungsfreiheit« nicht gelungen ist. Hinter den Kulissen betreibt Pechel dann meinen Ausschluß aus dem Journalistenverband, dessen prominentes Vorstandsmitglied er ist (als Vertreter der CDU). Eines Tages suchen mich daraufhin zwei FDGB-Funktionäre – der Verband ist dem FDGB angegliedert – auf, die mir plausibel zu machen versuchen, daß der Verbandsvorstand um der Erhaltung der Gewerkschaftseinheit willen darauf Wert legen müssen, dem CDU-Mann Pechel eine ihn besänftigende Genugtuung zu verschaffen, und daß daher ich es den SED-Genossen im Vorstand nicht übelnehmen solle, wenn auch sie meinem Ausschluß aus dem Verband wegen meines Angriffs gegen ein Vorstandsmitglied zustimmten. Es sei nur eine taktische Maßnahme, von dem Inhalt meines Artikels seien die Genossen an sich begeistert. Ich bin damit einverstanden, meinen Ausschluß hinzunehmen, füge aber hinzu, daß sie nie mit meinem Wiedereintritt in den Verband wurden rechnen können, dem ich dann auch tatsächlich während meiner ganzen journalistischen Tätigkeit nie mehr angehört habe.

Kirsanow, Shemjakin und Bergelson finden diese Taktik des FDGB gegen mich empörend und wollen dagegen intervenieren, ich halte sie aber davon ab. So ereignet sich der paradoxe Fall, daß ein SED-Mitglied wegen eines Artikels im offiziellen Organ der sowjetischen Besatzungsmacht einem CDU-Mann zuliebe aus dem sowjetisch kontrollierten Journalistenverband ausgeschlossen wird, nachdem dieser CDU-Mann ein in der Schweiz erschienenes Buch propagiert hat, worin die Spaltung Deutschlands als kein zu hoher Preis für die Herstellung eines antisowjetischen Bündnisses zwischen den Westalliierten und Westdeutschland bezeichnet wird.

Natürlich nutzt mein Ausschluß dem FDGB gar nichts, denn bei der ersten besten Gelegenheit findet Pechel bald einen neuen Grund, den Journalistenverband unter Protest zu verlassen und sich ganz dem Westen zu verschreiben; in der Folgezeit hat seine »Deutsche Rundschau« sich stets als Einpeitscher des Antikommunismus und als Befürworter der deutschen Spaltung und der Westintegration Westdeutschlands bewährt.

Meine Tätigkeit an der »Täglichen Rundschau« dauert von Sommer 1946 bis Frühjahr 1950. Bis Anfang 1949 bin ich dort nur erster Theaterkritiker, gelegentlicher Literaturkritiker und Feuilletonist. Dann übernehme ich außerdem auch noch als Ressortchef die neugegründete Abteilung Theorie und Propaganda, die der Verbreitung der marxistischen Theorie mit journalistischen Mitteln dienen soll, und werde gleichzeitig, als einziger Deutscher, Mitglied des Redaktionskollegiums der im gleichen Verlag erscheinenden Halbmonatsschrift »Neue Welt«.

Auch deren Chefredakteur ist, in Personalunion, Oberst Kirsanow; zum Redaktionskollegium gehört u.a. auch Oberst (später Generalmajor) Tjulpanow, der Chef der politischen Verwaltung der SMA, ein Professor für Marxismus-Leninismus aus Leningrad, den ich auf diese Weise ebenfalls näher kennenlerne. Die redaktionelle Tätigkeit nehme ich Anfang 1949 nur mit dem Vorbehalt auf, daß sie nur bis zu dem Augenblick andauern darf, wo die Vorbereitung von Staatsexamen und Promotion an der Universität mich beanspruchen werden, also höchstens für anderthalb Jahre; bis dahin will ich ein Ressort aufbauen, das auch ohne mich funktionieren kann. Was die »Neue Welt« angeht, so hat sie bis Ende 1948 fast nur Übersetzungen aus sowjetischen Zeitschriften enthalten. Meine Aufgabe im Redaktionskollegium soll es sein, von Anfang 1949 an auch deutschsprachige Mitarbeiter zu gewinnen und vor allem für eine niveauvolle Würdigung Goethes, aus Anlaß seines 200. Geburtstages, in den Spalten der Zeitschrift zu sorgen; ich gewinne dafür u.a. Ernst Bloch, Hans Mayer und Paul Rilla, schreibe auch einen eigenen Essay über Goethe als Naturforscher und bringe die besten während des Jahres 1949 erschienenen Beiträge über Goethe Anfang 1950 in einem Sonderband, unter dem Sammeltitel »Zu neuen Ufern«, heraus.

Meine Mitarbeiter an dem neugeschaffenen Ressort »Theorie und Propaganda« sind in den Jahren 1949/50 Alex Vogel (nach Auflösung der Entnazifizierungskommission für Kurlturschaffende Redakteur und Sekretär der SED-Parteigruppe an der »Täglichen Rundschau«); Franz Krahl (zuständig für politische Ökonomie); Günter Caspar (später Lektor für Gegenwartsliteratur am Aufbau-Verlag; bei mir zuständig für geisteswissenschaftliche und kulturpolitische Fragen); ferner als freie, feste Mitarbeiter Prof. Dr. Hans Mayer (Literaturhistoriker an der Leipziger Universität; später nach Westdeutschland gegangen), Prof. Dr. Ernst Bloch (Professor in Leipzig; Philosophie) und Prof. Dr. Walter Hollitscher (österreichischer Kommunist; 1949-53 Professor an der Humboldt-Universität für Philosophie; bei mir zuständig für philosophische Grundfragen der Naturwissenschaften).

Nach meinem Ausscheiden aus der journalistischen Tätigkeit, Frühjahr 1950, wird das Ressort von einem jungen SED-Journalisten namens Lorf übernommen, der jetzt einer der Pressesprecher des Außenministeriums der DDR ist. – Fast gleichzeitig mit dem Übergang vom »Kurier« zur »Täglichen Rundschau« nehme ich 1946 mein Universitätsstudium auf, nachdem ein leitender Funktionär der Deutschen Verwaltung für Volksbildung in der Sowjetischen Besatzungszone, der Physiker Prof. Dr. Robert Rompe, durchgesetzt hat, daß mir, nach Überprüfung durch eine hierfür zuständige Kommission, der Status eines Abiturienten zuerkannt wird. Soweit meine journalistischen Verpflichtungen es zulassen, höre ich an der Humboldt-Universität Vorlesungen über Philosophie und Germanistik. Das Niveau des Philosophieunterrichts ist in Berlin inzwischen durch den Fortgang von Nicolai Hartmann (1945 nach Göttingen) und Geheimrat Spranger (1946 nach Tübingen) rapide abgesunken. Meine Lehrerin wird eine Frau Professor Lieselotte Richter, die selbst bis dahin nur Assistentin gewesen ist und mir sehr wenig bieten kann. Sie steht ganz auf dem Boden der Existentialphilosophie (Kierkegaard, Heidegger, Jaspers, Sartre), hat auch religiöse Tendenzen und wechselt schließlich in den fünfziger Jahren von der Philosophischen zur Theologischen Fakultät über, nachdem in der Philosophie der Marxismus-Leninismus dominierend geworden ist.

Um 1947/48 wird dann aber der berühmte Rechtsphilosoph Prof. Dr. Arthur Baumgarten aus der Schweiz an die Humboldt-Universität berufen, ein alter Mann, Mitglied der Schweizer (kommunistischen) Partei der Arbeit, aber als Denker eigentlich kein Marxist. Von Baumgartens reicher philosophischer Kultur profitiere ich wesentlich mehr als von der Richter, besonders lerne ich durch ihn alle Hauptrichtungen der bürgerlichen Soziologie und Rechtstheorie kennen, was eine sehr wertvolle

Ergänzung meines Marxismus-Studiums ist. Auf noch höherem Niveau aber bewegen sich die literaturhistorischen Vorlesungen von Prof. Magon und Prof. Boeck und die kunstgeschichtlichen von Professor Hamann, die mich allerdings nur ganz sporadisch als Hörer sehen. Im Frühjahr 1948 eröffnet mir das ZK-Mitglied Anton Ackermann, die Partei wolle nunmehr den Marxismus-Leninismus in die Humboldt-Universität hineinzutragen beginnen. Dabei solle ich mithelfen, nach Absolvierung eines halbjährigen Dozentenlehrganges für dialektischen und historischen Materialismus und marxistische politische Ökonomie auf der SED-Parteihochschule »Karl Marx« in Kleinmachnow. Ich bin einverstanden und nehme an dem Lehrgang teil. Meine Lehrer in Kleinmachnow sind der uralte Wanderprediger des Marxismus aus den zwanziger Jahren, Hermann Duncker (Freund Rosa Luxemburgs und Karl Liebknechts und Mitbegründer des Spartakusbundes), ferner Fred Oelßner (ZK-Mitglied, Wirtschaftswissenschaftler), Klaus Zweiling (Chefredakteur des theoretischen Parteiorgans »Einheit«, zuständig für Mathematik, Physik und philosophische Grundfragen der Naturwissenschaft); Arthur Baumgarten (Rechtsphilosophie; Geschichte der Philosophie); Wolfgang Leonhard (Parteigeschichte, Geschichte der Sowjetunion) und Anton Ackermann selbst (wissenschaftlicher Sozialismus, Probleme der Strategie und Taktik der Partei).

Zu meinen Mitschülern gehören u.a. Kurt Hager, Georg Klaus, Georg Mende, Hermann Ley, Klaus Schrickel, Ernst Hoffmann usw. – alles Leute, die später große Karrieren in der Partei, im Staatsapparat der DDR und an den Hochschulen der DDR gemacht haben (Hager hat es bis zum langjährigen Politbüromitglied und ZK-Sekretär gebracht). Da ich auch während des Lehrganges meine Theaterkritikertätigkeit 1948 fortsetzte, pendle ich mehrmals in der Woche zwischen dem Internat in Kleinmachnow und meiner Wohnung in Dahlem hin und her. – Nach dem Abschlußexamen an der Parteihochschule (sehr gut) erhalte ich im November 1948, noch mit dem Status eines gewöhnlichen Universitätsstudenten, ohne jeden akademischen Grad, ja ohne Staatsexamen, einen Lehrauftrag für dialektischen und historischen Materialismus an der Pädagogischen Fakultät der Humboldt-Universität, den ich dann bis inklusive Sommer 1952 wahrnehme, mit wöchentlich 4 Stunden Vorlesung und 2 Stunden Seminar, ab 1951 auch mit Prüfverpflichtung (alles gegen ein winziges Stundenhonorar). Außer der Vorlesung über dialektischen und historischen Materialismus, mit der man mich beauftragt hat, richte ich auch noch aus eigener Initiative eine wöchentlich zweistündige Vorlesung über Geschichte der Philosophie für Pädagogen ein, die sonst über die Materie so gut wie nichts erfahren würden, und dafür ist im Etat überhaupt nichts vorgesehen. Meine Dekane an der Pädagogischen Fakultät sind Professor Heise d.Ä. (1948-49) und danach Prof. Dr. Heinrich Deiters (1949-52); beides alte SPD-Leute, die sich der SED angeschlossen haben; Deiters zugleich Bezirksvorsitzender des Kulturbundes in Großberlin).

1949 werde ich auf Betreiben der Professoren Rompe, Baumgarten und Lieselotte Richter aus dem gewöhnlichen Studenten-Pool in die Wissenschaftliche Aspiratur für Philosophie überführt, die dem Zweck der Herausbildung von Hochschullehrer-Nachwuchs dient und ein ganz auf die individuelle Begabung und Bildung zugeschnittenes Studium, mit individuellem Studienplan für jeden Aspiranten, gewährleistet. Meine Betreuer werden Professor Baumgarten und Professor Hollitscher (letzter ein sehr unerfreulicher Bursche, dilettierender Wissenschaftspopularisator der österreichischen Parteipresse, der 1949 nur durch politische Protektion zu akademischen Würden in Berlin gelangt). Gleichzeitig verlagert sich 1949 meine journalistische Tätigkeit an der »Täglichen Rundschau«, im Zusammenhang mit dem Aufbau des Ressorts »Theorie und Propaganda«, mehr und mehr von der Literatur- und Theaterkritik auf das Gebiet der marxistischen Theorie. – Anfang 1949 siedle ich ins sowjetische Besatzungsgebiet über, weil meine Vorgesetzten an der »Täglichen Rundschau« dies bei einem Ressortchef ihres Blatts für unerläßlich halten. Und zwar ziehe ich zuerst von Dahlem nach Großglienicke (zwischen Westberlin und Potsdam), wo ich eine ganze Villa miete. Die Redaktion stellt mir einen Dienstwagen mit Chauffeur, der mich täglich von Großglienicke quer durch Westberlin zum Redaktionsgebäude (im Bezirk Friedrichshain) bzw. zur Universität (in Stadtmitte) bringt. In den Nachtstunden schreibe oder lese ich bzw. bereite meine Vorlesungen vor. Da ich seit Kriegsende keinerlei Urlaub mehr gemacht habe, führt diese Überbelastung meiner Kräfte, zusammen mit den, trotz des Autos, täglichen weiten Wegen, schließlich Anfang 1950 bei mir zu einer Art Nervenzusammenbruch. Helene Weigel schickt mich zu einem mit ihr befreundeten Psychiater von der Charité. Dieser ordnet an, daß ich a) um der Verkürzung der Arbeitswege willen nach Ostberlin übersiedeln, b) sofort einen vierwöchigen Erholungsurlaub antreten, c) meine beruflichen Beanspruchungen auf ein normales Arbeitspensum reduzieren und d) jährlich einmal Urlaub nehmen soll. Den Februar 1950 verbringe ich daraufhin in einem Sanatorium in Thüringen, von wo ich völlig wiederhergestellt und voll neuer Kraft und Energie zurückkehre.

Im Einverständnis mit den sowjetischen Genossen beende ich dann im Frühjahr 1950 meine gesamte journalistische Tätigkeit, werde freiberuflicher Lektor am Aufbau-Verlag und widme mich im übrigen nur noch meinen Universitätsverpflichtungen (Aspiratur für Philosophie und Lehrauftrag bei den Pädagogen). Meine finanziellen Einkünfte sinken nun allerdings bis auf ein Viertel des Bisherigen ab. Im Herbst 1951 bis 1956 mache ich auch jährlich 4 Wochen Urlaub.

Durch den Eintritt in die KPD (Februar 1946) und das Überwechseln vom »Kurier« zur »Täglichen Rundschau« (Sommer 1946) habe ich mich endgültig dem Kommunismus angeschlossen. Dies aus folgenden Gründen:

1.) Meine Familie ist seit jeher russophil, teils durch die Petersburger Vergangenheit meines Großvaters Wyneken, teils durch die romantische Verklärung der »russischen Seele« und des »östlichen Menschentums« bei meinem Vater Walther Harich, was beides freilich mit Kommunismus nichts zu tun hat, aber bei mir sehr früh die russische Literatur (Puschkin, Gogol, Turgenjew, Tolstoi, Dostojewski, Leskow, Tschechow, Gorki) zu einem ganz entscheidenden Bildungserlebnis macht. Auch von daher verabscheue ich Hitlers Krieg gegen die Sowjetunion und die ungeheuren Schäden, die dieser durch die Wehrmacht zugefügt werden, von Anfang an.

2.) Zu Kommunisten hatte schon mein Vater eine durchaus freundliche, wenn auch kritisch vorbehaltvolle, Einstellung. An meiner politischen Entwicklung sind außer Sozialdemokraten (wie Kuntz, Wicke, Dr. Jacoby, Vater Kuhlbrodt in Neuruppin später Haubach und Wilcke in Berlin), von 1940 an auch Kommunisten (wie Pintzke und Kaufmann, später Alex Vogel und Nenat Stefanowicz) eminent beteiligt. Daß ich schon im Kriege zu Anhängern beider Parteien enge freundschaftliche Beziehungen unterhalte, prädestiniert mich dazu, 1945/46 für ihre Fusion zur SED einzutreten.

3.) Schon 1940 beginnt bei mir das Studium des Marxismus, der mir in stets wachsendem Maße als richtig einleuchtet. Die gleichzeitige philosophische Beeinflussung durch die realistische Ontologie Nicolai Hartmanns bedingt, daß ich, vom Weltanschaulichen her, gegen all jene zum Sowjetmarxismus in Opposition stehenden quasimarxistischen Strömungen früh immun werde, welche die dialektische, materialistische Erkenntnistheorie und Ontologie negieren (wie der *frühe* Lukàcs, von »Geschichte und Klassenbewußtsein«; wie Karl Korsch, wie Walter Benjamin; wie die Frankfurter Schule der Herbert Marcuse, Adorno, Horkheimer usw.) Es ist der N. Hartmannsche Einfluß, der mich z.B. 1944 von Lenins »Materialismus und Empiriokritizismus« in allem wesentlichen überzeugt sein läßt, so daß ich nach 1945 selbst für die primitivsten und dogmatischsten Elaborate des dialektischen Materialismus sowjetischer Provenienz etwas übrig habe, vor allem aber ein glühender Parteigänger *des mittleren und späten* – alles andere als primitiven – Georg Lukàcs werde.

Und Lukàcs' durch alle Schwierigkeiten und Konflikte hindurch bewährte Treue zum Marxismus-Leninismus als Weltanschauung, zum Kommunismus als Partei wird für mich sowohl gedanklich als auch menschlich zum Leitstern.

4.) Wegen des furchtbaren Unrechts, das der Sowjetunion 1941-45 von Deutschland angetan worden ist, wegen der 20 Millionen russischen Kriegstoten und der ungeheuren Verwüstungen, die Wehrmacht und SS im Osten angerichtet haben, habe ich von den Kriegsjahren an den Sowjets gegenüber ein stark ausgeprägtes national-kollektives Schuldgefühl, daß ich nach 1945 einerseits für alles, was sie tun, eine Rechtfertigung finde und andererseits gegen jede antisowjetische Tendenz in Ideologie und Politik allergisch bin, so daß die in Berlin nach 1945 immer mehr anwachsende, von den Westmächten geschürte Antisowjetpropaganda bei mir genau den entgegengesetzten Effekt hervorruft wie, nach und nach, bei der Mehrheit der übrigen Berliner Bevölkerung.

5.) Mit Vertretern der Westmächte (Josselson, Kolby, Ravoux) und ihren Parteigängern (von Reger über Bourdin bis Pechel) mache ich 1945/46 ausgesprochen schlechte Erfahrungen, während ich in der gleichen Zeit die analogen russischen Besatzer (Tjulpanow, Dymschitz, Kirsanow, Shemjakin, Bergelson usw.) von ihrer allerbesten Seite kennenlerne.

6.) Von allen Parteiprogrammen nach 1945 scheint mir das der KPD/SED bei weitem das beste und angemessenste für eine Neugestaltung Deutschlands zu sein: Es will nicht bloß an der Oberfläche »entnazifizieren«, sondern geht – mit der Zerschlagung des junkerlichen Großgrundbesitzes in Ostelbien, mit der entschädigungslosen Enteignung der Großindustrie – dem Faschismus wirklich an die sozio-ökonomischen Wurzeln; es verwirft alle militaristischen und nationalistischen Tendenzen und knüpft an die progressivsten Traditionen der deutschen Geschichte (den Bauernkrieg, die Stein-Hardenbergschen Reformen, die Achtundvierziger Revolution, die Forderungen der alten Sozialdemokratie aus der Zeit Bebels und das Vermächtnis der Spartakisten aus der Revolution von 1918) an; es will die Nazigegner aus dem marxistischen, dem christlichen und dem liberalen Lager nicht wieder entzweien, sondern zu konstruktivem Wiederaufbau zusammenführen; es bekennt sich, obwohl das unpopulär ist, mit großem moralischem Mut zur Wiedergutmachungspflicht gegenüber den von Hitler überfallenen und unterjochten Völkern; es verbindet mit alledem energisches Festhalten an der staatlichen Einheit Deutschlands, unter entschiedener Ablehnung aller föderalistischen und separatistischen Konzeptionen; es beinhaltet soziale Forderungen (wie z.B., die Brechung des bürgerlichen Bildungsprivilegs), die mehr Gerechtigkeit für die ärmeren Volksschichten mit sich bringen; es betont die Notwendigkeit der Aussöhnung und Freundschaft Deutschlands mit den östlichen Nachbarn, den Russen, den Polen, den Tschechen, zu denen unser Verhältnis nicht erst seit Hitler, sondern längst früher am meisten belastet gewesen ist, usw. usf.

7.) Ich bin stark davon beeindruckt, daß die meisten bedeutenden Vertreter der deutschen antinazistischen Exilliteratur nach 1945 entweder in die Ostzone übersiedeln (Becher, Arnold Zweig, Brecht, Anna Seghers, Ludwig Renn, Ernst Bloch, dem Wunsch nach 1949/50 sogar Heinrich Mann) oder sich aufs deutlichste zu ihr bekennen (Heinrich Mann, Lion Feuchtwanger, Leonhard Frank) oder zumindest für sie in vorbehaltvoll sympathisierender Weise aufgeschlossen sind und mit ihr Freundschaft zu pflegen wünschen (Thomas Mann, Erich Kästner). Genau die aber sind die Schriftsteller, deren Bücher mich in meiner Jungvolkzeit, 1938/39 vor allem davor bewahrt haben, Nazi zu werden.

8.) Da ich nun mal marxistisch und prosowjetisch denke, habe ich echt das Gefühl, bei der »Täglichen Rundschau« nach 1946 unvergleichlich mehr Meinungsfreiheit zu genießen, als ich sie vorher am »Kurier« gehabt habe und als ich sie, unter Reger, am »Tagesspiegel« gehabt hätte. Zu Intrigen à la Josselson oder zu Zusammenstößen wie dem mit Ravoux kommt es in der Zusammenarbeit mit den Russen nie. Auch beim Auftauchen von Meinungsverschiedenheiten verhalten sie sich immer viel verständnisvoller, toleranter, feinfühliger, geduldiger, ja selbst belehrbarer als jene westlichen Herren. (Allerdings hängt das wohl auch damit zusammen, daß die Russen, mit denen ich zu tun habe, in der Mehrzahl Juden sind, die – dank der Pflege des Jiddischen in ihren Elternhäusern, eines deutschen Dialekts – sich von Kindheit an mit deutscher Literatur, Kultur und Mentalität vollsaugen konnten.)

9.) In den ersten Jahren der SED, bis etwa 1949, herrscht in dieser Partei aus folgenden Gründen noch eine sehr angenehme Atmosphäre, die mir das Hineinwachsen in sie erleichtert:

a) Die altkommunistischen Kader vermeiden sorgfältig alles, was die sozialdemokratischen Genossen, mit denen sie sich vereinigt haben, verletzen oder befremden könnte (es gibt z.B. noch keinerlei Stalin-Kult), und alle Funktionen sind doppelt, mit je einem Kommunisten und einem Sozialdemokraten, besetzt.

b) Nach außen befleißigt sich die Partei einer ähnlichen Behutsamkeit und Feinfühligkeit gegenüber den CDU- und LDPD-Leuten, mit denen gemeinsam sie den Wiederaufbau leitet und die sie unbedingt zum Verbleiben in gemeinsamen überparteilichen Organisationen (wie Gewerkschaft, Frauenbund FDJ, Kulturbund) bewegen möchte (daher z.B. mein Rausschmiß aus dem Journalistenverband auf Wunsch des CDU-Mannes Pechel); den Hintergrund dieses Verhaltens bildet das Bestreben der Russen, die Einheit Deutschlands zu wahren und im gesamtdeutschen

Rahmen der KPD/SED eine möglichst breite Bündnispolitik auf allgemein-demokratischer Basis zu ermöglichen.

c) Von den innerparteilichen Fraktionskämpfen in der Komintern, die in den dreißiger Jahren, besonders in der KPdSU, blutigste Formen angenommen hatten, ist durch den Antihitlerkrieg, der die Zusammenfassung aller Kräfte gebot, nichts mehr übriggeblieben, so daß es keinerlei Verdächtigungen wegen Trotzkismus, Bucharinismus, rechter und linker Abweichung und dergleichen mehr gibt und in der SED sogar ehemalige SAP- Leute, Trotzkisten usw., soweit noch am Leben, führende Funktionen bekleiden, da man ja schwerlich diese Leute verstoßen, gleichzeitig aber Sozialdemokraten wie Grotewohl, Fechner, Ebert usw. als Brüder behandeln kann (diese Situation ändert sich dann allerdings radikal nach dem Bruch Stalin-Tito).

d) Bis etwa 1950 überwiegt der Einfluß des warmherzigen, gemütvollen, brennend kunst- und theaterinteressierten und mit Sinn für Humor begabten Parteivorsitzenden Wilhelm Pieck, eines alten Protegés von Rosa Luxemburg. Pieck ist zwar weniger intelligent, wendig und energisch als Ulbricht, mildert aber durch Altersgüte, Weisheit und Toleranz dessen Verbissenheit, Härte und Schärfe. (In einer Westberliner (!) Theaterpremiere lerne ich Pieck kennen, der mir in der Pause Elogen über meine Kritiken macht und mir ausführlich erzählt, wie er, als junger Holzarbeiter, durch Franz Mehring für Literatur und Theater begeistert worden ist. Solche Unterhaltungen mit dem Alten wiederholen sich dann häufig, und als ich 1950 mit dem Schreiben für die Presse aufhöre, mißbilligt Pieck das mit den Worten: »Nur der Journalist kann die Massen für die Kunst erwärmen!«) Ulbricht hat das Theater kaum je besucht.

e) In der Partei werde ich überhaupt mit einer Reihe ganz wunderbarer Persönlichkeiten des deutschen Kommunismus aus der ältesten Generation bekannt, die mir einen unauslöschlichen Eindruck machen; erwähnt seien nur Hermann Duncker und seine Frau Käthe, zwei Spartakusmitbegründer, Duz-Freunde von Karl und Rosa und voller hinreißender Erinnerungen an sie, und die witzige, bissige, scharfsinnige, mit allen Wassern marxistischer Dialektik gewaschene, dabei bis zu ausgelassenster Albernheit humorvolle Frieda Rubiner, Freundin Lenins und Clara Zetkins, ein altes, schwer herzkrankes, schlampig angezogenes

Weib, das mit seiner ungeheuren Beredsamkeit in den Kriegsgefangenenlagern der Sowjetunion ganze Divisionen deutscher Kriegsgefangener zu Kommunisten gemacht hat. In die Reihe dieser Persönlichkeiten gehören später auch, als die kultiviertesten und geistig bedeutendsten, Georg Lukàcs und seine Frau Gertrud und desgleichen Ernst Bloch.

In den Jahren 1946/47/48 vertieft sich meine Bindung an den Kommunismus in steigendem Maße sowohl durch gravierende private Erfahrungen als auch durch den Gang der politischen Ereignisse in der Deutschlandfrage. Zunächst zum Privaten. Ich wohne – bis Anfang 1949 – immer noch im amerikanischen Sektor, Im Dol, übrigens zufällig nur zwei Häuser von der Privatresidenz des General Clay entfernt (der mit mir oft ein höfliches »Good Evening« wechselt, wenn er abends seinen Dackel spazieren führt).

Zu dieser Zeit ist der amerikanische Besatzerapparat noch nicht hundertprozentig in den Händen fanatischer Antikommunisten à la Josselson (der im Beisein von Bekannten von mir einmal auf einer Gesellschaft äußert, mich müsse man »wie eine Wanze zertreten«). Eine Reihe von Amerikanern, die ich kennenlerne, nehmen zu mir eine wohlwollende Haltung ein. Zwei Hauptgruppen sind da zu unterscheiden: Einmal diejenigen, die mich mit allen möglichen Verlockungen (finanziellen Angeboten, Anpreisungen der westlichen Freiheit, ideologischer Beeinflussung geistig subtilerer Art, schmeichelhaften Einladungen zu glanzvollen Partys usw.) für die Sache des Westens gewinnen wollen, zum anderen die, die das nicht vorhaben, mit mir aber gerne geselligen Umgang pflegen, wobei sie aus liberaler Gesinnung und Toleranz meinem kommunistischen Standpunkt respektieren.

Zu der ersten Gruppe gehören besonders Nicholas Nabokow (ein nach USA emigrierter Russe, Komponist von Beruf, Bruder des späteren Verfassers von »Lolita«) und der War-Correspondent Curt Riess (ein einstiger kleiner Skribent der Berliner Boulevardpresse der zwanziger Jahre). Die zweite Gruppe wird repräsentiert durch Gerald Speyer (Neffe des Schriftstellers Will Speyer), Konny Kellen (eigentlich Katzenellenbogen; Sohn jenes reichen Schultheiß-Patzenhofer-Besitzers, der in den zwanziger Jahren Mäzen der Volksbühne war; Kellen hat in den USA jahrelang als Sekretär Thomas Manns fungiert) und Majorie Ann Bassett (Referentin bei der Finanzabteilung der amerikanischen Militärregierung; früher Sekretärin im Stab Henry Morgenthaus, aus Liebe zu Morgenthau in naiver Weise deutschfeindlich; 26 Jahre alter Blaustrumpf).

Zwischen den beiden Gruppen steht mein Dahlemer Nachbar Benno Frank, der zwar politisch reaktionärer eingestellt ist als Speyer, Kellen und die Bassett, aber mich nicht zu korrumpieren versucht und mit dem mich die Liebe zum Theater verbindet (Frank ist amerikanischer Theateroffizier). Den linken Flügel der zweiten, liberalen Gruppe bilden John Sullivan und Hans Holstein, die beide mehr oder weniger mit dem Kommunismus sympathisieren (Holstein hat Langhoff aus der Schweiz nach Düsseldorf und Professor Baumgarten nach Obstberlin gebracht und ist eng befreundet mit Professor Rompe und dem hessischen KPD-Vorsitzenden Leo Bauer.)

Und die liberale Gruppe vermittelt mir dann auch die Bekanntschaft der 1946/47 zeitweilig in Berlin weilenden bedeutendsten deutsch-amerikanischen Marxisten Franz L. Neumann (Verfasser von »Behemoth«, einer der wenigen soziologischen Untersuchungen über den deutschen Faschismus, die, obwohl in den USA entstanden, dessen Klassencharakter aufdecken) und – Herbert Marcuse. Unabhängig voneinander bekräftigen Neumann und Marcuse in langen Gesprächen meine negative Beurteilung der amerikanischen Deutschlandpolitik. Nichtsdestoweniger zeigen beide sich besorgt darüber, daß ich in die SED eingetreten bin, und meinen, das könne einem Intellektuellen meiner Denkart und Lebensweise auf keinen Fall gut bekommen; ich hätte mich besser der Sozialdemokratie anschließen und deren linken Flügel stärken helfen sollen. Sullivan ist dem gegenüber so begeistert davon, in mir einen in nächster Dahlemer Nachbarschaft wohnenden Kommunisten und Russenfreund zu finden, daß er sich aufs engste an mich anschließt und fast täglich bei mir aus- und ein geht. Holstein verhält sich persönlich zwar reservierter mir gegenüber, ist aber in allen politischen Fragen uneingeschränkt meiner Meinung. Die Bassett, die keine Kommunistin ist, wird um die Jahreswende 1946/47 – nach dem Fortgang Nong Yaus (Oktober 1946) – meine Geliebte und bleibt es ungefähr ein Jahr lang, bis sie Ende 1947 ihrerseits Deutschland verläßt, um in die Staaten zurückzukehren.

Mit Kellen und Speyer habe ich gewisse begrenzte politische Meinungsverschiedenheiten, wie sie zwischen Kommunisten und linken Liberalen üblich sind; sie stören aber unsere Freundschaft nie, die bereits im Frühjahr 1946 einsetzt. Daß ich den »Kurier« verlasse und zur »Täglichen Rundschau« gehe, finden Kellen und Speyer nach den Affären Jünger und Pechel völlig in Ordnung. Durch Kellen erhalte ich einmal vorabgedruckte Bruchstücke aus dem gerade im Werden begriffenen Roman »Doktor Faustus« von Thomas Mann, erschienen in der Stockholmer »Neuen Rundschau«, und als ich daraus einen Beitrag für die »Tägliche Rundschau« mit meinen Mutmaßungen über Inhalt und Tendenz des neuen Thomas Mannschen Werks zusammenbraue, schickt Kellen diesen Artikel an den Meister nach Kalifornien, der mir daraufhin in einem freundlichen Handschreiben dankt.

All diese Beziehungen bergen für die amerikanische Besatzungsmacht nicht die geringste Gefahr in sich. Trotzdem muß ich erleben, daß sie bereits während des Jahres 1947 Ausnahmslos nach und nach in die Brüche gehen. Holstein und Sullivan verlieren ihre Funktionen. Holstein geht verbittert in die Schweiz, Sullivan tief deprimiert nach England. Speyer und Kellen bleiben zwar, eröffnen mir aber eines Tages, daß sie es sich nicht mehr länger leisten könnten, mit mir noch Umgang zu haben. Man hätte ihnen von oben den Wink gegeben, sich von mir zurückzuziehen. Schließlich wird Miss Bassett sogar zu einem amerikanischen General beordert, der ihr wegen ihrer Freundschaft mit einem bei den Russen arbeitenden deutschen Kommunisten schwerste Vorwürfe macht und sie vor die Alternative stellt, entweder freiwillig aus der US-Army auszuscheiden und in ihre Heimatstadt Chicago zurückzukehren oder sich in Berlin einem Untersuchungsverfahren auszusetzen, wobei sie aber damit rechnen müsse, daß ihr einige Tonbandaufnahmen von Telephongesprächen mit mir vorgespielt werden würden. Natürlich wählt die Bassett den ersten Weg. Dieser letzte Fall ist, im Licht abendländischer Freiheitsideologie betrachtet, um so makabrer, als die Bassett ein Jahr lang fast sämtliche Berliner Theaterpremieren mit mir, auf Freikarten der »Täglichen Rundschau«, besucht hat, ohne daß die Sowjets jemals meine Intimität mit dieser amerikanischen Besatzerdame beanstandet hätten, obwohl die ihnen gegenüber, bei gelegentlichen Unterhaltungen in der »Möwe«, aus ihrer westlichen, nichtkommunistischen Gesinnung nie einen Hehl gemacht hat. – So viel nur zu den privaten Erfahrungen. Was die lokalen Angelegenheiten angeht, so paßt es ins Bild, daß 1947 auf Betreiben der Amerikaner der Kulturbund in den Westsektoren Berlins mit der Begründung verboten wird, seine Schlüsselfunktionen befänden sich in den Händen der SED – woraus von dem Präsidenten Becher, dem Sekretär Abusch und dem »Aufbau«-Chefredakteur Gysi nie ein Geheimnis gemacht worden war und bei der Legalität der SED in allen Sektoren Berlins auch nicht gemacht zu werden brauchte. Alle Proteste helfen nichts. Das Kulturbundsekretariat muß in der Schlüterstraße (im britischen Sektor) seine Koffer packen und sich neue Büroräume in Ostberlin suchen, derweil die in Westberlin wohnhaften Kulturbundmitglieder, namentlich diejenigen unter ihnen, die parteilos sind oder nichtkommunistischen Parteien angehören, unter massiven Druck gesetzt werden, diese Organisation zu verlasen. Der kalte Krieg ist in vollem Gang.

Endlich die Deutschlandfrage. Im Oktober 1946 haben in allen 5 Ländern der sowjetischen Besatzungszone zum ersten Mal Parlamentswahlen stattgefunden, frei, geheim, direkt und mit getrennten Listen für die SED, die CDU und die LDPD, ganz nach westlichem Muster. Dabei hat die SED haushoch gesiegt, in einigen Ländern mit knapper absoluter Mehrheit, in anderen knapp darunter, im ungünstigsten Fall mit 18%. Zweitstärkste Partei ist die CDU, am schwächsten die LDPD. Die Legislaturperiode der aus diesen Wahlen hervorgegangenen Landtage in Mecklenburg, Brandenburg, Sachsen-Anhalt, Sachsen und Thüringen läuft bis Ende 1950. Bis Ende 1950 existiert also in der Sowjetzone, in Gestalt eben dieser Landtage, eine demokratisch gewählte Repräsentation, die die volle Legitimation besäße, für die Bevölkerung der Zone politische Entscheidungen zu treffen, und in den Regierungen, die von diesen Landtagen getragen werden, sind SED, CDU und LDPD gemäß der Stärke ihrer Parlamentsfraktionen vertreten. Was aber geschieht? Die Westmächte setzen sich über die Existenz dieser Vertretungskörperschaften hinweg und gehen, ohne Rücksicht auf sie, dazu über, Deutschland zu spalten. Um dies im einzelnen nachzuweisen, müßte ich jetzt hier eine Analyse der Vorgänge einschalten, die mit der Byrnes-Rede in Stuttgart im September 1946 beginnen und in der Sprengung der Londoner Außenministerkonferenz durch George Marshall Ende 1947 gipfeln (alles Spätere, von dem Fiasko dieser Londoner Konferenz über die separate Währungsreform in Westdeutschland und Westberlin bis zur Gründung der Bundesrepublik im September 1949, ist nur noch Vollzug dessen, was von den USA bereits im Herbst 1946 beschlossen war).

Ein solcher historischer Exkurs würde hier viel zu weit führen. Erwähnt sei nur, daß am Vorabend der Londoner Konferenz die 5 Länderparlamente der Sowjetzone den Deutschen Volkskongreß bilden, der das in ihnen bestehende parteipolitische Kräfteverhältnis akkurat widerspiegelt, und daß sie durch dieses Organ alle westdeutschen Parteien und Organisationen, mit Einschluß der Adenauer-CDU sowie die westdeutschen Volksvertretungen dazu auffordern, mit ihnen gemeinsam die deutsche Einheit zu bewahren und sich in London entsprechend Gehör zu verschaffen. Erwähnt sei ferner eine ähnliche, parallele Initiative des damaligen Vorsitzenden der Ost-CDU, Jakob Kaiser (eines entschiedenen Antikommunisten), eine gesamtdeutsche nationale Repräsentanz zu schaffen. Beide Versuche scheitern, weil die Amerikaner dies so wollen, weil für sie die Spaltung Deutschlands und die Einbeziehung seines westlichen Teils in eine antisowjetische Allianz längst beschlossene Sache ist.

Von Byrnes' Stuttgarter Rede an bringt während des letzten Quartals 1946 und des ganzen Jahres 1947 fast jeder Tag überwältigende Beweise dafür, daß es sich so verhält. Ich verfolge diese Ereignisse mit wachsender Verzweiflung, und im November 1947 nehme ich, als nicht-stimmberechtigter Gastdelegierter, in Begleitung meiner neugierigen amerikanischen Freundin, an dem »Volkskongreß für nationale Einheit und gerechten Frieden« in Berlin teil und erlebe dort u.a., wie der führende Ost-CDU Mann Otto Nuschke, späterer stellvertretender Ministerpräsident der DDR, in seiner Rede ausruft: »Wenn unserem Parteifreund (!) Adenauer hier zu viele Kommunisten anwesend sind, dann soll er doch herkommen und uns helfen, sie zu majorisieren!«, wozu im Präsidium Pieck, Grotewohl und Ulbricht Beifall klatschen. Als wir am Ende den Saal verlassen, sagt Miss Bassett mit bedauerndem Achselzucken zu mir: »Es tut mir leid (I am sorry), das alles hilft euch nichts: Wir (die USA) wollen free enterprise in einem schönen, von uns abhängigen deutschen Weststaat.« Niemand kann mir nach diesem Erlebnis noch glaubhaft machen, daß die deutsche Spaltung auf eine undemokratisch zustande gekommene Etablierung kommunistischer Macht in der sowjetischen Besatzungszone zurückzuführen sei. Das ist einfach nicht wahr.

Noch die erste, sich ausdrücklich als provisorisch bezeichnende Volkskammer der DDR ist im Oktober 1949, vier Wochen nach der Konstituierung des Bundestages in Bonn, aus jenem von den 5 Länderparlamenten der Zone getragenen, ihr Kräfteverhältnis widerspiegelnden Volkskongreß hervorgegangen und hat parteipolitisch damals keine andere Zusammensetzung gehabt als er. Volkskammerwahlen nach Einheitsliste und unter Nahelegung offener Stimmabgabe hat es in der DDR erst im Herbst 1950 gegeben, zu dem Zeitpunkt, als die erste Legislaturperiode der nach westlichem Muster gewählten Länderparlamente ablief und die Spaltung Deutschlands bereits perfekt war.

Zugegeben: *Jetzt* mag die SED diese Art Wahlen zur Sicherung ihrer Macht bereits nötig gehabt haben. Aber dies doch nur deswegen, weil inzwischen der Marshallplan (zur Stabilisierung des Kapitalismus), die separate westdeutsche Währungsreform (als Instrument der ökonomischen Spaltung) *und* die Verweigerung westdeutscher Reparationen an die – im Krieg am schwersten geschädigte – Sowjetunion, die sich somit ganz auf DDR-Reparationen angewiesen sah, das West-Ost-Gefälle geschaffen hatten und gleichzeitig mit der Ungeheuerlichkeit der Einführung der Westwährung in Berlin, mitten im Sowjetischen Besatzungsgebiet, die Sowjetunion zu Verkehrsbeschränkungen, genannt Westberlin-Blockade, gezwungen worden war, die sich dann vom Westen her sehr leicht, unter Mobilisierung aller seit 1945 zurückgestauten Naziressentiments, zu einer wüsten, jede vernünftige Besinnung hinwegschwemmenden antisowjetischen Hetzkampagne ausnutzen ließen. In diesem Zusammenhang kommt 1947/48 zu den oben erwähnten Motiven meiner prokommunistischen Einstellung ein weiteres hinzu: der trotzige Stolz, *dem* Teil Deutschlands anzugehören, wo nun zwar alles schäbiger und armseliger ist, der dafür den moralischen Vorzug hat, stellvertretend für die ganze Nation für unsere Schulden aus dem Kriege aufzukommen und zugleich den Wiederaufbau aus eigener Kraft, ohne Dollarspritzen, zu leisten. –

In dem Maße, wie, aus den genannten Gründen von 1948 an, die Popularitätsbasis der SED in der Bevölkerung schwindet, wird die Atmosphäre in dieser Partei zunehmend strenger, schärfer, unversöhnlicher, unangenehmer. Haupkomponenten dieser Entwicklung: Wachsende Disziplinierung nach innen bei wachsendem Ausbau ihrer Machtpositionen in Verwaltung, Wirtschaft und Kultur; von 1949 an Umwandlung der Partei in eine (bolschewistische) »Partei neuen Typs« unter gleichzeitiger Zurückdrängung des sozialdemokratischen Einflusses; im Zusammenhang mit der Vorbereitung des 70. Geburtstages von Stalin, Ende 1949, allmähliches Übergreifen des Personenkults um Stalin von der sowjetischen Partei auf die SED; in Auswirkung des Bruchs Stalin-Tito (1948) wachsendes Mißtrauen gegen Kommunisten, die Emigrationszeit in westlichen Ländern verbracht haben; schließlich offene Verfolgung einzelner Westemigranten (wie Lex Ende, Paul Merker, Leo Bauer usw.) als angeblicher Agenten Noel Fields (allerdings keine Schauprozesse gegen diese Genossen wie im Falle der analogen Parteiführer in Bulgarien, der Tschechoslowakei und Ungarn, worin nach wie vor die Sonderstellung der DDR im Rahmen der Stalinschen Deutschlandpolitik zum Ausdruck kommt); wachsende Tendenz, das sowjetische Vorbild schematisch auf die DDR zu übertragen (eine Entwicklung, die sich besonders 1952, nach der Ablehnung des Stalin-Angebots vom März, im Zeichen der Proklamierung des Übergangs zum Sozialismus auf der II. Parteikonferenz der SED, verschärft und bis zum Juni 1953 anhält); bei alledem wachsendes Dominieren Ulbrichts über den vergreisenden, von Schlaganfällen heimgesuchten Pieck. All dies ist mir gefühlsmäßig zwar zuwider, ich beiße aber die Zähne zusammen und »bleibe bei der Stange«, weil mir mein politischer Verstand sagt, daß es sich um zwangsläufige Reaktionen auf die sowjetfeindliche Politik der Amerikaner, auf die vom Westen betriebene Spaltung Deutschlands und den ungeheuren ökonomischen, politischen und ideologischen Druck des Westens auf die Sowjetzone bzw. spätere DDR handelt. So bleibe ich im wesentlichen »linientreu«. –

Die ersten Anfänge, genauer die Vorgeschichte des späteren Kampfes gegen den »Sozialdemokratismus« in der SED erlebe ich dadurch mit, daß ich – seit 1946 – (platonisch) mit Lilo Meesen befreundet bin, der

Tochter des ehemaligen Sozialdemokraten Erich W. Gniffke, der zu den energischsten Befürwortern der Fusion gehört hat und seither der Führungsspitze der SED angehört. Durch Lilo M. und deren Freundeskreis komme ich gelegentlich auch mit dem Vater Gniffke zusammen, der mir im Winter 1947/48, nach besagtem Scheitern der Londoner Außenministerkonferenz, von einer Auseinandersetzung in der SED-Führung erzählt, die sich um die Frage dreht, ob die SED Massenpartei bleiben oder in eine Kaderpartei nach bolschewistischem Vorbild umgewandelt werden soll. Hauptbefürworter der zweiten Richtung sei Walter Ulbricht.

In diesem Zusammenhang studiere ich die einschlägigen Schriften Lenins und Stalins und gelange zu dem Schluß, daß Massenpartei zwar an sich sympathischer, Kaderpartei aber unter den neuen, schwieriger gewordenen objektiven Bedingungen notwendig ist. Nichtsdestoweniger bleiben freundschaftliche Beziehungen mit der in dem Punkt andersdenkenden Familie Gniffke-Meesen ungetrübt, bis Gniffke im Spätsommer 1948, auf Grund seiner Meinungsverschiedenheiten mit Ulbricht, in den Westen geht.

Vorher, im April 1948, nehme ich an der ersten Reise deutscher Kulturschaffender nach dem Kriege in die Sowjetunion teil, zusammen mit den Schriftstellern Bernhard Kellermann, Anna Seghers, Günter Weisenborn, Stefan Hermlin und Eduard Claudius, dem Maler Heinrich Ehmsen, dem Regisseur Wolfgang Langhoff, dem Wirtschaftswissenschaftler Prof. Jürgen Kuczynski und dem Verleger Michael Tschesno-Hell sowie mit Dymschitz, Mosjakow und Fradkin als Begleitern.

Aufenthalte in Moskau und Leningrad, Bekanntschaft mit den sowjetischen Schriftstellern Ilja Ehrenburg, Konstantin Fedin, Konstantin Simonow, Wsewold Wischnewski, Valentin Katajew, Michail Soschtschenko, Fjodor Gladkow, Jewegenij Schwarz, Boris Gorbatow, Marietta Shaginjan u.a., den Theaterleuten Tairow und Ochlopkow, dem Filmregisseur Gerassimow, dem Puppenspieler Sergej Obraskow usw. Anknüpfung freundschaftlicher Beziehungen mit Fedin, Simonow, Gorbatow und Schwarz. Miterleben der Maiparade auf dem Roten Platz, dabei Stalin stundenlang aus nächster Nähe beobachtet und auch die anderen Politbüromitglieder – Malenkow, Berija, Molotow, Kaganowitsch, Bulganin, Chruschtschow usw. gesehen. Stark beeindruckt von dieser Reise, empfinde ich gleichwohl, bei aller Verehrung für Stalin, den Kult um dessen Person als befremdend, desgleichen den fast religiös wirkenden Kult um Lenin (mit dem rosa angeleuchteten einbalsamierten Leichnam im gläsernen Sarg auf dem Roten Platz).

Unmittelbar nach meiner Rückkehr aus der Sowjetunion beginnt im Frühjahr 1948 meine Teilnahme am Dozentenlehrgang auf der Parteihochschule in Kleinmachnow, während gleichzeitig die separate Währungsreform im Westen und die Einführung der Westmark in Berlin, mit der Konsequenz der sogenannten Berlin-Blockade, die politische Situation jetzt und in den darauffolgenden Monaten immer mehr verschärfen, was , nach meiner Meinung, eindeutig die Schuld der Amerikaner ist.

Während der Lehrgang läuft, lasse ich mir, wegen meiner Liebesaffäre mit Hannelore Schroth (Februar bis April 1948), im Sommer einen kurzen Urlaub genehmigen und fahre zu der Schroth nach Wien. Hier ereilen mich die sensationellen Nachrichten über den Bruch zwischen Stalin und Tito, die mich förmlich betäuben; ich verstehe nichts. Auf der Heimreise in Prag Wiedersehen mit dem dort seit 1945 ansässigen Professor Kitayama. Dessen Hauswirtsleute mißbilligen den kommunistischen Staatsstreich vom Februar 1948, den ich bejahe, was zu erregten politischen Debatten zwischen ihnen und mir führt; Kitayama nimmt eine vermittelnde Position ein.

Auf der Parteihochschule in Kleinmachnow herrscht bei meinen Mitschülern allgemeine Empörung über Titos »Verrat«. Nur der Dozent für Parteigeschichte, Wolfgang Leonhard, der in den Jahren zuvor mehrmals in Jugoslawien gewesen und immer begeistert von dort zurückgekehrt ist, vertritt insgeheim eine andere Auffassung, die er mir in Gesprächen unter vier Augen auseinandersetzt. Zum erstem Mal erlebe ich damit, wie eine innerparteiliche Opposition in der SED sich mit fast konspirativem Stillschweigen umhüllt. Den Lehrern und Mitschülern oder sonstigen Funktionären gegenüber erwähne ich von Leonhards abweichender Auffassung kein Wort, aber ich vermag seiner Meinung auch keineswegs beizustimmen. Tito ist mir zunächst deswegen verdächtig, weil er die Einladung Stalins, zur Beilegung der Meinungsverschiedenheiten in die Sowjetunion zu kommen, ablehnt. Und als dann auch noch in der Westpresse gemeldet wird, daß Tito bei den Amerikanern Rückendeckung suche und von ihnen Dollaranleihen bekomme, gibt es für mich keinen Zweifel, daß Stalin in dem Konflikt recht hat. (Erst nach 1953 ringe ich mich zu der Ansicht durch, daß beide Seiten Fehler begangen haben dürften, die aber auf seiten der stärkeren, mächtigeren Sowjetunion größeres Gewicht hatten.)

Wenige Wochen nach unseren heimlichen Gesprächen flieht Wolfgang Leonhard nach Jugoslawien. In der SED gilt auch er damit als Verräter. Ich kann nicht glauben, daß er vom Kommunismus ganz abgefallen sein soll. Als er sich aber dann von Jugoslawien nach Westdeutschland begibt und von dort aus gegen die Sowjetunion und die DDR polemisiert und mit Enthüllungen aufwartet, ist er auf viele Jahre hinaus auch für mich erledigt.

Ebenfalls noch in den Sommer 1948 fällt die Abkehr Gniffkes von der SED. Obwohl ich von den Meesens, bei ihrem Fortgang in den Westen, in aller Freundschaft Abschied nehme, kann ich Gniffkes Entscheidung in keiner Weise billigen. Sowohl in der Tito-Frage als auch in den Auseinandersetzungen mit dem Sozialdemokratismus teile ich daher von Anfang an den Standpunkt der SED, und daran ändert sich bis 1953 nichts.

Meine Opposition setzt gleichwohl schon 1948 ein, aber nicht auf politischem, sonder auf kulturellem Gebiet. In Zusammenhang mit der Tito-Affäre ist bald danach der damals führende Kulturpolitiker und Chefideologe der SED, Politbüromitglied Anton Ackermann, einer meiner Lehrer auf der Parteihochschule, in Schwierigkeiten geraten. Ackermann hat 1945/46 in mehreren theoretischen Beiträgen die Konzeption vom sogenannten »besonderen deutschen Weg zum Sozialismus« ausgearbeitet – damals konform mit der gesamten Führung der KPD –, eine Theorie, die den Sozialdemokraten um Grotewohl, Fechner, Ebert, Gniffke usw. ganz wesentlich die Befürwortung der Fusion erleichtert. Faktisch hat die SED sich durch lange Jahre und zwar auch noch nach 1948, bis in den Sommer 1952 hinein, mit der antifaschistisch-demokratischen Blockadepolitik, dem Eintreten für die Einheit Deutschlands selbst um den Preis eigener Machteinbuße, dem Verzicht auf Kollektivierung der

Landwirtschaft und durchgängige Sozialisierung der Industrie usw., nach dieser Konzeption des »besonderen deutschen Weges« gerichtet. Aber offiziell, in Worten verdammt sie 1948 diese Konzeption, weil Tito in seinem Konflikt mit Stalin stets die Notwendigkeit eines »besonderen jugoslawischen Weges« hervorzuheben pflegt. Ackermann muß daher seine einschlägigen Beiträge von 1945/46 feierlich als falsch widerrufen. Trotzdem behält er seine hohen Parteiämter. In dem Bestreben, seine Ergebenheit zu beweisen, verfällt er nun aber in den wirklichen Fehler, auf dem ihm anvertrauten kulturpolitschen Gebiet zum sturen Dogmatiker zu werden, und das bringt ihn – unter anderem – in Konflikt mit mir als Theaterkritiker. Im Sommer 1948 kehrt Bertolt Brecht nach Deutschland zurück. Der Kulturbund gibt ihm zu Ehren einen Empfang, an dem auch Wilhelm Pieck, ein alter Freund Brechts, teilnimmt. Der Cheflektor des Aufbau-Verlages, Max Schröder, stellt mich Brecht vor, und als diesem klar wird, es in mir mit dem führenden Theaterkritiker der »Täglichen Rundschau« zu tun zu haben, sucht er intensiv das Gespräch mit mir. Wenige Tage später soll ich ihn in seiner provisorischen Unterkunft, im Hotel Adlon, aufsuchen. Dort lerne ich auch Helene Weigel kennen. Beide setzen mir gründlich ihren Plan auseinander, in Berlin ein eigenes Theaterensemble zu gründen. Ich bin davon begeistert, weil ich Brecht seit langem verehre und es als einen großen Gewinn für die Literatur und das Theaterleben Ostdeutschlands betrachte, daß er zu uns und nicht in den Westen gehen will. Brecht kommt jedoch mit seinen Plänen in den folgenden Wochen nicht voran. Die zuständigen Behörden, mit Einschluß des Oberbürgermeisters, reagieren ausweichend, wenn nicht ablehnend.

In Kleinmachnow, auf der Parteihochschule, wende ich mich an Ackermann und versuche ihm klarzumachen, daß es politisch wichtig sei, Brecht an uns zu binden, und daß wir von Brechts Plänen kulturell nur profitieren könnten. Doch Ackermann will davon nichts wissen. Unser Theater müsse sich, sagt er, nach Stanislawski richten. Zu diesem stehe Brecht mit seinen »dekadenten, formalistischen Theorien« in Gegensatz.

Daß Brecht in den Osten Deutschlands wolle, sei zwar gut. Aber auf unsere Kultur dürfe er keinen maßgebenden Einfluß nehmen. Ihm ein eigenes Theater zu geben, komme nicht in Frage. Mit diesem Bescheid finde ich mich nicht ab. Um Brechts Position zu stärken, setze ich mich zunächst in der Redaktion der »Täglichen Rundschau« dafür ein, daß sie in ihren Spalten Brechts neues großes Gedicht »Der anachronistische Zug« abdruckt. Danach suche ich eine Reihe prominenter Persönlichkeiten des Berliner Kulturlebens auf, um sie dafür zu gewinnen, ein Komitee zu gründen, das Brechts Forderung nach einem eigenen Theater unterstützen soll: die Theaterkritiker Herbert Jhering (damals unter Langhoff Chefdramaturg am Deutschen Theater), Paul Rilla und Walter Lennig (beide »Berliner Zeitung«), Hans Ulrich Eylau (zweiter Mann neben mir an der »Täglichen Rundschau« und Friedrich Luft (»Neue Zeitung«, amerikanisches Besatzungsorgan), die Intendanten Ernst Legal (Staatsoper) und Wolfgang Langhoff (Deutsches Theater und Kammerspiele), die Regisseure Erich Engel und Heinz Wolfgang Litten, die Schriftsteller Slatan Dudow und Günter Weisenborn und andere. Gleichzeitig bestürme ich Dymschitz, die Sache zu fördern. Auch er verhält sich reserviert, wenn auch nicht, wie Ackermann, aus prinzipiellen Einwänden gegen Brecht, wohl aber deswegen, weil es nicht gerade angehe, einen anderen installierten Intendanten, dem nichts vorzuwerfen sei, Brecht zuliebe abzusetzen. Brecht reflektiere auf das Theater am Schiffbauerdamm. Dieses werde von Wisten, einem in der Nazizeit verfolgten Juden, geleitet. Man müsse abwarten, bis die Volksbühne am Luxemburgplatz wiederaufgebaut sei – was sich aber noch 4,5 Jahre hinziehen könne -; dann werde es möglich sein, Wisten dieses Haus zu geben und dann erst könne Brecht das Haus am Schiffbauerdamm kriegen. Da ich auch mit dieser Auskunft nicht einverstanden bin und Wisten, seiner verhältnismäßigen künstlerischen Subalternität wegen, durchaus absetzbar finde, betreibe ich die Sache mit dem Komitee weiter.

Schließlich tritt das Komitee im Kulturbundklub zusammen und beschließt eine Resolution an den Magistrat zugunsten Brechts. Dies trägt mir wütende Vorwürfe Ackermanns ein: Ich hätte mich mit bürgerlichen Elementen zusammengeschlossen, um auf die Kulturpolitik der Partei Druck auszuüben. Aber in dem Komitee haben so prominente Leute – und darunter auch lang bewährte Genossen sowie Langhoff, Litten und Dudow – mitgemacht, daß Ackermann sich außerstande sieht, gegen mich etwas zu unternehmen, zumal Dymschitz meine Initiative zwar ebenfalls mißbilligt, aber als »gutgemeint« deckt. Seine Lösung findet der Konflikt schließlich dadurch, daß Langhoff sich bereit erklärt, das von ihm geleitete Deutsche Theater teilweise alternierend für ein eigenes Brecht-Ensemble, genannt »Berliner Ensemble«, das künstlerisch völlig selbständig sein soll, zur Verfügung zu stellen, daß Brecht dies als Provisorium akzeptiert und der Magistrat wenigstens eine eigene Probebühne für Brecht in der Reinhardt-Straße einrichtet.

So kommt es 1949 im Deutschen Theater zur Eröffnung des Berliner Ensembles und zu dessen erster Premiere: »Mutter Courage«, mit der Weigel in der Titelrolle, inszeniert von Erich Engel und Brecht. Dennoch geht der Kampf weiter: Die »Courage«-Premiere wird zwar von mir in der »Täglichen Rundschau«, ebenso wie von Rilla in der »Berliner Zeitung«, Luft in der »Neuen Zeitung« und Linfert im »Kurier«, hymnisch gepriesen, aber Fritz Erpenbeck, im »Neuen Deutschland«, nimmt sie zum Anlaß, Brechts ganze Konzeption als »dekadent« und »formalistisch« anzugreifen. Damit ist die – von Ackermann favorisierte – Stanislawski-Schule nunmehr ideologisch in die Offensive gegangen. Eine Polemik von mir gegen Erpenbeck zu veröffentlichen lehnt die »Tägliche Rundschau« ab. Ich hätte Gelegenheit gehabt, eine lobende Kritik über die Aufführung zu schreiben, und das sei genug. Für polemische Auseinandersetzungen mit der Stanislawski-Schule sei das Organ der sowjetischen Besatzungsmacht nicht der rechte Ort. So veröffentliche ich meine Polemik gegen Erpenbeck in der »Weltbuhne«. Daraufhin veranstaltet der Kulturbundklub zwischen Erpenbeck und mir eine Podiumsdiskussion, die zum ersten Mal den bis dahin eingeschüchterten Brechtianern die Zunge löst. Rillas Beiträge über das Berliner Ensemble in der »BZ« tun ihr Übriges, und von da an ist Brecht als geistige Macht gleichen Ranges neben Stanislawski im Theaterleben der DDR etabliert.

1953 schließlich, nach dem Wiederaufbau der Volksbühne, an die Wisten als Intendant geht, bezieht Brechts Ensemble am Schiffbauerdamm sein eigenes Haus.

Im Zusammenhang mit meinem vehementen Eintreten für Brecht, gegen den Widerstand von Leuten wie Ackermann und Erpenbeck, muß man die etwas komplizierten Anfänge meiner Beziehungen zu Georg Lukács sehen. 1945 habe ich zum ersten Mal Lukács' berühmtes

Frühwerk »Geschichte und Klassenbewußtsein« gelesen. Ich bin davon tief beeindruckt, sehe darin sogleich die bedeutendste theoretische Leistung, die der Marxismus der III. Internationale hervorgebracht hat, habe aber unter dem Einfluß der Gnoseologie und Ontologie meines Lehrers Nicolai Hartmann, schwere Bedenken dagegen, daß Lukács hier noch die materialistische Widerspiegelungstheorie und die naturphilosophischen Auffassungen von Engels und Lenin verwirft, Elemente des Marxismus, die sich mit der Hartmannschen Philosophie aufs engste berühren. Ohne daß mir das bewußt ist, deckt sich meine Kritik im wesentlichen mit der, die seinerzeit von sowjetischen Parteitheoretikern darunter auch Lenin selbst, an »Geschichte und Klassenbewußtsein« geübt worden ist. Diese Kritiker aber haben ihrerseits nie auch nur ein Wort von Nicolai Hartmann gekannt. Vollends ist mir nicht klar, da Lukács inzwischen längst diesen Kritikern recht gegeben, sich selbst auf den Boden der materialistischen Gnoseologie gestellt und daher eine Zweitveröffentlichung von »Geschichte und Klassenbewußtsein« nicht mehr zugelassen hat. Was ich nach 1945 an neuen Werken von Lukács kennenlerne, das sind dessen große literaturhistorische Essays und Studien sowie seine ästhetischen Beiträge aus der Moskauer Emigrationszeit. Als Literatur- und Theaterkritiker profitiere ich von diesen Schriften ganz ungemein, aus der Entwicklung meiner Auffassung der Literaturgeschichte sind sie überhaupt nicht wegzudenken. Dennoch stört es mich, daß Lukács nach 1945 parteioffiziell dogmatisiert wird, man kaum etwas anderes neben ihm gelten läßt und selbst ein Mann wie Rilla nie wagt, eine auch nur in geringfügigsten Einzelheiten von Lukács abweichende Meinung zu äußern. Dann kommt Brecht nach Berlin und setzt mir auseinander, daß Leute wie Ackermann, Erpenbeck usw. im Kampf gegen ihn unter dem Einfluß von Lukács stünden. Ich überzeuge mich davon, daß Lukács in der Tat der Größe Brechts nie gerecht geworden ist, ja sich schon in den zwanziger Jahren und erst recht in der Emigrationszeit zu abfälligen Äußerungen über ihn hat hinreißen lassen. So werde ich zum partiellen Lukácsgegner

In meine Veröffentlichungen ist dieser Standpunkt bis 1949 allerdings nie eingedrungen. – Als aber im Herbst 1949 Lukács nach Berlin kommt und einen Vortrag über Goethe im Kulturbund hält, halte ich es für nützlich, die übliche Dogmatisierung seiner Ansichten dadurch etwas aufzulockern, daß ich an seinen Darlegungen die Ignorierung von Goethes Naturbild beanstande. Dieses Thema liegt mir – ich habe selbst soeben einen Essay darüber veröffentlicht –, und es gehört in die Besprechung des Lukácsschen Vortrages irgendwie hinein, während meine eigentlichen Vorbehalte gegen den großen Mann – einerseits die Erkenntnistheorie von »Geschichte und Klassenbewußtsein«, andererseits die Brechtfrage betreffend – in dem Zusammenhang thematisch fehl am Platze wären. In der »Täglichen Rundschau« wird mein Artikel akzeptiert, ja, man möchte – zu meiner Verblüffung – die kritischen Akzente sogar noch verschärft sehen, was ich mit Mühe verweigere. Wenige Tage später wird mir klar, was dahintersteckt: Lukács ist inzwischen in Ungarn in Ungnade gefallen, weil er 1945/46 – ähnlich wie Ackermann in Berlin – eine Konzeption des Wesens der Volksdemokratie ausgearbeitet und veröffentlicht hat, die jetzt – 1949 – der Partei nicht mehr paßt, weshalb man ihn dort zu reuevoller Selbstkritik drängen möchte und, als er das ablehnt, auch als theoretischen Ästhetiker und Literaturhistoriker unter Beschuß nimmt. In diese Kampagne hat sich mein Artikel haargenau eingefügt. Ich habe davon nichts geahnt, und mir ist das außerordentlich peinlich, um so mehr, als in den folgenden Wochen bedeutende kommunistische Intellektuelle, die ich außerordentlich verehre, wie Hanns Eisler, Ernst Bloch u.a. mir Opportunismus, Liebedienerei und Verrat an einem Mann, dem ich als Publizist unendlich viel zu verdanken hätte, vorwerfen. Leider ist Lukács gleich nach seinem Vortrag aus Berlin abgereist, so daß ich ihn nicht persönlich kennenlerne und mich daher auch nicht bei ihm entschuldigen kann. Ich empfinde aber nun ihm gegenüber ein tiefes Schuldgefühl, das umso größer wird, als ich kurz danach sein Buch »Der junge Hegel« lese, aus dem ich klar ersehe, daß der Verfasser seine einstige irrtümliche Erkenntnistheorie aus »Geschichte und Klassenbewußtsein« längst überwunden hat, daß also auch seine Ignorierung von Goethes Naturanschauung in besagtem Vortrag sachlich nichts mehr mit seinen früheren Aversionen gegen die Engelssche Naturdialektik zu tun gehabt haben dürfte, sondern wahrscheinlich auf eine thematische Beschränkung aus Zeitmangel zurückzuführen war. Leider kann ich den Artikel nicht mehr ungeschehen machen. Aber als ich Monate später aus dem Journalismus ausscheide und, neben der Universitätsarbeit, Lektor beim Aufbau-Verlag werde, vertraut man mir dort u.a. die Betreuung von Lukács' neuen Werken an, so daß ich nun ausgiebig Gelegenheit habe, meinen unbeabsichtigten, peinlichen faux pas wiedergutzumachen.

Lukács' Werke haben bei mir vor allem anderen den Vorrang, sie werden am schnellsten und doch sorgfältigsten bearbeitet und in um so dichterer Folge und um so größeren Auflagen herausgebracht, je mehr die Anti-Lukács-Kampagne in Ungarn um sich greift und dem alten Mann das Leben vergällt. Es fehlt nicht an Versuchen, diese Kampagne auch in die DDR hineinzutragen und besonders das Erscheinen von Lukács' neuen philosophischen Büchern, »Existentialismus und Marxismus« und »Der junge Hegel«, zu verhindern. In endlosen, nervenaufreibenden Debatten widerlege ich die Einwände der negativen Gutachter (meiner Universitätskollegen Schrickel und Wolfgang Heise), warte mit Gegengutachten angesehener Wissenschaftler auf, rede auf den Verlagsleiter (erst Erich Wendt, später Walter Janka) ein, appelliere, wenn es gar nicht anders geht, an den Kulturbundpräsidenten Becher, einen alten Lukács-Freund, und setze mich am Ende jedesmal durch. Lukács Briefe an mich, als den für ihn zuständigen Lektor, werden daraufhin immer freundlicher und herzlicher, und als ich schließlich auf jene leidige Vortragsrezension zurückkomme, antwortet er nur: »Sie hatten recht, von Goethes Naturanschauung weiß ich wirklich sehr wenig.« – Lukács ist dann mein Vorbild und Leitstern in der Kontroverse um die historische Bewertung Hegels, einer Auseinandersetzung, die mich zum ersten Mal gegen Stalin opponieren läßt und damit in ernsthaften Konflikt mit der Partei bringt. Um dies plausibel zu machen, hier eine kurze Andeutung über meine damalige Einstellung zu den kulturpolitischen und theoretischen Kampagnen Stalins in dessen letzten Lebensjahren:

1.) Zur Verketzerung von Anna Achmatowa, Boris Pasternak und Michail Soschtschenko durch Stalin und Shdanow, soweit sie sich auf die Achmatowa und Pasternak bezieht, berührt sie mich ebensowenig wie meine Schriftstellerfreunde, weil sie eindeutig gegen die »reine«, unengagierte Literatur, gegen einen Dichtertyp à la Rilke, gerichtet ist. Ernster dagegen nehmen wir den Angriff auf Soschtschenko, den wir als engagierten Satiriker außerordentlich schätzen. Das persönliche Zusammentreffen mit Soschtschenko, im Mai 1948 in Moskau, beruhigt uns aber, weil wir ihn munter und guter Dinge finden und er uns versichert, ungehindert an der Verwirklichung neuer literarischer Vorhaben zu arbeiten.

2.) Zur Kritik Shdanows an Alexandrows »Geschichte der westeuropäischen Philosophie«. Ich finde Alexandrows Buch, das ich in einer hektographierten Übersetzung 1947/48 kennenlerne, völlig niveaulos, verworren und dilettantisch und kann daher gut verstehen, daß es aus dem Verkehr gezogen worden ist. Shdanows Kritik enthält m.E. teilweise richtige Gedanken und ist im übrigen in den Partien, die ich für fragwürdig halte, so bis zum Nichtssagenden abstrakt und allgemein gehalten, daß ich mich durch sie in meiner Arbeit auf dem Gebiet der Philosophie nicht beeinträchtigt zu fühlen brauche. Im Grunde halte ich beide – sowohl Alexandrow als auch Shdanow – für Dilettanten, wobei Shdanows Dilettantismus mir den Vorzug zu haben scheint, weniger ins Detail gehend präzisiert zu sein. Daß Shdanow eine parteiverbindliche Dogmatisierung des Alexandrowschen Werks verhindert hat, empfinde ich daher eher als Erleichterung.

3.) Zur Diskussion über die Genetik und zur Dogmatisierung des Neolamarckismus von Lyssenko. Die Auswirkungen dieses katastrophalen Mißgriffs von Stalin werden in der Ostzone (bzw. der späteren DDR) durch die kluge Taktik der SED-Führung unter Ulbricht durchkreuzt, die – stillschweigend – über unsere neodarwinistischen Genetiker, soweit es sich um Biologen und Landwirtschaftswissenschaftler handelt, ihre schützende Hand hält (schon um den Abgang dieser Leute nach Westen zu verhindern) und nur den philosophischen Kadern, soweit sie sich mit Grundproblemen der Biologie befassen, ziemlich platonische, verbale Bekenntnisse zu Lyssenko abverlangt. Grundfragen der Biologie sind aber damals nicht mein Job, sie interessieren mich noch kaum. Und als ich mich später ernsthaft mit ihnen zu beschäftigen beginne, nunmehr ganz unter dem Einfluß neodarwinistischer Konzeptionen, hat die Lyssenkosche Doktrin – nach Stalins Tod – bereits aufgehört, ein unantastbares Heiligtum zu sein. (Chruschtschow fördert sie zwar – bis 1963 – weiter, verhält sich zu ihren Kritikern aber viel toleranter als Stalin.) Ein wesentlicher Grund, aus dem ich die Ungeheuerlichkeit des Stalinschen Angriffs auf die neodarwinistische Genetik zunächst nicht sehe, liegt auch darin, daß der von mir als philosophischer Anthropologe verehrte Arnold Gehlen, mit dem ich seit 1949 im Briefwechsel stehe und zu dem ich 1952 auch eine Art Pilgerfahrt, nach Speyer, unternehme, dem Neodarwinismus skeptisch und dem Neolamarckismus, mit Einschluß Lyssenkos, wohlwollend gegenübersteht, während gleichzeitig die mir am nächsten stehenden marxistischen Denker, Lucács und Bloch,. sich zu den strittigen biologischen Grundfragen indifferent verhalten.

4.) Zu Stalins Arbeiten über Fragen der Sprachwissenschaft; zur dadurch ausgelösten marxistischen Logikdiskussion (ab 1950). In diesem Punkt bin ich ein entschiedener, leidenschaftlicher Parteigänger Stalins – und dies, mit gewissen Vorbehalten, noch heute. Aus drei Gründen:

a) Die Schule von Marr, gegen die Stalins Kritik sich richtet, hat durch eine jahrzehntelange ideologische Diktatur die Entwicklung der sowjetischen Linguistik in der Tat aufs schwerste behindert.

b) Stalin ersetzt in diesem Fall nicht (wie in der vorausgegangenen Lyssenko-Debatte) die Diktatur einer Schulrichtung durch die einer anderen, sondern erklärt in seiner einschlägigen Schrift, daß es derartige »Araktschejew-Regimes« bestimmter Richtungen in der Sowjetwissenschaft nun überhaupt nicht mehr geben soll, da unbehinderter Meinungsstreit und Freiheit der Kritik für den Fortschritt der Wissenschaft unentbehrlich seien – eine Erkenntnis, die, so banal sie auch ist, von diesem Mann ex cathedra verkündet, den Kampf des schöpferischen Marxismus gegen Sturheit, Dogmatismus, Sektierertum usw. außerordentlich erleichtern und begünstigen muß.

c) Stalin verwirft mit schlagenden Argumenten die Auffassung Marrs, daß die Sprache als Teil des gesellschaftlichen Bewußtseins zum ideologischen Überbau gehöre und somit Klassencharakter habe. Er legitimiert damit eine differenzierende, subtilere, weniger dogmatische und schematische Analyse und Bewertung aller Erscheinungen des geistigen Lebens der Gesellschaft, was sich besonders in der Philosophie auf die Entwicklung der formalen Logik wie eine Erlösung auswirkt. Die Logik liegt bei den Marxisten bis Anfang der fünfziger Jahre völlig darnieder, da der Marxismus sich Hegels negierende, abwertende Einstellung zur formalen Logik voll zu eigen gemacht und diese Einstellung obendrein auch noch, unter Zuhilfenahme abstruser Theorien im Stil der Marrschen Linguistik, mit den vulgärsten Verleumdungen des formallogischen (vermeintlich dialektikfeindlichen) Denkens als »bürgerlich«, »prokapitalistisch«, »reaktionär« usw., angereichert hat. Stalins Kritik an Marr ermöglicht es nun den Marxisten, sich davon zu lösen, eine Ehrenrettung der formalen Logik vorzunehmen und dem kolossalen Nachholbedarf an logischer Forschung gegenüber der nichtmarxistischen Philosophie produktiv gerecht zu werden.

So kommt es zu Beginn der fünfziger Jahre, zunächst in der Sowjetunion, dann auch auf die osteuropäischen Volksrepubliken, mit Einschluß der DDR, übergreifend, zu einer sich durch Jahre hinziehenden Logikdiskussion, in der sich zwei Parteien (mit vielen inkonsequenteren Zwischennuancen) herausbilden: eine logikfreundliche und eine konservativ dogmatische, die von den alten Vorurteilen gegen die formale Logik möglichst viel zu bewahren und zu retten sucht. In diesen Auseinandersetzungen gehöre ich, auf Grund meiner gediegenen logischen Schulung durch Nicolai Hartmann, zur äußersten, radikalsten Vorhut der logikfreundlichen Partei und mache mir dabei den Personenkult um Stalin zunutze, um aus dessen Linguistik-Schrift soviel wie möglich für meinen Standpunkt herauszuholen. Mein Widersacher ist in diesem Zusammenhang der Genosse Ernst Hoffmann, der das für Philosophie zuständige Referat in der Abteilung Wissenschaft und Propaganda des Zentralkomitees der SED leitet. Auf der Logikkonferenz der DDR-Philosophen in Jena, im November 1951, an der teilzunehmen ich durch eine Erkrankung verhindert bin, hält Hoffmann das einleitende Referat und das Schlußwort, und seine Beiträge werden anschließend im theoretischen Organ der Partei, in der Zeitschrift »Einheit« abgedruckt.

Hoffmann ergeht sich darin in tiefen Verbeugungen vor Stalins »Genialität«, wiederholt dann aber in seinen konkreten Darlegungen zur Sache all die Phrasen, Mißverständnisse, Dilettantismen und absurden Dogmen, die das Verhältnis der Marxisten zur formalen Logik seit den Tagen von Friedrich Engels belastet und unproduktiv gemacht haben. Und da Hoffmanns Referat von Zitaten aus Engels, Lenin – und auch Stalin – wimmelt, da es überdies mit den einschlägigen Darlegungen derjenigen Sowjetphilosophen operiert, die zu der konservativen, logikfeindlichen Partei gehören, wagt in Jena kaum jemand, ihm mit gebührender Energie zu widersprechen. Der Leiter der Abteilung Wissenschaft und Propaganda im ZK der SED, Professor Kurt Hager (späteres Politbüromitglied), nimmt zu der Debatte eine abwartende, reservierte Haltung ein. Er läßt Hoffmanns Referat in der »Einheit« abdrucken, verhält sich dann aber, als ich in einer internen Denkschrift dagegen polemisiere, auch zu mir sehr aufgeschlossen und tolerant, wobei er erklärt, von den strittigen Fragen zu wenig zu verstehen, um über sie ein autoritatives Urteil fällen zu können – was ja nun, nach Stalins Äußerungen über die Notwendigkeit des Meinungsstreits und der Freiheit der Kritik, auch gar nicht mehr die Aufgabe eines Parteifunktionärs sei. Er, Hager, empfehle, die Logikdiskussion in der DDR weiterzuführen und zu dem Zweck eine philosophische Zeitschrift zu gründen, die mit dem Abdruck des Protokolls der Jenaer Konferenz, als erstem Sonderheft, eröffnet werden und dann in jedem regulären Heft eine feste Rubrik mit Diskussionsbeiträgen über Fragen der Logik enthalten solle.

Diese Entscheidung ist der Ausgangspunkt der Gründung der »Deutschen Zeitschrift für Philosophie« im Jahre 1952. Da die Vorbereitungen einige Zeit in Anspruch nehmen, veröffentliche ich meine Ansichten über »Einige Probleme der Logik« zunächst »gastweise« in der von Johannes R. Becher und Paul Wiegler gegründeten , von Peter Huchel geleiteten Zeitschrift »Sinn und Form« (Jahrgang 1952, Heft IV). Zu meiner Verblüffung erklärt daraufhin Hoffmann, mit meinen Darlegungen in »Sinn und Form« »im wesentlichen« einverstanden zu sein und selbst in Jena »im wesentlichen« dasselbe gesagt zu haben. Tatsächlich ist mein Beitrag aber ein – wenn auch direkte Polemik vermeidend – Pamphlet gegen die von Hoffmann in Jena vorgetragenen Auffassung. Um einer Verwischung der Standpunkte vorzubeugen, schreibe ich daher einen weiteren »Beitrag zur Logik-Debatte«, der nunmehr direkt und unverblümt gegen Hoffmann polemisiert und ihn als einen kompletten Dilettanten und Wirrkopf erscheinen läßt, und biete diesen Artikel der Zeitschrift »Einheit« zum Abdruck an (die »Einheit« setzt in ihren Spalten 1952/53, vor dem Erscheinen der »Deutschen Zeitschrift für Philosophie«, die Logikdiskussion fort). Hager und die Chefredaktion der

Großvater Alexander von Wyneken (1848-1939)
mit den Geschwistern Gisela und Wolfgang Harich
in Raschau (Ostpreußen)

Annelise Wyneken, spätere Mutter Wolfgang Harichs

Walther und Annelise Harich

Linke Seite:
Landhaus der Großeltern Harich in Allenstein

Unten: Großeltern Ernst und Marie Harich mit den Enkeln Gisela und Wolfgang im Garten ihres Landhauses

Rechte Seite:
Mit den Eltern auf einem Ausflug 1929

Landhaus
Susanne

Linke Seite: Landhaus der Familie Harich in Wuthenow bei Neuruppin, Lindenallee 60, Villa Susanne

Unten: Gisela und Wolfgang Harich mit Erich Jenisch in Wuthenow

Diese Seite: Wolfgang Harich als Soldat mit seiner Schwester und Mutter in Strausberg

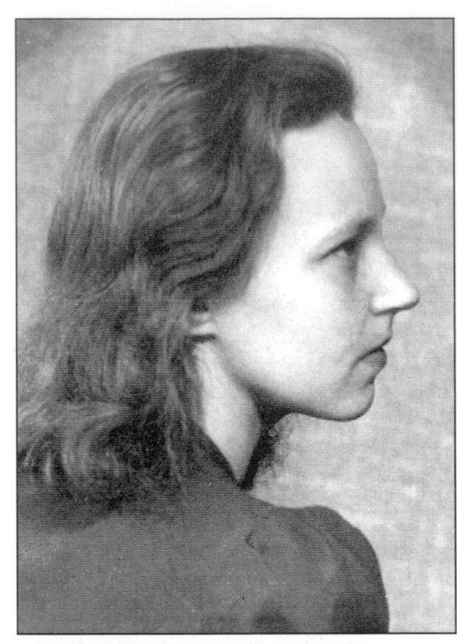

Annelise Harich
Nong Yau

Susanne Kerckhoff
Wolfgang Harich 1945

Susanne Kerckhoff, mit Widmung für Wolfgang Harich auf der Rückseite: Die Fortschrittliche dem Fortschrittlichen, Mai 1948, vor dem »Neuen Deutschland« (veri creator spiritus)

Wolfgang Harich 1952

Wolfgang Harich 1954

Isot Kilian-Harich

Heirat mit Isot Kilian

Nach der Scheidung Besuch im Zoo mit Tochter Katharina

Wolfgang Harich in seiner Wohnung 1956

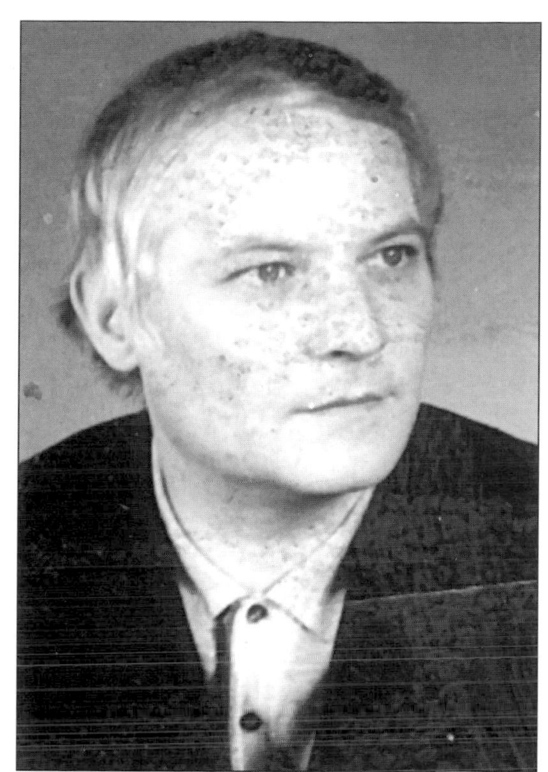

Wolfgang Harich nach seiner Entlassung aus der Haft 1964

Wolfgang Harich beim Lesen von »Sinn und Form« 1983

Wolfgang Harich, gegen Ende der 80er Jahre

»Einheit« lehnen den Abdruck ab, weil sie meinen, daß es nicht angehe, im offiziellen theoretischen Organ der Partei einen führenden Funktionär des zentralen Parteiapparats wie einen Dummkopf abzufertigen. Es ist ihnen aber durch den »Sinn und Form«-Beitrag klar geworden, daß ich von Logik viel mehr verstehe als Hoffmann und meine Ansichten viel fundierter sind. Dies führt dazu, daß Hager einerseits den Dilettanten und Schwätzer Ernst Hoffmann zwar in seiner Funktion beläßt, aber andererseits für die neu zu gründende »Deutsche Zeitschrift für Philosophie« ein vierköpfiges Herausgeberkollegium vorsieht, dem nunmehr ich angehören soll. Die anderen Herausgeber sollen sein: Ernst Bloch (Ordentliches Mitglied der Akademie der Wissenschaften, Direktor des Instituts für Philosophie an der Universität Leipzig, Vorsitzender des Wissenschaftlichen Beirats für Philosophie beim Staatssekretariat für Hochschulwesen), Arthur Baumgarten (Ordentliches Mitglied der Akademie der Wissenschaften, Präsident der Verwaltungsakademie Staat und Recht *Walter Ulbricht* in Potsdam Babelsberg, Direktor des Instituts für Rechtsphilosophie an der Universität Berlin) und Walter Hollitscher (Direktor des Instituts für Philosophie an der Universität Berlin).

Hollitschers Aufnahme in das Herausgeberkollegium wird von Bloch und mir mit der Begründung abgelehnt, daß Hollitscher, ehemals Wissenschaftspopularisator bei der österreichischen Parteipresse, ein Dilettant sei, mit dem gemeinsam eine Zeitschrift herauszugeben uns nicht zugemutet werden könne. Baumgarten nimmt in dieser Streitfrage zwar einen neutralen Standpunkt ein – er könne Hollitschers Qualifikation nicht beurteilen –, erklärt aber, ohne Bloch und mich nicht an der Zeitschrift mitwirken zu wollen, da Bloch unter den DDR-Philosophen den größten Namen habe und ich im Herausgeberkollegium der einzige sei, der über mehrjährige praktische Erfahrungen in Redaktionsarbeit verfüge. So läßt Hager den Vorschlag Hollitscher fallen und stimmt Baumgartens und meinem Gegenvorschlag zu, den vierten Platz im Herausgeberkollegium mit dem Direktor des Instituts für Mathematische Logik an der Berliner Universität, Karl Schröter, zu besetzen.

Auf der konstituierenden Sitzung des Kollegiums wählen dann Baumgarten, Bloch und Schröter mich zum Chefredakteur, mit der Begründung, ihnen liege die Redaktionsarbeit nicht, in der ich mir bei der »Täglichen Rundschau« und der »Neuen Welt« bereits Meriten erworben habe. Hager akzeptiert die Wahl und muß sie akzeptieren, weil ich der einzige SED-Mann in dem vierköpfigen Gremium bin (Bloch und Schröter sind parteilos, Baumgarten gehört der Schweizer Partei an) und weil ihm das Argument mit meiner Redakteurserfahrung einleuchtet. Um aber mich in Schach halten zu können, besteht er darauf, daß es unter mir noch einen Redaktionssekretär geben soll, und diesen Posten besetzt er mit Klaus Schrickel, einem Intimus Ernst Hoffmanns.

Wegen der Subalternität dieser Funktion können die Herausgeber gegen Schrickel – einen reinen Karrieristen, der dem Parteiapparat jeden Wunsch von den Lippen abliest, ein moralisch übles Subjekt überdies, das später, Ende der fünfziger, Anfang der sechziger Jahre, aus Furcht vor der Aufdeckung ausgesprochen krimineller Delikte in den Westen fliehen wird – das Dilettantismus-Argument nicht geltend machen. Das erste Heft der »Deutschen Zeitschrift für Philosophie« erscheint dann unter meiner Leitung, und die Logikdiskussion darin wird mit meinem »Beitrag zur Logik-Debatte«, der besagten Polemik gegen Ernst Hoffmann, eröffnet (Frühjahr 1953).

Dank meiner Beiträge in »Sinn und Form« und der »DZfPH« führt diese Diskussion in den folgenden Jahren zu einer vollständigen Rehabilitation der formalen Logik in der DDR, zu einer vollständigen Erledigung der vulgärmarxistischen Einwände gegen sie, was wiederum die Voraussetzung ist für die spätere Rehabilitation der Kybernetik, die vor allem den Initiativen und einschlägigen Büchern von Georg Klaus zu verdanken sein wird, mit dem ich in der Logikfrage von Anfang an konform ging. Ich behalte mein Amt als Mitherausgeber und Chefredakteur der »DZfPH« bis Ende 1956, habe aber seit den Anfängen der Logikdiskussion 1951/52 unter meinen Philosophiekollegen drei einflußreiche Feinde: Hollitscher, Ernst Hoffmann und Schrickel, und diese rotten sich gegen mich zusammen, sobald sich zeigt, daß ich in bezug auf ein anderes Problem – nämlich die historische Beurteilung Hegels –. ganz und gar nicht für Stalin bin.

5.) Zu Stalins Hegelbild. Stalin hat seit jeher die Ansicht vertreten, daß Hegel in politischer Hinsicht ein ausgemachter Reaktionär gewesen sei. Dies geht bereits aus Stalins früher, um die Jahrhundertwende erschienener Schrift »Anarchismus oder Sozialismus?« hervor, worin es u.a. heißt, die Anarchisten hätten recht, Hegel als einen politischen Reaktionär zu beurteilen, aber unrecht, wenn sie daraus den Schluß zögen, daß die Hegelsche Dialektik nichts tauge. Im geistigen Leben der Sowjetunion während der zwanziger und dreißiger Jahre hat diese simplifizierende Einschätzung von Hegels politischem Standort durch Stalin nie eine gravierende Rolle gespielt; jedenfalls hat sie sich damals noch nicht gegen die bekannte Vorliebe Lenins für Hegel durchsetzen können. Lukács' Buch über den jungen Hegel, worin nachgewiesen wird, daß dessen Dialektik aus entschiedener Parteinahme für die Französische Revolution entsprungen ist, konnte daher auch in den 30er Jahren durch die Akademie der Wissenschaften der UdSSR als Habilitationsschrift ihres Verfassers akzeptiert werden. Die Übersetzung des Buchs ins Russische und seine Drucklegung in der Sowjetunion verhinderte dann zunächst lediglich der Umstand, daß der Krieg die in Betracht kommenden Übersetzer anderweitig beanspruchte und in den sowjetischen Druckereien furchtbare Verheerungen anrichtete. Aber während des Krieges vollzog sich, auf Stalins Initiative, im geistigen Leben der Sowjetunion ein radikaler Umschwung in der Beurteilung der klassischen deutschen Philosophie im allgemeinen und Hegels im speziellen. Der Grund: Stalin war offenbar der Ansicht, daß es der Abwehr der barbarischen deutschen Aggression ideologisch abträglich sei, wenn nach wie vor, als sei nichts geschehen, die sowjetische Intelligenz zu übertriebener Hochachtung vor der philosophischen Kultur der Deutschen erzogen werde, wie dies in der Sowjetunion seit Lenins Tagen stets übliche war. Aus den Kriegstagen datiert daher eine Äußerung Stalins, derzufolge die klassische deutsche Philosophie vom Endes des 18. und Beginn des 19. Jahrhunderts, insbesondere aber die Hegelsche Philosophie, »ideologischer Ausdruck der aristokratischen Reaktion gegen den französischen Materialismus und die französische Revolution« ist.

Diese Stalinsche Äußerung ist zwar nirgends schriftlich niedergelegt, sie galt aber, mündlich weiterkolportiert, unter den Sowjetphilosophen bis nach Stalins Tod, ungefähr bis 1954, als sakrosanktes Dogma. Und als Lukács nach 1945 sein Buch über den jungen Hegel endlich in der Sowjetunion und in Ungarn veröffentlichen wollte, wurde ihm das verweigert, so daß er sich gezwungen sah, es in der Schweiz herauszubringen (1948 bei Oprecht in Zürich). Von diesen Dingen habe ich keine Ahnung, als ich, bereits im Winter 1948/49, an der Pädagogischen Fakultät der Humboldt-Universität, neben meinen Vorlesungen über Dialektischen und Historischen Materialismus zusätzlich auch solche über Geschichte der Philosophie zu halten beginne, in der redlichen Absicht, zu den rein bürgerlich-existentialistischen Vorlesungen der Frau Lieselotte Richter ein marxistisches Gegengewicht zu schaffen. Die Darstellung der klassischen Deutschen Philosophie, von Leibniz bis Hegel und Feuerbach, spielt dabei eine große Rolle, sie nimmt einen erheblichen Raum in meinen Vorstellungen ein, und ich bemühe mich, den Studenten zu zeigen, daß Kant, Fichte und Hegel von der Französischen Revolution inspirierte progressive Denker waren, die ebendeswegen die Entstehung des Marxismus in Deutschland vorbereitet haben.

Anfang 1950 werde ich mit Lukács' Buch über den jungen Hegel bekannt, das von da an besonders meine Hegel-Interpretation entscheidend beeinflußt. Gleichzeitig rege ich im Aufbau-Verlag an, dieses Lukácssche Werk auch in der DDR herauszubringen, woraus aber zunächst – bis 1954 – nichts wird, nicht, weil die SED dagegen Einspruch erheben würde, sondern weil Oprecht für die Überlassung der Rechte unerschwingliche Devisen verlangt, so daß der Aufbau-Verlag sich dafür entscheidet, zunächst das Hegel-Buch von Ernst Bloch herauszubringen, das ihn nur Ostmark kostet und das, bei allen sonstigen Divergenzen mit Lukács' Hegelbild, Hegels politische Position, dessen Progressivität, seine Nähe zur Französischen Revolution, nicht anders als Lukács einschätzt. Auch Blochs Ergebnisse beziehe ich an der Universität in meine Hegel-Vorlesungen ein. Diese meine Vorlesungen nun werden von der Parteispitze, von Hager, nicht beanstandet. Wohl aber mehren sich aus der studentischen Zuhörerschaft kritische Stimmen, die mich mit jenem Stalin-Wort konfrontieren. Ich erwidere: Erstens sei mir kein Stalinscher Text bekannt, worin diese negative Äußerung über die klassische deutsche Philosophie geschrieben stehe. Zweitens sei die Äußerung, wenn sie authentisch sein sollte, inhaltlich unrichtig, was sich eindeutig aus den Texten Kants, Fichtes und Hegels beweisen lasse. Drittens stehe die Äußerung in klarem Widerspruch zu den einschlägigen Auffassungen von

Marx, Engels, Lenin, Plechanow, Mehring, Lafargue und Lukács, die der Einschätzung der klassischen deutschen Philosophie nicht einzelne lapidare Sätze, sondern ganze Abhandlungen und Bücher gewidmet hätten. Viertens gebiete die nationale Aufgabe der SED, ein demokratisch-antifaschistisches Gesamtdeutschland zu schaffen, die Pflege und Förderung aller progressiven Traditionen der deutschen Vergangenheit, die wir um keinen Preis der Adenauerschen Reaktion »schenken« dürften.

Daß Stalin im Kriege ein bißchen deutschfeindlich geworden sei, sei gut zu verstehen. Jetzt aber sei die politische Situation eine ganz andere, und es sei absurd, auf der einen Seite, im Zeichen der Politik der Nationalen Front, überschwenglich Goethe zu feiern (wie 1949 in Weimar) und gleichzeitig auf der anderen Seite Kant, Fichte und Hegel als Reaktionäre zu beschimpfen. Von diesen meinen Auseinandersetzungen mit dem linientreuen, auf Stalin schwörenden Teil der Studenten hören eines Tages – 1951 – meine Kollegen Hollitscher (KPÖ) und Schrickel (SED). Sie verwickeln mich daraufhin, zunächst in konzilianter Form, in Diskussionen, in denen sie mich von der Richtigkeit des Stalinschen Standpunktes zu überzeugen versuchen. Diese Gespräche ziehen sich über viele Monate hin und führen zu keinem Resultat, weil Hollitscher Schrickel (und weitere SED-angehörige Kollegen, die sie zu ihrer Verstärkung heranziehen) auf dem Standpunkt beharren, der ihnen durch den obligaten Stalinkult opportun zu sein scheint, während ich bei meinen Argumenten bleibe, gegen die sie nichts anderes vorzubringen wissen als immer wieder das eine: es sei »intellektuelle Überheblichkeit«, gegen den genialen, weisen Führer des Weltproletariats recht haben zu wollen. Gefährlich wird die Sache dann durch meine Logik-Kontroverse mit Ernst Hoffmann: Sobald Hoffmann klar wird, daß ich in ihm einen Ignoranten und Dilettanten sehe, tut er sich mit Schrickel und Hollitscher gegen mich zusammen, und die drei inszenieren mit Hilfe ihrer Kreaturen in der Studentenschaft die ärgerlichsten Störungen meiner Vorlesungen und zwingen mir schließlich offene Diskussionen auf, in deren Verlauf sie behaupten, ich sei ein Feind des Sozialismus, der seine Universitätsstellung dazu mißbrauche, das Ansehen und die Autorität des großen Genossen Stalin zu untergraben und die Sowjetunion in Mißkredit zu bringen.

Hager hält sich aus alledem heraus, tut aber auch nichts, mir zu helfen. Als ich bei ihm Schutz suche, meint er lediglich kopfschüttelnd, daß ein SED-Mitglied gegen Ansichten Stalins auftrete, sei ein Ding der Unmöglichkeit. Wenn ich das täte, müsse ich die Konsequenzen selber tragen. Die ganze Situation ist für mich um so gefährlicher, als die Hollitscher, Schrickel und Hoffmann, bald applaudiert auch von milder gesinnten Genossen wie Wolfgang Heise, Hermann Scheler, Alfred Kosing usw., die gleichzeitig laufende Logikdiskussion in den »Fall Harich« hineinziehen und wie folgt argumentieren: In der Logikdiskussion würde ich gar kein Hegelianer sein, da würde ich alles tun, um die Rehabilitation der formalen Logik zu einer systematischen Diffamierung des Erbes der Hegelschen Dialektik im Marxismus zu benutzen, weil sich mir in dem Zusammenhang eine willkommene Gelegenheit zu bieten scheine, es besser zu wissen als Marx, Engels und Lenin. Aber in der Hegeldiskussion taktierte ich genau umgekehrt, indem ich ein – vermeintlich – progressives nationales Erbe zum Vorwand nähme, gegen Stalin zu polemisieren. Hinter beidem stecke offensichtlich die gleiche subversive Absicht. Verzweifelt versuche ich klarzumachen, daß man sehr wohl gegen Hegels Abwertung der formalen Logik sein und zugleich auf Hegels politisch-gesellschaftlicher Progressivität beharren kann; es hilft mir nichts. Als die Vorwürfe gegen mich sich zur Unterstellung politischer Feindseligkeit verdichten, bleibt mir schließlich – im Sommer 1952 – nichts anderes übrig, als mich hilfesuchend an meine alten sowjetischen Freunde zu wenden. Leider ist von den Redakteuren der »Täglichen Rundschau« aus den Jahren meiner journalisitschen Tätigkeit nur noch einer in Berlin: ein Major Bloch (nicht zu verwechseln mit Ernst Bloch). Ihm klage ich mein Leid, und er verhilft mir darauf zu einem Kontakt mit den sowjetischen Kontrolloffizieren, die im Apparat der SMA für Hochschulfragen zuständig sind.

Mit großer Wärme und Herzlichkeit hört man dort meine Darlegungen an. Die Gespräche wiederholen sich und wachsen sich zu einem förmlichen Kolloquium über Hegel aus. Ich muß alle Äußerungen Hegels über die Französische Revolution anhand seiner Sämtlichen Werke nachweisen. Gemeinsam wälzen wir die Bücher von Marx, Engels und Lenin und suchen, was dort über Hegel geschrieben steht. Einer der Offiziere nimmt an meinen Vorlesungen und Seminarübungen teil und berichtet darüber seinen Vorgesetzten. Diese bestellen mich wieder zu sich und eröffnen mir schließlich folgendes: In der Einschätzung der klassischen deutschen Philosophie habe Genosse Stalin völlig recht, aber meine Auffassungen seien, wenn auch philosophisch problematisch, jedenfalls nicht politisch feindlich, davon könne keine Rede sein.

Die SMA werde daher nicht dulden, daß mir an der Universität aus irgendwelchen politischen Gründen ein Haar gekrümmt werde. Man rate mir aber, meine Ansichten über Hegel in Zukunft so darzulegen, daß dabei nicht ausdrücklich auf den Genossen Stalin und seine anderslautenden Ansichten Bezug genommen werde. Punkt.

Durch diesen Bescheid gestärkt, setze ich meine Tätigkeit an der Universität fort, ohne mich durch die Anfeindungen der Hollitscher, Schrickel, Ernst Hoffmann usw. beirren zu lassen. Maßgebend bleibt für mich das Hegelbild von Lukács und Bloch. Lukács ist zwar in Ungarn zensiert, doch seine Bücher erscheinen in der DDR – beim Aufbau-Verlag, von mir als Lektor betreut –, so daß eine Berufung auf ihn in einer rein wissenschaftlichen Frage unmöglich als feindseliger Akt gebrandmarkt werden kann, und was Bloch angeht, so wird der als Denker von Weltrang und Parteiloser mit Glacéhandschuhen angefaßt und genießt außerdem als amerikanischer Staatsangehöriger ein hohes Maß an Unabhängigkeit. Im übrigen ist, wie sich zeigt, auf die Zusage der sowjetischen Genossen, mich vor politischen Drangsalierungen schützen zu wollen, Verlaß.

Zwar wird die Kampagne gegen mich an der Universität keineswegs gestoppt – im Zeichen des von Stalin geforderten wissenschaftlichen Meinungsstreits geht sie unvermindert weiter. Aber niemand denkt daran, mir die Stellung zu kündigen oder mich noch schärferen Repressalien von oben auszusetzen. Das Schlimmste, was ich über mich ergehen lassen muß, ist ein von Hollitscher, Schrickel, Wolfgang Heise und Hermann Scheler angestrengtes Parteiverfahren der SED-Grundorganisation wegen überheblicher und unbelehrbarer Einstellung zu der an mir geübten Kritik. Es zieht sich über Monate hin und endet, vier Wochen nach Stalins Tod im April 1953 damit, daß mir eine Parteirüge erteilt wird. Hager erklärt, ihn gehe dies nichts an, es sei eine Sache der unteren Parteiebene, die er nicht angeregt habe, gegen die er aber auch nicht einschreiten könne. Meine Stellung als Chefredakteur der »Deutschen Zeitschrift für Philosophie« werde dadurch nicht berührt.

An der Zeitschrift habe ich derweil die fürchterlichsten Kämpfe mit dem Redaktionssekretär Klaus Schrickel auszustehen, der absolut nicht damit einverstanden ist, daß ich in jeder Nummer vor allem auf Beiträge von Bloch und Lukács Wert lege. Ständig sucht Schrickel mir den übelsten niveaulosesten dogmatisch-sektiererischen Kohl aus der Sudelküche der Shdanow-Philosophie aufzudrängen, und hierbei wird er durch seinen Freund Ernst Hoffmann, aus dem ZK-Apparat, parteioffiziell gestützt. Die Zusammenarbeit mit Schrickel wird schließlich unmöglich, als dieser im Hinblick auf den bevorstehenden 60. Geburtstag von Walter Ulbricht verlangt, wir müßten in der Zeitschrift Beiträge über Ulbrichts große Verdienste um die marxistisch-leninistische Philosophie bringen. Im Zusammenhang mit diesem Ereignis ist in der DDR eine Kampagne in Gange, die darauf schließen läßt, daß der stalinistische Personenkult nunmehr auch auf Ulbricht ausgedehnt werden soll – so, wie es in Ungarn mit Rakowski, in Polen mit Bierut schon längst geschehen ist und wie es in der Tschechoslowakei mit Gottwald auch geschehen wäre, wenn den nicht, kurz nach Stalins Ableben, ebenfalls der Tod ereilt hätte. Schrickels – offensichtlich von Ernst Hoffmann angeregter – Vorschlag paßt da genau ins Bild.

Entsetzt berichte ich meinen Mitherausgebern Bloch, Baumgarten und Schröter darüber, und einhellig lehnen wir den Vorschlag ab mit der Begründung, daß Ulbricht zwar ein hervorragender Politiker und Staatsmann sei, aber mit der Philosophie nicht das Geringste zu tun habe. Schrickel ist wütend, behauptet, in Ulbrichts Reden und Schriften gebe es zahlreiche Stellen, die für die Philosophie bahnbrechend seien, und wirft mir vor, ich würde das parteilose, im Grunde »bürgerliche« Herausgeberkollegium, das eigentlich nur als Ansammlung dekorativer Galionsfiguren gedacht gewesen sei, dazu mißbrauchen, um die Durchsetzung der Parteilinie in der Zeitschrift zu sabotieren; dies werde für mich nicht ohne Folgen bleiben. Ein zweites Parteiverfahren scheint unabwendbar. Da geschieht es, daß ich infolge des vielen Ärgers mit der Logik- und der Hegeldiskussion, meiner häufig organisiert gestörten Universitätsvorlesungen und der ständigen Reibereien mit Schrickel in der Redaktion erkranke. Übelkeit und Magenbeschwerden machen mir zu schaffen. Eine Untersuchung in der Charité ergibt, daß ich als Neunundzwanzigjähriger chronische Gastritis und ein Zwölffingerdarmgeschwür habe. Der berühmte Arzt Professor Brugsch, einer der Vizepräsidenten des Kulturbundes, weist mich in der zweiten Maihälfte 1953 in die von ihm geleitete Erste Medizinische Klinik der Charité zu stationärer Behandlung ein. Als Universitätsprofessor kriege ich ein Einzelzimmer. Mitten in unaufschiebbaren Arbeiten begriffen, nehme ich die Korrekturfahnen des nächsten Heftes der philosophischen Zeitschrift ins Krankenhaus mit – dazu die Druckvorlage des neuesten Lukács-Buches, das demnächst im Aufbau-Verlag erscheinen soll: »Der junge Hegel«, für den endlich Oprecht, Zürich, uns zu erschwinglichen Bedingungen die Lizenz erteilt hat.

Während man mich mit Ulcus-Diät, feuchtheißen Bauchwickeln, Rollkuren und Pülverchen traktiert, bringe ich das von Oprecht unredigiert gedruckte Buch des Ungarn Lukács in einwandfreies Deutsch. Und so erlebe ich auf dem Krankenbett den 17. Juni 1953 mit.

Dieses Ereignis, durch das die Schrickel, Hoffmann und Konsorten plötzlich verzagt und kleinlaut werden, das außerdem der Personenkult-Kampagne für Ulbricht, noch ehe sie recht in Gang gekommen ist, schnell ein Ende setzt, und der Vorschlag Bertolt Brechts, mir wegen meiner Verdienste als Literatur- und Theaterkritiker den diesjährigen Heinrich Mann-Preis der Akademie der Künste zu verleihen, sind beruflich und politisch meine Rettung. Als ich im Juli 1953 das Krankenhaus geheilt verlasse, ist der Spuk der Anfeindungen, denen ich ausgesetzt war, zerstoben. Hollitscher hat inzwischen die Humboldt-Universität verlassen und ist nach Wien zurückgekehrt (mutmaßlich gezwungenermaßen, auf Grund einer Art Ausweisung durch die DDR-Behörden, die dahinter gekommen zu sein scheinen, daß er zu der in der Tschechoslowakei blutig liquidierten Slansky-Gruppe in engen Beziehungen gestanden hat; dies jedenfalls ist die Meinung meiner Cousine Hilde Röder, einer kommunistischen Journalistin in Wien, und ihres Mannes Carl Röder, der, langjähriger KZ-Häftling unter Hitler und ebenfalls Kommunist, in Wien bei einem sowjetischen Filmvertrieb arbeitet).

Meiner Forderung, Schrickel von der Funktion des Redaktionssekretärs zu entbinden, wird durch Hager stattgegeben. Ersetzt wird Schrickel durch Manfred Hertwig, der menschlich angenehm, in ideologischen Fragen konziliant und vernünftig und mir restlos ergeben ist. Trotzdem ist der Streit um Hegel noch nicht zu Ende. Jetzt tritt einer meiner früheren Verbündeten in der Logikdebatte, Rugard Otto Gropp, Philosophieprofessor in Leipzig und neiderfüllter Antipode Ernst Blochs am Leipziger Philosophischen Institut, mit einem Anti-Hegel-Pamphlet Stalinscher Provenienz auf den Plan, worin u.a. die Hegelinterpretationen von Lukács, Bloch und meiner Wenigkeit aufs schärfste kritisiert werden.

Gropps Beitrag ist aber – im Unterschied zu den miesen, niveaulosen Äußerungen der Hollitscher, Schrickel, Hoffmann usw. zum gleichen Thema – so kenntnisreich und niveauvoll, daß wir nicht umhin können, ihn in der »Deutschen Zeitschrift für Philosophie« abzudrucken, zumal die beiden darin angegriffenen Herausgeber, Bloch und Harich, sich nicht dem Verdacht aussetzen dürfen, Kritik an ihren Positionen unterdrücken zu wollen. Mir bleibt nichts anderes übrig, als mit dem Groppschen Pamphlet in den Spalten der Zeitschrift eine weitere Diskussion, diesmal zum Thema »Hegel und der Marxismus«, zu eröffnen und dafür zu sorgen, daß dann auch Gegner Gropps zu Worte kommen.

Kurz danach – 1954 – werden aber auch in der sowjetischen Zeitschrift »Fragen der Philosophie«, erst zaghaft und vorsichtig, dann immer vernehmlicher, Stimmen laut, die hinter Stalins Hegel-Verdammung ein Fragezeichen setzen. Und als Anfang 1956 der XX. Parteitag der KPdSU den Stalin-Kult verdammt, steht Gropp, der mit ihm operiert hat, blamiert da, während Bloch, Lukács und ich in der Hegelfrage triumphieren. (Eine dritte Diskussion in der Zeitschrift bezieht sich auf die Einschätzung der Einsteinschen Relativitätstheorie und der Heisenbergschen Unschärferelation durch den dialektischen Materialismus; hier sind die Hauptantipoden Robert Havemann und Viktor Stern.)

Logik-Diskussion und Konflikt um Hegel finden in den Jahren 1950-53 in einer politischen Atmosphäre statt, die ziemlich unerfreulich ist. Die Verquickung der geistigen Auseinandersetzung mit den übelsten politischen Verdächtigungen beherrscht die Szene. Im Hintergrund vollzieht sich die Tragödie der Verfolgung aufrichtiger Kommunisten, die in den Verdacht geraten sind, Anhänger Titos oder Agenten des mysteriösen Noel Field zu sein. Das Postulat der Stalinschen Linguistikschrift, der freien Kritik und dem Meinungsstreit in der Wissenschaft Raum zu gewähren, läßt sich nur sehr schwer dagegen durchsetzen. Eine besondere, zusätzliche Zuspitzung erfährt diese Lage in der DDR dadurch, daß die Westmächte und die Adenauer-Regierung das Stalin-Angebot (zur Wiederherstellung der Einheit Deutschlands als neutraler Staat) vom März 1952 zurückweisen und fieberhaft die Eingliederung Westdeutschlands in den Nordatlantik-Block, bei gleichzeitiger Remilitarisierung, zu betreiben beginnen. Dies stärkt ungemein diejenigen Kräfte in der SED-Führung, die darauf drängen, aus der vollzogenen Spaltung Deutschlands alle Konsequenzen zu ziehen. Als Exponent dieser Kräfte verkündet Ulbricht im Sommer 1952 auf der II. Parteikonferenz der SED den Übergang von der antifaschistisch-demokratischen zur sozialistischen Umwälzung in der DDR, und diese zweite Umwälzung wird in den Monaten danach, bis zum Juni 1953, im Zeichen der irrigen Stalinschen These, daß Aufbauerfolge des Sozialismus nicht zur Abschwächung, sondern zu äußerster Verschärfung des inneren Klassenkampfes führen müßten, sowie durch schematische Übertragung sowjetischer Methoden auf die ganz anders gearteten deutschen Verhältnisse vorangetrieben. Zwang und Druck bei der Kollektivierung der Landwirtschaft, Lebensmittelkartenentzug für Kleingewerbetreibende, Kriminalisierung selbst der geringfügigsten Steuervergehen, administrative Normentreiberei in der Industrie, Vernachlässigung der Konsumgüterindustrie und des Handels zugunsten der schwerindustriellen Produktion, übertrieben scharfe Urteile der Strafjustiz usw. sind die Folge. Dieser Zustand hält aber nicht lange an. Schon Ende Mai 1953 kriege ich im Krankenhaus durch den Leiter des Aufbau-Verlages, Erich Wendt, als der mich einmal besucht und dabei feststellt, daß ich mit Korrekturfahnen für meine Zeitschrift beschäftigt bin, den sonderbaren Wink, den Übergang der DDR zum Sozialismus besser nicht mehr in der Zeitschrift zu erwähnen. Es stünde eine radikale politische Wende bevor, die die Rückkehr zur antifaschistisch-demokratischen Politik und zu erneuten Versuchen, die Einheit Deutschlands wiederherzustellen, bedeuten werde. Und am 9. Juni ist dieser »neue Kurs« laut einer Meldung im »Neuen Deutschland«, plötzlich beschlossene Sache, wobei alle überspitzten Maßnahmen der vergangenen Monate wieder rückgängig gemacht werden.

Offensichtlich ist die Sowjetunion durch den Tod Stalins bis in ihre Grundfesten erschüttert. Offensichtlich sucht sie, durch Entspannung eine Atempause zu gewinnen. Und offensichtlich sind innerhalb der sowjetischen Führung sogar Kräfte am Werk, die in diesem Zusammenhang das Stalinsche Wiedervereinigungs- und Neutralisierungsprojekt vom Frühjahr 1952 jetzt sogar um den Preis noch größerer Zugeständnisse an den Westen zu verwirklichen wünschen. Wenig später wird man erfahren, daß Stalins Geheimdienstchef Berija der Exponent dieser Gruppe ist, deren Vertrauensleute im SED-Politbüro, der Staatssicherheitsminister Zaisser und der Chefredakteur des »Neuen Deutschland« Herrnstadt, zwei alte sowjetische Geheimdienstagenten sind. Berija wird dann zwar im Juli gestürzt werden, mit der Konsequenz des Ausschlusses von Herrnstadt und Zaisser aus der SED, aber noch bis 1955 werden Stalins Nachfolger Malenkow und nach ihm Chruschtschow und Bulganin dem Westen gegenüber immer wieder auf das Stalinangebot von 1952 zurückkommen, solange, bis die Ratifizierung der Pariser Verträge sie zu der Erklärung veranlassen wird, daß nunmehr – nach dem NATO-Eintritt der Bundesrepublik – Gespräche über die deutsche Wiedervereinigung »gegenstandslos« geworden seien.

Die Bevölkerung der DDR nimmt die Beschlüsse vom 9. Juni 1953 mit einem großen, erleichterten Aufatmen zur Kenntnis, das ich bis in meine Krankenstube, bei Ärzten, Schwestern, Pflegern, Patienten, Besuchern usw., spüre. In den Tagen danach wächst diese Erleichterung sich zu einer gefährlichen Euphorie aus. Jeder glaubt, nun sei das Zeitalter der Freiheit angebrochen. Jeder fühlt sich ermutigt, die Partei frei von der Leber weg zu kritisieren, nachdem deren höchstes Führungsorgan in den Spalten des »Neuen Deutschland« unumwunden zugegeben hat, schwere Fehler begangen zu haben. Und als bei solcher Massenstimmung ein paar nicht schnell genug umdenkende Funktionäre den Bauarbeitern in der Stalin-Allee eine weitere Normentreiberei zumuten, da kommt es zu Streiks und Protestdemonstrationen, die im Nu einen allgemeinen Volksaufstand auslösen, der besonders in Berlin, durch die Aktivität herbeiströmender antikommunistischer Rowdies aus den Westsektoren, die schärfsten Formen annimmt. Nur die sowjetischen Panzer vermögen die Situation nun noch zu meistern.

Die psychologischen Auswirkungen dieses 17. Juni nehme ich in meiner Krankenstube in der Charité an einem jungen Verlagsboten wahr, der mir alle paar Tage die neuesten Korrekturfahnen der »DZfPh« ans Bett bringt und die schon korrigierten Fahnen dabei wieder abholt. Es ist ein schläfriger, phlegmatischer Junge. Nach dem 9. Juni entpuppt er sich als aufgeweckt, lebendig und brennend an Politik interessiert, und gar nach dem 17. Juni hält er an meinem Krankenbett eine flammende, dabei durchaus fundierte Anklagerede gegen unsere agrarpolitischen Mißgriffe, die in der Forderung gipfelt, die dafür Verantwortlichen müßten eingesperrt werden. Obwohl ich über diesen Ausbruch von Antipathie gegen meine Partei natürlich entsetzt und verzweifelt bin, kann ich mich dem Zauber der damit verbundenen menschlichen Metamorphose eines vorher gleichgültigen, indifferenten Knaben, den der Aufruhr über sich hinauswachsen läßt, kaum entziehen. Ähnlich geht es Brecht, der mich während meiner Lazarettzeit häufig besuchen kommt, draußen vielfach die gleiche Beobachtung gemacht hat und mir bei seinem ersten Besuch nach dem 17. Juni sogleich entgegenruft: »Es ist großartig, die Berliner Proleten sind wie ausgewechselt, sie dichten sogar: *Spitzbart, Bauch und Brille / Sind nicht des Volkes Wille!* Dies ist zwar noch keine große Literatur, den Rang der Marseillaise erreicht es noch nicht ganz, aber ein Anfang von Poesie ist da.« (Mit dem Spitzbart ist natürlich Ulbricht, mit dem Bauch Pieck, mit der Brille Grotewohl gemeint.)

Brecht hat am 17. Juni in einem Schreiben an Ulbricht die Partei seiner Loyalität und Unterstützung versichert und die Niederschlagung des Aufstandes bejaht, hat zugleich aber betont, daß schwere Fehler dessen Ursache seien, die nun radikal beseitigt werden müßten. Um die Frage, wie das geschehen könne und was da getan werden müsse, drehen sich die Gespräche, die Brecht mit mir am Krankenbett führt, wobei wir beide von der Gruppe Herrnstadt-Zaisser nichts wissen. Ich äußere – aus Gründen, die unten noch darzulegen sein werden – die Ansicht, daß der DDR jetzt ein »von der Sowjetunion geduldeter und geförderter Titoismus« nottue, und schlage vor, in dieser Richtung aktiv zu werden. Brecht bestreitet nicht, daß das möglicherweise richtig sei, hält es aber für zu gefährlich, als Intellektueller mit einer derartigen Forderung aufzutreten, und meint, wir sollten uns darauf beschränken, der Kulturpolitik eine neue Richtung zu geben. Dabei hat er durchaus keinen prinzipienlosen Liberalismus im Sinn, wohl aber eine Befreiung der *sozialistischen* Kunst von allen bürokratischen und dogmatischen Behinderungen. Ausführlich berichtet er mir über diesbezügliche Debatten in der Akademie der Künste und resümiert, die entscheidende Aufgabe sei zunächst, die Staatliche Kunstkommission zu stürzen und die ihr hörigen publizistischen Einpeitscher in der Kunstkritik unmöglich zu machen. Die weitergehenden Bestrebungen des Präsidialrats des Kulturbundes, die auf eine totale, umfassende Liberalisierung – mit Einschluß voller Wiederherstellung der Pressefreiheit usw. – abzielen, lehnt Brecht in der Folgezeit als Rückfall in bürgerliche Vorstellungen ab. Die Diktatur der Partei muß, nach seiner Auffassung, aufrechterhalten bleiben, aber in Zukunft so gehandhabt werden, daß sie sich wirklich auf die Arbeiterklasse und die progressive Intelligenz stützen kann. Und da er dem Kommuniqué des Politbüros vom 9. Juni 1953 entnehmen zu können glaubt, daß die Parteiführung die allgemeinen politischen Maßnahmen, die zur Durchsetzung eines so verstandenen neuen Kurses notwendig sind, von sich aus durchführen werde, daß sie aber von Kunst und Literatur zu wenig verstehe, um imstande zu sein, diesen Kurs durch eine entsprechende Kulturpolitik zu ergänzen, will Brecht sich ganz auf den Sturz der Kunstkommission beschränken. Hierfür möchte er mich gewinnen, und unter seinem Einfluß richte ich, immer noch von der Charité aus, einen diesbezüglichen Brief an Otto Grotewohl (Mitglied des Politbüros und Vorsitzender des Ministerrates), worin ich ebenfalls, nach dem Vorbild Brechts, der Partei meine Loyalität bekunde, aber damit die Forderung nach der Korrektur schwerwiegender Fehler ihrer bisherigen Politik verbinde, für deren kulturpolitische Aspekte ich ein paar, ich glaube, nützliche Ratschläge geben könne. Der Erfolg ist, daß Grotewohl mir, unter dem Datum des 30. Juni, durch seinen Chauffeur einen Brief ins Krankenhaus bringen läßt, der mich dringend auffordert, meine Gedanken und Vorschläge möglichst schnell zu Papier zu bringen und diese Denkschrift schon in den nächsten Tagen seinem – Grotewohls –

Sekretär, dem Genossen Tzschorn, auszuhändigen. Mit der Hand kritzle ich im Bett die Denkschrift nieder und lasse sie Grotewohl zukommen. Während ich damit noch beschäftigt bin, suchen mich in der Charité zwei Referenten von Paul Wandel, Minister für Volksbildung, Mitglied des ZK, auf und bitten mich ebenfalls um eine Meinungsäußerung über die Kulturpolitik der Partei und die zu ihrer Veränderung, im Sinne des neuen Kurses, notwendigen Maßnahmen, worüber ich mich ihnen gegenüber mündlich in großer Ausführlichkeit auslasse, während sie sich eifrig Notizen machen.

Bei der Verleihung des Heinrich Mann-Preises an Stefan Heym, Max Zimmering und mich in der Akademie der Künste kommt es daraufhin zu Gesprächen zwischen Paul Wandel und Brecht, Paul Wandel und mir (jeweils unter vier Augen) sowie einer Unterhaltung zu viert zwischen Wandel, Brecht, Johannes R. Becher und mir (Becher ist sowohl Präsident des Kulturbundes als auch Akademiepräsident und in der letzteren Eigenschaft hat er die Preisverleihung vorgenommen). Dabei bezeichnen Wandel und Becher – wohlgemerkt: zwei ZK Mitglieder – Brechts und meine Vorschläge als außerordentlich gemäßigt und harmlos (was sie, verglichen mit den Vorschlägen, die Becher sich inzwischen durch die bürgerliche Mehrheit im Kulturbundpräsidialrat hat aufdrängen lassen, in der Tat sind). Als ich aber einige Tage später, noch nicht ganz geheilt, auf eigenen Wunsch das Krankenhaus verlasse, um dem Kampf für die neue Kulturpolitik voll zur Verfügung zu stehen, scheint oben die Stimmung bereits wieder umzuschlagen.

Ein Zusammentreffen mit Grotewohls Sekretär Tzschorn, auf dessen Einladung, in seiner Wohnung, hat offensichtlich nur den Sinn, meinen – wie Tzschorn sagt: »sicher gut gemeinten, aber etwas übertriebenen« – Eifer zu dämpfen, und in den Wein meiner Denkschrift werden von Tzschorn ganze Tonnen Wasser geschüttet. Dies veranlaßt Brecht und mich, nunmehr auf eigene Faust zu handeln. Im Sinne der Denkschrift verfasse ich für die »Berliner Zeitung« einen Artikel, der mit den üblen Praktiken der Staatlichen Kunstkommission und der ihr hörigen Kritiker abrechnet, und Brecht liefert dazu seine berühmten Gedichte aus Anlaß des 17. Juni. Die Feuilletonredaktion der »Berliner Zeitung, damals geleitet von Jürgen Rühle (einem Protegé meiner – 1950 durch

Selbstmord geendeten – Schwester Susanne Kerckhoff), druckte Brechts Gedichte gegen die Kunstkommission und meinen Artikel ab, und beides erregt unter den Intellektuellen und Künstlern großes Aufsehen und begeisterte Zustimmung, kriegt allerdings auch sofort aus Westberlin Beifall von der falschen Seite, was in den darauffolgenden Wochen Brecht und mich denn doch bedenklich stimmt und schließlich den Bemühungen der Partei, unsere Opposition zu zähmen, zum Erfolg verhilft.

Kurz vor dem Urlaub, den ich in Ahrenshoop verbringe, erfolgen der Sturz Berijas und der Ausschluß Herrnstadts und Zaissers aus der Partei. Kurz vor Berijas Sturz hat in Moskau noch Malenkow die sogenannte »Ärzteverschwörung«, mit der Stalin gegen Ende seines Lebens aus rätselhaften Gründen eine Verfolgungskampagne gegen den jüdischen Teil der sowjetischen Intelligenz hat einleiten wollen, als einen von sowjetfeindlichen Kräften im Geheimdienstapparat konstruierten Fall entlarvt und die verhafteten Ärzte freigelassen und voll rehabilitiert. Die Intellektuellen in der DDR begrüßen dies durchweg mit einem Aufatmen, aber ebendeswegen wird nun für sie in Berija der Mann suspekt, der das Stalin-Angebot vom Frühjahr 1952 unter noch größeren Zugeständnissen an den Westen mit der Aussicht auf Wiederherstellung der Einheit Deutschlands unter bürgerlichem Regime, hat erneuern wollen und der hinter der Gruppe Herrnstadt-Zaisser im SED-Politbüro gestanden hat. Dies erleichtert es dem – von Herrnstadt und Zaisser am meisten angegriffenen – Ulbricht, der Opposition der Intellektuellen Herr zu werden: Ausgerechnet der als blutbesudelter Terrorist entlarvte, unschuldige Menschen verfolgende, der Geißel des Antisemitismus neuen Auftrieb gebende Berija hat, mit Hilfe des bei der DDR-Bevölkerung höchst unbeliebten Staatssicherheitschefs Zaisser, die DDR an den Imperialismus verraten wollen, und dem haben die Liberalisierungsforderungen der opponierenden Intelligenz in der DDR Vorschub geleistet.

Im »Neuen Deutschland« erscheint daher ein Artikel, in dem ein gewisser Walter Besenbruch, Professor für Ästhetik am Philosophischen Institut der Humboldt-Universität, die für umfassende Liberalisierung eintretende Resolution des Kulturbundpräsidenten von Anfang Juli und meinen Artikel in der »Berliner Zeitung« (allerdings unter Ignorierung des Gedichts von Brecht gegen die Kunstkommission) in einen Topf wirft und beides als unerhörten Verrat am Sozialismus brandmarkt. Als ich aus dem Ahrenshooper Urlaub zurückkehre, macht man mich in einer Vollversammlung der SED-Grundorganisation des Philosophischen Instituts an der Humboldtuniversität moralisch fertig zusammen mit denjenigen Studenten, die sich am 17. Juni dazu haben hinreißen lassen, mit den Bauarbeitern von der Stalin-Allee gegen die Regierung zu demonstrieren. Ich bestehe darauf, daß der sachliche Kern meines Angriffs auf die Kunstkommission berechtigt gewesen sei und der Partei geholfen habe, Fehler zu überwinden. Darüber mit mir zu diskutieren lehnen die Funktionäre ab und verlangen von mir, ich solle selbstkritisch zugeben, daß die Situation nach dem 17. Juni, mit einer ohnehin gegen die Partei aufgebrachten Bevölkerung, der falsche Zeitpunkt gewesen sei, hohen staatlichen Organen Fehler vorzuwerfen, die eine breitere Öffentlichkeit bis dahin gar nicht gesehen und beanstandet habe und die jetzt erst, durch meinen Artikel, von der reaktionären Westpresse zur Zielscheibe ihrer Anti-DDR-Propaganda gemacht würden.

Da die Funktionäre dies aus langen Artikeln der Westberliner Zeitungen wie »Tagesspiegel«, »Kurier, »Welt«, usw. überzeugend belegen und diese Artikel in der Tat alle Kriterien antikommunistischer Hetze erfüllen, bleibt mir nichts anderes übrig, als mit Bedauern festzustellen, daß ich diese Folge meiner Polemik gegen die Kunstkommission nicht vorausgesehen hätte und daß sie mir aufrichtig leid tue. Dies genügt den Funktionären, denn es trägt entscheidend dazu bei, die Mehrheit der versammelten studentischen SED-Mitglieder wieder fest unter ihre Autorität zu bringen und die wenigen, die sich nach wie vor zum 17. Juni bekennen, zu isolieren bzw. mundtot zu machen. Von einem neuerlichen Parteiverfahren gegen mich wird abgesehen, ja, es wird zugegeben, daß die Kampagne gegen mich in der Hegelfrage eine der fehlerhaften Überspitzungen gewesen sei, die durch die Politik des neuen Kurses am Philosophischen Institut wirklich überwunden werden müßten, und daß ich auch darin recht gehabt hätte, der Forderung Schrickels nach Huldigung für den Genossen Ulbricht in der »Deutschen Zeitschrift für Philosophie« Widerstand entgegenzusetzen. Ich behalte also nicht nur meine Professur und meinen Chefredakteursposten, sondern werde auch noch in der Redaktion den mir lästigen Schrickel los, und als es im Spätherbst zu Leitungsneuwahlen in der Partei kommt, werde ich sogar in die Parteileitung des Philosophischen Instituts gewählt.

Diese Wendung der Dinge ist in ihrer Ambivalenz charakteristisch für die damalige Taktik des – über Herrnstadt und Zaisser obsiegenden – Ulbricht. Ulbricht liquidiert mit eiserner Konsequenz alle Überspitzungen, die den 17. Juni heraufbeschworen haben – die administrative Normentreiberei in der Industrie, dic Vernachlässigung des Massenkonsums zugunsten schwerindustrieller Projekte, die überstürzte, von Zwangsmaßnahmen begleitete Kollektivierung auf dem Agrarsektor, den Entzug der Lebensmittelkarten für Privatunternehmer und Kleingewerbetreibende und auch die drückendsten stalinistischen Drangsalierungen der Intelligenz – und setzt gleichzeitig ebenso energisch jedem Bestreben Widerstand entgegen, mit Hilfe des neuen Kurses die Machtstellung der Partei zu untergraben oder gar die fundamentalen sozialistischen Neuerungen der Nachkriegsjahre in der DDR rückgängig zu machen. In diesem Sinne taktiert er sehr elastisch, d.h. konzessionsbereit und repressiv zugleich. Z.B. denkt er nicht daran, der Forderung der Aufständischen vom 17. Juni nach Liquidation der Staatssicherheit nachzugeben. Aber er gibt zu, daß sich die Staatssicherheit unter dem Berija-Agenten Zaisser (!) ungesetzlicher Praktiken schuldig gemacht habe, und degradiert daher, um dies für die Zukunft unmöglich zu machen, das Ministerium für Staatssicherheit vorübergehend in ein bloßes Staatssekretariat, das er dem von Willi Stoph, einem bei der Bevölkerung als absolut integer geltenden Mann, geleiteten Innenministerium unterstellt.

Und ähnlich verfährt Ulbricht auch mit der – bei den Intellektuellen verhaßten – Kunstkommission. An deren Spitze stehen Helmuth Holtzhauer und Ernst Hoffmann (ich nenne ihn »Ernst Hoffmann II«, damit er nicht mit dem anderen Ernst Hoffmann, meinem Gegner in der Logik- und Hegeldiskussion, verwechselt werde). Holtzhauer ist ein – seit dem Ende der Zwanziger Jahre zum Kommunismus bekehrter – Industrieformgestalter aus den berühmten »Deutschen Werkstätten Hellerau«, der von daher gediegenen ästhetischen Geschmack mitbringt und, stark beeinflußt durch die Schriften von Georg Lukács, in Kunst und Literatur auf alles Klassische eingeschworen ist. Er haßt und verabscheut alle modernistischen Strömungen, darunter auch das Brechttheater, dessen

Tolerierung er nur als eine – durch Brechts großen Namen erzwungene – politische Konzession betrachtet. Besonders aber haßt Holtzhauer die moderne Kunst und Architektur. Von Lukács unterscheidet Holtzhauer sich durch seinen Mangel an Bildung und geistiger Elastizität und seine absolut bürokratischen Leitungsmethoden, die nur Verbote und Drangsalierungen kennen und die Unterdrückung der mißliebigen Kunstströmungen stets zugleich mit politischer Diffamierung der betreffenden Künstler verbinden. Ernst Hoffmann II ist ein Arbeiterfunktionär aus der Sozialdemokratie, der, bei völliger Unbildung und totaler geistiger Unsicherheit und Unbeholfenheit, die alte SPD-Losung »Die Kunst dem Volke« dahingehend mißversteht, daß unverständliche, schwer eingängige Kunst im Sozialismus nichts zu suchen habe, und der aus der DDR einen einzigen großen Arbeiterbildungsverein machen möchte und sich außerdem durch Ulbrichts Kampf gegen den Sozialdemokratismus dazu gedrängt fühlt, übereifrig unter Beweis zu stellen, sich aus einem Sozi zu einem echten, linientreuen, lupenreinen Kommunisten gemausert zu haben.

(Bloch meint, E.T.A. Hoffmann habe sich vorsorglich »Theodor Amadeus« genannt, um weder mit Ernst Hoffmann I noch mit Ernst Hoffmann II verwechselt zu werden.) Holtzhauer und Hoffmann benutzen seit der Einsetzung der Staatlichen Kunstkommission (1950? 1951?) ihre Machtposition dazu, einen Unterdrückungsfeldzug gegen die moderne Kunst zu führen. Ihre wichtigsten publizistischen Helfer sind dabei Wilhelm Girnus, im Redaktionskollegium des »Neuen Deutschland«, und Kurt Magritz, der Kunstkritiker der »Täglichen Rundschau«.

Girnus ist ein ehemaliger Studienreferendar aus Königsberg, der als Kommunist die ganze Nazizeit im KZ verbracht hat, und seit 1945 den brennenden Ehrgeiz entfaltet, es zum Kulturpapst zu bringen, wobei er seine Halbbildung durch beflissene Anpassung an die jeweilige Parteilinie überspielt. Magritz ist ein gescheiterter bildender Künstler (Maler) mit Minderwertigkeitskomplexen, der sich an seinen berühmt gewordenen großen Kollegen neiderfüllt dadurch zu rächen sucht, daß er negative Kritiken über ihre Werke schreibt. Begriffen haben Girnus und Magritz, daß es unter Stalin opportun ist, für akademische Klassizität einzutreten. Angeeignet haben sie sich von Stalin und Shdanow die Verquickung ästhetisch-ideologischer Kritik mit politischen Diffamierungen. Als der bedeutende Schriftsteller Ludwig Renn z.B. in einem Artikel vorsichtig für die Bauhaus-Tradition der zwanziger Jahre eintritt und zu sagen wagt, daß das Bauhaus seinerzeit eine progressive Rolle gespielt habe, wird er von Girnus in einem denunziatorischen Artikel als »Trotzkist« abgekanzelt. Die Barlach-Pflege in der DDR – in der ja Barlachs Güstrow liegt – sucht Girnus restlos kaputt zu machen mit der Behauptung, Barlach sei ein Mystiker und Apologet des Rückständigen, der ideologisch nur Verwirrung stiften könne (dies der Anlaß für Brecht, in einem Essay über Barlach dessen Erbe zu verteidigen).

Magritz wiederum preist den bildenden Künstlern in der DDR Anselm Feuerbach (»Nana«) als Vorbild an und kritisiert jeden DDR-Maler in Grund und Boden, der von dieser Norm abweicht (was Brecht veranlaßt, in seiner Inszenierung des »Biberpelz« und des »Roten Hahn« am Berliner Ensemble die Stube der Mutter Wolffen mit einer Reproduktion von Feuerbachs »Nana« in kitschig verschnörkeltem Goldrahmen zu zieren).

Die katastrophalen Auswirkungen der Kulturpolitik der Kunstkommission werden mir einerseits durch meine Freundschaft mit einigen bildenden Künstlern – vor allem den Bildhauern Gustav Seitz und Fritz Cremer und dem Zeichner Herbert Sandberg – sowie durch Diskussionen mit dem großen Kunsthistoriker Hamann (Professor an der Humboldt-Universität und Marburg/Lahn) und seiner Schülerin Edith Baltzer (die unter dem Namen Feli Eick Kunstkritiken für die »Berliner Zeitung« schreibt), dann aber auch durch meine Tätigkeit als Lektor am Aufbau-Verlag bewußt (der Cheflektor Max Schröder, einer meiner engsten Freunde, hat Kunstgeschichte studiert, betreut mit besonderer Liebe die Kunstpublikationen des Verlages, darunter einen wundervollen jährlich erscheinenden Kunstkalender, und wird immer wieder zu Holtzhauer und Ernst Hoffmann II zitiert, die ihm mit ideologischen Belehrungen Zeit und Nerven rauben und ihm mit Verboten seine liebsten Verlagsprojekte verderben).

Unter den Malern, Zeichnern, Bildhauern, Architekten und Kunsthistorikern der DDR herrscht tiefste Niedergeschlagenheit, viele von ihnen gehen in den Westen, andere, die ihre kommunistische Gesinnung davor zurückhält, verlieren jede Lust am Produzieren oder tragen sich sogar mit Selbstmordgedanken. Die Freundschaft mit Edith Baltzer, zwar platonisch bleibend, aber nicht frei von erotischer Atmosphäre, bringt mir diese Misere unserer Kulturpolitik auch emotionell sehr nahe. 1952 unternehmen die Baltzer und ich eine gemeinsame Reise nach Dresden, wo aus Anlaß eines Dürerjubiläums eine Konferenz der Kunsthistoriker der DDR stattfindet. Der Kunsthistoriker Ladendorf von der Leipziger Universität sucht aus der Konferenz eine wissenschaftlich fundierte historische Würdigung Dürers zu machen, der Ästhetik-Experte Walter Besenbruch vom Philosophischen Institut der Humboldt-Universität Berlin aber funktioniert sie im Zusammenwirken mit den Parteigängern der Kunstkommission aktualisierend um, indem er verkündet, vor den Malern der DDR stehe die Aufgabe, so zu malen wie Dürer und nicht anders, d.h. der dekadenten modernen Kunst abzusagen.

Edith Baltzer soll darüber in der »Berliner Zeitung« berichten. Mit ihrem Einverständnis schreibe ich ihren Artikel jedoch so um, daß daraus eine bissige Polemik gegen diese geschichtsfremde Idiotie der Besenbruch und Konsorten wird. Mit Vergnügen druckt Jürgen Rühle den Artikel in der »BZ« ab. Er und die Baltzer werden dadurch zum ersten Mal bei der Kunstkommission mißliebig. Dies geschieht im Herbst 1952. Im Winter 1952/53 spitzt sich die Lage für die bildenden Künstler so bis zur Unerträglichkeit zu, daß etwas geschehen muß, um ihren vollständigen Exodus aus der DDR aufzufangen und drohende Selbstmorde zu verhindern. In dieser Situation erscheint ein Artikel des Chefredakteurs des »Neuen Deutschland«, Rudolf Herrnstadt, gegen einen Funktionär der mittleren Parteiebene namens Müller, der Kritik von unten unterdrückt hat. Das Wort »Müllern« wird in der Partei zum Synonym für derartige Praktiken. Ermutigt durch Herrnstadts Artikel schreibe ich an ihn einen Brief, worin ich ihn darauf aufmerksam mache, daß Girnus als Mitglied des Redaktionskollegiums des »Neuen Deutschlands« die bildenden Künstler der DDR in Unproduktivität, Verzweiflung und Resignation, wenn nicht in politische Feindseligkeit, hineintreibe. Herrnstadt, der sich die Möglichkeit, mich wegen dieses Vorstoßes zu »müllern«, genommen hat, lädt ca. 20 bildende Künstler und mich in die Redaktion des »Neuen Deutschland« ein, um mit Girnus zu diskutieren.

Girnus tritt als heftiger Verfechter der Linie der Kunstkommission auf. Herrnstadt selbst nimmt, als Vorsitzender der Zusammenkunft, Girnus entschieden in Schutz und sucht zugleich mit einer so aalglatten, schwierigen Taktik des Einserseits-Andererseits die sonstigen Anwesenden zu beschwichtigen – nicht ohne in gefährlich klingenden Parenthesesätzen Repressalien anzudrohen –, daß keiner mehr den Mund aufzumachen wagt. Die Sache geht aus wie das Hornberger Schießen. Es ändert sich nichts. Dies ist die Vorgeschichte meines Angriffs auf die Kunstkommission sowie auf Girnus und Magritz im Juli 1953. Ich bin zwar kein Experte für bildende Kunst, aber ich weiß, daß es sich hier um dasjenige Gebiet handelt, auf dem die kulturpolitischen Überspitzungen des alten Kurses der Partei sich am fürchterlichsten ausgewirkt haben. Und als Brecht mir bei einem seiner Besuche in der Charité klarmacht, daß im Kampf für eine gründliche Korrektur der begangenen kulturpolitischen Fehler der Angriff auf die Kunstkommission das »Hauptkettenglied!« ist, leuchtet mir das sofort ein.

Da unter den Politbüromitgliedern Herrnstadt meine Einstellung zu diesem Punkt bereits seit Monaten kennt, läge es eigentlich nahe, mich an ihn zu wenden. Herrnstadt hat bei mir aber im Winter einen so wenig vertrauenerweckenden Eindruck hinterlassen und sich so sehr als mit Girnus d'accord gezeigt, daß ich von ihm nichts Gutes mehr erwarte. So schreibe ich nicht ihm, sondern Grotewohl – ohne von der Fraktion Herrnstadt-Zaisser das geringste zu ahnen, die mich andernfalls sicher in ihr Komplott mit hineingezogen hätten. Als dann Grotewohl mich nach anfänglich größtem Interesse an meinen Gesichtspunkten als Berater wieder abhängt, schlage ich gegen Holtzhauer, Ernst Hoffmann II, Magritz und Girnus öffentlich, publizistisch los. Wie aber verhält sich nun der – über die Hernnstadt-Zaisser-Fraktion obsiegende – Ulbricht? Er tastet die Kunstkommission zunächst nicht an, sondern setzt, im Gegenteil, deren Kritiker durch den Besenbruchschen Artikel im »Neuen Deutschland« und durch besagte Parteiversammlung in der Humboldt-Universität, bei der man mich zur Selbstkritik zwingt, solange unter Druck, bis wir resigniert den Mund halten. Und nachdem er das erreicht hat, macht Ulbricht sich selbst – und damit die Partei – zur Exekutive des Unwillens der Künstler, indem er die Kunstkommission auflöst und sie durch ein Ministerium für Kultur, mit Johannes R. Becher als Minister an der Spitze, ersetzt.

Holtzhauer wird die Leitung der Nationalen Gedenkstätte im Weimar übertragen – wo er seinen klassizistischen Geschmack als Denkmalpfleger bestätigen kann –, Hoffmann II kriegt ein Dezernat beim Berliner Magistrat, Girnus steigt als Sekretär des Ausschusses für deutsche Einheit in eine politische Funktion auf, die zwar höher ist als seine frühere, mit Kultur aber nichts mehr zu tun hat, und auf Magritz' Artikel braucht keiner mehr etwas zu geben, ihre autoritative Bedrohlichkeit gehört ein für allemal der Vergangenheit an, nachdem Becher unter dem Beifall Brechts und seiner Freunde als Minister ex cathedra verkündet hat, den Kampf für den Realismus in der Kunst und für die Pflege klassischer Kulturtraditionen mit den Mitteln administrativer Repression oder gar mit politischen Denunziationen führen zu wollen sei absurd und eines Marxisten unwürdig. Alles ist wieder zufrieden, und die Autorität der Partei bleibt gleichwohl gewahrt.

Der Hauptsieger unter den Kulturschaffenden aber heißt Brecht. Er wird einerseits vom Vertrauen der gesamten opponierenden Intelligenz getragen, genießt andererseits aber auch, wegen seines Loyalitätstelegramms vom 17. Juni, das von nun an unbeschränkte Wohlwollen Ulbrichts. Außerdem wird Brecht sich durch seine Inszenierung von Johannes R. Bechers »Winterschlacht« am Berliner Ensemble die Dankbarkeit des neuen Kulturministers erwerben, und seine einflußreichsten Gegner in Partei und Staat sind gestürzt: Holtzhauer in Auswirkung meines Artikels in der »Berliner Zeitung« und Politbüromitglied Anton Ackermann, der Protektor der Stanislawski-Schule, als – Mitglied der Fraktion Hernnstadt-Zaisser. Schleunigst wird der Wiederaufbau der Volksbühne am Luxemburgplatz für den präsumtiven Volksbühnen-Intendanten Fritz Wisten zum Abschluß gebracht, schleunigst erhält Helene Weigel die damit vakante Intendanz am Schiffbauerdamm. Und während in den folgenden drei Jahren Brecht am Schiffbauerdamm das Berliner Ensemble zu seinen glanzvollsten Leistungen führt, beeinflußt er gleichzeitig, bis zu seinem Tode im August 1956, über seinen weniger bedeutenden und intelligenten Freund Becher die DDR-Kulturpolitik in ihrer liberalsten Phase.

Mit dem Kampf gegen die Kunstkommission endet im Sommer 1953 die Phase meiner sich in kulturpolitischen Grenzen bewegenden Opposition, die 1946 noch während meiner journalistischen Tätigkeit für den »Kurier« mit dem Kampf gegen die Intendanz Wangenheim am Deutschen Theater begonnen hatte. Nach meiner Verhaftung und Verurteilung 1956/57 haben einige westliche Publizisten gemeint, ich sei damals, 1946-53, im Grunde bereits ein Opponent der SED auch in politischer Hinsicht gewesen, der kulturelle Streitfragen nur als verhältnismäßig gefahrlosen Vorwand benutzt hätte, um die Autorität der Partei zu untergraben. Genau dies ist 1952, im Zusammenhang mit der Hegeldebatte, auch schon von seiten meiner damaligen Gegner in der Partei selbst – von Hollitscher, Schrickel und Ernst Hoffmann I – behauptet worden – freilich mit umgekehrtem, negativem Bewertungsakzent. Nichts davon ist wahr. Politisch war ich in jenen Jahren, 1946-53, jederzeit und auch in bezug auf die heikelsten Probleme (Einschätzung der Prager Ereignisse von 1948, des Bruchs zwischen Stalin und Tito 1948, der sogenannten Berlin-Blockade 1948/49, der Anfänge des Koreakrieges 1950 usw. bis hin zur Niederschlagung des Aufstandes vom 17. Juni 1953) ein unbedingt linientreuer Kommunist, wenn man so will: Stalinist. Aber aus eben dieser politischen Einstellung heraus wollte ich auf den Gebieten, von denen ich etwas verstehe – Philosophie, Literatur, Theater, Kunst – unter Ausnutzung der mir jeweils gebotenen Möglichkeiten als Journalist, als Verlagslektor, als Universitätsdozent, alles nur Erdenkliche tun, um der Ostzone bzw. der späteren DDR zu Glanz und Ansehen zu verhelfen. Aus keinem anderen Grunde setzte ich mich für alles ein, was Niveau und Qualität hatte – für eine optimale Besetzung des Intendantenpostens am Deutschen Theater, für die Überlassung eines eigenen Theaters an Brecht, für die freie, ungehinderte Entfaltung des Brechtianertums neben der Stanislawskischule, für die Pflege des Erbes von Goethe und der klassischen deutschen Philosophie (Kant, Herder, Fichte, Hegel), für neue, gediegene Klassikerausgaben, für das Erscheinen der Werke von Lukács und Bloch, für eine niveauvolle, interessante marxistische Philosophiezeitschrift, für die volle Rehabilitation der formalen Logik, für die wertvollen Leistungen der liberalen Literaturwissenschaft des 19. Jahrhunderts und schließlich auch für die Daseinsberechtigung der modernen Malerei und Plastik. In einigen Fällen ging ich dabei mit dem sogenannten Stalinismus völlig konform (z.B. was die Goethepflege und gediegenen Klassikerausgaben betraf, desgleichen mit der überwältigenden Mehrzahl meiner für die »Tägliche Rundschau« verfaßten Theater- und Literaturkritiken), in anderen Fällen nutzte ich den Stalinkult aus, um aus ihm für meine Zwecke herauszuholen, was er hergab (z.B. in der Logikdiskussion), und in wieder anderen Fällen geriet ich mit ihm in Konflikt (z.B. in der Hegelfrage und im Eintreten für die moderne Kunst). Aber selbst in den letztgenannten Fällen stand ich der Partei, so sehr ich auch von ihr angefeindet wurde, mehr als loyal gegenüber und kannte keinen höheren Zweck, als ihr zu nützen. Es kam mir dabei auch gar nicht so sehr auf meinen eigenen Geschmack und meine eigenen philosophischen Überzeugungen an – der Gesichtspunkt, das Niveau der DDR anzuheben bzw. vor einem Absinken zu bewahren, hatte bei mir immer Vorrang. Zum Beispiel bin ich selbst an sich kein Freund der modernen Kunst; Tizian, Rafael und Dürer stehen mir unendlich viel näher als sie, ja, der Gedanke, daß der Modernismus ein Fäulnisprodukt des niedergehenden Kapitalismus sei, leuchtet mir durchaus ein. Aber ich fand es einen unerträglichen wie für die DDR blamablen Blödsinn, aus derartigen Erkenntnissen kurzschlüssig die Konsequenz zu ziehen, Künstler, die nicht wie Tizian oder Dürer malen wollten, müßten unterdrückt werden, und wenn im Zeichen einer solchen blödsinnigen Parole Maler und Bildhauer von Rang und Namen aus der DDR vergrault zu werden drohten, dann kämpfte ich mit aller Kraft dagegen an, ganz egal, ob ihre Bilder mir zusagten oder nicht.

Ich bin auch kein Anhänger der Philosophie Ernst Blochs, die meisten ihrer Eigenwilligkeiten lehne ich als unmarxistisch ab, ihre Berührungspunkte mit meinen eigenen philsophischen Auffassungen sind sehr partieller Natur und eng begrenzt. Trotzdem habe ich mich mit Bloch verbündet, habe ihn schon 1949 als Mitarbeiter für die »Tägliche Rundschau« und die »Neue Welt« gewonnen, habe später als Lektor beim Aufbau-Verlag eine Gesamtausgabe seiner Werke angeregt und in Angriff genommen (wie sie jetzt bei Suhrkamp erscheint) und habe dafür gesorgt, daß in der »Deutschen Zeitschrift für Philosophie«, solange ich sie leitete, in fast jedem Heft ein längerer Beitrag von ihm erschien – warum?

Weil Bloch großes Niveau hat, weil er herrlich schreiben kann, weil seine Problemstellungen aufregend interessant sind (wie fragwürdig seine Problemlösungen mitunter auch sein mögen), weil er ein Stück großer philosophischer Kultur verkörpert und die DDR in der Beziehung sonst nichts Ebenbürtiges aufzuweisen hatte.

Ebenso wie Illoyalität lag mir Cliquenbildung fern, obwohl ich gezwungen war, mit wechselnden Partnern Bündnisse einzugehen, die mitunter wie Cliquen ausgesehen haben mögen. Der Anschein, daß es sich um Cliquen gehandelt hat, trügt, und das läßt sich sehr einfach beweisen: Dieselben Leute, die in bezug auf eine bestimmte Frage meine Bündnispartner waren, habe ich in anderen Zusammenhängen auch wieder bekämpft, und beides, Konflikt und Bündnis, standen auf meiner Seite jedesmal im Zeichen des gleichen Kampfes für das kulturelle Niveau der DDR. In der Logikdiskussion fand ich z.B. bei Lukács und Bloch keinerlei Unterstützung, für das Brechttheater habe ich gegen Lukács-Schüler gekämpft, dagegen war ich in der Hegeldiskussion wieder mit Bloch und Lukács verbündet.

Der gleiche Brecht, der mich vorschickte, um die Kunstkommission wegen ihres skandalösen Verhaltens den modernistischen Malern und Bildhauern gegenüber anzugreifen, mißbilligte aufs tiefste, daß ich beim Aufbau-Verlag die Werke von Lukács in rascher Folge, in großen Auflagen und mit erheblichem Reklameaufwand herausbrachte. Lukács wieder hielt meinen Standpunkt in der Logikdiskussion für verfehlt. Bloch und Lukács verhöhnten mich grausam, weil ich mich für bürgerliche Logikforscher wie Paul F. Linke, Jena (aus der Schule Freges), einsetzte und sogar einem Erzpositivisten wie dem mathematischen Logiker Karl Schröter zu einem Sitz im Herausgeberkollegium der »Deutschen Zeitschrift für Philosophie« verhalf. Linke und Schröter wieder schüttelten den Kopf über meine Vorliebe für den »Mystiker« Bloch usw. usf.

Cliquenbildung? Ich denke nein und wenn ja, dann handelte es sich um konstruktive Cliquen, die immer den Sinn hatten, irgend etwas Produktives, Bedeutendes und Progressives zu fördern und, zum größeren Ruhm der SED und der DDR, vor dem Ersticktwerden durch Engherzigkeit und Subalternität zu schützen. Ob ich mir persönlich dabei Freunde oder Feinde machte, war mir egal.

An dieser Einstellung hat nun auch die Erschütterung durch den 17. Juni 1953 nichts geändert. Die Einstellung bleibt positiv und konstruktiv, aber ihre oppositionelle Komponente wächst nun vom Bloß-Kulturellen ins Politische hinüber, und daraus ergeben sich, infolge meiner Jugend, meiner politischen Unreife und Unerfahrenheit, sehr viel ernstere Konflikte, als ich sie 1946-53 zu bestehen gehabt habe. Zwei Dinge werden mir vom subjektiven her zum Verhängnis, zwei andere vom objektiven Geschichtsprozeß: Das Umdenken in bezug auf den Titoismus und die Freundschaft mit dem neuen Leiter des Aufbau-Verlages, Walter Janka, treffen zusammen mit der endgültigen Spaltung Deutschlands und mit dem XX. Parteitag der KPdSU. Die ganze Konstellation ist, was mein Schicksal anbelangt, so unglücklich, daß sie mich auf 8 Jahre ins Zuchthaus bringt, ohne daß irgend jemandem (z.B. weder Ulbricht noch mir) daraus ein Vorwurf zu machen wäre. – Zunächst zum Titoismus. Nachdem sein Bruch mit Stalin vollzogen ist, leitet Tito 1951/52 in Jugoslawien Reformen ein, die dort in der Folgezeit einen neuen Typ von Sozialismus entstehen lassen: dezentralisiert und durch Arbeiterselbstverwaltung direkt in den Interessen der Behtriebsbelegschaften verankert. Die außerjugoslawischen kommunistischen Parteien ignorieren dies oder geifern darüber. Für sie ist Tito ein Verräter, der sein Land zum Instrument des USA-Imperialismus im Kampf gegen die Sowjetunion und die kommunistische Weltbewegung gemacht hat. Beweis: Die amerikanischen Dollaranleihen an Jugoslawien.

Die innere Struktur Jugoslawiens wird schließlich sogar als »faschistisch« definiert. Beweis: eine bürgerlich-parlamentarische Demokratie gäbe es da nicht, sondern stattdessen die Diktatur der von Tito geführten Partei, die aber wegen der Dollaranleihen ein Instrument des USA-Imperialismus und keine proletarische Diktatur mehr sei, sondern sich in eine bürgerliche Diktatur verwandelt habe. Auch ich quatsche bis 1952 in meinen Vorlesungen vor den Pädagogen, sobald die Rede auf Jugoslawien kommt, diesen Blödsinn kritiklos nach. Aber 1952 setzt bei mir aus folgendem Anlaß in bezug auf Jugoslawien ein Prozeß des Umdenkens ein. Im Sommer 1952 mache ich im Auftrag des Kulturbundes eine Vortragsreise durch mehrere westdeutsche Städte von Hamburg bis München. Vordergründiger Zweck: Ich soll die westdeutschen Intellektuellen, soweit sie an Philosophie und Literaturgeschichte interessiert sind, durch Vorträge über das Erbe Herders dazu bewegen, an einer gesamtdeutschen Herder-Ehrung in Weimar teilzunehmen, die der Kulturbundsekretär Alexander Abusch dort Ende 1953 (zu Herders 150. Todestag) durchzuführen gedenkt. Politischer Hauptzweck der Partei: Ich soll die Diskussion jeweils im Anschluß an meine Vorträge dazu benutzen, um die anwesenden westdeutschen Intellektuellen für die Annahme des Stalin-Angebots vom März 1952 zu werben und zum Widerstand gegen den Adenauerschen EVG-Plan, der die endgültige Spaltung Deutschlands bedeuten würde, aufzurufen. Der besonders gut besuchte Vortragsabend in Hamburg ist von dem dortigen Kulturbundvorsitzenden, dem Verleger Ernst Rowohlt, organisiert worden.

(Parenthese: Rowohlt habe ich flüchtig bereits 1940 oder 1941, kurz nach seiner Heimkehr aus dem südamerikanischen Exil, durch meinen Schwager Kerckhoff kennengelernt. 1946 oder 1947 begegneten wir uns wieder bei den Amerikanern Kellen und Speyer – siehe oben – und schlossen Freundschaft. Von da an pflegte Rohwolt bei seinen Berlin-Besuchen fast immer in meiner Wohnung zu logieren. Sein Verlag hatte damals, als einziger im Westen, Lizenzen aller drei westlichen Besatzungsmächte, und ich verschaffte ihm, unter Ausnutzung meiner guten Beziehungen zu Tjulpanow und Dymschitz, eine vierte, sowjetische Lizenz. 1948 oder 1949 kam es zwischen Rohwolt und mir zu einem Zerwürfnis, weil er in seinem Verlag die Memoiren von Hjalmar Schacht veröffentlicht und ihn deswegen in der »Weltbühne« der Reinwaschung und Begünstigung des Nachkriegsnazismus bezichtigt hatte. Der Streit war dann aber 1950 oder 1951 wieder geschlichtet worden – durch den Kulturbund, der auf Rohwolts Mitgliedschaft und Mitarbeit in Hamburg größten Wert legte.)

Danach stellte sich die Freundschaft zwischen Rowohlt und mir wieder her. Bei Rowohlt und seiner Frau, Maria Pierenkämper (mir bereits durch Paul Wegener seit 1944 bekannt), lerne ich im Sommer 1952 in Hamburg den marxistischen Politökonomen und Soziologen Fritz Sternberg (SPD) kennen, dessen Bücher im Rohwolt-Verlag erscheinen. Sternberg ist ein fanatischer Gegner des sowjetischen Sozialismus und sieht in mir einen besonders unangenehmen Typ von sowjetischem Agenten, nämlich einen aus gutbürgerlichen Verhältnissen stammenden jungen

Mann, der mit der Arbeiterbewegung eigentlich nichts zu tun hat, den aber die Sowjets durch Geld und Privilegien als Propagandisten für ihre Politik gekauft haben. Dies sagt er mir ganz offen ins Gesicht. Rohwolt aber dementiert es aufs energischste, und er und die Pierenkämper verbürgen sich für meine politische Aufrichtigkeit und meinen »selbstlosen Idealismus«.

So läßt Sternberg sich dann doch auf eine ernste politische Auseinandersetzung mit mir ein, in deren Verlauf er die Sowjetunion auf der ganzen Linie schlecht macht, ausgerüstet mit Detailkenntnissen, wie ich sie bei Antikommunisten bisher noch nie erlebt habe. Es entwickelt sich – zu Rohwolts Vergnügen – zwischen Sternberg und mir eine hitzige Diskussion, bei der wir uns zeitweilig wütend anschreien und als Arbeiterverräter beschimpfen. Zwei Punkte jedoch gibt es, die den Ansatz zu einer Verständigungsmöglichkeit in sich bergen:

1.) Auch Sternberg ist Gegner der EVG und für die Annahme des Stalinangebots vom März und wünscht mir daher für meine Vortragsreise Erfolg.

2.) Sternberg behauptet nicht, daß es in der Sowjetunion einen »Staatskapitalismus« gäbe, sondern gibt zu, daß dort die kapitalistischen Eigentumsverhältnisse beseitigt seien, freilich mit Ergebnissen, die man, nach seiner Meinung, noch nicht als sozialistisch bezeichnen dürfe, die aber alle sozioökonomischen Voraussetzungen für die Entstehung eines echten Sozialismus enthielten. Als ich an diesem Punkt einhake und um nähere Erläuterung bitte, erwidert Sternberg, den Beweis für die Richtigkeit seiner Auffassung sehe er darin, daß sich just im Augenblick, 1952, in Jugoslawien, dank der Titoschen Reformen ohne blutige Revolution der falsche, uneigentliche Sozialismus sowjetischen Typs in einen echten Sozialismus zu transformieren beginne – nämlich in den demokratischen Sozialismus der Arbeiterselbstverwaltung. So kommt das Gespräch auf Jugoslawien, und jetzt zerschlägt Sternberg mit fundiert marxistischen Argumenten alles, was ich über dieses Land und seine politische und ökonomische Struktur zu denken gewohnt bin. In entspannter Atmosphäre trennen wir uns, und von da an wühlt und bohrt in mir der Gedanke, daß am Titoismus vielleicht »doch etwas dran« sei. Knapp ein Jahr später, unmittelbar nach dem 17. Juni 1953, äußert dann, bei einem seiner Besuche in der Charité, Bertolt Brecht, daß er – wenn er Ulbricht wäre – den Streikkomitees vom 17. Juni, die ja das Vertrauen der Arbeiter genössen, die Leitung der Betriebe in der DDR übertragen und sie damit für die konstruktive sozialistische Aufbauarbeit zurückgewinnen würde. Die staatsfeindlichen, konterrevolutionären Elemente, die es in den Komitees zweifellos gäbe, würde die Partei auf dem Wege geduldiger Überzeugungsarbeit mit Vernunftargumenten, die aus den unabweisbaren Produktionsaufgaben und volkswirtschaftlichen Notwendigkeiten der DDR abzuleiten seien, dann, wenn nicht ganz besiegen, so doch in hoffnungslose Isolierung treiben können – dies sei der richtige Weg, die führende Rolle der Partei wiederherzustellen. Mir leuchtet diese Idee Brechts sehr ein, und ich sage, die Konsolidierung der Arbeitermacht in der DDR auf einer solchen Grundlage und mit solchen Methoden würde ein jugoslawisches System der Selbstverwaltung bei uns schaffen, einen deutschen Titoismus, »geduldet und gefördert von der Sowjetunion«.

Anschließend erkläre ich Brecht alles, was ich, seit dem Gespräch mit Sternberg im Hause Rohwolt und dank der darauffolgenden Lektüre jugoslawischer Broschüren, die ich mir 1952/53 in Westberlin verschafft habe, über den »besonderen jugoslawischen Weg zum Sozialismus« weiß. Sehr schnell zeigt sich, daß auch Brecht ideologisch bereits auf diesem Boden steht – aber mit zwei wesentlichen Vorbehalten:

1.) Brecht ist, im Gegensatz zu Sternberg, nach wie vor prosowjetisch; eine Option für Jugoslawien, gegen die Sowjetunion kommt für ihn nicht in Frage; die Sowjetunion sei und bleibe die stärkste und mächtigste Bastion, über die der Sozialismus in der Welt verfüge; wenn der jugoslawische Weg also der richtige sei, was er – Brecht – nicht bestreite, dann müsse eben abgewartet werden, daß die jugoslawischen Strukturen sich in der Sowjetunion durchsetzten.

2.) Brecht will absolut nichts davon wissen, aus Anlaß des 17. Juni die Einführung des jugoslawischen Modells in der DDR zu propagieren; das sei für den, der das versuche, lebensgefährlich. Denn die Sowjetunion werde einen deutschen Titoismus auf keinen Fall fördern, sondern mit allen Mitteln unterdrücken, solange sie sich nicht selbst, im eigenen Land, den Titoismus zu eigen gemacht habe. Aus diesem Grunde bleibe uns gar nichts anderes übrig, als uns in der DDR auf eine Reform der Kulturpolitik durch den Sturz der Kunstkommission zu beschränken, so Brecht, und daher unser Kampf gegen Holtzhauer, Ernst Hoffmann II, Magritz und Girnus. Aber als ich im Juli das Krankenhaus verlasse, finde ich unter den Kollegen im Aufbau-Verlag einen Mann, der vom 17. Juni aufs tiefste aufgewühlt, von meinem Konzept einer »Titoisierung der DDR mit sowjetischer Förderung und Unterstützung« begeistert ist, den neuen Verlagsleiter Walter Janka.

Ausführlich diskutieren wir diese Möglichkeit, bis die Zerschlagung der Streikkomitees des 17. Juni, die Diffamierung ihrer Militanten als »faschistische Provokateure« und ihre schwere Bestrafung uns schreckensbleich stumm werden läßt.

In der Folgezeit kommen wir dann auf unseren »DDR-Titoismus« vorerst nicht mehr zurück, sondern verrichten unsere konstruktive Arbeit loyal im Rahmen des bestehenden politischen und sozioökonomischen Systems. Aber der einmal so offenherzig erörterte Gedanke brennt in uns, und die Tatsache, daß wir ihn insgeheim erörtert haben, macht uns von da an zu Verschworenen.

Walter Janka ist Arbeitersohn und aktiver Jungkommunist aus den zwanziger Jahren. Nach 1933 in die CSR und später nach Frankreich emigriert, hat er zunächst als Kurier zwischen der exilierten KP-Leitung und illegalen kommunistischen Gruppen in Hitlerdeutschland gewirkt. 1936 ging er nach Spanien, schloß sich dort aber nicht, wie die meisten deutschen Spanienkämpfer, dem Thälmann-Bataillon (Teil der Internationalen Brigaden) an, sondern wurde regulärer Soldat der spanischen republikanischen Armee, in der er es, sich durch hervorragende Intelligenz und Tapferkeit auszeichnend, bis zum Major brachte. Nach dem Sieg Francos flüchtete er über die Pyrenäen nach Frankreich, wo man ihn 1939 in dem berüchtigten Konzentrationslager Vernet internierte. Nach Eroberung Frankreichs durch Hitler, 1940, gelang es Janka, aus dem KZ Vernet zu flüchten und sich nach Mexiko durchzuschlagen. Hier wurde er Sekretär Paul Merkers, eines KPD-Politbüro-Mitglieds, das während des Krieges von Mexiko City aus die Organisation des »Nationalkomitees Freies Deutschland« in der westlichen Hemisphäre (Kanada, USA, Lateinamerika) leitete. Im Auftrag Merkers gründete und leitete

Janka in Mexiko City 1941 den Verlag El libro libre, in dem er die politischen, theoretischen und belletristischen Werke der deutschen Emigration in Lateinamerika herausbrachte, darunter Werke von Anna Seghers, Alexander Abusch, Bodo Uhse und Ludwig Renn sowie Merkers großes, zweibändiges kommunistisches Standardwerk über die Weimarer Republik und den Hitlerfaschismus, »Deutschland – Sein oder Nichtsein«, ferner die Propagandabroschüren des Nationalkomitees.

Nach dem Krieg ging Janka in die Ostzone. Er nahm seinen Wohnsitz in Kleinmachnow bei Berlin. Die Partei übertrug ihm die Funktion des Verwaltungsdirektors der DEFA (des DDR-Filmkonzerns). Mehrere unglückliche Umstände aber trafen zusammen, die 1949 Jankas Verbleiben in diesem Amt unmöglich machten. Er war ein Protegé Paul Merkers, der schon früher – und nach 1945 wieder – mit Ulbricht Differenzen hatte und obendrein, im Ergebnis des Konflikts Stalin-Tito, verdächtigt wurde, während der Emigrationszeit Agent Noel Fields geworden zu sein. Merker wurde erst aus dem SED-Politbüro verdrängt und zum Staatssekretär im Landwirtschaftsministerium degradiert, später sogar inhaftiert (bis Anfang 1956).

Als Merkers ehemaliger Sekretär kam daher auch Janka für hohe Partei- und Staatsfunktionen vorderhand nicht mehr in Betracht. Beruflich erhielt er jetzt durch Fürsprache Bodo Uhses (des Chefredakteurs der Kulturbundzeitschrift »Aufbau«, der von Mexiko her mit ihm befreundet war) die wesentlich subalternere Stellung des Leiters der Verlagsverwaltung im Aufbau-Verlag (1950, in dem gleichen Jahr, als ich, nach dem Ausscheiden aus der »Täglichen Rundschau«, dort meine Tätigkeit als Verlagslektor aufnahm).

Da Janka sehr tüchtig und der Verlagsleiter Erich Wendt ihm außerordentlich gewogen war, erweiterte sich in den folgenden Jahren Jankas Aufgabenkreis am Verlag immer mehr. Schon 1951 avancierte er zum stellvertretenden Verlagsleiter. 1952 erhielt dann Erich Wendt die Funktion eines Sekretärs des Präsidialrats des Kulturbundes (rechte Hand Johannes R. Bechers, gleichrangig neben Alexander Abusch), was ihn zwang, den Aufbau-Verlag nur noch von ferne zu betreuen und die konkrete, operative Verlagsleitung mehr und mehr Janka allein zu überlassen. Schließlich wurde Janka auch formell Verlagsleiter (1954), nachdem Wendt die Leitung des Übersetzerkollektivs für die neue Lenin-Gesamtausgabe übertragen worden war, noch später ist Wendt Staatssekretär im Ministerium für Kultur – unter Bechers Nachfolger Hans Bentzien – geworden und hat in dieser Eigenschaft 1963 die ersten Passierscheinverhandlungen mit dem Vertreter des Westberliner Senats, Korber, geführt).

Jankas Verlegerkarriere endete im Dezember 1956, als er unter der Beschuldigung ein besonders einflußreiches Mitglied der staatsfeindlichen konterrevolutionären Harich-Gruppe zu sein, von der Staatssicherheit verhaftet wurde. Zu 5 Jahren Zuchthaus verurteilt, verbrachte er die Jahre 1957-60 in der Strafvollzugsanstalt Bautzen. Durch Gnadenerweis – aus Anlaß der Bildung des Staatsrates der DDR – Ende 1960 freigelassen, erhielt er eine Stellung als Dramaturg bei der DEFA.

Eine objektive, unbefangene Würdigung der geschichtlichen Tatsachen würde ergeben, daß es 1956 in der DDR eine derartige Harich-Gruppe im Sinne einer oppositionellen Gruppierung, die von mir organisiert und geleitet worden wäre, gar nicht gegeben hat. Wohl aber gab es eine Gruppe Janka, der Harich als zweiter Mann angehörte. Aus vier Gründen jedoch wurde diese Gruppe nach mir benannt:

1.) Aus politischer Unerfahrenheit und Unreife hatte ich mir unter all den übrigen Gruppenmitgliedern die größten, strafrechtlich am leichtesten faßbaren Blößen gegeben, während der mit allen Wassern gewaschene Parteifunktionär (und ehemalige spanische Stabsoffizier) Janka sich viel taktischer, geschickter und vorsichtiger verhalten hatte. Der Erfolg war, daß das Oberste Gericht der DDR, das den Fall natürlich nur unter juristischen Gesichtspunkten behandeln konnte, mich zu einer doppelt so hohen Strafe verurteilte.

2.) Mein Name war der Öffentlichkeit, von meiner beruflichen Tätigkeit her, weit mehr bekannt als der Jankas. Schon deshalb lag es nahe, aus dieser – in anderen Zusammenhängen erworbenen – Bekanntheit auf die Leitungsstruktur in der Gruppe zu schließen, die aber in Wahrheit anders aussah und mit dem Prominenzgrad der Beteiligten nichts zu tun hatte.

3.) Dadurch, daß man mich in den Vordergrund schob, wurde die Aburteilung der Gruppe zu einem Warnschuß vor den Bug der oppositionell gestimmten Teile der Parteiintelligenz, die Ulbricht 1956/57 auf Grund der Erfahrungen mit den opponierenden polnischen Parteiintellektuellen (wie etwa Kolakowski) und dem Petöfiklub in Budapest als potentiellen Auslöser konterrevolutionärer Aktivitäten für besonders gefährlich hält. Die Aburteilung einer Janka-Gruppe hätte sich, als solche deklariert, primär gegen einen gewöhnlichen, nicht-intellektuellen Funktionär und dessen Freunde gerichtet und wäre daher von der Intelligenz weniger ernst genommen worden.

4.) Der von Janka ausgeheckte hauptsächliche Plan der Gruppe bestand darin, Ulbricht als Parteichef zu stürzen und in dieser Funktion durch Paul Merker zu ersetzen. Dieser Plan war für Ulbricht äußerst gefährlich. Ohne diesen Plan wäre eine bloße Harich-Gruppe nichts als ein Grüppchen debattierender Intellektueller ohne Aussicht auf politischen Einfluß gewesen. Mit diesem Plan beschwor die Existenz der Gruppe jedoch die reale Gefahr eines Staatsstreichs herauf. Daher mit voller Berechtigung die sehr harten Strafen. Aber: So sehr Ulbricht interessiert daran war, sich Merker durch Zerschlagung der Gruppe vom Halse zu halten, so sehr mußte ihm doch auch daran gelegen sein, daß dieser Kern des Komplotts der Öffentlichkeit möglichst verborgen blieb. Denn, ähnlich wie Gomulka in Polen, war Merker in der DDR während der Stalinschen Ära unschuldig verfolgt worden und hatte nach seiner Rehabilitation Anspruch darauf, wieder in höchsten Stellungen, vielleicht sogar als Erster Sekretär der Partei, verwendet zu werden, und die Aburteilung einer von Merkers früherem engsten Mitarbeiter, Janka, geführten Gruppe hätte unweigerlich die Aufmerksamkeit der Öffentlichkeit auf diesen – politisch heikelsten – Aspekt des Falles gelenkt. Von einer Verbindung Harich-Merker dagegen wußten nur ganz wenige. Mich in den Vordergrund schieben hieß also sowohl die rechtswidrige Verfolgung Merkers, 1950-55, als auch dessen politische Ansprüche 1956 verschleiern.

Doch zurück zur Ausgangsposition. Als ich 1950 von der »Täglichen Rundschau« zum Aufbau-Verlag überwechsele, finde ich dort eine Konstellation vor, die eine für mich außerordentlich günstige und angenehme Arbeitsatmosphäre gewährleistet. Der Aufbau-Verlag ist Eigentum weder der Partei noch des Staates, sondern gehört dem Kulturbund, dessen

Sprachrohr er ist und dessen Finanzierung er dient. Sein Verlagsprogramm muß vom Präsidialrat des Kulturbundes beschlossen werden, der sich aus bedeutenden Koryphäen der Wissenschaft, Literatur und Kunst, unter ihnen mehr Parteilose und Bürgerliche als Genossen, zusammensetzt. Die Schlüsselfunktionen sind zwar von alten, bewährten Kommunisten besetzt – Johannes R. Becher (Präsident), Alexander Abusch (Sekretär) usw. –, aber dies sind zugleich musische, geistig aufgeschlossene Menschen, denen Sturheit und Sektierertum fremd sind, Leute, die mit den Intellektuellen eine gemeinsame Sprache sprechen. Leiter des Aufbau-Velages ist einer der hervorragendsten, umsichtigsten, kenntnisreichsten und menschlich angenehmsten Kulturpolitiker der Partei: Erich Wendt (in den zwanziger Jahren Leiter des Jugendbuch-Verlages der KPD, seit 1931 bei der deutschsprachigen Abteilung des Verlages für Internationale Literatur in Moskau tätig, in der Zeit der Moskauer Prozesse wegen des Verdachts trotzkistischer Umtriebe zwei Jahre lang unschuldig inhaftiert, dann von Pieck und Ulbricht freigekämpft). Als Cheflektor fungiert Max Schröder, hervorragender Literatur- und Theaterkritiker, hervorragend auch als Kunsthistoriker, in allen geistigen Fragen milde und tolerant, leider dem Trunke ergeben, Freund meines Vaters aus dessen Münchener Zeit (1920-22), während der Nazizeit Emigrant erst in Frankreich, später in den USA, dort befreundet mit Feuchtwanger, Heinrich Mann, Bloch, Brecht und anderen Emigranten gleichen Kalibers, verheiratet mit einer schriftstellernden amerikanischen Kommunistin namens Edith Anderson.

Im Verlagsgebäude in der Französischen Straße befindet sich auch die Redaktion des »Sonntag«, der Wochenzeitung des Kulturbundes, desgleichen die Redaktion der Zeitschrift »Aufbau«. Den »Sonntag« leitete zuerst – nach seinem Fortgang vom »Kurier« – der mir schon seit 1945 vertraute Carl Helferich, den dann allerdings, nachdem er wieder in den Westen, nach Frankfurt/Main, übergesiedelt ist, ein früherer Leipziger Rundfunkredakteur, Heinz Zöger, ablöst.

Die Zeitschrift »Aufbau« wird von dem mir äußerst sympathischen Bodo Uhse geleitet, mit dem und seiner amerikanischen Frau ich mich 1949 eng angefreundet habe, als sie in Groß Glienicke meine Nachbarn waren. Unsere rechte Hand ist Günter Caspar, ein von mir für den Journalismus entdeckter junger Mann, der 1949 zu meinem Ressort bei der »Täglichen Rundschau« gehört hat. Während der ganzen 7 Jahre, in denen ich für den Aufbau-Verlag tätig bin, habe ich dort niemals die geringsten Schwierigkeiten, geschweige denn solche gräßlichen Konflikte, wie sie mir gleichzeitig an der Universität und zum Teil auch (Schrickels wegen) in der »Deutschen Zeitschrift für Philosophie« zu schaffen machen.

Der Aufbau-Verlag ist während dieser ganzen Periode mein Zufluchtsort, mein Paradies, und sorgfältig wählen mein Freund Max Schröder und ich unserer Lektoratsmitarbeiter unter Gesichtspunkten aus, die gewährleisten, daß es dabei bleibt. Versucht aber irgend jemand »von oben« oder »von draußen«, uns ideologisch zu behelligen, dann bieten wir aus unserem Autorenpool gleich so viele erlauchte und ruhmgekrönte Geister zu unserer Unterstützung auf, daß man lieber die Finger von uns läßt. Immerhin haben wir über die Auflagenhöhe von Thomas Mann und Brecht, Anna Seghers und Arnold Zweig, Ilja Ehrenburg und Konstantin Fedin zu bestimmen.

Der einzige, mit dem ich zunächst nicht gut »kann«, ist 1950 Walter Janka. Von der DEFA her an ein Regieren in größeren Dimensionen gewöhnt und von unbändigem Organisierdrang erfüllt, will Janka, mit einem System neuer Verfahrensregeln, Aktennotizen, vorgedruckter Hausmitteilungen, sorgfältig ausgeklügelter Vertragsformulare, mit einer hauseigenen Justitiarin, mechanisierter Buchhaltung usw. in den von Wendt und Schröter etwas schlampig und primär unter geistigen Gesichtspunkten geleiteten Laden Zucht und Ordnung hineinbringen, und damit macht er sich bei den intellektuellen Mitarbeitern, so auch bei mir, unbeliebt. Aber die Reibereien nehmen in dem Maße ab, wie Janka innerhalb des Verlages zu höherer Verantwortung aufsteigt. Einerseits wird uns klar, daß er, obwohl ungebildeter als Wendt, dank seiner Manager- und Funktionärsqualitäten und seines brennenden Ehrgeizes tüchtiger ist. Andererseits üben wir auf ihn geistig einen viel größeren Einfluß aus, weil er – mehr als Wendt – auf unsere Kenntnisse angewiesen ist. Und so kommen auch Janka und ich uns immer näher.

Dabei kristallisiert sich nun zwischen uns in zahllosen gemeinsamen Gesprächen, durch zunehmenden beruflichen und privaten Kontakt eine

Beziehung heraus, die für beide Teile unmittelbar sehr beglückend ist, desgleichen der Arbeit sehr zustatten kommt, aber auch – wie sich bald zeigen wird – verhängnisvolle Aspekte hat. Um es zugespitzt zu sagen: Wir beten uns gegenseitig an und übersehen die Fehler und Schwächen des anderen. Janka sieht in mir den genialsten Kopf in der jüngeren Generation der Partei, den Mann, der alles weiß, alles kennt, alles gelesen hat, über alles Bescheid weiß, alles beurteilen kann und namentlich theoretisch, als Marxist, nur noch von Lukács übertroffen wird. Janka sieht nicht meine menschliche Unreife und Unfertigkeit, meine mitunter ans Infantile grenzende Naivität und meinen völligen Mangel an politischer Erfahrung. Er sieht auch nicht die Züge von Abenteurertum, die mir von der Illegalität her anhaften. Und am wenigsten ist ihm klar, daß ich zum Größenwahn neige, nachdem ich als ganz junger Mann schon Intendanten und Staatliche Kunstkommissionen gestürzt habe und aus Kämpfen, die den Wahrheitsgehalt von Stalin-Zitaten betrafen, z.B. in puncto Hegel, als Sieger hervorgegangen bin. Umgekehrt: Ich blicke wiederum zu Janka gläubig und verehrungsvoll auf. Einerseits bete ich ihn als den Helden des spanischen Bürgerkriegs an. Andererseits bewundere ich ihn als einen Arbeiterjungen, der es dazu gebracht hat, mit Thomas Mann auf gleichem Fuß zu verkehren (wobei ich, in meiner Naivität, völlig verkenne, daß dieses Gleich zu Gleich darauf basiert, daß selbst Thomas Mann über das Interesse an hohen Auflagenziffern und wirksamer Werbung nicht erhaben ist).

Und da Janka Funktionär mit alter Parteierfahrung im legalen wie im illegalen Kampf ist, da er vom »Kurier«, der zwischen exiliertem ZK und illegalen Gruppen pendelt, bis hinauf zur DEFA-Direktion schon so gut wie alle Funktionen bekleidet hat, die ein Kommunist bekleiden kann, wird es für mich zu einem eisernen, unumstößlichen Axiom: Was Janka politisch richtig findet, ist politisch richtig; was Janka für machbar erklärt, ist machbar. Verborgen bleibt mir die Borniertheit, die Janka mit den meisten Funktionären seiner Herkunft teilt, denn weil er mich anbetet, finde ich ihn, im Gegensatz zu den anderen, eben nicht borniert. Verborgen bleibt mir daher auch, daß Janka, eben wegen dieser Borniertheit, nicht imstande ist, verletzende persönliche Erfahrungen in größere politische Zusammenhänge einzuordnen, die sie historisch verständlich machen, sondern nur jähzornig oder mit – allenfalls zurückgestautem – Rachedurst auf sie zu reagieren weiß. Verborgen bleibt mir vor allem, daß auch Janka zu politischem Abenteurertum tendiert, das übrigens bei ihm – von wegen Illegalität und Bürgerkrieg – ganz ähnliche Ursachen hat wie bei mir selbst.

So rottet sich in Janka und mir ein Gespann zusammen, das für den Verlag zwar ungeheuer belebend ist und ihn über alle seine Konkurrenten bald weit hinauswachsen läßt, weil wir uns in der Bücherproduktion durch nichts imponieren lassen und jedes Hindernis überrennen, ein Gespann, das aber von dem Augenblick an ins eigene Verderben rast, wo es sich aufs Terrain politischer Machtkämpfe wagt – Janka in dem Glauben, einen zweiten Lukács neben sich zu haben, ich in dem Glauben, der Günstling eines präsumtiven großen Staatsmannes, mindestens eines zweiten Tito, zu sein. In einem Taumel wechselseitiger Selbstbestätigungen bewegen wir uns dem Untergang zu und das paradoxerweise in der gleichen Entwicklungsphase der DDR, 1954-56, in der die liberale, tolerante Kulturpolitik des Ministeriums Becher unserer Verlagsarbeit so gut wie alle Hemmnisse und Beengungen aus dem Wege räumt, so daß wir praktisch tun können, was wir wollen. Aber das ist es eben: Wir sind beide gar nicht gewöhnt, uns in demokratischen Verhältnissen zu bewegen. Wir kennen im Grunde nur Diktaturen, denen man entweder dient oder gegen die man ankämpft, je nachdem, ob es gute oder schlechte Diktaturen sind. Und in dem Maße, wie der kulturpolitische Druck auf unsere Arbeit abnimmt, nutzen wir das zwar ganz nebenbei mit der linken Hand maximal aus, aber tun es in dem Gefühl, die Kulturpolitik sei halt belanglos geworden, es sei an der Zeit, sich mit ernsteren Fragen zu befassen.

Der Ansatz zum Titoismus ist bei Janka und mir im Sommer 1953, wie gesagt, unter dem furchteinflößenden Eindruck dessen, was mit den Streikkomitees des 17. Juni geschah, nicht weit gediehen; wir haben das schnell verdrängt. Dafür wird uns durch die offiziellen sowjetischen Verlautbarungen über die feindseligen Machenschaften Berijas die Erörterung eines anderen Themas nahegelegt: Wir fischen uns aus den diesbezüglichen, ziemlich widerspruchsvollen Kommuniqués den Satz heraus, Berija habe u.a. das Verbrechen begangen, die Sicherheitsorgane der

Sowjetunion »über die Partei zu stellen«. Mit Recht erblickt Janka darin eine Pervertierung des Sozialismus und des Parteilebens, wie sie schlimmer nicht gedacht werden kann. Und mit gutem Grund gehen ihm jetzt die Augen auf über verschiedene Vorkommnisse seiner eigenen Parteivergangenheit, die ihm bis dahin stets rätselhaft geblieben sind und deren wahre Hintergründe ihm jetzt aufdämmern. »Genau das«, sagt er, »haben diese Banditen bei uns auch getan, schon lange, schon in der Emigration, schon in Spanien und auch in der DDR«, und erläutert mir diese Behauptung anhand verschiedener konkreter Vorgänge, die er selbst erlebt hat.

Aber er übersieht vollständig – und läßt es auch mich übersehen –, daß, wenn ein solcher Satz gedruckt in der »Prawda« steht, dies bereits ein Symptom dafür ist, daß nunmehr die Partei den Sicherheitsapparat wieder in den Griff bekommt, wieder zum Instrument ihrer Politik macht. Und weil er, Janka, das übersieht, bleiben die Sicherheitsleute, der Sowjetunion wie der DDR, für ihn Banditen. Er hätte dies früher nie auch nur zu denken gewagt, jetzt, wo sie aufhören, es zu sein, denkt er es und spricht es mir gegenüber unverblümt aus.

Als daher 1955 meine neueste Freundin, Irene Giersch, eine Slawistik-Studentin, vorübergehend von der Staatssicherheit festgenommen wird, steht es für Janka, dem ich mein Leid darüber klage, sofort fest, daß es sich auch hierbei nur um einen verbrecherischen Übergriff dieser »Banditen« handeln kann. Die Giersch wird dann wieder freigelassen und berichtet uns, daß sie in der Tat Beziehungen mit einem westlichen Geheimdienstagenten unterhalten habe, allerdings ohne es zu wissen, was ihr die Stasi-Leute nicht widerlegen konnten und schließlich auch geglaubt haben. Ihre Festnahme hatte also durchaus einen im Kern realen Grund, und ihrer Schuldlosigkeit ist durchaus korrekt mit ihrer Freilassung Rechnung getragen worden. Es hilft nichts. Janka bleibt dabei, daß hier »wieder einmal« ein Willkürakt vorliege. Spätestens aus diesem Anlaß sollte ich seine Borniertheit und Verbohrtheit begreifen. Ich tue es nicht, sondern blicke weiter gläubig zu ihm auf. Die Abscheu gegen die Staatssicherheit wächst sich bei Janka dann Anfang 1956 auf Grund der Enthüllungen Chruschtschows über den Terrorismus Stalins zu einem förmlichen Trauma aus, emotionell angeheizt dadurch, daß sich auch die mehrjährige Haft seines alten Freundes Paul Merker als Justizverbrechen erweist, und so wird der Ruf nach Auflösung der Staatssicherheit der DDR unter Jankas Einfluß auch auf die sich nunmehr im Aufbau-Verlag formierende Gruppe zu einem Bestandteil unserer gemeinsamen programmatischen Plattform. Mit Mühe und Not überrede ich ihn dazu, wenigstens vorzusehen, daß bei der regulären Volkspolizei von der Staatsanwaltschaft zu kontrollierende politische Abteilungen eingerichtet werden sollen, da ich mir ein Land ohne jedes Spionageabwehrorgan nicht vorstellen kann. Janka würde die Sicherheitsleute am liebsten alle an die Wand stellen.

Das Thema Titoismus wird zwischen Janka und mir erstmals wieder Gesprächsgegenstand, als ich 1954 vom Stuttgarter Philosophenkongreß zurückkehre. Die – marxistisch-bürgerlich gemischte – DDR-Delegation ist dort u.a. auch mit einem jugoslawischen Philosophen bekannt geworden, der sich intensiv und mit allen Anzeichen der Herzlichkeit und Sympathie um Kontakt mit ihr bemüht, zu dem sie sich aber höflich-reserviert verhalten hat (zu meinem Bedauern, aber ohne daß ich daran etwas hätte ändern können). Als wir, d.h. die der SED angehörenden Mitglieder der DDR-Delegation, im ZK über Stuttgart berichten, dabei auch diverse Begegnungen und Kontakte, die stattgefunden haben, erwähnen und in dem Zusammenhang auf den freundlichen Jugoslawen zu sprechen kommen, stellen wir zu unserer Verblüffung fest, daß der Umgang mit jugoslawischen Genossen – jawohl, der uns anhörende Apparatschik nimmt ohne Stocken das Wort »Genossen« in den Mund – plötzlich wie eine Selbstverständlichkeit zur Kenntnis genommen wird. Ich erzähle das Janka, und auch er sperrt Mund und Nase auf. Und jetzt kommt zwischen uns das Gespräch über den Titoismus, das wir im Sommer 1953 abgebrochen haben, wieder in Gang, anhand der jugoslawischen Broschüren, die ich mir damals besorgt habe, und unter Erörterung dessen, was mir schon 1952 in Hamburg durch Fritz Sternberg zu diesem Thema eröffnet worden ist. Janka wird zunehmend Feuer und Flamme. 1955 dann wird der Besuch Chruschtschows in Belgrad – mit Chruschtschows Eingeständnis schon auf dem Flugplatz, daß Tito durch Berija und Abakumow Unrecht angetan worden sei – für Janka und mich zum Signal, uns fortan in der Parteigruppe des Aufbau-Verlages offen zu unseren projugoslawischen Sympathien zu bekennen. Ich erlebe die Belgrader sowjetisch-jugoslawische Aussöhnung von 1955 aus Warschauer Sicht. 1954 ist zum ersten Mal eine polnische Philosophendelegation in Berlin gewesen, der u.a. Adam Schaff, Leszek Kolakowski und Bronislaw Baczko angehört haben. Bei dieser Gelegenheit hat sich Georg Klaus eng mit Schaff und habe ich mich ebenso eng mit Kolakowski angefreundet. So menschlich sympathisch uns die Polen aber auch gleich auf Anhieb waren, so erstaunt waren wir doch, daß sie im Verhältnis zu den nennenswerten DDR-Philosophen noch tief in den Vorurteilen des Stalin-Shdanowschen Dogmatismus steckten, besonders in der Beurteilung Hegels.

Der einzige, der in diesem Punkt meine Auffassungen teilte, war Krónski, und er schien mir in der Delegation ein mit Mißtrauen betrachteter Außenseiter zu sein. Schaff, andererseits, sympathisierte stark mit dem Gedanken an eine Rehabilitation der formalen Logik, bewegte sich dabei aber eng und ängstlich im Rahmen der Vorstellungen, die sich durch die Stalinsche Linguistik-Schrift gerade eben noch rechtfertigen ließen. Klaus und ich gingen in der Beziehung unvergleichlich viel weiter. Und gar einen so eigenwilligen Kopf wie Ernst Bloch gab es unter den polnischen Delegationsmitgliedern überhaupt nicht. Kolakowski aber war damals, 1954, der offensichtlich fanatischste und orthodoxeste Stalinist, gemildert allerdings durch Bildung, große Belesenheit und persönlich charmante Ausstrahlung.

Ein Jahr später fahren wir, als eine von Ernst Bloch geleitete Philosophen-Delegation, zum Gegenbesuch nach Warschau, wo man uns mit überwältigender Gastfreundschaft aufnimmt – und siehe da, jetzt haben sich die Verhältnisse umgekehrt. Jetzt auf einmal sind wir aus der DDR die Vorsichtigen, Besonnenen, die den altehrwürdigen Dogmen noch halbwegs die Treue wahren, sie jedenfalls sorgfältiger Prüfung für wert halten, während die polnischen Genossen schon an Marx und Lenin herummäkeln. Und als dann die Nachricht von Chruschtschows Canossa-Gang nach Belgrad zu uns dringt und wir aus der DDR wie vor den Kopf geschlagen, wie gelähmt dasitzen, ist für die Polen das Bekenntnis zum Titoismus, potenziert durch wüste Schmähungen der Stalinschen Politik, sofort die selbstverständlichste Sache von der Welt, wobei bei ihnen sogar schon Töne eines chauvinistisch motivierten Russenhasses anklingen, die uns, Bloch und mich eingeschlossen , mit Befremden, wenn nicht

Entsetzen, erfüllen. Blochs der SED angehörende Ehefrau Karola, eine gebürtige polnische Jüdin, stimmt erlöst in die antirussischen Tiraden ihrer Landsleute mit ein, was ihr von seiten ihres Mannes eine zornige Phillipika einträgt. Zwischen Kolakowski und mir kommt es in seiner Wohnung in der Altstadt, während er mich mit den erlesensten Leckerbissen der polnischen Küche füttert und Sektpfropfen knallen, zu einer erregten Auseinandersetzung, weil er plötzlich seiner im Vorjahr noch aus Stalin-Zitaten bezogenen Hegelkritik die neue Wendung gibt, daß Hegels Staatsidee die geistige Quelle des stalinistischen Totalitarismus sei und *deshalb* von uns über Bord geworfen werden müsse.

Als ich ihn an den politisch-geistesgeschichtlichen Ursprung dieser Staatsidee in der Französischen Revolution erinnere und daran die Frage knüpfe: »Bist du etwa auch gegen Robespierre und Napoleon?«, antwortet Kolakowski zu meinem Entsetzen: »Selbstverständlich, was denn sonst? Ich bin für die Freiheit!«

Tief nachdenklich kehre ich nach Berlin zurück, wo sich sogleich der von Chruschtschows Belgradreise enthusiasmierte Janka auf mich stürzt und wir aufs neue endlos die jugoslawische Frage diskutieren. Und als dann Anfang 1956 der XX. Parteitag der KPdSU radikal mit dem Stalinmythos aufräumt, womit uns abermals ein Schock versetzt wird – nach dem 17. Juni und der Aussöhnung Chruschtschow-Tito nun schon der dritte Schock –, wird das Postulat, die DDR strukturell nach dem Vorbild Jugoslawiens zu reformieren, zu einem Kernstück unserer Konzeption, worüber wir jetzt nirgendwo mehr ein Blatt vor den Mund nehmen. Unsere Argumente: Wenn das jugoslawische Selbstverwaltungssystem als eine legitime Form des Sozialismus anerkannt sei, dann sei nicht einzusehen, warum wir nicht auch *davon* lernen sollten. Jedenfalls sei in Jugoslawien so etwas wie der 17. Juni noch nicht passiert. Im Gegenteil: In keinem anderen sozialistischen Land sei die Autorität der Partei so unmittelbar mit den Interessen der werktätigen Massen verknüpft und so tief in deren spontanen Sympathien verankert wie in Jugoslawien. Diese Argumentation ist damals, zumal bei den sehnsüchtig nach Belgrad blickenden Intellektuellen, nichts Besonderes; man hört sie allenthalben.

Aber ein spezieller Akzent kommt bei Janka und mir noch hinzu, ein Akzent, den die Polen, die Ungarn usw. nicht kennen: Wenn ein Befürworter der Ulbrichtschen Parteilinie uns entgegenhält, daß die Wirtschaftsverflechtungen eines hochindustrialisierten sozialistischen Landes wie der DDR sich nur durch zentralistische Planwirtschaft rationell meistern ließen, während ein dezentralisiertes Selbstverwaltungssystem, mit Leitung der Betriebe durch Arbeiterräte, hier die Gefahr eines chaosfördernden Betriebsegoismus heraufbeschwören würde, dann antworten wir: »Mag sein! Aber weißt du ein besseres Mittel, lieber Genosse, den Sozialismus für die westdeutschen Arbeiter attraktiv zu machen, die von den Befehlszentralen der Monopole und Konzerne kommandiert werden? Wir brauchen Arbeiterräte als Waffen im Kampf für die Einheit Deutschlands unter Führung des Proletariats. Und wenn wir in diesem Kampf gesiegt haben werden, dann können wir uns immer noch darüber unterhalten, wie man die Wirtschaft eines einheitlichen sozialistischen Deutschland am zweckmäßigsten organisieren soll.« Es ist die gesamtdeutsche, die nationale Orientierung, die 1956 den Janka-Harichschen »Revisionismus« von dem der gleichgesinnten polnischen und ungarischen Intellektuellen scharf unterscheidet, der ihm eine zusätzliche Motivkomponente verleiht.

Und auch das hat seine Vorgeschichte. Als Janka und ich uns, 1950, kennenlernen, sind wir beide kaum ein halbes Jahr nach Gründung der Bundesrepublik und der DDR überzeugt, daß die Spaltung nur ein irrsinniges Provisorium, daß die Wiederherstellung der Einheit Deutschlands eine unmittelbar aktuelle Aufgabe sei, und beide verbinden wir damit die Illusion, es werde gelingen, die Einheit unter Führung der Arbeiterklasse wiederherzustellen. Da zu der Zeit die Partei diese Ansichten fördert und sie gegen die Adenauersche Politik der Remilitarisierung, des EVG-Projekts, der Einbeziehung der Bundesrepublik in die NATO usw. zu mobilisieren sucht, bedeutet dies keineswegs, daß wir damit zur Parteilinie in Opposition stünden. Nach dem Stalin-Angebot 1952 beschäftigt uns dann die Frage, ob wir, die SED, stark genug sein würden, in einem durch freie Wahlen wiedervereinigten Deutschland unsere Machtpositionen zu behaupten. Wir bezweifeln es stark, sind aber der Meinung, daß die von einer Neutralisierung Deutschlands zu erwartende

Schwächung des NATO-Blocks Vorteile in der internationalen Arena des Klassenkampfes mit sich bringen werde, die mit unserem »zeitweiligen Rückzug« innerhalb Gesamtdeutschlands nicht zu teuer erkauft sein würden. »Eine Zeit lang« würden wir dann eben als Opposition für unsere Ziele kämpfen müssen, was Janka und mich nicht sonderlich schreckt. Dementsprechend bedauern wir, daß die Westmächte und der ihnen hörige Adenauer das Stalinangebot ablehnen. Auch das steht mit der offiziellen Politik der Partei immer noch im Einklang. Durch den 17. Juni wird uns zunächst einmal erschütternd klar, wie schwach die Position der Partei nicht nur im gesamtdeutschen Rahmen, sondern auch innerhalb der DDR selbst ist.

Aber in unseren Diskussionen um die Absichten Berijas, Zaissers und Herrnstadts kristallisiert sich dann bei uns ein neuer Standpunkt heraus: Die sowjetischen Freunde scheinen nur die Alternative zu kennen, entweder in dem engen Rahmen der DDR einen Sozialismus zu verwirklichen, der schematisch ihrem, dem sowjetischen, Modell nachgebildet ist und für die deutschen Verhältnisse nicht paßt, oder aber die DDR ganz an den Imperialismus preiszugeben. Das eine sei die Linie der II. Parteikonferenz vom Sommer 1952 gewesen, das andere hätten Stalin mit seinem Angebot vom März 1952 und dann auch wieder Berija und die Zaisser-Herrnstadt-Gruppe im Juni/Juli 1953 gewollt. *Beides* sei falsch, *beides* müsse für uns als deutsche Marxisten unannehmbar sein, und wir hätten die Aufgabe, den Sozialismus in der DDR so zu gestalten, daß er, durch seine Vorbildhaftigkeit, Attraktivität und Ausstrahlungskraft die westdeutsche Arbeiterkasse und deren potentielle nichtproletarische Verbündete (Kleinbürgertum, Bauern, Intelligentsia) für eine gesamtdeutsche sozialistische Revolution, gegen den USA-Imperialismus und dessen westdeutsche monopolkapitalistische Helfershelfer, mobilisiere.

Als 1954 die Genfer Viermächtekonferenz ergebnislos endet und anschließend Chruschtschow bei seinem DDR-Besuch erklärt, eine »mechanische« Wiedervereinigung, die auf Kosten der DDR gehe, dürfe es nicht geben, nehmen Janka und ich das insoweit mit Befriedigung zur Kenntnis, als es eine klare Absage an das – inzwischen nachträglich von uns verworfene – Stalin-Angebot von 1952 (und die Konzeption Berijas von 1953) bedeutet.

Aber wir befürchten, es werde nun vielleicht wieder eine Phase der sowjetischen Deutschlandpolitik einsetzen, die auf eine Wiederholung der II. Parteikonferenz – mit allen ihren gräßlichen Folgen – hinauslaufen könnte, d.h. auf einen in sich abgekapselten DDR-Sozialismus, der schematisch das sowjetische Modell nachahmt. Um so erleichterter und begeisterter sind wir dann über die Annäherung Sowjetunion-Jugoslawien 1955 und vor allem über den XX. Parteitag der KPdSU 1956, Ereignisse, die nach unserer Meinung diese Sorge ein für allemal gegenstandslos machen und eben damit *unserer* Konzeption – sozialistische Revolutionierung der Bundesrepublik durch Vorbildhaftigkeit und Attraktivität der DDR – eine reale Perspektive zu eröffnen scheinen. Und darin irren wir ganz kolossal: KPdSU und SED haben zwar aus dem 17. Juni ebenso wie aus dem Konflikt mit Tito viel gelernt, und sie haben sich auch vom Schrecken der Stalinschen Periode abgekehrt. Aber dies bedeutet keineswegs, daß sie deswegen noch gesonnen wären, ihre frühere Politik der Wiedervereinigung Deutschlands *in irgendeiner Form* fortzusetzen.

Seit der Ratifizierung der Pariser Verträge und der NATO-Eingliederung der Bundesrepublik 1955 gehört der Kampf um die Einheit Deutschlands für sie endgültig der Vergangenheit an, und wer in der DDR diese Politik jetzt noch fortsetzt und zu dem Zweck Reformen propagiert, die irgendwelche nichtsozialistischen potentiellen Verbündeten in der Bundesrepublik gewinnen helfen sollen, gerät zu ihnen – zur SED und zur KPdSU – unweigerlich in Gegensatz, wird – mit anderen Worten – objektiv zum Konterrevolutionär.

(1957-63 ersetzt Ulbricht das frühere Konzept des »einheitlichen, unabhängigen, friedlichen, demokratischen Deutschland« durch seinen Vorschlag einer »Konföderation der beiden deutschen Staaten«, und später läßt er – und nach ihm Honecker – sogar auch diesen Plan wieder fallen und besteht auf den beiden voneinander unabhängigen deutschen Staaten, zwischen denen es friedliche Koexistenz nur auf der Grundlage gegenseitiger völkerrechtlicher Anerkennungen geben kann).

In den Jahren 1954-55 bemüht sich der neue Kulturminister Johannes R. Becher, wie gesagt, darum, die Kulturpolitik in der DDR so liberal und tolerant wie möglich zu halten, immer unter dem Einfluß von Brecht, auf dessen Freundschaft, Wohlwollen und Anerkennung er großen Wert legt, und gedeckt durch Ulbricht, der ihm den Auftrag erteilt hat, die durch den 17. Juni und seine Vorgeschichte verstörten Intellektuellen und Künstler behutsam wieder an die Partei heranzuführen. Gerade Becher ist aber auch bis in den innersten Kern seiner Emotionen gesamtdeutsch orientiert. Und aus diesem Grunde macht er sich zugleich zum Vorkämpfer der letzten, verzweifelten Versuche, der Endgültigkeit der Spaltung Deutschlands entgegenzuwirken. Obwohl Regierungsmitglied, begibt Becher sich aus ureigenster Initiative in den Jahren 1954/55 zu wiederholten Malen nach Westberlin, um dort – in den verschiedenen gemieteten Gasthofsälen, meist in der Nähe des Zoos, unbekümmert um das Geifern professioneller Antikommunisten und bedrohliche Zusammenrottungen von Schlägern – beschwörend auf die versammelten Intellektuellen einzureden, sie sollten alles in ihrer Macht Stehende tun, die Pariser Verträge zu Fall zu bringen. Um seine Westberlinversammlungen so gut besucht und erfolgreich wie möglich zu machen, bietet Becher alle seine Hilfstruppen auf, an der Spitze Brecht, der eigentlich öffentliches Auftreten scheut, dessen legendäre Prominenz aber als Zugkraft unentbehrlich scheint. Als schließlich Versammlungsräume in Westberlin nicht mehr zu haben sind und die Zusammenkünfte notgedrungen nach Ostberlin verlegt werden müssen, wird Ernst Bloch den Teilnehmern als Redner präsentiert (Bloch scheut Westberlin-Besuche wegen seiner amerikanischen Staatsangehörigkeit, die ihn, wie er meint, unter das Verbot von »Trade with the enemy« fallen läßt).

Im Zusammenhang mit dieser Kampagne kriegt Janka von Becher die Weisung, alle Verbindungen des Aufbau-Verlages zu westdeutschen und Westberliner Verlagen sowie zu deren Autoren dazu auszunutzen, einflußreiche Schriftsteller und Wissenschaftler aus dem Westen zur Teilnahme an den Versammlungen zu bewegen. Mich nimmt Becher, wegen meiner Eloquenz und weil ich mich 1953 durch meinen Beitrag zum Sturz der Kunstkommission bei Teilen der westlichen Intelligentsia beliebt gemacht habe, jedesmal als Diskussionsredner mit, wie er überhaupt mit Vorliebe prominente »Schiefliegende« (d.h. irgendwann einmal mit der Partei in Konflikt Geratene) ins gesamtdeutsche Feuer schickt. Einmal, bei einer Versammlung in einem Kurfürstendammlokal, betraut er mich sogar mit dem Hauptreferat und fordert den Chefredakteur des »Monat«, den amerikanischen Antikommunisten Melvin J. Lasky, dazu auf, das Koreferat zu halten. Diese Versammlung findet unmittelbar nach dem Bekanntwerden des Rücktritts von Malenkow als sowjetischer Regierungschef und nach dessen Ersetzung durch Bulganin statt; sie ist daher besonders spannungsgeladen. Als Diskussionsredner sprechen u.a. Brecht, Stefan Hermlin, Girnus (als Sekretär des Ausschusses für Deutsche Einheit) und Becher selbst. Thema: Die Ratifizierung der Pariser Verträge und die Gefahr der endgültigen Spaltung Deutschlands. (Es ist diese Versammlung, auf der ein westlicher Photoreporter das Photo von mir schießt, das dann später, bis in die sechziger Jahre hinein, immer wieder in Westzeitungen erschienen ist.)

Mit Feuereifer entledigen Janka und ich uns dieser von Becher gestellten Aufgaben. Bis zum Augenblick der vollzogenen Ratifizierung der Pariser Verträge gibt es für uns politisch nichts Wichtigeres. Und dem entspricht die Linie unserer Arbeit im Verlag. Die gesamte Produktion des Aufbau Verlages wird durch Janka schon 1953 ganz auf den Zweck ausgerichtet, die geistig interessierten Menschen in Westdeutschland zu beeindrucken und so zu Verbündeten der DDR im Kampf für die Wiedervereinigung Deutschlands, gegen die EVG – später gegen die Pariser Verträge – zu machen. Was »die Westdeutschen« zu unseren Büchern sagen werden – zu ihrem Inhalt, ihrer Thematik, ihrem Niveau, aber auch ihre Ausstattung –, das ist für Janka immer das letztlich entscheidende Wertkriterium.

»Bloch liegt philosophisch schief? Mag sein! Aber wenn der bei uns erscheint, dann stimmt das die Leute in Westdeutschland, die sich für ihn interessieren, uns gegenüber versöhnlicher!« »Thomas Mann? Natürlich als Gesamtausgabe in zwölf Bänden mit Goldschnitt, die halbe Auflage in Pergament, das Übrige in Leder – was denkst du, wie da die Westdeutschen staunen! Das hat S. Fischer noch nicht fertiggekriegt.« »Geh mir doch weg mit dieser Scheißaufbaulyrik von dem Preißler. Damit locken wir in Westdeutschland keinen Hund hinter dem Ofen hervor.

Das stößt die höchstens ab« »Hymnen auf Stalin? Wohl wahnsinnig geworden. Was sollen denn dazu die Westdeutschen sagen?« »Gottfried Keller in acht Bänden? Wird gemacht! Aber da müßt ihr hinten in den Anmerkungen einen solchen philologischen Apparat bringen, wie es ihn in noch keiner anderen Kellerausgabe gegeben hat. – Den Westdeutschen, die darauf stehen, muß es den Atem verschlagen!« usw., usf. Im einzelnen ist Janka zu ungebildet, um beurteilen zu können, worauf »die Westdeutschen stehen«. Das läßt er sich von Max Schröder und mir sagen. Aber er hat diese Linie eingeschlagen; er steuert diesen Kurs; er begründet und verteidigt ihn vor dem Präsidialrat des Kulturbundes, der über das Verlagsprogramm zu beschießen hat; er rennt dem ZK und dem Kulturministerium die Bude ein, wenn von daher Wünsche kommen, die dieser Linie konträr sind.

Genau so, nach diesem Vorbild verfahre gleichzeitig ich mit der »Deutschen Zeitschrift für Philosophie«. Eine Zeitschrift zu machen, die der philosophisch interessierten Intelligenz in Westdeutschland etwas zu sagen hat, die interessant für sie ist, die ihr zeigt, daß wir auch auf diesem Gebiet Niveau haben und daß die Entwicklung des Diamat freie Diskussion und unbefangene Problemstellung nicht ausschließt, sondern voraussetzt, darauf kommt es mir an. »Schröter ist ein elender Positivist? Sicher! Aber er hat etwas geleistet, und wenn er bei uns die mathematische Logik vertritt, dann gibt es Tausende dieser Fachrichtung in Westdeutschland, die uns lesen und ernst nehmen.« »Was? Diese westdeutschen Neuerscheinungen sollen wir nicht rezensieren, weil sie bei uns doch nicht verbreitet werden? Im Gegenteil: Gerade deswegen muß unser Rezensent seiner Kritik eine detaillierte Inhaltsangabe voranstellen, weil das den schlechten Eindruck der Nichtverbreitung ein bißchen abschwächen hilft!« usw. usf. Dies geht solange gut, bis die Pariser Verträge ratifiziert sind, der NATO-Beitritt Westdeutschlands perfekt ist und, im Gegenzug dazu, 1955 der Warschauer Pakt unter Einbeziehung der DDR etabliert wird. In den darauffolgenden Monaten beginnen die zuständigen ZK-Stellen allmählich, gegen unsere gesamtdeutsche Orientierung Bedenken geltend zu machen. Der Aufbau-Verlag, mit seiner langfristiger geplanten, Buchprodukiton, ist davon weniger betroffen.

Aber mir werden als Chefredakteur der »DZfPh« in wachsendem Maße Schwierigkeiten gemacht.

Man beanstandet, daß der Anteil von Buchbesprechungen über westdeutsche Neuerscheinungen zu groß ist. Man wirft mir vor, ich würde, aus falsch verstandenem Niveauanspruch, zuviel von Bloch und Lukács abdrucken und den Philosophennachwuchs aus der DDR nicht hinreichend zu Wort kommen lassen – Man fordert Beiträge über soziologische Themen, die sich auf den sozialistischen Aufbau in der DDR beziehen (»Was hat das mit Philosophie zu tun?«, frage ich, »Gründet doch eine andere Zeitschrift, die sich damit befaßt!«). Schließlich nimmt die Partei Ende 1955 eine Veränderung der Leitungsstruktur in der Redaktion vor.

Ich bleibe zwar Chefredakteur, und auch Manfred Hertwig wird im Amt des Redaktionssekretärs belassen. Aber das vierköpfige Herausgeberkollegium Baumgarten-Bloch-Harich-Schröter soll nur noch dekorativen Charakter haben, und mir zur Seite wird ein linientreues Redaktionskollegium etabliert, mit Matthäus Klein, dem Leiter des Lehrstuhls für Philosophie am Gesellschaftswissenschaftlichen Institut des ZK der SED, als stellvertretendem Chefredakteur.

Für das Heft 1 des Jahrgangs 1956 der Zeitschrift arbeiten Herausgeber- und Redaktionskollegium, auf Wunsch des ZK, einen gemeinsamen programmatischen Leitartikel aus, der eine kritische Einschätzung der bisherigen Arbeit gibt und die kommenden Hauptaufgaben festlegt. In dem Artikel heißt es u.a., ich hätte bisher zu wenig Sinn für die Grundsätze »kollektiver Leitung« gezeigt (das ist einer der Vorwürfe, den der XX. Parteitag der KPdSU gegen Stalin erhebt); außerdem hätte ich als Chefredakteur über dem Bestreben, Probleme zu behandeln, die für den philosophisch gebildeten Teil der westdeutschen Intelligenz von Interesse sind, ständig die besonderen Anforderungen der philosophischen Lehre, Forschung und Diskussion der DDR vernachlässigt. Besonders aber sei mir in dem Zusammenhang die Ignorierung aktueller soziologischer Fragen vorzuwerfen. Die Zeitschrift müsse in Zukunft mehr ein Instrument des sozialistischen Aufbaus in der DDR werden, so der Artikel.

Die praktische Redaktionsarbeit ergibt freilich, daß das neue Redaktionskollegium kaum effektiv wird. Dazu sind der Stellvertretende Chefredakteur und die übrigen Redaktionsmitglieder – Kosing (Berlin), Ley (Dresden) und Mende (Jena) – viel zu stark anderweitig beschäftigt; besonders Ley, der 1956 Vorsitzender der Staatlichen Rundfunkkomitees der DDR wird.

So bleibt es, bis zu meiner Verhaftung Ende 1956 bei der mangelnden »kollektiven Leitung«. Der Besuch Adenauers in Moskau bringt Janka und mich zum ersten Mal in Gegensatz zur Politik der Sowjetunion. Daß die Sowjetunion aus der Ratifizierung der Pariser Verträge durch den Bundestag die Konsequenz zieht, mit der Bundesrepublik diplomatische Beziehungen aufzunehmen, finden wir empörend. Für uns gibt es nur *einen* rechtmäßigen deutschen Staat: die DDR, weil nur sie das Potsdamer Abkommen erfüllt hat und weil sie sich 1949 nur notgedrungen, im Gegenzug zur Gründung der Bundesrepublik, als Staat etabliert hat.

In der Bundesrepublik sehen wir immer noch, ganz im Stil der SED-Parolen von 1946-48, eine »amerikanische Kolonie«, das »deutsche Formosa« (mit Adenauer als deutschen Tschiangkaischek). Besonders widert uns an, daß Chruschtschow und Bulganin die diplomatischen Beziehungen zu Bonn mit der Freilassung der übelsten Kriegsverbrecher erkaufen. Unbekümmert setzt Janka dann seine gesamtdeutsche Linie im Aufbau-Verlag fort, er, wie gesagt, auch verhältnismäßig ungestört, und Max Schröder und ich helfen ihm dabei. An der »Deutschen Zeitschrift für Philosophie« habe ich es in dem Punkt, wie gesagt, schwerer. Um die Jahreswende 1955/56 rechne ich nach der Etablierung des neuen Redaktionskollegiums damit, daß man mich zwingen wird, die Zeitschrift auf inneren DDR-Bedarf umzustellen, und das scheint mir eine so trostlose, meinen politischen Intentionen so sehr widersprechende Aussicht zu sein, daß ich bereits mit dem Gedanken spiele, meinen Chefredakteursposten niederzulegen. Aber nicht nur die praktische Ineffektivität des neuen Kollegiums hält mich davon ab, sondern noch ein anderer, viel wichtigerer Umstand: der XX. Parteitag der KPdSU. Er findet Anfang 1956 statt, während ich gerade in Finnland bin, wo ich in der Universität Helsinki aus Anlaß einer DDR-Buchausstellung einen Vortrag zum 100. Todestag Heines halte.

Die Genossen von der DDR-Handelsvertretung machen mir laufend deutschsprachige Zeitungen aus Ost und West zugänglich, aus denen ich die Parteitagsdebatten in Moskau verfolgen kann. Und als ich beim Rückflug nach Berlin in einer zwei Tage alten Nummer des »Neuen Deutschland« lese, ersehe ich daraus, daß inzwischen die vorher ohne Namensnennung vorgebrachten Absagen an den »dem Geist des Marxismus-Leninismus widersprechenden Personenkult« sich in der Rede Mikojans zu einem direkten, namentlichen Angriff auf Stalin verdichtet haben, durch den – unter anderem – die Parteigeschichte verfälscht worden sei.

In Berlin sind die Genossen in heller Aufregung. Wenig später wird vom Westen her die Geheimrede Chruschtschows mit den Enthüllungen über Stalins Rechtsbrüche, über seinen blutigen Terrorismus, über seine Verfolgung aufrechter, ehrlicher Kommunisten – von den Moskauer Prozessen der 30er Jahre angefangen – bekannt. Durch Monate ziehen sich die Diskussionen hin, wobei im Laufe des Jahres erregende Ereignisse in den Volksdemokratien sowohl wie in den Bruderparteien der kapitalistischen Länder – so Togliattis Interview für die »Nouvi Argomenti« mitsamt der in der »Prawda« abgedruckten Erwiderung der KPdSU , so der Posener Aufstand, so die hitzigen Debatten der Intellektuellen in Warschau, so die Wahl Gomulkas zum polnischen Parteichef, so die Unruhen in Ungarn usw. – immer neues Öl ins Feuer gießen. Und es sind diese Diskussionen, die speziell in der Parteigruppe des Aufbau-Verlages dazu führen, daß sich jetzt die später so genannte Harich-Gruppe (die eigentlich Janka-Gruppe heißen müßte) herausbildet.

Was aber ist der eigentliche Springpunkt der Entstehung dieser Gruppierung? Die Tatsache, daß sowohl Janka als auch ich völlig die Konsequenzen vergessen haben, die inzwischen, 1955, die Sowjetunion und die SED aus der Ratifizierung der Pariser Verträge durch Bonn gezogen haben, und daher irrtümlicherweise glauben, die Zerschlagung des Stalin-Mythos auf dem XX. Parteitag der KPdSU, die damit faktisch gar nichts zu tun hat, eröffne uns die Möglichkeit, unsere gesamtdeutsche Politik von 1954/55 mit neuen, wirksameren, weil nicht mehr vom »Stalinismus« eingeengten, Methoden fortzusetzen und zum Erfolg zu führen.

Wir rollen weiter auf dem gesamtdeutschen Gleis, auf dem wir – bis in die subtilsten Angelegenheiten unserer Berufsarbeit hinein – schon immer gefahren sind, auf dem Gleis, dessen Weichen zuletzt noch durch die Becherschen Aktivitäten in Westberlin gestellt worden sind, und bilden uns ein, die Beschlüsse des XX. Parteitages der KPdSU hätten uns auf eben diesem Gleis mit einer neuen, leistungsfähigeren Lokomotive ausgestattet, der wir nur gehörig einzuheizen brauchten, damit sie in greifbar naher Zukunft – nämlich schon zu den Bundestagswahlen 1957 (!!!) – zum Ziel gelange.

Und erfüllt von dieser Wahnidee, eröffnen wir den Kampf gegen den »Stalinismus in der DDR«, der uns durch sein Bremsen daran hindern will, dieses Ziel zu erreichen. Die folgenden Faktoren potenzieren diesen Grundirrtum:

1.) Die SED-Grundorganisation im Aufbau-Verlag, der auch die Genossen aus den Redaktionen des »Sonntag« und der Zeitschrift »Aufbau« angehören, wird vollständig von Janka beherrscht, nachdem er 1954 die ihm opponierende Kaderleiterin des Verlages, eine streng linientreue und wahrscheinlich mit der Staatssicherheit in Verbindung stehende Genossin Klückmann, wegen verschiedener Fehler ausgebootet und entlassen und außerdem in der Person des Genossen Günter Schubert einen ganz jungen, eben von der Universität gekommenen Lektor, der ihn, Janka, und mich restlos bewundert, in die Funktion des Parteisekretärs lanciert hat. Genau genommen ist daher die sogenannte »Harich-Gruppe« mit der SED-Grundorganisation des Aufbau-Verlages überhaupt identisch. (Diese Identität wird nur dadurch später verdunkelt werden, daß das Oberste Gericht der DDR im bloßen Äußern oppositioneller Gedanken keine strafbare Handlung erblickt und daher die Strafverfolgung ausschließlich auf die wenigen Gruppen-Mitglieder erstreckt, die ganz konkrete, auf den Sturz der Parteiführung und Regierung abzielende *Taten* begangen haben, so daß z.B. auch der formelle Anführer der Gruppe, nämlich der Parteisekretär Schubert, unbestraft bleibt, ja gegen ihn nicht einmal ein Ermittlungsverfahren eingeleitet wird.) Wichtig für das Verständnis des Falles ist die Identität von Grundorganisation und Harich-Gruppe deswegen, weil ein Kommunist, der mit seiner Grundorganisation ideologisch übereinstimmt, nie das Gefühl hat, parteifeindlich (geschweige, in einem sozialistischen Staat, staatsfeindlich) zu sein.

2.) Die SED-Grundorganisation des Aufbau-Verlages setzt sich überwiegend aus Intellektuellen (Redakteuren, Lektoren usw.) zusammen, d.h. aus Menschen einer Schicht, die durch die Zerschlagung des Stalinmythos besonders tief und emotionell angerührt sind. Die Arbeiter (Packarbeiter aus dem Buchlager, Fahrstuhlführer, Chauffeure, Botenjungen usw.) gehören Kategorien des Proletariats an, die nicht zur eigentlichen Industriearbeiterschaft zählen. Die Angestellten sind meist Sekretärinnen, die ihre Chefs vergöttern. Und der einzige waschechte Typ des Parteifunktionärs heißt Janka.

3.) Die Tatsache, daß der XX. Parteitag vor allem den Terror Stalins in den Reihen der Partei, gegen die eigenen Genossen, verurteilt hat, gibt uns das Gefühl, daß eine strafrechtliche Verfolgung von Parteimitgliedern, jedenfalls aus politischen Gründen, nun unter keinen Umständen mehr vorkommen wird, so daß wir uns oppositionelle Äußerungen und Aktivitäten von nun an ohne weiteres werden leisten können. Da wir aber samt und sonders an einen solchen Zustand in der Partei nicht gewöhnt sind, überschatzen wir ihn und schießen mit dem, was wir sagen und tun, weit übers Ziel hinaus. (Die innerparteiliche Demokratie – genannt »Wiederherstellung der Leninschen Normen des Parteilebens« – muß sich erst noch einpendeln, einpegeln.)

4.) Das ungeheuerliche Unrecht, das Jahrzehnte lang von den dreißiger Jahren an und bis in die unmittelbare Gegenwart ehrlichen Kommunisten angetan worden ist, wühlt uns so tief auf und empört uns so sehr, daß wir eine bloße Rehabilitierung der Verfolgten für völlig ungenügend erachten, ja, es als Hohn empfinden, daß die Rehabilitationen jetzt durch dieselben Parteiinstanzen und Parteiführer ausgesprochen werden, die vorher als Verfolger fungiert haben (namentlich durch die Parteikontrollkommission unter Hermann Matern, aber auch durch Ulbricht, der seinerzeit in Zeitungsartikeln die Verfolgung von Kreikemeyer, Leo Bauer, Paul Merker usw. gerechtfertigt hat). Nach unserer Meinung kann von Wiederherstellung des Rechts erst dann die Rede sein, wenn die Rehabilitierten in ihre früheren Parteifunktionen wieder eingesetzt und ihre Verfolger für das, was sie ihnen angetan haben, zur

Verantwortung gezogen, also wenigstens von ihren Funktionen entbunden, möglichst aber aus der Partei ausgeschlossen oder sogar ihrerseits vor Gericht gestellt werden. Daß die Partei ein solches Vorgehen schon deswegen verschmäht, weil es ihre Reihen ja nur einer neuen Welle von Terror, Denunziationen usw. aussetzen würde, finden wir unfaßlich. Und in diesem Punkt ist Janka ganz besonders engagiert, denn ihn betrifft unmittelbar das tragische Schicksal seines Freundes Paul Merker, der erst kurz nach dem XX. Parteitag aus der Haft entlassen wird und dessen *politische* Rehabilitation Ulbricht nach wie vor ablehnt. (Merker hat nicht nur von allen Verfolgten früher in der Parteihierarchie der KPD – und später SED – am höchsten gestanden, er ist auch der einzige, der ein wirklicher Opponent Ulbrichts gewesen ist, und diese damaligen Differenzen betrachtet Ulbricht – ob zu Recht oder Unrecht, bleibe dahingestellt – nach dem XX. Parteitag keineswegs als erledigt, weshalb er lediglich einräumt, für eine *strafrechtliche* Verfolgung Merkers hätte es keinen Grund gegeben.)

5.) Der XX. Parteitag bedeutet für uns eine tiefe Erschütterung unseres Vertrauens in die Fähigkeit, die Intelligenz und die politische Moral der höchsten Parteiführer. Leute, die sich Jahrzehnte lang von Stalin das alles, was Chruschtschow jetzt ans Licht zieht, haben bieten lassen, können – so meinen wir – nur entweder charakterlose Lumpen oder Dummköpfe sein. So nehmen wir uns vor, ihnen kein Wort mehr unbesehen zu glauben, ihnen nichts mehr ungeprüft durchgehen zu lassen, um nicht an ihren Fehlern mitschuldig zu werden. Dies ist die Grundstimmung in der ganzen Parteigruppe.

Speziell bei Janka und mir aber schlägt sie in Größenwahn um, weil wir erleben, daß oppositionelle Standpunkte, die wir schon früher vertreten haben, sich jetzt als richtig erweisen, womit für uns bewiesen zu sein scheint, daß wir überhaupt klüger sind als unsere politischen Führer, daß es für die Partei und die DDR besser wäre, wenn wir zu bestimmen hätten. Bei mir sieht diese Schlußfolgerung so aus: Daß Stalin von Philosophie keine Ahnung hatte, habe ich schon immer gewußt; in der Hegeldiskussion habe ich es entlarvt; Ulbricht und Hager haben das damals nicht gemerkt, also werden sie wohl auch sonst Idioten sein, also weg mit ihnen, zumindest was Hager kann, kann ich schon lange, und Janka wäre sicher der bessere Ulbricht.

Aufgezeichnet als Stichworte für das Memoirenwerk im Sommer 1972.

VORBEMERKUNG

In der Anlage zum »Kommentar zu meinem Ahnenpaß« hatte Wolfgang Harich dem Herausgeber den Bericht über eine Sitzung des Philosophischen Instituts an der Humboldt-Universität mit übergeben. Zwar hat Wolfgang Harich diese Mitschrift im April 1952 selbst angefertigt, aber sie gibt dem heutigen Leser einen Einblick in die Atmosphäre der sogenannten Hegel-Diskussion jener Jahre. Der Herausgeber weiß um das Problem eines in eigener Sache gefertigten Protokolls, hat sich aber trotzdem zum Abdruck entschlossen.

Bericht über die Sitzung des Philosophischen Instituts
(Mittwoch, den 16.4.52)
Ort der Diskussion: Philosophisches Institut der Berliner Humboldt-Universität, Berlin NW 7, Universitätsstraße 3 b). – Zeit 16-19 Uhr.

2. Teilnehmer:
Prof. Dr. Walter Hollitscher (Ordinarius für Philosophie)
Dr. Klaus Schrickel (Lehrbeauftragter)
Dr. Wolfgang Harich (Lehrbeauftragter)
Redlow (Assistent)
Hermann Scheler (Kandidat der Aspirantur)
Wolfgang Heise (Kandidat der Aspirantur)
Fritz Gluth (Hilfsassistent, Student)
Sudrow (Hilfsassistent, Student)
(Prof. Kurt Hager und Ernst Hoffmann waren nicht anwesend)

3. Tagesordnung:
a) Der Arbeitsplan des Praktikums der Studenten
b) Technische Fragen der geplanten Zeitschrift
c) Abschliessende Stellungnahme zu der Hegel-Diskussion
d) Vorlesungsprogramm über dialekt. und hist. Materialismus

4. Abschliessende Stellungnahme zu der Hegel Diskussion.

(Im folgenden werden die wichtigsten Äußerungen in Kürze wiedergegeben.)

Dr. Schrickel: Ich habe mit Gen. Ernst Hoffmann gesprochen. Ich habe ihm gesagt, daß es unbedingt notwendig wäre, daß er zu der heutigen Sitzung kommt. Zumindest müsse aber Kurt Hager erscheinen. Ernst Hoffmann sagte, er könne heute nicht kommen. Kurt Hager ist auch nicht erschienen. Nach Hoffmanns Meinung ist es notwendig, daß heute das Institut abschliessend zu der Hegel-Diskussion Stellung nimmt. Ich glaube, daß wir auch ohne Anwesenheit der beiden Genossen zu einer solchen abschliessenden Stellungnahme kommen müssen. Also: Was ist Eure Meinung zu der Hegel-Diskussion? Wie soll das Institut dazu Stellung nehmen?

Scheler: Ich hatte bei der Diskussion den Eindruck, als hätten nicht Genossen diskutiert, sondern Feinde. Die Art und Weise, wie vor allem Harich aufgetreten ist, ist unter Genossen nicht vertretbar. Harich hat zu Hoffmann gesagt: »Haben Sie das und das Buch gelesen? Nein? Na, dann setzen Sie sich hin, und lesen Sie es bitte!« Das ist die Methode, wie bürgerliche Professoren einen Marxisten, der nicht Bescheid weiß, blamieren. Harich ist wie eine Primaballerina aufgetreten. Mir scheint auch, daß Harich keine richtige Einstellung zur Sowjetwissenschaft hat. Für die Zukunft müssen daraus Schlussfolgerungen gezogen werden. Es muß von Harich erwartet werden, daß er zu seinem Verhalten selbstkritisch Stellung nimmt.

Hollitscher: Die ganze Sache hat zwei Seiten: Sie betrifft erstens die Arbeit des Instituts und zweitens den Genossen Harich, das Parteimitglied Harich. Vom Standpunkt des Instituts ist zu sagen: Harich befindet sich in der Situation, daß die Studenten, die er noch 4 Jahre in Geschichte der Philosophie wird unterrichten müssen, ihm gegenüber eine Vertrauenskrise durchmachen. Diese Vertrauenskrise besteht nicht erst seit dieser unglücklichen Diskussion. Sie bestand schon vorher, denn die Studenten hatten das Gefühl, daß Harich in seiner Hegel-Vorlesung so tut als ob die Grundtendenz Hegels bis 1806 fortschrittlich sei. Sie hatten das Gefühl, daß das eine unmarxistische Auffassung ist. Deshalb haben sie um die Diskussion gebeten. Das war schon Ausdruck ihrer Vertrauenskrise. Im Grunde haben sie von vornherein erwartet, daß ihr Lehrer in der Diskussion eins auf den Kopf bekommen würde. Das Resultat der Diskussion hat die Vertrauenskrise noch vertieft. Harich hat sich Blößen gegeben, die man sich als Dozent nicht geben darf. Harich ist sehr leichtfertig. Er vertritt mit einer kindlichen Naivität seine Thesen und hält es einfach für selbstverständlich, daß sie richtig sind. Seine schriftlich fixierten Thesen waren sehr leichtfertig. Er sagt darin als Schlußfolgerung: Also muß man sich auf den Hosenboden setzen und sich konkrete Kenntnisse Hegels aneignen. Das ist doch ein Schriftsatz, den ein Mensch nicht aus der Hand gibt. So etwas kann Harich sich vielleicht zu Hause im Ärger aufschreiben, aber so etwas kann er doch nicht als seine Thesen aus der Hand geben. Aber er tut das mit einer Leichtfertigkeit und mit einer heiteren Naivität, die einfach erstaunlich sind. Wegen dieser Leichtfertigkeit ist das Vertrauen der Studenten zu Harich erschüttert. Harich muss unbedingt seine Beziehung zu den Studenten in Ordnung bringen. Zweitens ergibt sich die Frage: Wie steht es mit dem Parteimitglied Harich? Sein Verhalten als Genosse ist kaum diskutabel. Er reagiert wie eine Primadonna. Er stellt die Fragen so scharf und aggressiv. Er ist in der Diskussion immer gleich so aufgeregt. Sein Ton ist böse. Seine Formulierungen sind ironisch. Seine ganze Haltung ist überheblich. Er bezweifelt, daß wir bestimmte Bücher gelesen haben. Aber das Buch von Lukács haben wir alle gelesen. Harich ist als Genosse in der Parteiorganisation des Aufbau-Verlages organisiert. Er muss unbedingt in der Parteiorganisation der Universität organisiert werden. Die Parteigruppe muß mit dem Genossen Harich diskutieren über sein unverantwortliches Verhalten. Sie muß von ihm Selbstkritik fordern. Sie muss fordern, daß in seiner Haltung Verantwortlichkeit an die Stelle von Leichtfertigkeit und Disziplin an die Stelle von Überheblichkeit tritt.

Schrickel: Die Diskussion hat gezeigt, daß wir solche philosophischen Diskussionen besser vorbereiten müssen. Es geht nicht, daß die Genossen in der Diskussion mit extrem entgegengesetzten Meinungen auftreten und dann zu keinem Ergebnis kommen. Es muss vorher, in der Vorbereitung der Diskussion durch die leitenden Genossen des Instituts, eine einigermaßen einheitliche Basis erarbeitet werden. Zweitens: Ich bin der Meinung, daß Harich die Basis zerstört hat, auf der sachliche wissenschaftliche Diskussionen möglich sind. Diese Basis hat er zerstört durch die aggressive Schärfe des Tons in seiner ganzen Argumentation. Dadurch wurde das Vertrauen der Studenten zu ihrem Lehrer erschüttert. Es muss die Grundorganisation der Partei sich mit dieser Frage beschäftigen. Vor der Grundorganisation der Partei muss geklärt werden, wie Harich das Vertrauen der Studenten wiedergewinnen kann.

Gluth: Über das Verhältnis der Studenten zu Harich ist folgendes zu sagen: Wir Studenten sind natürlich misstrauisch geworden gegen Harichs Vorlesungen überhaupt. Ein gewisses Misstrauen bestand von Anfang an. Harich sprach zu Anfang seiner Vorlesung über die griechische und hellenistische römische Philosophie über das Studium der Geschichte der Philosophie im Allgemeinen. Dabei stellte er den Kampf zwischen Materialismus und Idealismus so dar, als ob sich Materialismus und Idealismus gegenseitig vorwärtstreiben. Also so: Eine Entwicklungsphase des Idealismus wird durch den Materialismus zerschlagen. Der Materialismus kann aber bestimmte Probleme noch nicht beantworten. Diese Problem greift der Idealismus dann auf und gibt ihnen eine – wenn auch falsche, idealistische – Lösung. Dadurch wird wieder der Materialismus gezwungen, neue, tiefere Argumente zu entwickeln, um auch die neue Form des Idealismus zu schlagen. Shdanow hat aber gesagt: Die Geschichte der Philosophie ist die Geschichte des Materialismus und des Kampfes, den der Materialismus gegen den Idealismus führt. Wir fragen uns: Ist Harichs Auffassung der Geschichte der Philosophie marxistisch? Wenn wir diese Frage stellen, sagt Harich immer wieder, wir sollen die und die Schriften von Plato, Aristoteles usw. lesen. Oder er sagt, wir sollen uns mit den und den konkreten Problemen beschäftigen. Natürlich bringt er immer Argumente, natürlich haben wir nicht solche Argumente wie er, weil uns noch die Kenntnisse fehlen. Aber rein gefühlsmäßig fragen wir uns: Ist die gesamte Auffassung der Geschichte der Philosophie, des Kampfes zwischen Materialismus und Idealismus richtig? Jetzt zeigt es sich, daß Harich schwere Fehler in der

Hegel-Vorlesung gemacht hat, daß er Hegel viel zu positiv einschätzt. Wir fragen uns: Wenn in der Hegel-Vorlesung solche Fehler möglich sind – in einer Vorlesung, wo Harich Spezialkenntnisse hat –, besteht dann eine Garantie dafür, daß seine Vorlesung über die griechische Philosophie richtig ist? Wir müssen wissen: Was sollen wir überhaupt von Harichs Vorlesungen halten? Es muss deshalb unbedingt noch über die Vorlesung über griechische Philosophie diskutiert werden.

Sudrow: Ich glaube, daß die Ausführungen von Gluth etwas einseitig sind. Wir dürfen nicht nur die Fehler und Schwächen der Diskussion sehen. Die Form der Diskussion war falsch. An dem erregten Ton muss man Kritik üben. Es wurde oft die Grenze überschritten. Der Ton grenzte oft an parteischädigendes Verhalten. Aber immerhin war es die erste Diskussion im Institut, in der überhaupt ideologische Meinungsverschiedenheiten zur Sprache gekommen sind. Und daraus können wir Studenten natürlich eine Menge lernen. Das ist für uns sehr wertvoll. Wie ist das Verhältnis der Studenten zu Harich? Wir sind alle der Überzeugung, daß man ungeheuer viel von ihm lernen kann. Aber weil Harich bestimmte Ideen hat, die im Allgemeinen als falsch gelten, sind wir misstrauisch gegen alle allgemeinen Schlussfolgerungen, die Harich gelegentlich in seinen Vorlesungen zieht. Harich hat Ideen über die Logik, die in vielen Punkten im Gegensatz stehen zu dem, was wir bei Hollitscher lernen. Harich ist der Ansicht, daß es einseitig ist, Hegel als »aristokratische Reaktion« zu bezeichnen, und spricht immer von fortschrittlichen Tendenzen bei Hegel. Harich ist der Ansicht, daß auch die Idealisten wichtige Erkenntnisse gehabt haben, die in bestimmten Zeiten ein Fortschritt waren. Wegen dieser Ideen Harichs sind wir an allen den Punkten misstrauisch, wo er nicht nur Tatsachenmaterial bringt, sondern seine verallgemeinernden Schlussfolgerungen entwickelt. Oft ist dieses Misstrauen überflüssig. Oft sind wir da kritischer, als es notwendig ist. Aber ich würde sagen, daß die Vertrauenskrise in diesem Misstrauen besteht.

Hollitscher: Man muss gegen Harich den Vorwurf erheben, daß er die sowjetischen Quellen nicht kennt. Ich habe ihm erst vor einigen Monaten die Artikel im »Bolschewik« von 1944 gegeben. Er kannte diese Artikel nicht. Er kann leider kein Russisch, aber das ist keine Entschuldigung. Ich informiere mich, wenn ich über irgendein Thema spreche, vorher in der Sowjetenzyklopädie. Harich liest nur die sowjetischen Arbeiten, die in der Zeitschrift »Sowjetwissenschaft« in deutscher Sprache erscheinen. Das genügt nicht.

Harich: Ich muss zugeben, daß mein Ton in der Diskussion oft sehr scharf und ironisch war. Mir tut es leid, daß ich immer wieder in diesen Ton verfallen bin, daß ich aufgeregt war, daß ich meinen Ärger nicht beherrscht habe. Mir tut das aus zwei Gründen leid: Erstens habe ich verschiedene Genossen damit beleidigt, und das soll man nicht tun. Zweitens habe ich dadurch der richtigen Sache, die ich vertrete, geschadet, habe ich euch durch den Ton manchmal ins Unrecht gesetzt, ohne daß das nötig war. Also in Bezug auf den Ton meiner Ausführungen bin ich bereit, Fehler zuzugeben. Aber ich bitte zu verstehen, daß mein Ärger auch bestimmte Ursachen hatte: Mich hat geärgert, der unqualifizierte Angriff des Genossen Hoffmann auf den Genossen Lukács in der »Einheit«. Mich hat geärgert, daß meine Verteidigung des Genossen Lukács nicht in der »Einheit« abgedruckt wurde, sondern daß die Veröffentlichung abhängig gemacht wurde von dem Ergebnis dieser Diskussion. In meinem Artikel geht es um nachweisbare schwere Fehler des Genossen Hoffmann. In dieser Dikussion geht es aber um meine Vorlesung. Das sind doch zwei verschiedene Dinge. Weiter hat mich geärgert die Tatsache, daß die Genossen Hager, Hoffmann, Schrickel und Hollitscher in der Diskussion nicht mit Argumenten auf meine Ausführungen eingegangen sind. Keine einzige meiner Thesen wurde sachlich diskutiert. Nur Genosse Hager hat in einem Punkt ein sachliches Thema behandelt: meine Einschätzung Napoleons im Jahre 1806. Was Genosse Hager zu diesem Thema sagte, war aber falsch. Ich kann Dutzende von Zitaten, Äußerungen von Marx, Engels, Stalin, von Mehring und Lukács anführen, die zeigen, daß Genosse Hager in dieser Frage im Unrecht ist. Und das war der einzige Punkt, über den überhaupt sachlich diskutiert wurde. Keiner hat ein Wort gesagt über die Schriften von Hegel, auf die ich mich in meiner Vorlesung stütze. Keiner hat ein einiziges Wort gesagt zu den vielen Zitaten von Marx, Engels, Lenin, Stalin, auf die ich mich berufen habe. Stattdessen hat aber Genosse Hoffmann erklärt, daß die Frage der Einschätzung Hegels unwichtig sei, daß es sich vielmehr darum handle, daß ich mich in Gegensatz zu Stalin und der Sowjetwissenschaft stellte.

Und Genosse Schrickel, der 14 Tage Zeit hatte, sich mit meinen Thesen zu beschäftigen, hat nicht mit einem einzigen Wort zu meinen Thesen Stellung genommen, sondern stattdessen einen Vortrag darüber gehalten, daß ich »in Nachbarschaft« der Fehler Deborins, ja in »Nachbarschaft« zum Existentialismus stünde, eine Behauptung, die er natürlich nicht begründen konnte, denn sonst hätte er es ja nicht nötig gehabt, immer wieder zu betonen, es handele sich nur um eine »Nachbarschaft«. Über diese Art der Diskussion, die keine Diskussion ist, sondern ein Versuch der Diffamierung, habe ich mich geärgert, und dieser Ärger erklärt meine Erregung. Ich bin bereit, jeden Fehler zu korrigieren, wenn mir sachlich, mit Argumenten ein Fehler nachgewiesen wird. Das ist aber nicht geschehen. Ich muss in den folgenden Punkten an den Genossen Hager, Hoffmann, Schrickel und Hollitscher Kritik üben, und ich bitte das Institut, daß diese meine Kritik in der abschliessenden Stellungnahme zu der Diskussion berücksichtigt wird:

1. Ich werfe diesen Genossen nationalen Nihilismus auf dem Gebiet der Philosophie vor. Hier handelt es sich um einen allgemeinen Fehler, der in der Arbeit der deutschen Partei auf dem Gebiet der Philsosophie überhaupt virulent ist. Dieser allgemeine Fehler ist in der Diskussion klar zum Ausdruck gekommen. Dieser Fehler zeigt sich aber auch darin, daß Genosse Schrickel einen Plan für das Studium der Geschichte der Philosophie entworfen hat, der vorsieht, daß innerhalb eines einzigen Studienjahres die ganze bürgerliche Philosophie von der Renaissance bis zum Jahre 1848 behandelt wird, was bedeutet, daß über Kant, Fichte, Schelling, Hegel und Feuerbach nur wenige Wochen lang gelehrt werden kann und das in einem Gesamtplan von 5 Jahren Studium Geschichte der Philosophie. Dieser selbe Fehler kommt weiter darin zum Ausdruck, daß der 120. Geburtstag Hegels im vorigen November nicht in einer würdigen Form begangen wurde. Ich bin der Meinung, daß die Genossen Hager, Hoffmann, Schrickel, Hollitscher für diesen Fehler mitverant-

wortlich sind, und es muss erwartet werden, daß sie zu diesem Fehler selbstkritisch Stellung nehmen.

2. Ich werfe den Genossen Hager, Hoffmann, Hollitscher und teilweise auch dem Genossen Schrickel vor, daß sie keine konkreten Kenntnisse der Geschichte der Philosophie besitzen. Ich gebe zu, daß es diesen Genossen in der Vergangenheit schwer gefallen ist, Zeit und Ruhe zum Studium zu finden. Ich gebe auch zu, daß diese Genossen gegenwärtig überlastet sind. Aber das hilft alles nichts: Wenn wir das philosophische Institut der Berliner Universität, an der Fichte und Hegel gelehrt haben, als verantwortliche Genossen leiten wollen, dann müssen wir unbedingt unsere Unkenntnis auf dem Gebiet der Geschichte der Philosophie überwinden. Es geht nicht, daß wir hier selbstzufrieden sind. Ich bin der Meinung, daß die Genossen selbstkritisch zugeben müssen, daß sie keine konkreten Kenntnisse der Geschichte der klassischen deutschen Philosophie besitzen ...

Zwischenruf Hollitscher: Du bist ja größenwahnsinnig!

Weiter Harich: ... und daß sie sich verpflichten müssen, diese Schwäche durch beharrliche Arbeit zu überwinden. Ich verstehe auch nicht, warum die Assistenten Redlow und Kosing, die die Geschichte der Philosophie nicht kennen, an keiner einzigen Vorlesung über Geschichte der Philosophie teilnehmen.

3. Ich werfe den Genossen vor, daß sie hier den Versuch machen, Araktschejew-Methoden zu praktizieren. Die Tatsache, daß die Veröffentlichung meiner Kritik an Ernst Hoffmann und meiner Verteidigung des Genossen Lukács von der »Einheit« nicht veröffentlicht wird, daß die Veröffentlichung abhängig gemacht wird vom Resultat dieser Diskussion, daß Genosse Hoffmann mir in dieser Diskussion, anstatt sich mit meinen Argumenten sachlich auseinanderzusetzen, Gegnerschaft zu Stalin vorwirft, daß Schrickel mich in »Nachbarschaft« zu Fehlern Deborins bringt und vor allem, daß die Diskussion einfach abgebrochen wird, ohne daß meine Argumente überhaupt diskutiert worden sind. Dies alles sind Versuche, hier ein Araktschejew-Regime einzuführen. Gegen die Versuche wehre ich mich. Mit einer solchen Methode kann man keine mar-

xistischen Wissenschaftler erziehen. Mit so einer Methode erzieht man die Menschen zur Charakterlosigkeit, zur Kriecherei, zur Doppelzüngelei. Ich selbst kann es vertragen, wenn ich einmal von der Partei oder von einzelnen führenden Genossen auch einen ungerechten »Knuff« bekomme. Ich weiß, daß ich in dieser Sache recht habe, und ich werde meinen Standpunkt weiter sachlich vertreten, ohne mich vor diesen Methoden zu fürchten. Aber ich habe Angst, daß die jungen Menschen, die hier zu marxistischen Wissenschaftlern erzogen werden sollen, eines Tages keine marxistischen Wissenschaftler sind, sondern Talmudisten, charakterlose Kriecher und Doppelzüngler. Deshalb protestiere ich gegen diese Methoden. Deshalb fordere ich die Genossen auf, einmal zu diesen Methoden, zu den Gefahren eines solchen Araktschejew-Regimes, selbstkritisch Stellung zu nehmen.

Noch ein Wort über die »Vertrauenskrise« der Studenten. Erstens glaube ich nicht, daß die Vertrauenskrise der Studenten eine allgemeine Erscheinung ist. Ich bezweifle das sehr. Zweitens: Wenn diese Vertrauenskrise überhaupt besteht, und sicher besteht sie bei vielen Studenten, so liegt das in erster Linie daran, daß ich von Genossen, die Mitarbeiter des ZK sind, und von leitenden Genossen dieses Institus in der Diskussion als ein Mensch hingestellt wurde, der sich in Gegensatz zu Stalin stellt und der Sowjetwissenschaft überheblich gegenübersteht. Was kann ich tun, um diese Vertrauenskrise zu überwinden? Ich kann nur eines tun. Ich kann nur arbeiten, meine Kenntnisse vertiefen, meine Vorlesungen noch besser vorbereiten und den Studenten die Wahrheit sagen, die ich erkannt zu haben glaube, und die nach meiner Meinung marxistsich ist. Wenn ich meinen Standpunkt immer sachlich begründe, wenn ich immer die Hinweise der Klassiker des Marxismsus-Leninismus beachte, wenn ich immer mit konkreten Kenntnissen ausgerüstet bin, dann werde ich auch das Vertrauen der Studenten wieder gewinnen. Und das will ich nach Kräften tun. Ich muss zugeben, daß dieses ganze Semester an einem Fehler krankt: Ich habe in diesem Semester keine Gelegenheit, ein Seminar zu den Fragen der Philosophie durchzuführen. Das liegt daran, daß ich neben meiner Vorlesungstätigkeit über Geschichte der Philosophie und neben meiner hauptberuflichen Arbeit im Aufbau-Verlag außerdem noch Vorlesungen und Übungen über Grundlagen des

Leninismus an der Pädagogischen Fakultät halte. Im nächsten Studienjahr wird das anders sein, und dann werde ich auch regelmäßig Seminarübungen durchführen können. Und in diesen Übungen werden alle Probleme konkret diskutiert werden. Was meinen Übertritt zur Parteiorganisation der Universität angeht, so kann ich diesen Übertritt mit dem Augenblick vollziehen, wo ich von der Universität als Dozent angestellt werde. Solange ich nicht als Dozent angestellt bin, kann ich meine hauptberufliche Tätigkeit beim Aufbau-Verlag nicht aufgeben. Solange ich aber beim Aufbau-Verlag hauptberuflich tätig bin, muss ich dort in der Grundorganisation der Partei organisiert sein.

Die Genossen Hollitscher, Schrickel, Heise: Diese Stellungnahme von Harich zeigt wieder, daß er gar nicht verstanden hat, worum es geht. Diese Stellungnahme ist wieder überheblich. Wir sind nationale Nihilisten, wir sind Ignoranten, wir üben Araktschejew-Methoden. Nur beim Genossen Harich ist alles in Ordnung, natürlich. Und das soll nun die selbstkritische Stellungnahme sein, die die Partei von dem Genossen Harich erwartet? Das ist das Gegenteil von Selbstkritik. Das zeigt doch, daß Genosse Harich sich nicht belehren läßt. Das zeigt doch, daß er sein ganzes Verhalten zur Partei überprüfen muss.

Schrickel: Verstehst du denn gar nicht, warum wir uns alle mit deinen sogenannten »sachlichen Argumenten« nicht auseinandergesetzt haben?

Harich: Nein, das verstehe ich nicht!

Schrickel: Aber das ist doch ganz klar. Das hat doch einen Sinn. Das haben sich die Genossen Hoffmann, Hager und ich doch genau überlegt. Die Sache ist doch die, daß es sich gar nicht um die Einschätzung Hegels handelt. Diese Frage ist ja längst geklärt. Es handelt sich um die Einstellung des Genossen Harich zur Partei. Es handelt sich um die Einstellung des Genossen Harich zur Sowjetwissenschaft. Es handelt sich um die Überheblichkeit des Genossen Harich und nicht um Hegel.

Harich: Meiner Ansicht nach handelt es sich um Hegel. Und das, was ihr vielleicht sogar mit Recht als Überheblichkeit bezeichnet, ist doch nur dadurch zustandegekommen, daß ihr nicht zu meinen Argumenten Stellung genommen habt.

Hollitscher, Schrickel, Heise: Es hat gar keinen Zweck, hier weiter über Hegel zu diskutieren. Dies steht gar nicht zur Debatte. Es geht nur um das überhebliche Verhalten Harichs. Damit muss sich die Parteiorganisation der Philosophischen Fakultät beschäftigen. Die Pareteiorganisation muß mit Harich die Frage seiner Einstellung zur Partei und seines Verhaltens diskutieren.

Harich: Ich bin gerne dazu bereit. Und ich sage euch schon jetzt, daß ich mich wirklich in der Diskussion zuweilen im Ton vergriffen habe. Aber ich muss darauf bestehen, daß ich vor der Parteiorganisation auch die sachliche Frage der Diskussion – meine Einschätzung Hegels – behandeln darf. Anders kann die Partei den Verlauf der Diskussion nicht richtig einschätzen.

Hollitscher, Schrickel, Heise: Nein, mit dieser Frage hat die Parteiorganisation nichts zu tun. Vor der Parteiorganisation geht es nur um deine Stellung zur Partei und um dein Verhalten in der Diskussion.

Sudrow: Die Parteiorganisation hat jetzt sehr viel zu tun. Eine solche Diskussion mit dem Genossen Harich kann erst in ungefähr acht Wochen stattfinden.

Harich: Und was ist inzwischen mit der Diskussion über Hegel? Soll die fortgesetzt werden oder nicht?

Hollitscher, Schrickel: Nein, diese Diskussion ist abgeschlossen. Es geht jetzt nur noch um dein Verhalten.

Dies waren die wesentlichen Momente der abschliessenden Diskussion. Ich habe natürlich eine Menge Details, die aber unwesentlich sind, fortlassen müssen. Der wesentliche Gehalt der Debatte ist aber mit der obigen Darstellung klar.

Die Diskussion wurde kurz vor 19 Uhr abgebrochen, und die Mitglieder des Instituts beschliessen, die Angelegenheit der Parteiorganisation der Philosophischen Fakultät zu übergeben.

(Wolfgang Harich)

VORBEMERKUNG ZU DEN GESPRÄCHS-PROTOKOLLEN

Der folgende Gesprächstext wurde auf der Grundlage mehrerer Video- und Tonbandinterviews zusammengestellt. Den wesentlichen Anteil bilden Fernsehaufzeichnungen, die vom 30.10.1989 bis zum 5.11.1989 in der Wohnung von Wolfgang Harich geführt wurden. Daraus entstand die TV-Sendung »Widerstand gegen Walter Ulbricht«, welche als erste unabhängige Fernsehproduktion im DFF 2 am 4. 1.1990 ausgestrahlt wurde. Es war zugleich die erste Möglichkeit für Wolfgang Harich, sich gegen die Vorwürfe von Walter Janka in seinem Buch »Schwierigkeiten mit der Wahrheit« öffentlich wehren. Ein Auszug dieses Fernsehinterviews wurde dann in der Wochenzeitschrift »Sonntag« im Februar unter dem Titel »Ich bin zu früh gekommen« abgedruckt.

Auf Wolfgang Harichs Äußerungen im DFF erwirkte Walter Janka eine Gegendarstellung im selben Sender drei Wochen später, am 24.1.1990. Da Wolfgang Harich aus prinzipiellen Gründen kein TV-Gerät besaß, hat er sich die Gegendarstellung im Studio von Zeitzeugen TV angeschaut und daraufhin eine eigene Gegendarstellung nach der Gegendarstellung von Walter Janka mit insgesamt 25 Punkten in die Kamera diktiert, und er endete damit, daß ihm nun nichts mehr übrigbleibt, als eine Verleumdungsklage einzureichen.

So begann die gerichtliche Auseinandersetzung zwischen zwei Menschen, die in der Frühphase der DDR gemeinsam Ulbricht stürzen wollten. Wolfgang Harich konnte vor Gericht einige Behauptungen von Walter Janka unterbinden lassen.

Bemerkenswert am folgenden Gespräch ist vor allem die Unmittelbarkeit, mit der Wolfgang Harich noch vor der Öffnung der Berliner Mauer Stellung nimmt. Ganz bewußt hat der Herausgeber Interviews, die nach den ersten freien Volkskammerwahlen der DDR am 18. März 1990 geführt wurden, nicht mehr berücksichtigt. Wolfgang Harichs Aussagen sind Quelle und emotionales Zeugnis jener kurzen Phase des Umbruchs zwischen Herbst 1989 und Frühjahr 1990.

Grimm: Seit Wochen wird in der DDR über das Buch von Walter Janka »Schwierigkeiten mit der Wahrheit« diskutiert. In diesem Buch wird Ihnen während des Prozesses in den fünfziger Jahren ein sehr ambivalentes Verhalten vorgeworfen. Ich möchte Sie hier fragen: Wie stehen Sie zu den Vorwürfen, was ist Ihre Antwort auf das Buch?

Harich: Ja, also, was mich selber betrifft und meine Rolle, aber auch die Rolle anderer, so wimmelt das Buch von Unwahrheiten, die zum erheblichen Teil einen verleumderischen Charakter haben. Das richtet sich aber vor allen Dingen gegen Menschen, die tot sind, die sich nicht mehr wehren können, namentlich gegen Anna Seghers, gegen Paul Merker, zum Teil gegen Johannes R. Becher, dann aber auch gegen mich, davon abgesehen ist das Buch auch sonst, ich würde sagen, zur Erhellung der damaligen Situation wertlos. Es fehlt jegliche Analyse der gesellschaftlichen und politischen Lage international und in der DDR selbst. Es geht nicht daraus hervor, was eigentlich der Inhalt der Konzeption, der politischen Konzeption der oppositionellen Gruppe war, die sich damals im Aufbau-Verlag und in der Redaktion des »Sonntag« herausgebildet hatte. Man ersieht daraus nicht, was diese Leute überhaupt wollten. Und die gleichzeitige Opposition gegen Walter Ulbricht im Politbüro wird auch nicht reflektiert, die Gruppe Schirdewan, Wollweber, Fred Oelßner, die dann im Jahre 1958 vor allen Dingen durch Erich Honecker zugunsten Walter Ulbrichts zerschlagen wurde, nachdem durch die Repressalien von 1956/57 die Bevölkerung eingeschüchtert worden war, also die Gruppe im Politbüro dann keine Resonanz mehr hatte. Auch dieser Blick auf die Zusammenhänge fehlt. Es ist dargestellt aus einer subjektiven Sicht von Walter Janka, eines alten verbitterten Mannes, der sich an vieles nicht mehr richtig erinnert, der sich auf eine Darstellung der Sache schon damals festgelegt hat, von der er nicht loskommt, und der auch offensichtlich andere anschwärzt.

Grimm: Vielleicht können wir zu dem konkreten Vorwurf, der in diesem Buch an Sie ausgedrückt wird, kommen. Im Buch wird gesagt: Sie haben während des Prozesses die Gruppe, wenn man so will, verraten, indem Sie geständig waren.

Harich: Ja, das ist falsch, weil es ja gar nichts zu gestehen gab und gar nichts zu verraten gab. Es war alles vorher bekannt. Ich habe im Auftrag der Gruppe, im Einverständnis mit ihr, bereits am 25. Oktober 1956 eine Einladung des sowjetischen Botschafters, des damaligen sowjetischen Botschafters, Puschkin, wahrgenommen. Es war mit der Gruppe abgestimmt worden, wie ich dort auftreten soll. Ich hatte von Walter Janka, Heinz Zöger und Just den Auftrag angenommen, dort in aller Ausführlichkeit dem sowjetischen Botschafter darzulegen, daß eine solche Gruppe existiert, ihn für unsere konzeptionellen Vorstellungen zu gewinnen und auch unsere personellen Wünsche vorzutragen, nämlich den Wunsch, daß Walter Ulbricht gestürzt werden möge, und daß an seine Stelle glaubwürdige Männer, in der Stalin-Ära verfolgte Männer wie etwa Paul Merker und Franz Dahlem treten sollten. Das sollte ich dort offen sagen. Für Just, Zöger und mich kamen die beide in Frage, Walter Janka legte großen Wert auf Paul Merker, das war alles abgesprochen, daß ich aus all dem keinen Hehl mache. Wir wiegten uns in dem Glauben, daß der Botschafter die sowjetische Deutschlandpolitik im Lichte der damaligen polnischen und ungarischen Erfahrungen ändern wolle, daß er dafür unseren Rat haben wolle, und so wie das in der Gruppe besprochen war, habe ich das in einem drei- bis vierstündigen Gespräch dem Botschafter dargelegt, und damit war alles bekannt. Von da an gab es nichts mehr zu enthüllen oder zu verraten oder preiszugeben, das ist Unsinn. Der Botschafter hat, ich will sagen, mit großer Geduld, freundlich in der Form, aber knallhart in der Sache, drei oder vier Stunden lang alle unsere Wünsche und Forderungen konzeptioneller und personeller Art zurückgewiesen, hat sich hundertprozentig hinter Walter Ulbricht gestellt, der der fähigste, unentbehrliche Mann sei, und uns auf der ganzen Linie eine Abfuhr erteilt. Und dann bin ich zu der Gruppe im Aufbau-Verlag, zu Janka, Just und Zöger zurückgegangen, habe denen Bericht erstattet und die Wirkung war niederschmetternd, aber sie löste gerade bei Janka kolossale Wut aus: Dieser Mann ist nun auch unfähig, die Deutschlandpolitik zu machen. Und wir machten weiter, aber von da an war klar, was wir wollten, was wir vorhatten, es gab nichts zu verraten.

Grimm: Moment, Moment. Auf das Gespräch mit dem sowjetischen Botschafter Puschkin müssen wir noch mal eingehen, aber vorher wäre interessant, daß Sie etwas über die Konzeption sagen und auf welcher Grundlage Sie Ihre Überlegungen damals konzeptionell erarbeitet haben, woraus speisten sie sich, welche gesellschaftlichen Erfahrungen, welche theoretischen Grundlagen waren sozusagen der Boden für Ihre Konzeption?

Harich: Da ist zunächst einmal zu sprechen von dem großen Einfluß, den Georg Lukács auf die Gruppe und insbesondere auf mich ausübte. Georg Lukács hielt sich dreimal in den Jahren 1955/56 in der DDR auf und setzte uns seine Gedanken zur Situation auseinander, insbesondere mir, der ich sowohl bei der »Deutschen Zeitschrift für Philosophie« der für ihn zuständige Redakteur war als auch beim Aufbau-Verlag der für ihn zuständige Lektor, und alle seine Bücher dort herausgebracht habe. So, und Lukács vertrat vor allen Dingen die Auffassung, daß eine schnelle, umfassende und radikale Umwälzung und Überwindung des Stalinismus not tue. Das war zum ersten Mal, daß das aus der kommunistischen Bewegung selbst aufbrach und nicht von außen, von sozialdemokratischer oder trotzkistischer Seite. Lukács hatte dabei zu Stalin selbst eine differenzierte Beziehung. Er beschönigte nicht im geringsten dessen ungeheuerliche Verbrechen, er hatte ein sehr scharfsinniges, tief durchdachtes Urteil über Stalins Fehler, er ließ aber auch sehr ausgewogen Stalins historische Verdienste gelten und wog das alles gegeneinander ab, soweit es die Person von Stalin betraf, fügte aber immer hinzu: Darauf kommt es jetzt gar nicht an, entscheidend ist die radikale, umfassende Überwindung des Stalinismus als eines Systems, das mit der Person Stalin nicht unbedingt identisch ist. Das ist ein System von falschen Strukturen, oder überlebten Strukturen, das System einer falschen Ideologie, einer den Marxismus verzerrenden Ideologie und falscher, zumindest aber nicht mehr zeitgemäßer Methoden, falls sie jemals angemessen gewesen sein sollten. Dieses System muß ganz unabhängig davon, wie man zu Stalin als Person steht, überwunden werden, was einen großen, großen Einfluß auf mich ausübte. Und das war genau das Entgegengesetzte von dem, was in der Sowjetunion mit dem XX. Parteitag beabsichtigt war. Da sollte also das System gerettet werden, es sollten die engsten Mitarbeiter Stalins, Molotow, Gaganowitsch, Malenkow usw., wie sie alle hießen, gerettet werden, auf Kosten des Sündenbocks Stalins, der also Personenkult mit sich habe machen lassen und für die Verbrechen und Fehler allein verantwortlich sei. Lukács vertrat genau das Gegenteil dieser Auffassung. Das hat uns also sehr stark beeindruckt, das hat mich sehr stark beeindruckt und über mich ist dann auch diese Gruppe davon beeindruckt worden. Das ist also das erste, was man zu Lukács sagen muß, und Lukács ist ja bei diesem Gedanken der Überwindung des Stalinismus geblieben, das zieht sich ja durch alle seine späteren Werke, angefangen von dem Buch über den »Mißverstandenen Realismus«, über seine »Ästhetik«, über sein großes Alterswerk »Die Ontologie des gesellschaftlichen Seins«, und dahinein gehört auch sein vielleicht politisch wichtigstes Spätwerk geringeren Umfangs. Das hat er geschrieben unter dem Eindruck der Prager Ereignisse von 1968, da war er bereits wieder Mitglied der Partei, hat es aber damals nicht veröffentlicht. Das ist die Broschüre »Demokratisierung heute und morgen«, die erst 1985 in Ungarn in deutscher Sprache in einer kleinen Auflage erschienen ist, in einer eigentlich unlesbaren Ausgabe, weil alle gestrichenen Stellen mit drinstehen und es sehr kompliziert zu lesen ist. Man kann sagen, entweder ist dieses Büchlein eine Vorwegnahme dessen, was Gorbatschow gegenwärtig in der Sowjetunion an Demokratisierung durchführt, oder – der Gedanke ist nicht von der Hand zu weisen – Gorbatschow hat aus diesem Büchlein gelernt und wendet es in der Praxis an. Gorbatschow versucht, eine ungeheuer schwierige politische Situation, gesellschaftliche Situation, ökonomische Situation und Umweltsituation zu bewältigen. Aber in geistiger Beziehung finde ich bei ihm eine Verknüpfung von drei Dingen: einmal den Versuch eines Rückgriffs auf den ursprünglichen, authentischen, unverfälschten Lenin, damit kombiniert, würde ich sagen, die Grundgedanken von Lukács' Demokratisierungsbroschüre von 1968, zuerst veröffentlicht 1985, oder es ist ein Zufall, daß er dieselben Ideen hat. Das weiß ich nicht, soll ja eine philosophisch gebildete Frau haben, vielleicht hat die das gelesen, und drittens ist die ganze Gorbatschowsche Reform geschult, meiner Überzeugung nach, an den Einsichten des Club of Rome. Das ist ein Versuch die Erkenntnisse und

Warnungen des Club of Rome in den Marxismus mit hineinzunehmen. Das wird besonders deutlich in Gorbatschows großer Rede vor der UNO-Vollversammlung vom 07. Dezember 1988 in New York, das ist eine Synthese von Marxismus und Club of Rome, würde ich sagen. Und in diesem Komplex spielt nun also Lukács als geniale Vorwegnahme oder, das weiß ich nicht, als Inspirator von Gorbatschow, eine große Rolle.

Grimm: Lukács als die ideologische Ausrichtung ist die eine Seite. Wie sah Ihre politische Konzeption damals konkret aus?

Harich: Also Lukács ist der Vater der ideologischen Auffassungen dieser Gruppe, aber die politische Geschichte, das ist eine andere Sache. Das hängt zusammen mit dem Kampf der SED und ihrer Verbündeten um die Einheit Deutschlands, davon muß man ausgehen. Bis 1949 hat die Partei, und auf dem kulturpolitischen Sektor besonders Johannes R. Becher, für die Bewahrung der Einheit Deutschlands gekämpft. Als sie verloren war mit der Inkraftsetzung des Grundgesetzes der Bundesrepublik im Mai 1949, eines der schwärzesten Tage der deutschen Geschichte, da begann also der Kampf um die Wiederherstellung der Einheit Deutschlands. So, und da haben die Bemühungen Johannes R. Bechers, der viele, viele Intellektuelle, Kulturschaffende usw. dafür eingespannt hat in West und Ost, um sie gerungen hat, und der auch mich dafür aktiviert hat, insbesondere nach dem Stalinangebot von 1952, das wir für absolut aufrichtig hielten und das ich heute noch für aufrichtig halte. Da haben wir gekämpft gegen die Ratifikation der Pariser Verträge, zum Teil in Zusammenkünften mit westlichen Schriftstellern, Intellektuellen, in Versammlungen am Kurfürstendamm, bis das dort nicht mehr möglich war, bis das dort verboten wurde. Das ging bis 1954, und dann haben wir das also fortgesetzt in der Akademie der Wissenschaften in Berlin. In diesem Kampf haben wir eine Niederlage erlitten, weil die Pariser Verträge ratifiziert wurden, das war der zweite große schwarze Tag in der Geschichte und unsere Niederlage. So, und nun liefen aber unsere Bemühungen und unsere Gedanken und unsere Wünsche nach wie vor auf dieser Schiene und zwar mit Rückendeckung durch die Partei, die das ja nicht aufgegeben hat, die sich ja nach wie vor für die Wiedervereinigung Deutschlands stark gemacht hat, die erst im Januar 1957 dann umgeschaltet hat auf den Gedanken einer Konföderation der beiden deutschen Staaten. Also das war ein Vakuum zwischen der Ratifikation der Pariser Verträge, dem Eintritt der Bundesrepublik in die NATO, der darauf erfolgenden Gründung des Warschauer Vertrages, und da waren wir eben der Meinung: Das darf nicht endgültig sein, das muß nur ein vorübergehendes Provisorium bleiben, wir müssen weitermachen. Und in diese Lage platzten jetzt zwei Ereignisse hinein: Das eine war die Rehabilitation Jugoslawiens durch die Sowjetunion im Jahre 1955 und die Anerkennung der Berechtigung eines eigenen jugoslawischen Weges. Auf der jugoslawischen Strecke dachte ich bereits seit 1952, seitdem ich nämlich in Hamburg bei Ernst Rowohlt den marxistischen Imperialismustheoretiker Fritz Sternberg kennengelernt hatte. Der hat mich aufmerksam gemacht: Hier entsteht ein neues, ein besseres Modell des Sozialismus durch die Verwaltung der Betriebe durch Arbeiterräte, und das ist eine große Hoffnung. Diese große Hoffnung hatte ich im Kopf, 1953, nach dem 17. Juni. Ich habe dann mit Brecht darüber diskutiert, habe versucht, ihn dafür zu gewinnen. Er sagte: Um Gottes willen, Harich, lassen Sie die Finger davon, das ist eine ganz gefährliche Geschichte! Beschränken wir uns darauf, gegen die unmögliche Politik der Staatlichen Kunstkommission zu kämpfen und dafür zu sorgen, daß Becher der einflußreiche Mann in der Kulturpolitik wird. Aber meine Gedanken kreisten um Jugoslawien: Könnte nicht das jugoslawische Modell den Sozialismus in der DDR fester mit den Massen verbinden und im gesamtdeutschen Maßstab attraktiver machen? Das war das eine, und dann kam Anfang 1956 der XX. Parteitag der KPdSU mit der Zertrümmerung unseres Stalinbildes, wo dann ungeheure emotionale, zum Teil sehr unvernünftige, zum Teil aber auch höchst vernünftige Diskussionen einsetzten, das war ja sehr bewegend, und jetzt kommt der Gedanke: Was können wir aus der Überwindung, aus einer schnellen, umfassenden, radikalen Überwindung des Stalinismus herausholen für die Wiederherstellung der Einheit Deutschlands? Und der Kern meiner Gedanken und damit der Konzeption der Gruppe war damals, eine radikal entstalinisierte SED bündnisfähig zu machen für die westdeutschen Sozialdemokraten, die ja auch gegen die Pariser Verträge und gegen den NATO-Beitritt der Bundesrepublik angekämpft hatten. Das sind doch eigentlich unsere Verbündeten, was trennt uns von denen, wie können wir mit denen zusammenkommen, gemeinsam kämpfen für die Einheit Deutschlands, wenn wir unsere eigene Partei von dem Stalinismus befreien? Zweiter Gedanke: Jetzt, in diesen Kampf um die Einheit Deutschlands, eine liebenswerte, attraktive, reformierte, am jugoslawischen Vorbild orientierte DDR einzubringen. Und diese Dinge sollten durchgesetzt werden möglichst mit Hilfe der Russen, möglichst unter Führung der entstalinisierten SED, noch bis zu den Bundestagswahlen 1957. Da sollte eben die SPD die Mehrheit haben und die Regierung stellen und dann mit uns zusammen dieses friedliche, demokratische, antifaschistische Deutschland und das, was in der DDR errungen worden war an Gutem und Wertvollem, das sollten diese beiden Parteien dann realisieren. Unsere Feinde sahen wir in den Amerikanern, im amerikanischen Imperialismus. Im übrigen aber waren wir von tiefstem Haß und Abscheu erfüllt auf der einen Seite gegen Konrad Adenauer und auf der anderen Seite gegen unseren eigenen Parteichef Walter Ulbricht, den wir als den großen Bremser dieser Bestrebungen sahen. Das war die politische Konzeption dieser Gruppe.

Grimm: Also eine Abneigung gegen Konrad Adenauer und zugleich eine Abneigung gegen Walter Ulbricht.

Harich: Ja, und dann kam hinsichtlich der SPD noch eine tiefe, tiefe Enttäuschung über Herbert Wehner hinzu, als ich bereits längst hinter Gittern saß, das war im Sommer 1960, als man mir dort seine Gemeinsamkeitsrede aus dem Bundestag unter die Nase rieb, mit leichtem Triumph. Seitdem war Wehner mir tief unsympathisch. Die Einstellung zu ihm hat sich dann erst nachdem ich längst aus der Haft entlassen war in den siebziger Jahren angesichts der Deutschlandpolitik, der neuen Deutschlandpolitik von Willi Brandt und Wehner gelegt. Da habe ich dann ein anderes, ein positiveres inneres Verhältnis zu Wehner gefunden. Wobei ich jetzt nicht sagen kann, das war eine Einstellung der Gruppe, denn die Gruppe saß ja isoliert. Jeder saß ja für sich und wir hatten nach unserer Verhaftung keinerlei Kontakt mehr miteinander.

Also, wie Janka oder Just, oder Zöger oder Steinberger über Wehner gedacht haben 1960, das entzieht sich meiner Kenntnis.

Grimm: Ich möchte noch mal zurückkommen auf das Gespräch bei dem sowjetischen Botschafter Puschkin. Wie sind Sie zu diesem Gespräch gekommen, wer hat Ihnen den Weg dahin geebnet?

Harich: Zunächst einmal hatte ich ja sehr intensive Beziehungen zu den Russen seit meiner Tätigkeit als Kritiker an der »Täglichen Rundschau« bis 1950. Dann hatte ich Gespräche mit den sowjetischen Kontrollorganen aus dem Volksbildungswesen als ich Universitätsdozent war. Ich kämpfte ja an der Universität gegen die Einschätzung Hegels durch Stalin, die mir als Lukács-Schüler völlig falsch erschien. Und dann waren in meinen Vorlesungen ausländische Diplomaten als Gasthörer, z. B. die Frau des polnischen Botschafters, aber auch Ungarn, auch mehrere Russen und unter ihnen ein Mann, den ich später wiedererkannt habe, ich hatte seinen Namen vergessen, auf einem Bildschirm des ZDF in einer Diskussion in den siebziger Jahren über Rudolf Hess, da erkannte ich ihn wieder: Mein Gott, das ist ja der Hörer meiner Vorlesungen aus den Jahren 1954 bis 56. Der trug den Namen Michail Woslenski, und der besuchte meine Vorlesung über die »Deutsche Philosophie von Leibniz bis Feuerbach« für Germanisten regelmäßig, hat mit mir auch das Gespräch gesucht und in den Jahren 1954/55 nach Stalins Tod begann auch er sich zu interessieren für die Hegel-Frage, die ja in meinen Vorlesungen vorkam. Da gab es dann kurze Gespräche nach den Vorlesungen, wenn ich von der Universität hinüberging in den Aufbau-Verlag. Diesem Mann habe ich gegen Ende des Studienjahres 1955/56 ein Papier ausgehändigt mit Gedanken: Wie kann der XX. Parteitag fruchtbar gemacht werden in der Deutschlandpolitik? Davon wollte er gar nichts wissen. Um Himmels willen, sagte er mir, Harich, lassen Sie mich damit zufrieden, das sind deutsche Angelegenheiten, die DDR ist ein souveräner Staat, geben Sie mir das nicht, gehen Sie damit zum eigenen Politbüro, aber nicht zu mir. Ja, ich habe es ihm aber doch aufgedrängt, und er hat es dann an sich genommen. Am 23. Oktober desselben Jahres begann der ungarische Aufstand, am Tage danach kriegte ich die Einladung zu einem Gespräch mit dem sowjetischen Botschafter. Jetzt stürzte ich zu meinem Janka: Paß mal auf, ich habe da diese Beziehung, ich habe einem Russen eine kleine Denkschrift in die Hand gedrückt, jetzt kommt die Einladung. Er rief Just und Zöger, wir saßen zu viert zusammen. Ich wiederholte das Gesagte noch einmal. Dann sagte Janka: Also paß auf, das ist eine nie wiederzubringende Chance. Du hast dem Sachen in unserem Sinne schriftlich gegeben, die greifen jetzt auf Dich zurück. Alles auspacken! Unsere konzeptionellen Vorstellungen und die Verbindung mit Paul Merker. Alles, was wir hier diskutiert haben, auf den Tisch! Das Drängen dazu kam von Janka. Zöger und Just haben zugestimmt, waren aber nicht so aktiv. Ich bin dann also zu Puschkin, der Weisung von Janka entsprechend. Wenn der Janka in dieser Situation gesagt hätte: Paß mal auf, sei da ein bißchen zurückhaltend, es kann auch sein, der will Dich warnen, wäre ich bei dem Puschkin anders aufgetreten. Ich habe das in meinen Aussagen in der Voruntersuchung nicht herausgestrichen, aber Tatsache ist: Janka hat mich in die Richtung hineingehetzt. Dann war ich allerdings fassungslos, daß Puschkin gar nichts von unseren Ideen wissen wollte. Er hat nur Russisch gesprochen, Woslenski hat gedolmetscht. Er hat aber sehr gut deutsch sprechen können. So hatte er den Vorteil, daß, wenn ich sprach, er das bereits deutsch verstand, sich seine Argumentation überlegen konnte, dann übersetzte Woslenski das ins Russische.

So, und das war die letzte Gelegenheit, bei der ich Woslenski gesehen habe. Der ist später der Vorsitzende der Historikerkommission Sowjetunion-DDR geworden, ist dann in den Westen gegangen und hat vor über zehn Jahren die österreichische Staatsangehörigkeit erworben, lebt in München und leitet dort meines Wissens ein sowjetologisches Institut. Carl Friedrich von Weizsäcker wollte ihn als Sowjetspezialisten haben, aber sein Institut in Starnberg wurde dann geschlossen. Woslenski ist auch meines Wissens gut bekannt mit der Gräfin Dönhoff, und der ist, Puschkin ist ja noch in den fünfziger oder sechziger Jahren verstorben, der Zeuge meines Gesprächs mit dem Botschafter Puschkin.

Grimm: Das Gespräch mit Puschkin, Sie haben vorhin erwähnt, in welche Richtung Ihre Vortragsweise ging, aber die Reaktion von Puschkin, wie war die?

Harich: Negativ.

Grimm: Während Ihres mehrstündigen Gespräches mit Botschafter Puschkin, ist Ihnen da eine Haltung des Botschafters deutlich geworden, oder blieben Sie auch nach dem Verlassen der Botschaft im Dunkeln über die eigene Stellung des Botschafters zu Ihren Vorschlägen?

Harich: Es war völlig klar, daß der Botschafter meine Vorschläge und damit die der Gruppe vollständig ablehnt, daß er dem vollständig negativ gegenüberstand.

Ich sagte: Wir müssen die Parteigeschichte richtig darstellen. Wir müssen das Problem Mitschuld der Komintern an der Machtergreifung Hitlers wieder aufrollen. Da wurde der wütend: Die Kommunisten haben gelitten unter Hitler. Ja, sage ich, aber erstmal haben sie taktische Fehler begangen. Stalin hat die linke Politik gemacht – Industrialisierung mit Bevorzugung der Schwerindustrie und Kollektivierung der Landwirtschaft, das war in der Sowjetunion nötig. Ja unbedingt, die Kulaken hätten unsere Städte erdrosselt. Ja, aber war es nötig, den Kampf gegen Bucharin zu übertragen auf die Internationale und der Internationale eine Orientierung zum Kampf gegen die Sozialdemokratie zu geben, während Hitler kam. War dieses schematische Vorgehen von Stalin nötig? Denkt er einen Moment nach, sagt dann: Da haben Sie recht. Aber doch jetzt nicht damit kommen. Jetzt ist die Situation, da ist ein Aufstand, es ist eine sehr schwierige Situation in Polen, wenn Sie jetzt kommen mit solcher Sache, dann wird das als das Eingeständnis der Kommunisten verstanden, Schuld zu sein, daß Hitler die Macht ergriffen hat und damit ist wieder ein Stück Vertrauen zur Partei weg. Darüber muß man in ruhigen Zeiten diskutieren. Es war eine Argumentiererei, der hat auf den Tisch geschlagen, wenn er wütend war, ich habe auf den Tisch geschlagen, dann waren wir wieder freundlich zueinander. Dann habe ich gesagt: Was wollen Sie denn mit dieser Braunkohlenecke hier, Sie können das Ruhrgebiet mitkriegen, aber dazu müssen wir eine andere Politik machen gegenüber der SPD, die muß 1957 an die Macht in Bonn, wir dann mit ihr gemeinsam, aber doch nur wenn wir den ganzen Stalinballast jetzt ganz schnell abwerfen. Dann können wir die rechtsopportunistischen Kräfte in der SPD, die Schumacherleute, beiseite drängen. Das war ein Disput über Taktik zwischen zwei Stalinisten. Ich immer im Hinterkopf: Das bin ich meinem Janka schuldig, den Puschkin jetzt zu überzeugen und dann setzt der sich ans Telefon, und sagt, Molli, Molotow, da ist einer, der hat mir was vorgetragen und das wäre richtig, es so zu machen. Soll ich den mal nach Moskau schicken? Außenminister war ja Schepilow. Das war meine größenwahnsinnige Idee. Er sagt dann aber, das sei eine Illusion, das was wir haben, müssen wir konsolidieren. Wir müssen natürlich versuchen, auf dem Wege der politischen Überzeugungsarbeit unter den Arbeitern Westdeutschlands für die Einheit Deutschlands auf antifaschistischer demokratischer Grundlage zu wirken, aber den Stalinismus abschmeißen und eine solche Kurskorrektur machen, das schafft hier ein Chaos wie in Polen, vielleicht sogar wie in Ungarn. Das war ein richtiger wilder, freundlicher, bösartiger Disput zwischen zwei erzstalinistisch denkenden Genossen über eine taktische Frage. Bei der Gelegenheit wurde alles ausgebreitet, was die Gruppe sich an Gedanken erarbeitet hatte, daß es überhaupt eine Gruppe gab, daß wir zwischen Paul Merker und Franz Dahlem schwankten, daß Merker uns aber noch lieber ist, daß wir im übrigen eine vorzügliche Verbindung zu Paul Merker haben über Janka, daß Merker zu Lethargie neigt, daß wir aber dabei sind, ihn aufzurütteln, ihn zu gewinnen. Puschkin sagte dann: Ja, Merker und Dahlem ist Unrecht geschehen, aber jetzt darüber zu sprechen, schafft Unruhe, und zweitens haben Sie beide nicht die Fähigkeit von Ulbricht. Ulbricht ist der fähigste Mann hier. Ich: Aber verhaßt ist er. – Bei wem? – Beim Volk. – Wer ist das Volk? – Bei der Intelligenz. – Sie irren sich, er ist nicht verhaßt bei der Intelligenz, der ist verhaßt bei der Parteiintelligenz. Bei Leuten wie Ihnen, wie Janka, bei Schriftstellern. Gehen Sie mal zur Akademie der Wissenschaften, fragen Sie mal die Physiker, die Chemiker usw., auf die kommt es viel mehr an, bei denen ist der gar nicht verhaßt, die haben ein ganz sachliches Verhältnis zu dem. Sie finden hier keinen fähigeren, und wenn es hier Vorwürfe gibt gegen Ulbricht aus der Vergangenheit, dann müssen wir ihn verteidigen. Auch Sie müssen ihn verteidigen, auch die Schriftsteller. Puschkin hat auch vernünftige Sachen gesagt: Die Amerikaner sind sehr stark, die können Sie nicht so ohne weiteres isolieren, die sind stärker als wir. Wie stellen Sie sich das vor? Da gibt es doch die Frage des höheren Lebensstandards drüben. Sie denken, die nationale Emotion der Deutschen ist so stark, daß der Unterschied im Lebensstandard keine Rolle spielt? Das ist Unsinn. Sie denken nicht materialistisch. Eines spielte aber bei diesem Gespräch überhaupt keine Rolle, dieses Argument, das mir der Woslenski entgegengehalten hatte, als ich ihm diese Denkschrift zusteckte: Das sei eine innere souveräne Angelenheit der DDR, zu der die Sowjetunion nichts zu sagen habe, das war bei Puschkin gar nicht da. Davon, daß, wenn er und Molotow Ulbricht fallen lassen wollten, der dann auch fiele, ganz egal wer hier für oder gegen ihn ist, daß sie die Politik machen in der DDR, das war Axiom, worüber gar nicht diskutiert zu werden brauchte.

Nach dem Gespräch mit Puschkin war ich wie aus dem Wasser gezogen. Ich bin dann sofort zurück in den Aufbau-Verlag. Ich weiß noch, ich hatte Hunger, bin aber gleich zu Janka und habe berichtet.

Grimm: Wie hat die Gruppe dann über das weitere Vorgehen beraten und beschlossen?

Harich: Also die Gruppe war enttäuscht, die Gruppe hatte in dieses Gespräch ja große Hoffnungen gesetzt, und speziell Walter Janka kriegte einen Wutanfall und erklärte diesen Mann für unmöglich für die sowjetische Deutschlandpolitik und für inkompetent. Wir dachten aber nicht daran, jetzt klein beizugeben, sondern es ging weiter. Und dann kam als nächstes die Warnung durch Walter Ulbricht.

Grimm: Moment, bevor wir auf die Warnung von Walter Ulbricht kommen, müssen wir noch einmal zurückgehen zur politischen Konzeption und dazu, wie die politische Konzeption personell und organisatorisch umgesetzt werden sollte.

Harich: Ich erhielt den Auftrag, die Konzeption schriftlich auszuarbeiten, in einem ersten Entwurf. Weiter wurde mir von den anderen gesagt, das sei eine rein politische Konzeption, sie bedürfe, um einleuchtend zu sein für die Partei, einer wirtschaftswissenschaftlichen Begründung, und ich müsse einen uns gleichgesinnten Wirtschaftswissenschaftler suchen und heranziehen, der dann mein Papier entsprechend überarbeitet. Den fand ich über meinen mir gleichgesinnten Freund und Mitarbeiter an der »Deutschen Zeitschrift für Philosophie« Manfred Hertwig in Bernhard Steinberger. Bernhard Steinberger hat sich dazu bereit erklärt, diese Überarbeitung vorzunehmen. Dann sollte die von ihm überarbeitete Fassung in der Grundorganisation der SED im Aufbau-Verlag diskutiert werden und sollte weiter verschickt werden zum Abdruck an die »Einheit«, an das theoretische Organ der Partei. Sie sollte verschickt werden an das ZK, und auf diese Weise hofften wir, das also der Verwirklichung näher zu bringen. Und da brachte Gustav Just, der im Apparat des ZK gearbeitet hatte, den Einwand: Nein, das sei unsinnig, eine Eingabe an das ZK sei unsinnig, das würde auf dem Tisch von Walter Ulbricht landen und dann im Papierkorb. Wir müßten uns mit dieser Sache einzeln an die Mitglieder des ZK wenden und an die Bezirks- und Kreisleitungen. Die Redaktion des »Sonntag« unter Zöger und Just wollte ihre Vervielfältigungsmöglichkeiten dafür hergeben. Das war also die Idee. Daß Just diesen Änderungsvorschlag da eingebracht hatte, der sowohl Janka, als auch mir, als auch Zöger ferngelegen hatte – wir sind aber darauf eingestiegen – das hat Just's Strafe verschärft. Zöger z.B., der Chefredakteur des »Sonntag«, der mit zu der Gruppe gehört hatte, ist zu zweieinhalb Jahren Zuchthaus verurteilt worden. Just hat wegen dieser Idee, einzelne Mitglieder des ZK als Adressaten zu benutzen und nicht das ZK als Ganzes, vier Jahre bekommen, das wirkte als strafverschärfend. So war das mit der Konzeption der Gruppe.

Grimm: Das war aber jetzt die organisatorische Richtung. Wie sah es denn mit personellen Diskussionen aus? Darüber diskutierten Sie doch auch.

Harich: Ja. Wir waren der Meinung, daß Walter Ulbricht als Einpeitscher des Stalinismus in der DDR so unglaubwürdig und unbeliebt und verhaßt sein müßte, daß er durch einen anderen ersetzt werden müßte und zwar entweder durch Franz Dahlem oder Paul Merker, die ja beide in der späten Stalinschen Periode verfolgt gewesen waren, Merker sogar mit Haft. Und auf Paul Merker als Alternative zu Walter Ulbricht legte nun Janka den größten Wert. Janka hat sich mir gegenüber mehrfach mit Enttäuschung darüber ausgesprochen, daß Merker nach seiner Haftentlassung unmittelbar nach dem XX. Parteitag der KPdSU so resigniert sei und in Lethargie versunken, und er, Janka, würde ihn erst aufrutteln, würde sagen: Paul, Du mußt politisch voll rehabilitiert werden. Davon war ja null die Rede. Daß zu seiner strafrechtlichen Verfolgung kein Grund bestünde, das hatte Ulbricht gesagt, aber er war nicht politisch rehabilitiert. Janka drängte darauf, daß Merker um seine politische Rehabilitation kämpfte. Janka wollte Merker wieder im Politbüro haben und drang in ihn, das anzustreben. Janka verlangte von Merker, daß die Mitteilung über seine Rehabilitation von ihm selbst, Merker, redigiert werden müsse, und Janka hat auch gesagt: Du mußt darauf drängen, jetzt wieder zu publizieren, Deine Gedanken zu Papier zu bringen und zu veröffentlichen. Er begrüßte jedes Anzeichen dafür, daß Merker dafür zu gewinnen sei, war dann aber doch immer wieder enttäuscht, daß Merker sich zu passiv verhalte. Und deshalb hat er eben schließlich Paul Merker mit uns in seiner Wohnung, in Jankas Wohnung, in Kleinmachnow zusammengebracht, damit wir ihn für unsere Konzeption gewönnen. Diese Zusammenkunft hat vierzehn Tage nach der Ulbrichtschen Warnung am 7. November stattgefunden.

Grimm: Sie sprachen von einer Ulbrichtschen Warnung. Vor diesem Gespräch bei Walter Janka hatten Sie eine Begegnung mit Walter Ulbricht, wie kam diese zustande, und was sagte Walter Ulbricht zu Ihnen?

Harich: Am 6. November [1956], oder am Morgen des 7. November erhielt ich einen Anruf aus der Wissenschaftsabteilung des ZK, daß Walter Ulbricht mit mir sprechen wolle und zwar noch am Vormittag des 7. November. Da ging ich dann hin, vor mir war Franz Dahlem bei ihm gewesen. Also, ich habe dort Franz Dahlem getroffen, der kam aus der Tür heraus, wir begrüßten uns, wir kannten uns ja von früher, ich wurde als nächster reingelassen. Und nun war das Gespräch mit Walter Ulbricht dem mit Puschkin vollkommen entgegengesetzt. Bei dem hatte ich am 25. Oktober alles ausgebreitet und alles gesagt, so wie es von der Gruppe verlangt worden war. Bei Walter Ulbricht verhielt ich mich einsilbig, zurückhaltend und ausweichend. Ich versuchte ihn allerdings zu gewinnen für ein Gespräch mit Wissenschaftlern in der Akademie der Wissenschaften, wo dann auch Zeitschriftenredakteure vom »Sonntag« usw. teilnehmen könnten. Das war ja ein Plan von uns, führende Funktionäre in solche Gespräche zu verwickeln, um sie dann dort in die Enge zu drängen. Das habe ich bei der Gelegenheit angebracht, das ist mir dann später von dem Generalstaatsanwalt auch besonders übel genommen worden. Im übrigen habe ich mich sehr zurückhaltend, sehr ausweichend und sehr einsilbig verhalten. Ulbricht hatte die »Deutsche Zeitschrift für Philosophie« liegen. Er wußte ja, ich bin der Chefredakteur. Er sagte: Na, was gibt es Neues in der Philosophie? Ich rückte mit der Sprache nicht heraus, und dann kam Ulbricht zu sprechen auf die simultanen Ereignisse in Ungarn und sagte: Das Schlimme sei eben, daß es zwischen den sozialistischen Ländern keine koordinierte Politik gäbe, und das wäre der Hauptfehler. Und dann gab er seine Einschätzung der ungarischen Ereignisse und sagte: Die schlimmsten Verräter sind die Leute im Petöfi-Club: Julius Hay, Tibor D ry und Georg Lukács. Und wenn sich bei uns sowas herausbildet wie dort im Petöfi-Club, dann werden wir das hier im Keim ersticken. Und dann stand er auf, schüttelte mir die Hand und sagte mit festem Blick in meine Augen: Ich wünsche Ihnen alles Gute. Damit war ich entlassen.

Es gab noch eine Episode vorher, daß er auf einen Klingelknopf gedrückt hatte und ich hatte nun Angst, ich würde schon verhaftet, weil ich ja annahm, er ist von Puschkin über alles informiert. Er fragte dann aber nur, ob ich eine Tasse Kaffee haben will, als seine Ordonnanz hereinkam. Ich sagte: Nein, danke, ich würde gerne eine Zigarette rauchen. Und da sagte er: Nein, also bei mir bitte nicht, ich leide an chronischer Bronchitis und darauf muß auch das ganze Politbüro Rücksicht nehmen. Also Rauchen bitte nicht. Dann sprach er wieder über Ungarn, und dann stand er auf und sagte: Ich wünsche Ihnen alles Gute. Damit war ich entlassen.

Grimm: Konnten Sie sich damals denken, als Sie zu Walter Ulbricht gerufen wurden, warum Sie gerufen wurden und sind Sie sich über die Informationen, die Ulbricht besaß, ungefähr im klaren gewesen?

Harich: Ja, durchaus. Nach der Abfuhr, die Puschkin mir erteilt hatte, nahm ich an – ich kann es bis heute nicht beweisen – daß das die Quelle war, aus der nun Ulbricht alles wußte. Mit dieser Überzeugung bin ich dann zu Janka gegangen, und diesmal fand keine Zusammenkunft der Gruppe statt in seinem Arbeitszimmer in der Französischen Straße, sondern Janka und ich waren allein, und ich habe Janka mitgeteilt, daß da ein Gespräch mit Ulbricht stattgefunden hatte. Ich war auch nicht vor dem Gespräch bei Janka gewesen, dazu war keine Zeit. Ich habe ihn hinterher darüber informiert, und er kriegte wieder einen Wutanfall, und es blieb bei unserer ablehnenden, negativen Haltung Ulbricht gegenüber und bei unserer Entschlossenheit weiterzumachen blieb es auch. Wir fühlten uns angesichts der Situation mächtig stark und hielten einen Sturz Walter Ulbrichts, einen Personalwechsel in der Führung und die Durchführung unserer Konzeption nach wie vor für möglich. Wir glaubten nach wie vor, dafür bestünde eine Chance.

Grimm: Woraus nahmen Sie diese Gewißheit, daß diese Chance bestand?

Harich: Aus der Unterschiedlichkeit der Entwicklungen in Polen und Ungarn. In Polen hatte die schnelle Ablösung Ochabs durch Gomulka zu einer Beruhigung der Situation geführt, zu einer Hoffnung bei der Bevölkerung, zu neuem Vertrauen auf die Politik der Partei, während in Ungarn alles im Chaos geendet war, weil man dort mit diesen Änderungen ewig gezögert hatte. Also z.B. hatte Lukács mir gesagt, im Sommer 1956: Imre Nagy ist ein integrer Mann, aber der begabteste unserer Politiker ist János Kádár, und die Situation kann gerettet werden in Ungarn mit einer Parteiführung Kádár, Regierung Nagy. Dann kam aber an Stelle von Mátyás Rákosi, dem ungarischen Ulbricht, Ernö Gerö, der ebenso verhaßt war und dadurch entstand ja in Ungarn diese blutige Unruhe, dieses zweimalige sowjetische Eingreifen. Und wir glaubten, aus dieser Divergenz der polnischen Entwicklung, die wir uns für die DDR wünschten, und der katastrophalen ungarischen Entwicklung, die wir in der DDR unbedingt vermeiden wollten, daraus glaubten wir, herleiten zu können, daß die sowjetischen Freunde sagen würden: Nein, machen wir es in der DDR wie in Polen und lassen wir es nicht zu einer ungarischen Geschichte kommen. Nun waren wir dabei, würde ich sagen, Opfer einer falschen Einschätzung der Realität, wie sie ja später das Fernsehen und wie sie damals der Rundfunk erzeugt hat. Diese modernen Medien bringen ja die Welt ins Zimmer, und man schließt auf die eigene Situation. Später hat die Baader-Meinhoff-Gruppe geschlossen aus den Fernsehaufnahmen vom Vietnamkrieg: Wir müssen in der Bundesrepublik einen Entlastungsfeldzug führen aus Solidarität mit Vietnam. Und hier ist es genauso wie in Vietnam, wir sind von den Amerikanern besetzt. So glaubten wir, in der DDR wird es entweder polnisch zugehen oder ungarisch, und wir wollten, daß es polnisch zugeht, und deshalb ein neuer Mann, und deshalb Paul Merker. Daß aber in der DDR weder das eine noch das andere geschehen könnte, das war aus unserem Kopf weg, wir waren realitätsblind, muß man sagen, allesamt, ich besonders.

Grimm: In dieser Situation, die Sie soeben schilderten, war das Verhältnis zu Georg Lukács ein wesentliches Moment, das Sie dann auch in einen weiteren Rahmen politischer Konstruktionen verwickelte. Die Gruppe wurde mit hineingezogen in den Versuch, Georg Lukács aus Ungarn in die DDR zu holen, wie kam es dazu?

Harich: Ja also, das habe ich erst aus Jankas Buch erfahren, daß dieser Gedanke von Anna Seghers stammte. Janka hatte zu mir nur gesagt, daß Johannes R. Becher diese Idee hätte. Nun muß ich dazu sagen, Georg Lukács hat fast alle seine Werke in deutscher Sprache geschrieben und war in den Jahren 1931 bis 1945 Mitglied der Kommunistischen Partei Deutschlands, 1931-1933 hier in Berlin, im Kampf gegen den aufkommenden Hitlerfaschismus, und dann auch in der sowjetischen Emigration 1933-1945. Johannes R. Becher wollte Lukács schon 1945 in Berlin haben als den führenden geistigen Kopf der demokratischen antifaschistischen Erneuerung der deutschen Kultur, der deutschen Kultur, um die ja das ganze Werk von Lukács kreist. Das hat Becher mir bei unserer ersten Zusammenkunft im Mai oder Juni 1945 gesagt: Den will ich hier haben, den brauchen wir hier, was soll der in Ungarn. Und Wilhelm Pieck ist auch dafür. So, die haben sich aber nicht durchsetzen können gegen die ungarische Parteiführung, damals unter Mátyás Rákosi, die unbedingt Lukács in Ungarn behalten wollte und es ist in der Tat so, daß ja bei Lukács, der ja aus Ungarn stammte, eine starke emotionale Bindung an seine Heimat bestand. Er wäre dem Ruf nach Berlin gefolgt, aber er hat sich nicht darum gerissen. Deshalb kam für mich das überhaupt nicht überraschend, daß jetzt in dieser Situation Becher Lukács nach Berlin haben wollte. Bei Anna Seghers und auch bei Becher hat aber noch ein anderer Gesichtspunkt eine Rolle gespielt, ein sozusagen humanitärer. Die verehrten Lukács aufs Äußerste, die machten sich Sorge um ihn und die wollten weder, daß er in Ungarn von irgendeinem weißen Terroristen gelyncht wird, noch unter einen Panzer der eingreifenden Sowjetarmee kommt, sondern sie wollten ihn in Sicherheit haben, das war deren Motiv. Das Motiv von Janka, dort mitzumachen, den Lukács rausholen zu wollen, war aber natürlich ein anderes. Ich habe darüber nie ausgesagt, aber ich kann das jetzt sagen. Erstens einmal war Lukács für Janka der führende Kopf der Antistalinisierungskampagne im Petöfi-Club und dann Minister der Regierung Imre Nagy, das war allgemein bekannt. Zweitens, Lukács wurde von Janka und mir und den anderen Angehörigen der Gruppe als Feind, Gegner des Stalinismus verehrt, und drittens war vollkommen klar die Verwandtschaft zwischen den Vorstellungen des Petöfi-Clubs und unserer Gruppe. Es kann also gar nicht der geringste Zweifel darüber bestehen, daß Janka und auch ich mit diesem Plan, Lukács nach Berlin zu holen, ganz andere Vorstellungen und Motive verbanden als sie bei Anna Seghers und Becher maßgebend waren, ganz andere Motive. Und jetzt muß ich sagen, da finde ich es eben in höchstem Maße ungerecht, daß Becher und Anna Seghers in diesem Zusammenhang von Janka vorgeworfen wird, sie hätten sich davor gedrückt, für ihn als Entlastungszeugen auszusagen, und daß er ihnen das als menschliche Unanständigkeit ankreidet, so ist das nicht. Die hätten, wenn sie als Zeugen befragt worden wären, nur sagen können, unsere Motive, Lukács nach Berlin zu holen waren andere als die dieser Gruppe, andere als die von Janka. Und das hätte gestimmt. Warum durften sie aber nicht als Zeugen auftreten? Nicht, weil der Generalstaatsanwalt unbedingt noch ein zusätzliches belastendes Moment gegen Janka haben wollte, sondern weil nicht bekannt werden durfte, wie sehr Lukács von Anna Seghers und von Johannes R. Becher verehrt wird und wie große Sorgen sie sich um ihn machen, denn da hätte man sich ja gefragt: Was, das ist das geistige Haupt der Konterrevolution, das ist die ideologische Hauptgefahr, das ist – wie es in dem Buch von Janka steht – der Mann, der sich in die Arbeiterbewegung eingeschlichen hat, um sie von innen zu zersetzen? Ja, diese Konstruktion, diese Verleumdung von Lukács wäre vollkommen unglaubwürdig gewesen, wenn klar geworden wäre in dem Prozeß, Lukács wird von Becher und der Seghers verehrt. Deshalb durften die nicht aussagen und nicht aus dem Grund, den Janka vorgibt. Janka entlasten hätten sie sowieso nicht gekonnt, was hätten sie sagen sollen? Ja, wir wollten aus humanitären Gründen unserem Freund Lukács helfen. Was Janka und Harich damit für Vorstellungen verbanden, davon haben wir nichts gewußt. Hätte ihn das entlastet, nein, nicht im geringsten, es hätte Janka nicht entlastet.

Grimm: Aber wäre es nicht auch eine moralische Pflicht gewesen, zumindest im Zeugenstand die persönliche Freundschaft zu Janka zu bezeugen und ihm etwas von dem Vorwurf, zumindestens ein ideologischer Schädling im Lande zu sein, abzunehmen?

Harich: Ja nun, Sie müssen sich überlegen, wie die damalige Situation war, und wie sie Becher und Anna Seghers von Seiten der Partei interpretiert worden ist. Es waren nun mal in Ungarn blutige Unruhen, es war nun mal gleichzeitig die Suez-Krise, der Überfall Englands, Frankreichs und Israels auf Ägypten, die sich die ungarische Krise zunutze gemacht hatten. Das barg die Gefahr eines Weltkrieges in sich, ganz zweifellos. Berlin hatte eine offene Grenze zum Westen, der 17. Juni war nicht lange her, jetzt bedurfte es keiner großen Anstrengung der Partei, um den Genossen Becher und Anna Seghers klarzumachen: In dieser Situation haben diese Leute etwas ganz Gefährliches gemacht, die müssen unschädlich gemacht werden und deshalb stellen wir sie vor Gericht, und wir können das nicht brauchen, daß ihr für die ein gutes Wort einlegt. Und damit sind sie unter Druck gesetzt worden, haben aber wahrscheinlich angesichts der Situation diese Argumentation der Partei auch eingesehen und haben sich eben nicht zu Wort gemeldet als Entlastungszeugen. Was hätten sie denn aber, wenn sie sich zu Wort gemeldet hätten, was hätten sie denn sagen können? Wir wollen Lukács aus Ungarn herausholen aus den und den Gründen, welche Gründe Janka und Harich hatten, wissen wir nicht, das erfahren wir jetzt erst, und von diesen Motiven distanzieren wir uns. So wäre es ausgegangen. Was mich betrifft – wissen Sie, jetzt muß ich mal ein Geheimnis der Staatssicherheit lüften – ich bin ja nicht nur oben vernommen worden, offiziell, sondern ich hatte auch noch jemanden unten in meiner Zelle, einen Mann, der sich Witzel nannte, der mich umhegte und umpflegte und umsorgte und tröstete und mir Hoffnungen und Illusionen machte, und der hat zu mir gesagt: Ich rate Dir, Wolfgang, kehre Dich von Lukács ab, ganz und gar, sag, daß Du auch wissenschaftlich von ihm immer irregeführt worden bist, verwirf seine ideologischen und philosophischen Konzeptionen, geh rauf bei der nächsten Vernehmung und gib das zu Protokoll, das kann Dir nur nützen, das kann Dir helfen, sag: Das ist alles Scheiße, was Lukács sagt, auf welchem Gebiet auch immer. Und ich habe das nicht gemacht, einmal, weil ich Lukács nach wie vor über alles verehrte, dann aber auch, weil ich vor den Stasi-Vernehmern nicht wie ein Schwein dastehen wollte. Ich habe doch für die einen gewissen Respekt gehabt, das waren doch Arbeiterjungs, das waren doch Kommunisten. Das Flair von Kriminalkommissaren hatten sie außerdem, vor denen will ich doch nicht als Schwein dastehen, und da habe ich das eben nicht gemacht. Die hätten dann in mir auch ein Schwein gesehen, allerdings war es ihre Aufgabe, mich zum Schwein zu machen, das sind ja zwei Dinge. Also, damit war bei mir nichts zu machen, infolgedessen kam bei dem Prozeß in bezug auf Lukács nur vor: Also, Sie sind bekannt mit Lukács, und politisch hat der Sie auch beeindruckt. Ja, habe ich gesagt, politisch er hat mich beeindruckt. Schluß. Waren Sie denn dafür, daß der nach Berlin kommt. Na, sage ich, selbstverständlich hätte ich Lukács immer gern in Berlin gehabt, aber ich war dagegen, daß Janka da runter fährt, ich war dagegen. In der Situation, wie sie ist, sollte Janka in Berlin bleiben. Und als dann Walter Ulbricht diesen Plan von Becher, mit der Hilfe von Janka den Lukács da rauszuholen, untersagte, da war ich erlöst: Jetzt behalte ich meinen Janka hier in Berlin, und der schwirrt nicht irgendwo in Ungarn rum. So war meine Einstellung dazu, aber ich bin über Lukács nicht gefragt worden, die wußten, die fürchteten, auch da kommt jetzt Verehrung, wissenschaftliche Verehrung und Schülernschaft, Treue usw. Das lassen wir mal bei der Vernehmung von Harich möglichst aus dem Spiel.

Grimm: Das heißt also, daß der Prozeß selbst von allerhöchster Seite vorbereitet, kontrolliert wurde und schon im Vorfeld bestimmte Verbindungslinien ideologischer Art gekappt werden sollten, gar nicht erst zur Sprache kommen sollten.

Harich: Ja selbstverständlich. Also, erstens einmal sind wir alle darauf vergattert worden, daß es das Gespräch Puschkin – Harich nicht gegeben haben darf. Der Generalstaatsanwalt Melsheimer hat mir persönlich gesagt, als ich damit anfing, ich habe ja meine Ideen Puschkin auseinandergesetzt: Heißes Eisen, nein, kein Wort darüber, ich rate es Ihnen dringend, kein Wort darüber während des ganzen Prozesses, dringend rate ich Ihnen das! Wenn das Gericht Sie fragt danach, eine Frage in der Richtung stellt, dann dürfen Sie höchstens sagen: Ja, ich habe damals mit einer hochgestellten Persönlichkeit einen Gedankenaustausch gehabt, mehr nicht, das darf kein Russe gewesen sein und schon gar nicht der sowjetische Botschafter. Und ich nehme an, daß die anderen in der gleichen Weise vergattert worden sind, auch Janka, und in Jankas Buch kommt das ja nur einmal vor: Anna Seghers sagt: Sollten wir nicht zu Puschkin gehen, der soll sich ja mit Harich unterhalten haben? – Ja, ja, ich weiß. Schluß, aus. Die zentrale Bedeutung dieses Gesprächs am Anfang der ganzen Gruppenbildung, das kommt bei Janka nicht vor. Wenn dieses Gespräch aber bekannt ist in seiner ganzen Tragweite für die Entwicklung der Gruppe, dann ist auch klar, daß es da nichts mehr zu verheimlichen gab. Die ganze Geschichte, daß da eine Gruppe von der Stasi aufgespürt wird und die kriegen dann durch Vernehmungen und Zeugenaussagen heraus, was die wollten und was die vorhatten, das ist doch alles Theater gewesen. Das war ja alles bekannt. Ich habe es doch bei meinen Vernehmungen gemerkt: Wenn ich, sei es um meine eigene Lage zu verbessern, sei es, um andere zu schützen, wenn ich irgend etwas heruntergespielt habe, verharmlost habe, zu verschweigen versucht habe, war das den Genossen von der Stasi bereits vollständig bekannt und sie ließen es mich verstehen, sie sagten es mir und es kam ins Protokoll. So war die Sache. Das muß man sagen. Das ist das eine, was nicht zur Sprache kommen durfte, das zweite, was ausgeklammert werden mußte, war die ganze Frage, daß es um einen Versuch ging, doch noch die Wiederherstellung der Einheit Deutschlands zu erreichen. Sagen wir mal z.B. die Agrarreform, wir waren ja nicht gegen eine sozialistische Umgestaltung der Landwirtschaft. Im Prinzip waren wir nicht dagegen, wir waren dagegen, daß die in der DDR durchgeführt wird, weil wir damit die Bauern in Westdeutschland als mögliche Bundesgenossen für den Kampf für die Einheit Deutschlands verlieren, also erst die Einheit Deutschlands, dann sozialistische Landwirtschaft. Wenn ich jetzt so einen Gedanken bei Stasi-Vernehmungen geäußert habe, dann wurde mir gesagt: Harich, über Eure gesamtdeutschen Ambitionen und Spinnereien, oder vielleicht auch gutgemeinten Gedanken, darüber habt Ihr jetzt genug diskutiert. Wir hier sind nur und ausschließlich verantwortlich für die Sicherheit unseres Staates, der Deutschen Demokratischen Republik. Und da ist eben, sagen wir mal in der Landwirtschaftssache die Frage, daß Ihr die LPG's nicht wolltet. Das interessiert uns, das kommt ins Protokoll. Also, die gesamtdeutsche Frage mußte ausgeklammert werden. Nun muß ich sagen, in dieser Frage gab es auch innerhalb der Gruppe Meinungsverschiedenheiten.

Grimm: Welche Meinungsverschiedenheiten?

Harich: Z.B. Heinz Zöger, der Chefredakteur des »Sonntag«, war sehr für eine Umgestaltung der DDR im Sinne antistalinistischer Reformen, auch für ein Lernen vom jugoslawischen Weg. Da war der einer Meinung mit den anderen, mit uns, mit mir. Aber er hielt die Frage der deutschen Einheit für passé. Er sagte: Nach dem NATO-Beitritt der Bundesrepublik und ihrer Wiederaufrüstung will das die Partei gar nicht mehr. Da seid Ihr in Illusionen befangen, das ist aus. Das war aber vor dem Konföderationsplan von Ulbricht, der ja Anfang Januar/Februar 1957 veröffentlicht wurde. Daß die Partei da doch noch etwas dazwischen wollte, das war noch nicht klar. Zöger sagte: Da macht Ihr Euch Illusionen. Während wir also auf der gesamtdeutschen Schiene weiterfuhren und das als eine Verleumdung der Partei zurückwiesen. Wie kommst Du dazu, sage ich, der Partei zu unterstellen, sie meine die Frage der Einheit Deutschlands nicht mehr ernst? Ja, sie meint das nicht mehr ernst, das läuft jetzt aus. Andererseits sagte Paul Merker bei unserem Gespräch am 21. November 1956 in der Wohnung von Janka zu mir: Harich, Sie blicken – oder Du blickst, ich weiß nicht, haben wir uns gesiezt oder geduzt, das habe ich vergessen – Sie blicken wie gebannt, wie ein Kaninchen auf die Schlange nur auf diese beiden deutschen Staaten und sehen sonst nichts in der Welt, aber die sind eingebunden in ein Weltsystem und dafür maßgebend ist das Verhältnis der Vereinigten Staaten von Amerika und der Sowjetunion. Und jetzt, solange die sich nicht verständigen, ist mit Einheit Deutschlands nichts zu machen. Jetzt haben sie aber ein gemeinsames Krisenmanagement – das Wort gab es damals noch nicht, aber so ungefähr in dem Sinn, sinngemäß sagte er Krisenmanagement – ein gemeinsames Krisenmanagement in Bezug auf den Suez-Konflikt und da scheint sich mir anzudeuten, daß USA und Sowjetunion aufeinanderzukommen und das könnte natürlich dann auch diesen Wiedervereinigungsaspekt Eurer Pläne realistisch machen, aber das hängt davon ab und nicht von dem, was in der DDR reformiert wird und von einem Bündnis mit der SPD allein. Machen die Russen und Amerikaner nicht mit, ist das eine Illusion. Aber im Gegensatz zu Zöger hielt Merker es doch für eine denkbare Perspektive. Aber Sie sehen, in dieser Frage gab es Meinungsverschiedenheiten, nicht wahr. Der ganze gesamtdeutsche Aspekt der Angelegenheit, eigentlich das Wichtigste, kam weder bei der Voruntersuchung noch bei dem Prozeß zur Sprache. Das wurde alles abgeblockt mit: Wir Staatssicherheit sind hier, das sagt der Name, zuständig für die Sicherheit dieses Staates und für nichts anderes und die habt ihr gefährdet und deshalb sitzt ihr hier. So, das war auch eine der Sachen die ausgeblendet werden mußten wie das Puschkin-Gespräch.

Grimm: Daran haben sich aber alle gehalten: a) das Puschkin-Gespräch nicht zu erwähnen, b) die Problematik der deutschen Wiedervereinigung nicht zu erwähnen?

Harich: Ja, daran haben sich Angeklagte, Zeugen, Rechtsanwälte, Generalstaatsanwalt und Richter gehalten. Diese beiden Dinge blieben tabu, über die wurde nicht geredet.

Grimm: Was wäre gewesen, wenn Sie, angenommen, doch dieses Tabu gebrochen hätten und Ihren inneren Vorstellungen gefolgt wären und diese beiden Punkte im Prozeß erwähnt hätten?

Harich: Ja, ich muß jetzt sagen, daß ja ein Mann, der am Rande zu der Gruppe gehört hatte, im »Sonntag«, aber gleichzeitig auch in anderen Gruppen aktiv war, den Gruppen Schröder, Loest in Leipzig und Halle, was wir nicht wußten, der auch nicht zu unserem inneren Kreis gehörte, aber unserer Meinung war, in der Haft gestorben ist und uns das auch bekannt gemacht wurde: Jochen Wenzel aus Leipzig. Ich will unterstellen und glaube es auch, eines natürlichen Todes. Aber absolut ausschließen, so wie ich das Temperament dieses Mannes kannte, daß der dort, wie man so sagt, auf den Putz gehauen hat und ihm das schlecht bekommen ist, kann ich nicht. Er ist ja nach unserer Verhaftung aus der Schweiz – ich habe dafür einen Zeugen – freiwillig in die DDR zurückgekehrt, um für uns zu kämpfen. Und hat sich hier gestellt als unser Verteidiger. Mehr kann ich dazu nicht sagen, wie gesagt, ich unterstelle da nichts! Mir ist gesagt worden, er ist an Krebs gestorben. Ich muß Ihnen sagen, wenn da jemand das Tribunal zur Szene gemacht hätte, das wäre ihn sehr sehr teuer zu stehen gekommen – denken Sie z.B. an die Hinrichtung von Imre Nagy. Es gab in der DDR die Todesstrafe, man konnte sagen: Der hat die Unverschämtheit, die Konterrevolution in den Gerichtssaal hineinzutragen. Es gab die Todesstrafe, es gab die lebenslange Haftstrafe. Es ist Janka nach seinem Buch zu urteilen, verwarnt worden: Hauen Sie nicht auf den Putz, spielen Sie nicht den Volkstribun. Es ist ein Unterschied, ob man sich fünf oder zehn Jahre einhandelt. Also, davor hatte man Angst, ich jedenfalls, ich hätte das nicht fertiggebracht. Es gab verschiedene Möglichkeiten, sich zu verhalten, wenn ich das sagen darf. Die eine Möglichkeit war, die Wahrheit sagen und als Volkstribun auftreten und das Tribunal zur Szene machen. Das wäre tödlich ausgegangen. Die andere Möglichkeit war, die Wahrheit sagen und Reue zeigen. Das hat mir der Generalstaatsanwalt in der Voruntersuchung geraten. Er hat mir gesagt: Ich rate Ihnen sehr dringend, Reue zu zeigen. Das habe ich getan. Verhielt man sich so, kam man glimpflich davon. Das glimpfliche Davonkommen bestand in meinem Fall aus zehn Jahren Zuchthaus, von denen ich acht Jahre und drei Wochen – meistens in Einzelhaft, abgesehen von acht Monaten – abgesessen habe und danach hatte ich bis auf den heutigen Tag 25 Jahre Berufsverbot. Das war die glimpfliche Möglichkeit, die man sich mit Reue erkaufen konnte. So, wer über mich den Stab brechen will, soll es tun. Janka hat weder das eine noch das andere getan, sondern Janka hat sich so verhalten, wie es einem Kommunisten im illegalen Kampf, in der Zeit der Weimarer Republik oder in der Nazi-Zeit, eingedrillt wurde von der Partei: Alles leugnen, alles leugnen: Gespräch mit Paul Merker? – Harmlose Teegesellschaft. Ausarbeitung der Konzeption, schriftliche Ausarbeitung der Konzeption? – Bedeutet nichts weiter, als daß Harich den Vorsatz hatte, einen Artikel für die »Einheit« zu schreiben. Und daran hält Janka bis zum heutigen Tage in seinem Buch fest. Was bedeutet das? Damit hat er dem Generalstaatsanwalt und somit Ulbricht einen unschätzbaren Dienst geleistet. In zweierlei Hinsicht: Auf der einen Seite entstand der Eindruck eines neuen, quasi rechtsstaatlichen Typs von politischem Prozeß, der sich wohltuend unterschied von den Moskauer Prozessen der 30er Jahre. Die Angeklagten sind nicht mehr nur geständig, sondern sie werden von bis zu 14 Zeugen überführt und sie haben eine Möglichkeit, sich zu verteidigen. Siehe Janka, der sich wie wild verteidigt, indem er alles abstreitet und sowohl seine Mitangeklagten als auch die Zeugen, die gegen ihn aussagen zu Lügnern erklärt. Das ist der eine Vorteil: die Rechtsstaatlichkeit dieses Prozesses mit dem sich verteidigenden, heldenmütig verteidigenden, oder ganz selbstverständlich verteidigenden Angeklagten Janka, der alles abstreitet. Der zweite Vorteil: Der Generalstaatsanwalt erreichte auf diese Weise, daß die Zeugen, die Janka überführen, moralisch ins Zwielicht gerieten und das war für Ulbricht noch erwünschter. Denn schauen Sie, Paul Merker, was sollte Paul Merker tun? Paul Merker hat geschwiegen, solange keiner von uns verhaftet war, zu niemanden etwas gesagt. Dann wurden Janka und ich verhaftet. Daraufhin ist er zum ZK gegangen und hat sich gestellt. Er konnte nichts anderes tun. Hätte Paul Merker das nicht getan, wäre auch er verhaftet worden und nun schon zum zweiten Mal kurz hintereinander und als nicht mehr junger Mann. Es hätte niemandem der anderen Angeklagten, keinem anderen Mitglied der Gruppe im mindesten genützt und geholfen. Denn es war ja alles bekannt. So. Bei Janka sieht das so aus, als ob Paul Merker die große Enttäuschung war. Der Freund, der alte Freund haut ihn in die Pfanne. Wobei Janka alles leugnet sagt er ja nicht nur: Merker hat mich verraten. Er sagt ja mehr, er sagt ja: Merker hat falsch Zeugnis gegen mich abgelegt, denn es war ja nur eine harmlose Teegesellschaft bei mir. Damit war dieser Mann, dieser bedeutende, hervorragende Kopf der deutschen Kommunisten, Paul Merker, moralisch erledigt. Das war es, was man wollte. Harich war eine analoge Geschichte: Der sagt aus, sagt die Wahrheit. Aber Janka leugnet ja die Wahrheit, also erfindet Harich etwas, um Janka schlecht zu machen, also ist Harich ein Schwein. Der sagt nicht nur als Zeuge die Wahrheit aus, der begeht nicht nur Verrat, nein, Harich legt falsch Zeugnis ab wider seinen Nächsten, indem er sagt, wir haben in der Wohnung von Janka am 21. November die Konzeption besprochen. Janka sagt: Das war eine harmlose Teegesellschaft, natürlich hat man sich über Politik unterhalten. Und mit diesen Mitteln, mit diesem Verhalten von Janka hat die Partei und hat der Staat für die folgenden Jahrzehnte ein Instrument in die Hand gekriegt, mich zu diffamieren und zu isolieren. Bei jeder sich bietenden Gelegenheit. Schauen Sie mal, ich habe z.B. gekämpft in den siebziger Jahren, wo ich nun inzwischen die grüne Frage begriffen hatte, mich mit der beschäftigte, für die Bildung einer Kommission, einer Ökologie-Kommission bei der Akademie der Wissenschaften der DDR, jahrelang. Immer wieder vertröstet, habe ich nicht locker gelassen. Und schließlich war es soweit, daß man mir sagte, diese Kommission wird gebildet und Sie können daran mitwirken, Anfang 1979. Und dann wurde mir im ZK der SED, von einem der engsten Mitarbeiter Kurt Hagers und mutmaßlich auf dessen Weisung, auf Hagers Weisung, gesagt: Ja, Sie sollen in der Kommission mitmachen, aber nur unter der

Bedingung, daß Sie außerhalb der Kommissionssitzungen nie mit irgendeinem anderen Kollegen zusammentreffen. Dazu müssen Sie sich verpflichten. Und da sagte der: Sie wissen ja, Sie werden hüben wie drüben sehr unterschiedlich eingeschätzt und wir wollen nicht, daß unsere Wissenschaftler Angst kriegen, wenn Sie erscheinen. Das heißt, die Diffamierung, die von dem Prozeß herrührte wurde ausgenutzt, um mich zu isolieren und wird es heute noch, das ist das Teuflische. Und diese Möglichkeit der völligen Ausschaltung Merkers fürs ganze Leben aus der Politik und meiner Isolierung und Diffamierung bis auf den heutigen Tag, die hat Janka vor dem Obersten Gericht geschaffen, indem er nicht die Wahrheit sagte. Weder als Volkstribun, noch als reuevoller Sünder, sondern den Mittelweg wählte, alles zu leugnen und damit die Zeugen moralisch zu entwerten. Das ist das Teuflische an der Geschichte. Und ich nehme zu seinen Ehren an, ich nehme zu Jankas Ehren an, daß er so töricht ist, das selber gar nicht zu durchschauen, daß er gar nicht weiß, wie man ihn als Instrument die ganzen Jahre benutzt hat. Das nehme ich zu seiner Ehre an. Allerdings ist es keine Ehrenerklärung an seine Intelligenz.

Grimm: Wolf Biermann hat sich über Sie offiziell beklagt, Sie hätten während des Prozesses der Staatssicherheit gedankt.

Harich: Ja, wofür, für was, für was gedankt? Für die schnelle Verhaftung? Schauen Sie, die Staatssicherheit hat mir vor dem Prozeß gesagt: Wir haben Sie beobachtet, die ganze Gruppe. Und Sie besonders! Können Sie sich ja vorstellen, dürfte Ihnen ja kein Geheimnis mehr sein, jetzt. Wir hätten Sie ruhig noch vier Wochen, fünf Wochen, sechs Wochen, ein Vierteljahr weitermachen lassen können, dann wären Sie reif gewesen für ein Todesurteil, das es in unserer Verfassung gibt. Seien Sie froh und dankbar, daß wir so schnell die Sache zerschlagen haben, im Keim, so wie Walter Ulbricht das gesagt hat, im Keim erstickt. Ihre Situation und die Ihrer Mitangeklagten wäre viel schlimmer, und es wäre gut, wenn Sie das vor Gericht anerkennen würden. Und das habe ich vor Gericht anerkannt, und ich bin in der Tat auch heute noch dafür dankbar, daß diese, nach der Beendigung des Ungarn-Aufstandes völlig aussichtslose

Sache so schnell wie möglich beendet worden ist. Das ist allen Angeklagten zugute gekommen. Diese Ansicht vertrete ich auch heute noch, zu der bekenne ich mich. Ich habe da nichts zurückzunehmen. Es war von den Staatsorganen – ich will mal sagen – nobel, uns nicht weitermachen zu lassen und dann noch härter zuzuschlagen. Die haben sich gesagt: Lassen wir die Jungs doch leben, aber das geht nur, wenn wir sie jetzt schon in Haft nehmen. Ich glaube, daß das auch menschlich verständlich ist, daß man sich dessen erfreut. Eine Verhaftung Mitte Dezember/Anfang Januar: Na, ich danke schön, dann wären wir nicht mehr da! Das ist es und dazu bekenne ich mich. Zu dieser Äußerung bekenne ich mich, wobei ich hinzufügen möchte: Wissen Sie, ich hatte zu tun als Chefredakteur der »Deutschen Zeitschrift für Philosophie«, als Verlagslektor, als Dozent mit elenden kleinbürgerlichen Würstchen im Apparat des ZK, Kulturabteilung, Wissenschaftsabteilung usw., die mir Vorschriften machen wollten, wie ich über Hegel zu denken hätte, über Sachen, die sie überhaupt nicht beurteilen konnten. In der Haft bei der Staatssicherheit lernte ich einen ganz anderen Menschentyp von Funktionär kennen: Arbeiter, denen ich z.B. die Prozeßprotokolle orthographisch und in der Zeichensetzung korrigiert habe, weil sie das nicht konnten; knallharte, ehrliche Kommunisten, die vor meiner Arbeit Respekt hatten und sagten: Davon verstehen wir nichts, in diesen Sachen haben Sie sogar wahrscheinlich recht, wir können es nicht beurteilen, da reden wir Ihnen nicht hinein. Dann noch Leute mit dem Flair von Kriminalkommissaren. Die waren mir sympathischer und ich habe mir oft gesagt: Mein Gott, wenn ich mit diesem Typ von Funktionär zu tun gehabt hätte in der Kulturabteilung des ZK und in der Wissenschaftsabteilung des ZK, hätte es diese Konflikte – viele, viele Konflikte – gar nicht gegeben. Und wenn die jetzt zu mir sagen: Harich, wir hätten Sie noch vierzehn Tage, vier Wochen weitermachen lassen können unter Beobachtung und die anderen auch, dann wärt Ihr alle reif gewesen fürs Fallbeil. Erkennen Sie doch an, daß das zu Ihrem Guten war, daß wir so schnell zugeschlagen haben! Was hat Ulbricht Ihnen denn gesagt: Im Keime erstickt. Es war nur der Keim da. Wie hätte die Pflanze ausgesehn? Und es wäre fair von Ihnen, das vor Gericht zu sagen. Das habe ich gesagt. Und das wiederhole ich heute auch, ob das nun beliebt ist oder unbeliebt oder stalinistisch oder antistalinistisch: Ich bin dieser Meinung. Ganz analog: Man hätte auch in Ungarn Lukács weiterlaufen lassen können und der wäre dann, wie Imre Nagy, hingerichtet worden. Er war ja Mitglied der Regierung – Imre Nagy. Nein, man hat gesagt: Sie sind jetzt die ideologische Hauptgefahr, das geistige Haupt der Konterrevolution, aber Sie setzen sich in Ihre Wohnung und schreiben Ihre »Ästhetik«. Das war auch gut. Und bei mir hat man dann immer gesagt: Das Schlimmste, was Sie uns angetan haben ist, daß Sie uns Ihr Talent entziehen und jetzt für Fragen der Geschichte der Philosophie und Ästhetik und Literatur nicht mehr in Frage kommen. Das ist für uns ein Verlust, aber ganz verlieren wollen wir Sie nicht, Sie sollen am Leben bleiben. Dann hätten sie mich natürlich in der Haft gleich wissenschaftlich arbeiten lassen können. Diese Vergünstigung ist mir aber nicht teilgeworden. Ich habe erst Druckknöpfe auf Karten gedruckt – jahrelang. Dann habe ich durch Übererfüllung des Solls mir das Privileg erkämpft, Literatur von der wissenschaftlichen Liste lesen zu dürfen, die man länger als eine Woche in der Zelle behalten durfte – das ist 1959 dann geschehen, im Oktober, nicht wahr. Dann durfte ich also auch in Einzelhaft Wendestützen für Fahrstühle montieren und dann, 1963, ein Jahr vor meiner Haftentlassung, hat man gesagt: Harich, mit Philosophie ist es bei Ihnen aus, das müssen Sie sich aus dem Kopf schlagen, das ist unser Allerheiligstes, da lassen wir einen Mann wie Sie nicht mehr ran. Aber Sie sind ja auch Germanist, denken Sie sich was anderes aus und Ende 1963, Anfang 64, durfte ich mir die ganze Literatur zu Jean Paul kommen lassen. Im letzten Haftjahr habe ich dann wissenschaftlich arbeiten können über Jean Paul. So sehe ich die Geschichte. Und ich kann den Funktionären, den Funktionären dieses Apparates, bei allem, was ich gegen Ulbricht habe – wenn ich heute jemanden von denen treffen würde, ich weiß nicht, was aus denen geworden ist, das müssen ja auch alte Herren sein – ich bin der Meinung: Ich könnte denen ins Auge sehen und die könnten mir ins Auge sehen. Das ist meine Meinung, davon gehe ich auch nicht ab.

Grimm: Immerhin bleibt es so, daß dieser Apparat ja immerhin von dem, von Ihnen eigentlich zu stürzenden, Ulbricht geleitet wurde.

Harich: Ja und die haben auch versucht, mich zu einem Dreckschwein zu machen in der Frage meiner Einstellung zu Lukács. Aber ich habe gewußt: Wenn ich da nachgebe, dann verachten die mich. Dann haben sie zwar ihre Aufgabe erfüllt, aber sie verachten mich und das wollte ich nicht, und deshalb war ich da ganz eisern und ablehnend und ich glaube, wenn Sie diese Leute heute fragen würden, würden sie sagen: Ja, in diesem Punkt hat Harich uns große Schwierigkeiten gemacht, das war für uns sehr unangenehm, aber in dieser Frage hat er unseren Respekt. Seine Treue zu Lukács, die verdient alle Achtung. Ich bin überzeugt, daß diese Stasi-Vernehmer das heute zu Ihnen sagen würden.

Grimm: In dem bisher zugänglichen Material über den Prozeß, wo man Ihre Position nachlesen kann, gibt es u.a. einen Punkt, wo die Beziehungen, die Sie zur SPD damals hatten, angesprochen werden. Welche Beziehungen zur SPD hatten Sie und wurden sie für die anderen Angeklagten während des Prozesses kompromittierend ins Spiel gebracht?

Harich: Nein! Ich hatte Beziehungen, das lag ja im Wesen der Konzeption der Gruppe: Die SED bündnisfähig machen für die SPD. Da wollte ich natürlich wissen, was die SPD davon hält, selbstverständlich. Anfang November kam das weitere Motiv hinzu, daß ich ein Übergreifen der ungarischen Unruhen auf die DDR befürchtete und die SPD-Führung dafür gewinnen wollte, beschwichtigend darauf einzuwirken, damit es hier nicht zu einer solchen Katastrophe kommt. Da habe ich Beziehungen gehabt zu dem damaligen stellvertretenden Vorsitzenden der SPD in Westberlin, zu Joseph Braun und zu einem Herrn Weber vom Parteivorstand.

Jetzt war die SPD damals ja in ganz Berlin zugelassen und das wäre an sich eine legale Kontaktaufnahme geworden. Das ist aber dann so gedreht worden, daß das eine Beziehung zum Ostbüro der SPD gewesen ist, also kriminalisiert. Ich habe es selber für möglich gehalten, daß das das Ost-Büro der SPD ist. Ich habe nicht gesagt, daß ich das wußte, ich habe gesagt: Ich habe es für möglich gehalten, daß es das Ostbüro der SPD ist. Hiervon habe ich keinem anderen Menschen, keinem meiner Mitangeklagten irgendein Wort gesagt, keinem! Erstens, weil ich denen nicht die Konsequenz zugetraut hätte, zweitens, weil ich sie nicht belasten wollte. Und jetzt wurde ich in den Voruntersuchungen und auch in dem Prozeß gefragt: Haben die von dieser SPD-Beziehung etwas gewußt? Und in dem Buch von Janka wird die Sache sogar in angeblich wörtlicher Wiedergabe meiner Äußerungen so dargestellt, als wenn ich gesagt hätte: Ja, das haben die wissen müssen, das haben die gewußt, wahrscheinlich haben sie es gewußt. Da ist kein Wort wahr! Das ist eine einfache Lüge! Ich habe auf diese Frage immer geantwortet: Nein, davon hat keiner etwas gewußt. Das können alle bezeugen, das können alle Mitangeklagten bezeugen, das können alle Anwesenden im Gerichtssaal, alle Zeugen bezeugen und das muß auch aus den Protokollen, den Prozeßprotokollen, hervorgehen. In dieser Frage, und ich möchte hinzufügen: nicht in dieser Frage allein, war ich für die anderen Entlastungszeuge. Entlastungszeuge! Fragen Sie die Anwälte, fragen Sie z.B. den Anwalt von Janka, den Rechtsanwalt Wolf. Daran ist nichts wahr und hier muß ich sagen, daß in diesem Punkt Janka sich nicht nur geirrt hat, sondern daß das eine Lüge ist, die mich belasten soll, in schlechtes Licht setzen soll. Und es ist nicht das einzige Beispiel, daß meine Aussagen in angeblich wörtlicher Rede falsch wiedergegeben werden, das ist ganz klar.

Grimm: Welche, wenn wir schon einmal dabei sind, in wörtliche Rede gesetzten Punkte möchten Sie revidiert sehen oder berichtigt?

Harich: Auf jeden Fall ist es dieser Punkt mit der SPD-Sache. Ich habe ausgesagt: Von der SPD-Sache hat niemand anderes gewußt. Ganz klar! Das sind noch andere Punkte, dazu müßte ich mich im einzelnen mit diesem Buch noch mal auseinandersetzen. Aber es ist eine andere Frage. Dort, wo Janka mich in dem Buch zuerst als Person einführt, setzt er mich von vornherein in ein schiefes, menschlich mieses Licht. Ich habe mir mal die Seite notiert, das ist die Seite 53. Schauen Sie, da komme ich zum ersten Mal vor. Da behauptet er, ich wäre aus Eitelkeit ganz zufrieden darüber gewesen, daß Bertolt Brecht ein Verhältnis mit meiner Frau, mit Isot Kilian, gehabt hätte und hätte mich mehr stolz als bedrückt gefühlt, ich hätte mich mit ihm darüber friedlich geeinigt. Daran ist kein wahres Wort. Ich habe mich damit überhaupt nicht gebrüstet, ich hatte auf Brecht eine Stinkwut. 1954 in den Ferien kam ich dahinter, daß meine Frau ein Verhältnis mit Brecht hat. Da lag plötzlich auf dem Tisch in meiner Wohnung in der Winsstraße ein Liebesgedicht von Brecht: »An die späte Rose« oder so, sehr eindeutig. Hat sie abgestritten, dann habe ich ihr auf den Kopf zugesagt, ich hätte längst mit ihm gesprochen, er hat alles zugegeben. Dann bin ich zu Brecht gegangen, habe ihm einen wütenden Krach gemacht, der hat gesagt, ich soll mich von ihr scheiden lassen. Ich sage: Ich denke gar nicht daran. Sie werden sich von ihr zurückziehen, das hört hier jetzt auf, die Sauerei. Die Einstellung von mir zu der Sache war, ich liebte sie noch, oder wieder, oder wieder mehr. Sie war die arme verführte Unschuld, Brecht hatte sie verführt, Brecht war der Böse. Mein ganzer Haß konzentrierte sich auf den Brecht. Ich habe ihr immer gesagt, sie solle mit Brecht Schluß machen, und habe wieder angefangen, sie zu umwerben.

Aber das ging alles nicht. Brecht hat gesagt: Lassen Sie sich scheiden! Aber ich liebe die doch! Ja, dann lassen Sie sich scheiden. Sie können Sie ja in zwei Jahren wieder heiraten. Was stellen Sie sich vor ? Na, dann können Sie zwei Jahre lang beweisen, ob Sie sie wirklich lieben. War ja sehr weise, aber die Beziehung mit Brecht war damit beendet bis Anfang 1956. Isot hat sich 1955 von mir scheiden lassen. Ich habe gesagt, ich wäre bereit, die Ehe aufrechtzuerhalten, wenn sie sich von dem Brecht trennt und zu mir zurückkommt mit dem Kind. Das hat sie vor Gericht abgelehnt, daraufhin wurde die Ehe geschieden. Der Name wurde nicht genannt, man sprach nur immer von dem »Neuen«, dem sie sich zugewandt habe. Ich habe mich bemüht, gute väterliche Beziehungen zur Tochter aufrechtzuerhalten. Aber die Beziehung zu Isot war doch sehr auf Distanz. Wenn ich dort war und Brecht kam, dann ist der sofort stehenden Fusses umgekehrt. Oder wenn ich kam und dort war Brecht, dann bin ich weggegangen. Wir wollten nichts miteinander zu tun haben.

Aber Anfang 1956 hat Brecht sich an mich gewandt und meinte, wir sollten die persönlichen Sachen beiseite lassen, er wolle Erich Engel wieder in der DDR haben. Er brauche den als Regisseur. Ich stünde doch gut mit Erich Engel, der in Westberlin wohnte. Erich Engel war Nicolai Hartmann-Verehrer, und zwischen uns bestand immer ein philosophischer Gedankenaustausch, ausgehend von dem Gedanken: Wie bringt man Hartmann in die Erbepflege des Marxismus ein?

Da habe ich Engel agitiert, Stalin sei tot, jetzt werde alles besser. Dann kam der Schriftstellerkongreß Anfang 1956 in der DDR, kurz vor dem XX. Parteitag. Da kam Lukács nach Berlin. Da kam Engel, um dort den Lukács kennenzulernen. Jetzt kam es zu einer Einladung der Weigel zu Brecht: Lukács, Bassenge, Engel und ich. Die Isot und die Weigel, die hatten sich vertragen und sorgten dort für unser leibliches Wohl. Da kam es zu einer Aussöhnung zwischen Brecht und mir.

Das ist der Hintergrund der Wiederaussöhnung mit Brecht. Da war die Ehe zwischen Isot und mir längst geschieden. Was der Janka in seinem Buch schreibt, ist reinste Verleumdung, wobei ich zu seiner Ehre annehme, er ist falsch informiert. Ich habe nie mit Brechts Beziehung zu meiner Frau angegeben oder gar eine Verabredung mit dem getroffen. Der will mich nur als einen schmierigen und renommistischen Typ dort einführen, um gleich meinen Charakter in schiefes Licht zu setzen. Und die Wiedergabe meines Verhaltens vor Gericht liegt z. T. auf dieser Linie und die gröbste der Unwahrheiten ist, daß ich ihn als Mitwisser meiner SPD-Beziehung bezichtigt hätte. Auch das ist völlig falsch. Mehr habe ich dazu nicht zu sagen.

Grimm: Zu Ihrer Auffassung von der Selbstanklage, die Sie im Prozeß vertreten haben und Ihren heutigen Rechtfertigungen dieser damals unternommenen Verhandlungseinsicht oder wie Sie sagen, dieser einzigen Möglichkeit, sich vor dem Galgen zu retten. Die Frage: Sie haben ein großes Verständnis für den Apparat gezeigt. Damit isolieren Sie aber, glaube ich, den Apparat zu sehr von der Steuerung, von der Führung. Das ist immerhin noch die Gruppe Ulbricht gewesen, die den Apparat steuerte und führte. Von diesem Apparat selbst werden Sie einmal als Opfer benutzt, einmal aber – durch Ihre Selbstanklage – zugleich im stalinistischen System als Mittäter benutzt. Diese ambivalente Funktion Harichs im Prozeß hat eigentlich bis heute Ihrer eigenen Identität geschadet. Man weiß nicht, ist Wolfgang Harich ein Opfer oder ein Mittäter des Stalinismus.

Harich: Ja, was heißt Mittäter? Ich bin verhaftet worden von diesem Apparat. Alles, was ich auch nur im geringsten zu leugnen, abzustreiten, zu verharmlosen suchte, sei es in meinem eigenem Interesse, um meine Lage zu erleichtern, sei es zum Zweck der Entlastung anderer, erwies sich als völlig sinnlos, weil alles bereits bekannt war. Ich konnte nur Sachen zu Protokoll geben, die man schon kannte. Und das war kein Wunder nach dem Puschkin-Gespräch. Sie können nur die Frage stellen: Machte das Puschkin-Gespräch nicht jegliche Voruntersuchungen zu dem Prozeß überflüssig? Darauf antworte ich Ihnen unumwunden: Ja. Das Puschkin-Gespräch hat zusammen mit der Warnung Ulbrichts vierzehn Tage später die Überlegenheit dieses Apparats demonstriert. Ja, ich hätte das Puschkin-Gespräch nennen können, mit welcher Folge? Ich bin nach wie vor der Meinung: Das hätte mich das Leben gekostet. Ich konnte also nur sagen: Ja, das stimmt. Dann komme ich glimpflich davon mit zehn Jahren Zuchthaus oder ich konnte mich verhalten wie Janka: Alles abstreiten. Das wäre aber vollkommenn sinnlos gewesen, denn ich wäre ja überführt worden, so wie Janka überführt worden ist. Und ich hätte den Eindruck verstärkt, hier läuft ein rechtsstaatlicher Prozess ab und hätte geholfen, die Zeugen als Schweinehunde abzustempeln. Andere Alternativen gab es nicht! Nur die Alternative, den Mut zu haben und zu sagen, was macht Ihr denn überhaupt den Prozeß, Ihr wißt ja schon alles und Ihr wißt es von dem sowjetischen Botschafter. Was wäre die Folge gewesen, man hätte gesagt, hätte sagen müssen: Was, da haben Sie ja Landesverrat an der DDR betrieben gemeinsam mit dem sowjetischen Botschafter oder zu treiben versucht, das wäre völlig absurd gewesen. Oder von der sowjetischen Botschaft wäre gesagt worden, das ist alles nicht wahr, das stimmt nicht, dieses Gespräch hat nie stattgefunden bzw. ja, der war da, der hat sich gemeldet hat uns sprechen wollen und wir haben ihn zurückgewiesen, denn wir mischen uns nicht ein in die inneren Angelegenheiten der DDR, die ist ein souveräner Staat. Das wäre es doch gewesen. Mir blieb doch nichts anderes übrig, als mich so zu verhalten. Und in meinem Falle wurde gesagt: Sie haben die Wahrheit gesagt, jetzt bereuen Sie. Zu Janka hat man das offensichtlich nicht gesagt, weil man einen Angeklagten haben wollte, der alles abstreitet, der durch die Zeugen überführt wird. Das sieht nach Rechtsstaatlichkeit aus und das ermöglicht es, die Zeugen zu diffamieren.

Grimm: Aber auf der anderen Seite ist doch Reue wiederum auch eine Suggestion, als sei der Prozeß rechtmäßig. Da ist doch jemand, der Reue zeigt.

Harich: Schauen Sie, ich kann doch nicht behaupten, daß ich damals überhaupt keine Reue empfunden hätte. Wenn man sich von der Realität, wenn man sich trotz Zurückweisung durch Puschkin, trotz Warnung durch Ulbricht von der Realität so weit entfernt, daß man immer weitermacht und schließlich im Zuchthaus endet. Soll man denn darüber keine Reue empfinden? Darüber empfinde ich heute noch Reue, weil ich die acht Jahre besser hätte verwenden könne. Nützlicher für die Gesellschaft, für die Wissenschaft, für mich selbst. Insofern war die Reue echt und ist es heute auch noch. Nehmen Sie das zur Kenntnis. Was nicht heißen soll, daß an der damaligen Konzeption alles falsch war. Da war vieles dran richtig, aber das meiste von dem, was daran richtig war, war zu früh und wer seiner Zeit voraus ist muß, nach Nicolai Hartmann einsehen, daß er in seiner Zeit tot ist. Ich war politisch in meiner Zeit tot. Ich habe alles mögliche zu tun versucht, wo ich lebendig war: in der Feuerbach-Ausgabe, in der Jean Paul-Forschung, in dem Versuch des Kampfes gegen die Blödsinnigkeiten des Neoanarchismus, in dem Versuch, eine Synthese herzustellen zwischen wissenschaftlichem Kommunismus und Einsichten und Warnungen des Club of Rome, in meinem Kampf gegen die Nietzsche-Renaissance. Da habe ich aus meinem relativem Totsein noch etwas Lebendiges zu machen versucht, nur daß man das in der DDR bis heute nicht haben will, verstehen Sie. Aber mit diesem Konzept der umfassenden Entstalinisierung von 1956, übernommen von Lukács, mit dem Versuch auf diese Weise trotz Pariser Verträge und NATO/Warschauer Pakteinbindung der beiden Staaten doch noch bis 1957 zu einer Verschiebung des Kräfteverhältnisses in Deutschland zu kommen aus dem die Einheit Deutschlands hätte hervorgehen können, eines fortschrittlichen, eines antifaschistischen, eines demokratischen, eines friedlichen Deutschlands, da kamen wir zu früh, das war gar nicht drin! Es ist doch Kreisky zu Mikojan gegangen im Auftrag von Ollenhauer und hat gefragt: Wie ist es denn? Ist noch etwas zu machen für die deutsche Einheit? Lange nach Stalins Tod, Stalin hat noch an die deutsche Einheit geglaubt. Nein, hat Mikojan gesagt, dieses Gesamtdeutschland, neutral, würde zu gefährlich werden. Glauben Sie mir, was auch immer wir an Gegensätzen mit unseren amerikanischen Kontrahenten haben mögen, in dem einen Punkt sind wir uns völlig einig: ein einheitliches Deutschland, neutral zwischen den Blöcken darf es und wird es nicht geben. Kreisky ist daraufhin zu Ollenhauer gegangen und hat gesagt: Das ist die Meinung von Mikojan. Dann haben sie aufgegeben und darauf basiert die Anerkennung der Adenauerschen Politik durch Herbert Wehner vom Sommer 1960, über die ich in meiner Zelle so wütend war. Und dann hat es Jahrzehnte, bis in die siebziger Jahre gedauert, daß ich gesagt habe, na ja, vielleicht hatte Wehner ja doch recht. Wenn man sich so weit von der Realität seiner Zeit entfernt, wie ich mich entfernt habe, und das so endet auch mit dem ganzen Unglück für die Mutter, die drei Herzinfarkte gekriegt hat, und so endet mit einer solchen riesigen Unterbrechung für die eigene wissenschaftliche Arbeit, dann muß man Reue empfinden. Die war gar nicht so unecht, diese Reue.

Grimm: Wenn ich Sie jetzt richtig verstehe, dann ist das eine Reue, die auch im Sinne der eigenen Geschichte, der eigenen Identität eine Rolle spielt. Also weniger die Reue gegenüber einem Apparat, der einen zu Recht verurteilt hat, sondern gegenüber einem selbst, der in bestimmten Zeiten Einsichten nicht gefunden hat oder nicht vertreten hat, die nötig gewesen wären?

Harich: Natürlich bereue ich doch nicht nur diese Geschichte. Sondern ich bereue zum Beispiel, wenn ich mein Leben überblicke, daß ich mich in den Jahren nach 1945 so viel mit Journalismus abgegeben habe. Ich hätte nach Göttingen gehen sollen als Schüler von Nicolai Hartmann, in den letzten fünf Jahren seines Lebens Philosophie studieren und versuchen, die rationellen Elemente seiner Philosophie mit dem Marxismus zusammenzubringen, was geht, was ich jetzt in meinen Arbeiten versuche und was später Lukács versucht hat, von mir angeregt. Und hätte nicht Theaterkritiken geschrieben und keine Ambitionen gehabt, hier im Berliner Kulturleben eine Rolle zu spielen, sondern philosophische Arbeit zu machen. Auch da ist Reue.

Grimm: Das heißt, da ist auch Reue, daß Ihr eigener Charakter, Ihre eigenen Ambitionen auch Selbstüberschätzungen vielleicht eine Rolle spielen.

Harich: Ja, oder auch eine Unsicherheit in der Wahl der Leitbilder. Beruflich wußte ich ja eigentlich nicht so recht, was ich wollte. Nun war die Situation nach 1945 so, daß die Universität nicht geöffnet war, das Philosophiestudium in Berlin bis 1951 eigentlich nicht möglich war. Ich hing an Berlin, als dem Zentrum meiner märkischen Heimat, denn hier hatte ich meine Bekannten und Verwandten.

Ich hatte zwei unterschiedliche Berufsziele, die waren orientiert an Leitbildern. Das eine Leitbild waren Nicolai Hartmann und Eduard Spranger, große Universitätsprofessoren für Philosophie, wobei ich schon lange großes Interesse an der Philosophie hatte. Das andere Leitbild war Journalist, und dafür war der Vater meiner Mutter, Alexander Wyneken, maßgebend, der so lange die »Königsberger Allgemeine Zeitung« geleitet hatte und zu dem ich auch bewundernd aufblickte. So was wie der wäre ich auch gerne geworden.

Grimm: Ihre beiden philososphischen Leitbilder haben Sie ja noch persönlich kennengelernt.

Harich: Den Eduard Spranger kannte ich persönlich, dessen Schüler ich eine Zeit lang war. Er war eingesetzt als kommissarischer Rektor der Humboldt-Universität und hatte sich sehr bald überworfen mit Paul Wandel, hatte den Amerikanern vorgeschlagen, statt dieser, wie er es nannte, kommunistischen Klippschule, die Wandel aus der Humboldt Universität machen wollte, eine Gegenuniversität zu gründen in Dahlem und zwar in den Räumen des ehemaligen Luft-Gau-Kommandos. Aber die Amerikaner, es waren noch brave Roosevelt-Leute, die hatten darin den empörenden Versuch eines Deutschen gesehen, der zwischen ihnen und ihren sowjetischen Verbündeten Zwietracht säen will, hatten sein Haus in der Fabeckstraße beschlagnahmt, hatten ihn in den Keller seiner Wohnung gesetzt. Dort hauste er, der große Eduard Spranger, der in der Mittwochsgesellschaft mitgemacht hatte. Der hauste dort im Keller, ich habe ihn öfter besucht. Aus dieser Situation hat ihn Carlo Schmid erlöst, dieser SPD-Politiker in Süd-West-Deutschland, in der französischen Zone, der verschaffte ihm einen Ruf an die Universität Tübingen. Nicolai Hartmann hatte ich auch schon persönlich kennengelernt. Er kümmerte sich überhaupt nicht um die Universität, sondern saß zwischen März und September 1945 in Babelsberg und schrieb an seiner Ästhetik. Der genoß das, daß er seiner Universitätspflichten ledig war, weil die Uni nicht geöffnet war. Er blieb völlig unberührt vom Zeitgeschehen und ging dann an die Universität Göttingen. Man kann sagen, an der Uni Berlin war es mit Philosophie aus. Da waren ganz drittklassige Figuren wie Lieselotte Richter. Bei der habe ich formell studiert, aber das war so uninteressant, außerdem paßte mir die ganze Richtung nicht. Außerdem war eben das Philosophiestudium noch nicht zugelassen. Philosophie galt als ideologisch gefährliches Fach. Also überwog bei mir jetzt das andere Leitbild, das journalistische. Das Leitbild vom journalistischen Großvater war dann eben stärker als das Leitbild Nicolai Hartmann. Und dadurch habe ich journalistisch gearbeitet und deshalb hat mein ganzes Philosophiestudium sich hingezogen bis 1951 – sechs Jahre lang.

Grimm: Könnte es auch sein, daß der Unterschied zwischen Ihnen und Janka z.B. auch aus den unterschiedlichen Leitbildern resultiert? Walter Janka hatte ja schon viele Jahre in der kommunistischen Partei gearbeitet und gekämpft hat, während Sie als ganz junger Mann eigentlich erst während der SED-Gründung dazugestoßen sind.

Harich: Na ja, ich bin zu den Kommunisten schon vorher gestoßen, in der Nazizeit, aber darüber will ich jetzt nicht reden. Aber ich habe selbstverständlich nicht diese heroische kommunistische Vergangenheit Walter Jankas aus der Nazizeit, für die ich nach wie vor den allerhöchsten Respekt habe. Aber diese Stärke Jankas ist bei ihm auch die Kehrseite großer Schwächen, nämlich großer Borniertheit. Dafür ist meine

Schwäche die Kehrseite großer Stärken, ich bin gebildeter als Janka, ich habe einen weiteren historischen Horizont und gehe an eine solche Frage nicht so individuell borniert heran, sondern als Zeitgeschichtler, ich bin nicht so beleidigt wie er, ich bin keine beleidigte Leberwurst.

Grimm: Sagen wir so, Sie sind mehr in der Lage auf Grund Ihrer Vergangenheit, auch Ihres Alters, Ihres Lebensweges, erkenntnistheoretisch auch an ganz unmittelbare zeitgeschichtliche, Sie betreffende Probleme heranzugehen, während das vielleicht bei anderen doch mehr mit starken emotionalen Verbindungen z.B. zur kommunistischen Bewegung überlagert ist.

Harich: Ich versuche immer denkend zu begreifen, was da ist und mich auch in Widersacher hineinzufühlen. Ulbricht war mir nun z.B. wirklich, ich muß sagen, verhaßt. Wenn ich jetzt z.B. eine solche Situation wie in der Sowjetunion sehe, den Streit zwischen Armeniern und Aserbaidshanern, das ist ja nun ein fürchterlicher Blödsinn. Könnten nicht Armenier und Aserbaidshaner, sage ich mir, gemeinsam für die Rettung der Umwelt kämpfen, statt sich aus nationalistischen Motiven da gegenseitig umzubringen? Dann denke ich aber im nächsten Augenblick: Ja, aber verdammt noch mal, ist das nicht verständlich, wenn ich selber daran denke, wie mir hier in der DDR die Sachsen so auf die Nerven gehen, daß ich von einer Besatzungsmacht spreche? Und hat nicht bei meiner tiefen Aversion gegen Walter Ulbricht sein Sachsentum eine solche Rolle gespielt, daß ich mich hier als Preuße, als Brandenburger unter Fremdherrschaft fühlte. Und dann reflektiere ich die Blödsinnigkeit dieser Sache und dann suche ich mich, indem ich diese Blödsinnigkeit in mir überwinde, hineinzuversetzen in Ulbricht und sagte: Der wollte, daß hier Ruhe bleibt während der Suez-Krise, während der Ungarn-Krise und außerdem, was wollen wir denn, er hat uns ja gewarnt: Ich zerdrücke Euch, im Keim werdet Ihr ersticken. Wir haben nicht gehört. Also, bin ich auch eines objektiven Urteils über Ulbricht fähig und das möchte ich mir auch bewahren. Und das gehört meiner Ansicht nach zur Haltung eines Philosophen dazu, auch wenn er im Getümmel des Tageskampfes noch so engagiert ist. Und das ist aber auch eine Eigenschaft, die uns heute in den Auseinandersetzungen unserer Zeit not tut: sich hineinversetzen zu können in die Lage des anderen, auch in die Lage des Gegners. Das ist ja neues Denken. Das gehört unbedingt dazu!

Grimm: Gab es denn einmal den Versuch, daß Sie und Janka ihre Vergangenheit im Dialog besprachen, um sich mit einer gemeinsamen Aufarbeitung an die Öffentlichkeit zu wenden?

Harich: Ja, das hat es gegeben. Allerdings muß ich vorausschicken: Es war natürlich für alle Teilnehmer der Gruppe nach ihren Haftentlassungen äußerst risikoreich, sich miteinander – aus welchem Grunde auch immer – in Verbindung zu setzen. Wenn ich also mit Bernhard Steinberger auf der Straße zusammengetroffen bin, zufällig, haben wir uns freundlich die Hand gedrückt, haben aber keine Verabredung getroffen. Aus diesem Grunde dürften Just, Zöger usw. Hemmungen gehabt haben, sich mit mir in Verbindung zu setzen und ich mit denen. Ich habe auch nie mit Manfred Hertwig, der mir von der ganzen Gruppe am wohlwollendsten, glaube ich, gegenübersteht und der im Westen lebt, Verbindung aufgenommen, um zu sagen: Manfred könntest Du nicht das und das richtigstellen. Habe ich nie getan, habe ich nie gewagt. Dann kam ein Zeitpunkt, Anfang 1978, da wurde ich in der »Zeit« in Hamburg beschimpft in der ungerechtesten Weise, als ein Mensch, der ein schlechter Charakter sei und der als Denunziant den alten Kommunisten Walter Janka in sein Unglück gestürzt hätte.

Grimm: Und da haben Sie sich direkt an Walter Janka gewandt?

Harich: Da platzte mir die Hutschnur und ich habe mich telefonisch an Jankas Frau gewandt. Und die hat gesagt: Was erlauben Sie sich, sich bei uns zu melden, was fällt Ihnen denn ein? Ich habe gesagt: Sie können das einschätzen wie Sie wollen, ich bitte Sie, ist Ihr Mann zu sprechen. Nein, der ist nicht da. Da sage ich: Dann richten Sie ihm bitte folgendes aus: Das und das hat in der »Zeit« gestanden, er muß wissen, daß das nicht stimmt und ich bitte Sie, ihm auszurichten, er möge dem entgegentreten oder wenn er der Ansicht ist, das das stimmt, sich doch einmal mit mir auseinandersetzen. Da hat sie gesagt: Ja, Sie können in zwei Tagen noch mal anrufen. Ich rief an und Frau Janka sagte: Nein, mein Mann ist für Sie nicht zu sprechen. Darauf habe ich ihm einen Brief geschrieben, kriegte keine Antwort. Dann hat eine Schriftstellerin der DDR versucht, zwischen uns zu vermitteln. Und ich nenne jetzt den Namen: Das war Helga Schütz. Das lag nahe. Auf der einen Seite ist Helga Schütz verheiratet mit dem Filmregisseur Egon Günter, der mit Janka als Dramaturg den Film »Lotte in Weimar« gemacht hatte. Also die kannten sich. Helga Schütz und ich hatten füreinander eine gewisse Sympathie als Jean Paul-Verehrer. Ich habe mich dann an Helga Schütz gewandt und habe sie darum gebeten, ob sie nicht als Bekannte von Janka oder als Frau des Mannes, der Mitarbeiter von Janka ist, ein klärendes Gespräch herbeiführen könnte. Das hat Helga Schütz versucht. Janka hat damals auch abgelehnt, sich mit Helga Schütz zusammenzusetzen. Sie hat gesagt: Ich schaffe es nicht, ich komme an ihn nicht heran. Er lehnt es strikt ab, mit mir zu sprechen und dann sagte sie: Ich habe den Eindruck, daß er sich auf eine Version der Geschichte einmal festgelegt hat, von der er nun nicht mehr loskommt. Und sein Buch »Schwierigkeiten mit der Wahrheit« ist eine einzige Bestätigung dieser Aussage von Helga Schütz, die übrigens meine Gegendarstellung der Sache nur aus Umrissen von mir kannte, das hatte ich ihr ganz schnell andeutungsweise gesagt. Aber sie fand: Ja, das ist glaubwürdig und das muß zwischen Ihnen beiden mal geklärt werden. Also, mein Versuch, mich mit Janka zusammenzusetzen und zu sagen: Du siehst das so, ich seh das so. Das hat sich abgespielt, das hat sich abgespielt, der ist gescheitert. Und er hat auch nie, sagen wir mal, bevor er nun dieses Buch geschrieben hat, hätte er ja auch sagen können: Harich, Du siehst das aus einer anderen Sicht, die möchte ich jetzt mal kennenlernen, bevor ich mich hinsetze und das schreibe. Auch das hat er nie gemacht. Das Buch kommt für mich vollkommen überraschend. Auf meiner Seite hat Gesprächsbereitschaft bestanden, auf seiner Seite nicht. Auf meiner Seite möchte ich hier erklären, besteht sie auch heute noch.

Grimm: Könnten Sie sich vorstellen, daß unter diesem Titel »Schwierigkeiten mit der Wahrheit« beide Darstellungen erscheinen? Die von Janka und Ihre?

Harich: Ja, das könnte ich mir vorstellen. Da gibt es aber Verschiedenes zu bedenken: Einerseits wäre das unfair, weil ich viel besser schreibe als Janka. Das wäre ihm also nicht zu raten. Aber ich bin dazu bereit. Die andere Schwierigkeit ist die, daß ich viele, viele andere Arbeiten habe, an denen mir eigentlich mehr liegt. Da liegt das große unvollendete Manuskript von 700 Seiten über Nicolai Hartmann, da liegt das Manuskript meines Buches »Nietzsche und seine Brüder«. Jetzt sehe ich Chancen, in der jetzigen Situation, meine »grünen« Vorstellungen an den Mann zu bringen und offen gesagt, ist mir meine Arbeitskraft für diese Dinge wertvoller. Aber wenn es denn nicht anders geht – da kommen noch neue Geschichten dazu. Sehen Sie mal, ich stehe noch unter dem Eindruck des »Sputnik«-Verbots. Ich möchte doch da auch mal ein Wort zur Parteigeschichte sagen. In Auseinandersetzung mit Genossen von der SED. Der ist nun verboten, dieser »Sputnik«, weil da drin steht, daß Stalin den Kampf der deutschen Kommunisten gegen die Nazis behindert hätte. Und das stimmt doch! Aber da möchte ich nun mal in eine solche Diskussion den Gedanken einbringen: Der Kommunist, der damals aufrief, bei aller Aversion gegen die Sozialdemokraten, zum gemeinsamen Kampf der Sozialdemokraten und Kommunisten gegen den aufkommenden Hitlerfaschismus, der hieß Leo Trotzki! Und der muß deshalb von uns deutschen Linken mit Dankbarkeit und Ehrfurcht genannt werden, was auch immer wir gegen ihn einzuwenden haben. Und ich erinnere mich an meinen Vater, der ein bürgerlicher Liberaler war, der eingeredet hat auf seine kommunistischen Freunde, auf seine sozialdemokratischen Freunde: Findet zusammen zum Kampf gegen Hitler! Verstehen Sie, das sind Sachen, die mich mehr bewegen und für die mir meine verbleibende Arbeitskraft wichtiger ist. Aber wenn es denn nützlich sein kann, für Janka, für mich, für die neue Generation, daß wir da unsere Sicht der Dinge zusammen herausbringen, jawohl dann setze ich mich hin und schreibe das und entziehe mich dem nicht.

Grimm: Wenn es offensichtliche Meinungsverschiedenheiten zwischen Ihnen und Walter Janka gibt: Welche Fragen hätten Sie an Walter Janka?

Harich: Ja, viele Fragen, nicht. Mir fällt jetzt natürlich ein, ich würde ihn z.B. fragen: Wie kommst Du dazu, die Geschichte mit Isot so zu beurteilen? Stimmt doch nicht!

Wie kommst Du dazu, zu suggerieren, ich hätte Dich in der SPD-Angelegenheit belastet? Das würde ich ihn fragen. Dann würde ich ihn aber auch fragen: Bei der Schilderung seiner Verhaftung, einen Moment da muß ich mal sehen, auf welcher Seite das ist, das ist, glaube ich, Seite 75. Bei Deiner Verhaftung erscheint plötzlich ein mysteriöser alter Bekannter von Dir, den Du seit dem spanischen Bürgerkrieg kennst und den nennst Du den großen Chef. Wer ist das gewesen und warum nennst Du diesen Namen nicht? War das etwa Erich Mielke persönlich, den wir ja damals beide stürzen wollten – der große Chef? Warum nennst Du Erich Mielke dann nicht, den Namen des großen Chefs? Doch deswegen, weil der jetzt immer noch sehr, sehr große Macht ausübt. Aber ich bin ohnmächtig. Meinen Namen nennst Du. Und Merker, Seghers, Becher sind tot – noch ohnmächtiger! Deren Namen nennst Du auch in einer herabsetzenden Weise. Warum? Tja. Oder, Du sagst: Naja, die Zeugen haben mich eigentlich nicht so sehr belastet bei dem Prozeß, diese 14 Zeugen. Mit einer Ausnahme: Der hat dann große Karriere gemacht, die große Ausnahme. Wer war das, warum nennst Du dessen Namen nicht? Warum willst Du den schonen – bitte, ich habe Respekt davor, daß Du den schonen willst – aber warum willst Du mich nicht schonen? Warum diese Ungerechtigkeit? Nicht, solche Fragen würde ich ihm stellen, die fallen mir jetzt im Moment ein. Und dann hätte ich natürlich noch andere Fragen. Dann hätte ich die Frage: Warum redest Du nicht vom Puschkin-Gespräch? Warum redest Du nicht von der Warnung, die uns durch Walter Ulbricht am 7. November zugegangen ist? Vor allen Dingen, dann würde ich aber an den Marxisten Janka appellieren und würde sagen: Aber Mensch, Du willst ein Verehrer von Lukács sein und stellst der Darstellung einer solchen Sache nicht einmal eine Analyse der damaligen Situation voran? Ungarn-Krise, XX. Parteitag, Suez-Krise usw. das muß doch erstmal analysiert werden! Und warum sagst Du kein Wort zu den

Inhalten unserer Konzeption? Warum nicht? Das ist doch die Hauptsache. Ja, das sind so Fragen, die mir im Moment einfielen, und ich würde gerne mit dem zusammensitzen und mich mal mit ihm darüber zusammenraufen. Alleine, unter vier Augen, aber auch im Kreis von anderen, von Zeithistorikern, von Historikern der Parteigeschichte, vielleicht von Juristen, in Gegenwart seines Verteidigers – bitte schön, von mir aus, nichts dagegen. Ich würde ihm aber allerdings auch sagen: Walter, Deine Darstellung ist ein bißchen egozentrisch. Warum kommt eine tragische Figur wie Bernhard Steinberger nicht drin vor? Warum fällt kein Wort über den Hertwig, den hast Du nicht gekannt, aber das war ja der Mann, der uns den von Dir gewünschten Politökonomen fand, suchte und fand, und das war dann Steinberger und Du wolltest mit Steinberger in Verbindung treten. Warum fallen die weg? Das würde ich ihn auch fragen und dann würde ich ihm natürlich Vorwürfe machen wegen seiner ungerechten Angriffe auf Anna Seghers, auf Paul Merker und – bis zu einem gewissen Grade auch auf Johannes R. Becher. Ich würde ihm auch die Frage stellen: Sag mal, wenn nun Becher und die Seghers als Zeugen ausgesagt hätten, was hätten denn die zu Deiner Entlastung sagen können? Doch nur, daß ihre Motive, den Lukács rauszuholen aus Ungarn, nicht unsere Motive waren. So, das wären so Fragen.

Grimm: Mit Paul Merker hatten Sie sich Ende November 1956 getroffen, um ihn in Ihre Konzeption einzuweihen. Wie hat Paul Merker zu Ihren Plänen gestanden?

Harich: Das Gespräch mit Merker fand am 21. November in Kleinmachnow statt. Ein, zwei Tage vorher rief der Janka den Just und den Zöger und mich in ein Nebenzimmer der Redaktion des »Sonntag«, wir müßten etwas besprechen. Dann wurde festgelegt, wie wir ein Treffen mit Paul Merker organisieren. Ich habe darüber vor Gericht nie ausgesagt, aber es war eine ausgesprochen geheimnisumwitterte, konspirative Organisierung unseres Transports. Der Dienstwagen des Aufbau-Verlages mußte in die Nähe der Wohnung von Just gebracht werden. Wir sind dann am nächsten Tag nach Adlershof gefahren, dort in das abgestellte Auto des Aufbau-Verlages eingestiegen, Zöger und ich. Wir haben hinten gesessen, vorne hat der Just gesessen, alles außerordentlich geheimnisvoll, Zöger und ich waren uns darüber einig, das erinnere alles an die Verschwörer des 20. Juli. Es widerlegt jedenfalls ganz eindeutig die ständige Behauptung von Janka, das sei eine harmlose Teegesellschaft gewesen. Da trafen wir dann mit dem Merker zusammen in Jankas Haus in Kleinmachnow, wo er heute noch wohnt. Da kam es zu einem ganz intensiven Gedankenaustausch, bei dem eigentlich ich das große Wort geführt habe. Die Konzeption der Gruppe dargelegt in allen Einzelheiten, berichtet über das Gespräch mit Puschkin und mit Ulbricht. Merker hat sich zu verschiedenen Punkten selbst geäußert. Merker war in einer aufgeräumten, freudigen Stimmung, weil er aus einer Isolierung kam und nun wieder mit interessanten jüngeren Genossen zusammen sprechen konnte. Zöger und Just kannte er überhaupt nicht, die waren ihm völlig neu. Ich hatte da gleich die Möglichkeit, loszulegen mit unseren Vorstellungen. Er hat alles mit großem Interesse aufgenommen. Zwei Dinge sind mir erinnerlich geblieben aus seinen Stellungnahmen. Erstens zur jugoslawischen Geschichte, zur Hochschätzung der jugoslawischen Reformen mit der Leitung der Betriebe durch Arbeiterräte. Da hat Merker gesagt, das ist eine Geschichte, die in einem Land wie Jugoslawien sehr problematisch ist und möglicherweise dort scheitern wird. Aber für ein Land wie Deutschland ist das vorzüglich, weil es hier diese hochentwickelte Industrie gibt und die geschulte und organisierte Arbeiterschaft. Dann war er auch der Meinung, daß ruhig das Streikrecht eingeführt werden könne. Solche Geschichten wie am 17. Juni, die passieren eben, wenn es kein geordnetes Streikrecht gibt, und zitierte danach aus dem Kopf Lenin, der unter den Bedingungen der Sowjetmacht auch nicht gegen das Streikrecht gewesen sei, der zwar konkrete Streiks für schädlich erklärt habe, aber im Prinzip nicht dagegen gewesen sei. Dann kritisierte Merker aber an mir: Wissen Sie, Sie starren wie das Kaninchen auf die Schlange, auf diese beiden deutschen Staaten und haben nichts anderes im Kopf als deren Beziehung zueinander und die Möglichkeit ihrer Wiedervereinigung. Das müssen Sie in einem großen internationalen Kontext sehen und da sind vor allem die Beziehungen der Vereinigten Staaten von Amerika und der Sowjetunion entscheidend. Wenn die verfeindet sind, im kalten Krieg stehen, läuft da nichts. Jetzt bei dieser Aggression Israel,

England, Frankreich gegen Ägypten da hat sich gezeigt, daß die auch gemeinsame Interessen haben, denn die sind dabei, diese Krise dort gemeinsam zu stoppen. Das nährt natürlich die Hoffnung auf eine sowjetisch – amerikanische Zusammenarbeit. Wenn das geschehen sollte, dann haben auch Ihre Vorstellungen in der deutschen Frage eine Chance, zum Zuge zu kommen. Sonst war der im großen und ganzen einverstanden. Die Frage, wie es mit seiner Rehabilitierung stünde, das wurde dort taktvollerweise nicht angesprochen. Nur hinterher haben wir dann untereinander überlegt, ob Merker darauf einsteigt.

Grimm: Paul Merker ist doch auch bei Ihrer Vernehmung als Zeuge aufgetreten?

Harich: Jawohl, als Belastungszeuge.

Grimm: Wie hat er sich dort verhalten?

Harich: Er hat kurz und knapp die Wahrheit gesagt. Und die genügte aber dem Melsheimer nicht. Melsheimer schleuderte ihm entgegen: Zeuge, Sie lügen! Und wenn Sie weiter lügen, werden Sie auch verhaftet! Aber gut, gehen Sie! Das war die Haltung von Melsheimer Merker gegenüber in meinem Prozeß und die Haltung von Melsheimer Merker gegenüber in dem Janka-Prozeß, die habe ich ja nicht miterlebt. Das erfahre ich erst aus Jankas Buch und unterstelle, daß das stimmt. Bei den vielen Unwahrheiten, die das Buch enthält, kann ich nicht voll sagen, ob es stimmt, aber ich unterstelle, daß das stimmt.

Grimm: Paul Merker kannten Sie aber auch als Theoretiker?

Harich: Paul Merker habe ich 1949 persönlich kennnengelernt bei dem Empfang, der Gerhart Eisler bei seiner Rückkehr aus Amerika gegeben wurde. Daher kannte ich ihn. Damals, 1949, haben wir ein intensives Gespräch geführt über die soziale Demagogie mit der die Nazis Arbeiterjungen in die Hitlerjugend hineingelockt haben. Das war hochinteressant, hochinteressant, weil er ja ein Buch über Hitlerdeutschland geschrieben hat, wo das nicht vorkommt. So und dann habe ich ihn – wie gesagt – erst wiedergesehen am 21. November 1956 bei Janka. Hören Sie, ich habe für Paul Merker hohe Verehrung. Und ich sehe auch in dem Janka-Prozeß, wie Janka ihn darstellt, daß Merker doch versucht hat, vor Gericht versucht hat, Jankas positive Rolle in der Partei herauszustellen und dann von Melsheimer schroff unterbrochen worden ist, das gehöre nicht zur Sache, er solle jetzt also gegen den Verräter auftreten. Jetzt werfe ich dem Walter Janka vor, daß er in seinem Buch nicht den geringsten Versuch macht, seinerseits mal die positive Rolle von Merker zu beleuchten. Merker ist eine der ganz großen, und ich muß sagen bedeutenden und tragischen Gestalten der deutschen Arbeiterbewegung. Merker hat im Exil in Mexiko gelebt und hat damals, ausgehend von naturgemäß dürftigem zeitgeschichtlichem Quellenmaterial, die bedeutendste Darstellung der Weimarer Republik und der Nazizeit aus der Sicht des Kommunisten geschrieben unter dem Titel »Deutschland – Sein oder Nichtsein«. Ein Buch, das; – ich finde es eine Schande, daß es, wie überholt es in Einzelheiten auch sein mag, nicht längst bei uns im Dietz-Verlag erschienen ist. Das ist herausgekommen in dem Verlag El Libro Libre in Mexiko mit Janka als Verlagsleiter, der damals auch der Sekretär von Merker war. Dann war Merker der Vorsitzende des Nationalkomitees »Freies Deutschland« in beiden Teilen Amerikas, in Nord- und Südamerika, also an der Spitze aller deutschen Emigranten, die sich dazu bekannten. Dann hatte er als Mitglied des Politbüros der KPD und später SED hier mit Walter Ulbricht politische Meinungsverschiedenheiten. Ich kenne sie nicht im Einzelnen. Ich kenne nur eine Sache aus zweiter Hand, die aber hochbedeutsam ist gerade in der gegenwärtigen Situation und die dem Paul Merker auch zu höchster Ehre gereicht. Merker soll die Auffassung vertreten haben, daß arisiertes Eigentum, arisiertes kapitalistisches Eigentum in Deutschland nicht ohne weiteres Volkseigentum werden dürfe, sondern daß es zurückgegeben werden muß an die jüdischen Eigentümer oder aber – bevor es sozialisiert oder nationalisiert wird – an diese gebührend entschädigt werden muß. Und das soll Ulbricht zurückgewiesen haben als unzulässiges Zugeständnis an den bourgeoisen Zionismus. Das muß doch mal ans Licht gebracht werden, das ist jetzt für uns wichtig, weil ja doch wichtig ist, daß wir endlich mit

Israel zu einer Gemeinsamkeit kommen und zu diplomatischen Beziehungen und auch zu einer Wiedergutmachung, wie sie ja auch Erich Honecker ehrenvoller Weise, dem Präsidenten des Jüdischen Weltkongresses zugesagt hat. Also hier gehört eine Würdigung Merkers hinein. Dann ist unabhängig davon Merker auf Grund dieser Gegensätze von Ulbricht aus dem Politbüro ausgeschlossen worden und wurde Staatssekretär im Ministerium für Landwirtschaft, sank also sehr in seiner politischen Bedeutung. Und dann kam die Verfolgung der Westemigranten nach dem Bruch zwischen Stalin und Tito und im Zusammenhang mit der ganzen Affäre die Verfemung von Noel Field. Ja, und in dem Zusammenhang ist auch Paul Merker verhaftet worden und hat hier unschuldig gesessen als Agent Noel Fields und wurde dann erst nach dem XX. Parteitag herausgelassen.

Grimm: Hat diese Hafterfahrung, diese Verurteilung durch die eigenen Genossen Paul Merker nicht ängstlich gemacht? Wie frei hat er seine Positionen gegenüber der Gruppe geäußert?

Harich: Ich habe ja bereits davon gesprochen, daß mich Merker am 21. November 1956 bei dem Gespräch in Jankas Wohnung davor warnte, die beiden deutschen Staaten isoliert zu sehen und daß er sich Gedanken machte über ein Aufeinanderzukommen der USA und der Sowjetunion angesichts ihres gemeinsamen Krisenmanagements in der Suez-Krise. Von da aus, sagt er, von da aus bestehen Chancen für das, was Ihr hier wollt. Ihr dürft das nie ausklammern, die Beziehung zwischen der Sowjetunion und den USA. Dann steuerte er aber noch andere wichtige Gedanken bei, z.B. diskutierten wir über die Frage des Streikrechts im Sozialismus. Da sagte Merker, er könne aus Lenins Schriften nachweisen, daß Lenin Streikrecht auch für den Sowjetstaat als Korrektiv zur staatlichen Wirtschaftspolitik für durchaus legitim erklärt hat. Ende. Das ist ein Gedanke von Merker. Dann unsere Jugoslawien-Schwärmerei, die war ja nun emotional, weil wir alle ein schlechtes Gewissen hatten gegenüber Tito, der also von Stalin und Ulbricht als so eine Art Faschist beschimpft worden ist. Und da sagte Merker: Ja, ja Jungs, Ihr habt ja recht, das ist ja schlimm gewesen. Aber ich bin skeptisch mit diesem

Arbeiter-Selbstverwaltungs-Prinzip in einem Land, das so weit zurück ist, ökonomisch ein rückständiges Land ist, das kann schief gehen. Aber hier in Deutschland, in einem alten hochindustrialisiertem Land, mit einer hochentwickelten, klassenbewußten und geschulten Arbeiterschaft, da wäre ein solches jugoslawisches Modell mit Arbeiter-Selbstverwaltung in den Betrieben wahrscheinlich viel eher möglich ohne die Exzesse eines Betriebsegoismus. Das sind doch respektable Meinungsäußerungen, die heute aus der Kriminalisierung herausgeholt zu werden verdienen und nichts davon bei Janka. Bei Janka steht nur der Vorwurf: Merker hat sich, nachdem wir verhaftet waren, beim ZK gestellt und gegen uns ausgesagt. Ja, darüber habe ich ja schon gesprochen, daß ihm gar nichts anderes übrig blieb und daß ihm das gar nicht vorzuwerfen ist.

Grimm: Die Rolle von Anna Seghers, die ja doch zur damaligen Zeit eine, glaube ich, unangefochtene Stellung hatte, konnte sie es sich nicht doch erlauben, im Prozeß aufzutreten und zumindest Lukács dort zu verteidigen?

Harich: Also, jetzt bekenne ich Voreingenommenheit für Anna Seghers, einfach deswegen, weil sie neben E. T. A. Hoffmann und Kleist und Gottfried Keller und Thomas Mann die bedeutendste Novellistin deutscher Sprache ist. Etwas gegen Anna Seghers zu sagen, fällt mir deshalb ungeheuer schwer. Als Romancier halte ich sie nicht für so großartig. Dies nur vorausgeschickt. Auf Seite 12 beschuldigt Janka Anna Seghers, nach 1951 Paul Merker durch dubiose Aussagen als Agenten Noel Fields belastet zu haben, also als amerikanischen Agenten. Davon muß man jetzt ausgehen. Diese Beschuldigung halte ich für tief ungerecht. Warum? Nach 1951 galt Noel Field bei allen Kommunisten in der ganzen Welt unwidersprochen als Topagent des amerikanischen Geheimdienstes, dessen Aufgabe es gewesen sei, die gesamte Westemigration zur Unterwanderung, Zersetzung und Zerstörung der sozialistischen Länder Osteuropas zu mißbrauchen. Das stand gegen Paul Merker: Die Verbindung zu Noel Field galt bei allen Kommunisten in der Welt als Verbrechen. 1956 ist Noel Field rehabilitiert worden, gestorben ist er in Ungarn als wohlgelittener Bürger und Freund der sozialistischen Länder. Aber das war nun mal so. Merker lebte in Mexiko und hatte selbstverständlich zu Noel Field Verbindung, der ja den Emigranten, den kommunistischen Emigranten und auch liberalen, sozialdemokratischen usw. in der westlichen Hemisphäre geholfen hat. Und natürlich hatte Merker zu ihm Beziehungen und natürlich wußten das alle anderen aus der mexikanischen Emigration. Anna Seghers konnte 1951 auf die Frage: Hat Merker Verbindung mit Noel Field gehabt weder mit nein antworten, noch sagen, davon weiß ich nichts. Denn alle anderen mexikanischen Emigranten, Abusch, Renn, Uhse, Janka auch, alle anderen wußten es besser. Sie mußte also sagen: Ja, ich nehme an, die haben sich gekannt oder ich weiß es, sie haben sich gekannt. Es blieb nichts anderes übrig. Jetzt muß man die Frage stellen, warum ist denn der Apparat gerade an Anna Seghers mit dieser Frage herangegangen? Weil die so berühmt war, weil sie so begabt war und weil man sie mit einer solchen Aussage an die Interessen des stalinistischen Apparates ketten wollte. Und jetzt muß man fragen, warum Janka in dieser Frage die arme Anna Seghers, die damals ein ebensolches Opfer einer Intrige war, wie Paul Merker selbst, bezichtigt, während er in dem gleichen Buch darüber schweigt, daß Herr Kurt Hager, der hier noch an der Macht ist, uns die ganzen Prozesse gegen die Westemigration, gegen die angeblichen Agenten Noel Fields einschließlich des Rajk-Prozesses als höchst berechtigt und notwendig und begrüßenswert einzureden versucht hat in Wort und Schrift. Da stimmen die Proportionen nicht. Die Schuldverstrickung Anna Seghers', die damals vorgelegen haben mag ist unter allen Umständen ganz gering zu bewerten verglichen mit der Schuldverstrickung eines Kurt Hager in der gleichen Angelegenheit. Janka ist nicht so mutig, wie er tut, in seiner Anklage. Jetzt zu der Situation von 1957 bei den Prozessen: Sie irren sich. Aus der Schilderung dessen, was der Generalstaatsanwalt Melsheimer mit Janka vor dem Prozeß, bei der Generalprobe zu dem Prozeß besprochen hat, geht klar hervor, daß Janka Johannes R. Becher, Anna Seghers als Entlastungszeugen – nicht für Lukács – sondern für sich in Anspruch nehmen wollte. Und daß Melsheimer das als Größenwahn zurückgewiesen hat und gesagt hat: Das kommt überhaupt nicht in Frage! Aus dieser Stelle ist nun zu schließen, daß massiver Druck ausgeübt worden ist auf Anna Seghers: Du sagst in diesem Prozeß kein Wort! Und da hatte man sie mit der Geschichte von 1951 wahrscheinlich in der Hand, und da hat sie gesessen und geschwiegen.

Grimm: Aber Anna Seghers hätte es sich trotzdem leisten können, etwas zu sagen.

Harich: Ich frage Sie: Ist der Anwalt von Janka, Rechtsanwalt Wolff, den Janka außerordentlich rühmt, an Anna Seghers herangetreten mit der Frage: Frau Seghers, wollen Sie aussagen, ja oder nein? Das hat Wolf vielleicht gewollt, aber das hat auch Wolf nicht gedurft. Und glauben Sie nicht, daß Anna Seghers sich alles hätte leisten können. Sie hätte es tun können. Aber hatte man nicht in Ungarn bedeutende Schriftsteller, wie Julius Hay, wie Tibor Dery als Verräter eingesperrt, als Konterrevolutionäre? Warum denn nicht eine Anna Seghers, die aufsteht und sagt: Ich protestiere hier gegen die Einschätzung meines verehrten Lehrers und Freundes Georg Lukács. Ha, sie stellt sich auf die Seite der Konterrevolution! Abführen! Warum denn nicht? Zur Gleichberechtigung von Mann und Frau. Das hätte für die Partei einen sehr unangenehmen Nebeneffekt gehabt, für Ulbricht. Das wäre in der Westpresse viel größer herausgebracht worden, als das über uns, aber wenn es auf Biegen oder Brechen ging, und darum ging, den Lukács zu stigmatisieren als das Haupt der Konterrevolution, dann hätte das der Apparat auch in Kauf genommen. Und ich muß sagen, die Bücher der Seghers, entstanden in den Jahren 1956 bis 1965, mit dem berühmten Roman »Der Mann und sein Name«, wo das Problem von Vergangenheitsbewältigung ja an einem Nazi-Fall, aber doch mit einer menschlichen Allgemeingültigkeit gestaltet wird, sind mir wichtiger, als eine Anna Seghers, die in Bautzen Druckknöpfe auf Karten drückt. Aber wie gesagt, ich bin in Bezug auf Anna Seghers voreingenommen, als Literarhistoriker. Aber es ist doch kein Mangel an Mut gewesen.

Grimm: Das Nichtaussagen von Anna Seghers und J. R. Becher ist für mich trotzdem ein Mangel an Zivilcourage in dieser damaligen Situation.

Harich: Nun ja, das mag schon richtig sein. Ich sage Ihnen ja, ich bin für Anna Seghers voreingenommen, ich bin da nicht objektiv. Aber wenn Sie immer die Mutfrage und die Frage der Zivilcourage stellen. Frau Christa Wolf, die hier als große moralische Instanz gilt, hat dieses Buch von Janka aufs Lebhafteste begrüßt als den Beginn der Auseinandersetzung mit der stalinistischen Vergangenheit. Könnte Frau Christa Wolf nicht den Mut und die Zivilcourage aufbringen, ihrer Lehrerin und Förderin Anna Seghers, der sie unendlich viel zu verdanken hat, durch eine verständnisvolle Deutung ihres damaligen Verhaltens zu einem gerechten, ausgewogenem Urteil vor der Geschichte zu verhelfen. Könnte sie nicht wenigstens an diesem einen Punkt sagen: Ich bekenne mich zu Anna Seghers und ich verstehe die Motive aus denen sie so und so gehandelt hat und seid zu ihr gerecht. Tut sie das? Nein das tut sie nicht, sie spendet diesem Buch von Janka pauschal Lob und drückt sich darum herum, Anna Seghers Gerechtigkeit widerfahren zu lassen. Das ist mein Urteil in dieser Sache.

Ich richte hiermit an Christa Wolf die Bitte, den Mut und die Zivilcourage aufzubringen, das nach meiner Überzeugung völlig einseitige und ungerechte Bild Jankas von Anna Seghers revidieren und relativieren zu helfen, damit wir zu einer umfassenderen Wahrheit bei der Einschätzung dieser großen Schriftstellerin kommen.

Wenn Christa Wolf das täte, wäre meiner Meinung nach ihr Ruf einer moralischen Instanz fundierter, als er derzeit ist. Dieses Buch lesen und das Urteil über Anna Seghers darin lesen, als Schülerin von Anna Seghers, und dann dieses Buch nur zu loben und nur zu rühmen und in keinem Punkt mit einem Fragezeichen zu versehen, das ist meiner Meinung nach keine mutige und keine couragierte Haltung.

Grimm: Im Deutschen Theater gab es eine Lesung aus Walter Jankas Buch »Schwierigkeiten mit der Wahrheit«. Dort trat Walter Janka auch auf und formulierte den Satz, daß es jetzt an der Zeit sei, daß bestimmten Leuten für immer das Wort entzogen werde. Fühlen Sie sich mit diesem Satz direkt von ihm angesprochen?

Harich: Nicht ohne weiteres. Ich glaube schon, daß er dafür ist, daß mir das Wort entzogen wird in der Klarstellung dieser Angelegenheit. Aber das kann ich nur vermuten. Da ist die Frage, warum wird jetzt gerade er so offensichtlich hochgespielt? Aber seine Ansicht, daß bestimmten Leuten jetzt das Wort entzogen werden sollte, das bezieht sich natürlich auf Wortführer des Stalinismus im Apparat. Ich glaube, daß er da den Stalinismus mit stalinistischen Methoden überwinden möchte. Ich könnte mir vorstellen, daß die SED jetzt einem ähnlichen sozialdemokratischen Mauserungsprozeß unterliegen wird bis zum 12. Parteitag wie die ungarische Partei und daß Kräfte in ihren Reihen absolut damit einverstanden sein werden, daß dann eine neue Partei entsteht und daneben, sagen wir mal, eine Kommunistische Partei Deutschlands, geführt von Erich Honecker, Erich Mielke und Kurt Hager. Sie wird nicht viel Aussicht auf Erfolg haben. Aber sie muß auch im demokratischen Meinungsspektrum das Recht haben, das Wort zu ergreifen. Und das wird zum Beispiel ganz wichtig sein, in den Auseindersetzungen über die Parteigeschichte, daß da nicht bestimmte Auffassungen nur als Ankläger auftreten und andere gar nicht. Nein, da muß gerungen werden um die Wahrheit, auch in politischen Konzeptionen, das gehört dazu. Ich stehe da auf dem Standpunkt von Voltaire. Ich bin nicht deiner Meinung und werde sie immer bis aufs äußerste bekämpfen, aber ich werde dafür sterben, daß du sie sagen darfst. Also das Mundtotmachen von gewissen Leuten, außerdem wer sind gewisse Leute, das halte ich für ganz falsch. Was in der DDR verboten sein und bleiben muß, das ist Verbreitung faschistischer Ideologie, Verbreitung von Kriegshetze, Rassenhetze, Antisemismus und diesen Dingen. Und da ist nun leider darauf hinzuweisen, daß ja nicht gesehen wird, daß es so etwas hier gibt. Das ist aber ein Kapitel für sich, die Frage, gibt es hier Faschismus? Darauf können wir vielleicht in einem anderen Zusammenhang zurückkommen. Aber Stalinisten, alte Stalinisten, neue Stalinisten, es soll ihnen ihr Machtanspruch entzogen werde, falls das Volk diesen Machtanspruch verneint in demokratischen Wahlen, aber die Freiheit sich zu äußern, ihre Position in Wort und Schrift zu verbreiten, die muß ihnen bleiben. Jedem von ihnen. Da glaube ich, ist Janka auf einem ganz falschen Weg, und da glaube ich, daß Janka undemokratisch ist.

Grimm: Welche Beispiele meinen Sie jetzt?

Harich: Ja, also z.B. Alfred Kosing ist aufgetreten mit der Theorie, daß es zwei deutsche Nationen gäbe: eine kapitalistische im Westen und eine sozialistische im Osten. Das halte ich für reinen Schwachsinn. Nach meiner Überzeugung gibt es nur eine deutsche Nation, wieviele deutsche Staatsvölker es auch geben mag. Aber ich bin der Meinung, daß Kosing das Recht behalten muß, diese seine Position – es gäbe zwei deutsche Nationen, eine kapitalistische und eine sozialistische – zu verteidigen. Oder ein anderes Beispiel. Ich habe schwerwiegende Bedenken gegen die Auffassung unbedingter Notwendigkeit von Wirtschaftswachstum für alle Zeiten bei Otto Reinhold. Ich habe für die Wachstumspolitik der Grünen ein ganzes Buch geschrieben, worin ich auch gegen Otto Reinhold polemisiert habe. Das darf seit fünfzehn Jahren hier nicht erscheinen. Ich bin dafür, daß mein Buch hier erscheint, aber Otto Reinhold muß die Gelegenheit haben, darauf zu antworten. Ich habe fundamentale Gegensätze in der Kulturpolitik mit Kurt Hager. Aber auch wenn Kurt Hager gestürzt werden sollte und meine Ansichten größere Chancen haben sollten, gehört zu werden, bin ich dafür, daß Kurt Hager seine kulturpolitischen Grundsätze und Auffassungen weiter vertreten darf. Das ist demokratisch. Zu sagen, gewisse Leute müssen von nun an den Mund halten, für immer, das ist undemokratisch, das ist stalinistisch und würde uns unglaubwürdig machen. Das zu diesem Thema.

Grimm: Wie sehen Sie 1956/57 und Ihre Aktivitäten im Vergleich zu der jetzt begonnenen Wendebewegung in der DDR?

Harich: Da gibt es Gemeinsamkeiten. Es gibt aber drei fundamentale Unterschiede. Erstens: Die Frage nach der Wiederherstellung der Einheit Deutschlands, die damals bei der Gruppe im Mittelpunkt ihrer Bestrebungen stand, ist nach meiner Meinung heute nicht aktuell. In dem gemeinsamen Haus Europa, das von der Sowjetunion unter Gorbatschow angestrebt wird, müssen wir, hoffentlich noch sechzehn Millionen Bürger der DDR, unsere Wohnungen nach eigenem Gutdünken einrichten ohne irgendeine Fremdbestimmung, auch ohne eine Fremdbestimmung durch Bonn. Die Herstellung der Einheit Deutschlands, die wir damals schon durch die Wahlen von 1957 und deren Ergebnisse erhofften, das ist keine aktuelle Forderung. Das ist der fundamentale Unterschied.

Aber ich finde, wir sollten uns nicht mehr genieren wegen des Textes unserer Nationalhymne, dieses schönen Liedes von Johannes R. Becher. Was ist dagegen zu sagen, daß wir singen »Auferstanden aus Ruinen, und der Zukunft zugewandt, laß uns Dir zum Guten dienen, Deutschland einig Vaterland«. Dessen sollten wir uns nicht mehr schämen, das sollten wir nicht mehr verschweigen. Was ist Schlechtes daran, daß die Deutschen in West und Ost ihrem Land zum Guten dienen? Man sagt, von deutschem Boden darf nie wieder ein Krieg ausgehen, sondern immer nur Frieden. Also Boden, dafür kann auch gesagt werden Land. Deutscher Boden ist auch deutsches Land. Wenn von deutschem Land bloß noch Frieden ausgehen soll, zum Guten der eigenen Nation und der anderen Völker, dann sollten wir uns auch durch Absingen unserer Nationalhymne dazu bekennen. Die beiden deutschen Staaten sollten deswegen weiter bestehen. Die Menschen deutscher Sprache haben in Europa immer in vielen Staaten gelebt vor dem Dreißigjährigen Krieg, nach dem Dreißigjährigen Krieg, vor dem Wiener Kongreß, nach dem Wiener Kongreß, und selbst nach der Gründung des Bismarck-Reiches hat Franz Grillparzer, der bedeutendste Epigone der Weimarer Klassik im Theaterschaffen, als alter Mann noch gedichtet: »Ihr sagt, Ihr habt ein Reich gegründet, und habt doch ein Volk zerstört«. Also wir haben immer in vielen Staaten gelebt. Jetzt haben wir die Deutsche Demokratische Republik und die Bundesrepublik Deutschland, und wir wollen unabhängig voneinander, souverän, wenn auch in Zusammenarbeit, jeder in seiner Wohnung Ordnung und möglichst gute Verhältnisse schaffen. Aber die Frage einer Wiedervereinigung Deutschlands ist nicht aktuell. Das war das, worauf wir damals 1956 fixiert waren. Das ist der erste Unterschied.

Zweiter Unterschied: Es ging damals um ein antifaschistisches Deutschland, aber da handelte es sich um die Überwindung des altes Faschismus, des Hitlerfaschismus. Heute ist ein neuer Faschismus erwacht, ein Neofaschismus. In der Bundesrepublik in Gestalt der Republikaner und anderer rechtsextremistischer Gruppierungen, die in beängstigender Weise eindringen in die Volksvertretung. Das ist absolut unakzeptabel. Dagegen müssen wir von hier aus mit aller Kraft ankämpfen. Wir dürfen aber auch nicht weiter verschweigen, verharmlosen und verniedlichen, daß es leider in der DDR einen Neofaschismus und Ausländerfeindlichkeit gibt. Und ich möchte da mit allem Nachdruck auf einen Mann hinweisen, der sich größte Verdienste darum erworben hat, das schonungslos aufzudecken und an die Öffentlichkeit zu bringen und der leider mit seinen diesbezüglichen Arbeiten in der DDR bisher nicht gedruckt wird. Das ist der Regisseur Konrad Weiß. Im April ist in der »Politika« in Warschau und dann im Juni im »Zeit-Magazin« ein einschlägiger Artikel über die Skinheads und Faschos von ihm erschienen. Warum nicht bei uns? In einem Info-Blatt der Antifa-Gruppe der Kirche von unten ist ein weiterer Artikel von Konrad Weiß erschienen, der auf die Ursachen neofaschistischer Tendenzen in der DDR hinweist. Das muß groß aufgemacht ins »Neue Deutschland«. Davor dürfen wir die Augen nicht verschließen. Und nur wenn wir diesen Neofaschismus bei uns bekämpfen, überhaupt erstmal erkennen, daß er existiert, und ihn dann bekämpfen mit allen nötigen Mitteln, dann können wir sagen, eine Vereinigung mit der Bundesrepublik ist deswegen schon unakzeptabel, weil dort die Republikaner im Vordringen sind. Da muß etwas geschehen. Wobei ich zu diesem Neofaschismus in der DDR auch im intellektuellen und kulturpolitischen Bereich auch die Begünstigung der Nietzsche-Renaissance durch Kurt Hager rechne. Hier verhindert er mit seinen Leuten, daß öffentlich ausgesprochen werden darf, daß Friedrich Nietzsche der Begründer, der Schöpfer der faschistischen Ideologie war. Ich habe das zweimal wohlbegründet im Zentralinstitut für Philosophie dargestellt und bin dort zweimal fertiggemacht worden, unter Ausschluß der Öffentlichkeit. Das nur nebenbei. Die Frage der Auseinandersetzung mit dem Neofaschismus ist eines der Merkmale, die die heutige Situation von der damaligen unterscheiden.

Und jetzt kommt ein drittes, vielleicht das wichtigste. In der ökologischen Krise sind wir nicht mehr fünf Minuten vor Zwölf, sondern fünf Minuten nach Zwölf! Sie brauchen nur an die letzten Winter zu denken. An die Klimakatastrophe, auch an diesem warmen Herbst. Da können Dinge geschehen in kurzer Zeit, die ebenso furchtbar sind wie ein Atomkrieg, Umweltkatastrophen, Wegbleiben des Sauerstoffs, Zerstörung der

Ozonschicht in der Stratosphäre, Zunahme von Wirbelstürmen, von Überschwemmungen, von Dürrekatastrophen, usw. usw., ganz grauenhafte Dinge. Das meine ich. An diese Dinge haben wir 1956 überhaupt nicht gedacht. Da hat weder Ulbricht dran gedacht, da hat auch die Gruppe Harich-Janka nicht dran gedacht. Es war gänzlich jenseits unseres Horizonts. Das ist das Wichtigste. Und deshalb ist die wichtigste politische Aufgabe für heute aktuell nach meiner Überzeugung, die schnelle Gründung einer mächtigen grünen Partei in der DDR, die sich dieser Fragen annimmt und die verhindert, daß die Erneuerungsbewegung in eine falsche Richtung geht – in die Richtung einer Verschwendungs-, Wohlstands-, Konsumexzess- und Wegwerfgesellschaft der DDR, noch potenziert durch den Nachholbedarf, eine Gesellschaft, die die ökologische Situation nicht nur in unserem Lande, sondern in ganz Europa noch schlechter machen würde, als sie ist. Da müssen die Grünen auf den Plan und sagen, das nicht. Erneuerung in diese Richtung nicht. Und es hat sich eine SPD formiert, die hat die Forderung der ökologischen Erneuerung der Gesellschaft aufgestellt. Es muß gesagt werden: Auch eine SPD, auch eine sozialdemokratische Partei ist genauso wie die SED, also auch wie die KPD, eine traditionelle Partei des Industrialismus. Innerhalb des Industriesystems vertreten diese Parteien nicht die Interessen des Kapitals, sondern die der arbeitenden Menschen. Das bietet die Chance, daß sie ökologisch umlernen können, weil sie eben nicht den Kapitalinteressen, den Profitinteressen dienen. Aber sie werden nur umlernen können, wenn Ihnen eine grüne Partei unentwegt zusetzt und sie zum Umlernen zwingt. Und dann bedarf es dieses Rot/Grünen Bündnisses in ganz Europa vom Ural bis nach Portugal, das in unserem gemeinsamen Haus diese Hauptaufgabe löst. Ich möchte die Gelegenheit ergreifen, zu einer schnellen Gründung einer starken grünen Partei in der DDR aufzurufen.

Grimm: In der jetzigen Auseinandersetzung unserer Gesellschaft über neue Strukturen, über neue Dialogformen, ist Ihre Stimme bisher nicht gehört oder erhört worden. Hängt das mit dieser Passivität zusammen oder glauben Sie, daß man aus bestimmten Gründen nicht auf Sie zurückgeht?

Harich: Ich glaube, daß es Motive gibt, mich aus der Erneuerungsbewegung auszuschalten, und das ist ja auch offensichtlich. Morgen beginnt der dreitägige Philosophiekongreß der DDR. Ich habe dazu keine Einladung erhalten, obwohl ich signalisiert habe, daß ich interessiert wäre, daran teilzunehmen. Da spielt zum Beispiel die Befürchtung, der kommt jetzt mit seinen grünen Geschichten, eine Rolle. In dem Moment, wo wir dem den kleinen Finger reichen, kommt der sofort mit seiner Ökologie und mit seiner Klimakatastrophe und mit seiner Ozonschicht...

Grimm: Aber über diese Dinge wird doch in unseren Zeitungen von Wissenschaftlern berichtet, von der Klimakatastrophe, Abholzung der tropischen Urwälder in Brasilien, vom Ozonloch etc.

Harich: Ja sicher, aber erstens in einer bagatellisierenden und schönfärbenden Weise, da kommen dann Artikel über Klimaveränderungen oder über die Erwärmung der Erdschicht, die werden dann optimistisch betrachtet, Palmen an der Ostsee. Solche Dinge sind ja auch schon aufgetaucht, es wird beschönigt. Zweitens ist der Gedanke, der mir am Herzen liegt: Da müßte eine Partei da sein im politischen Parteienspektrum, die das in die Gesetzgebung hineinträgt, gegen die Wachstumsfetischisten, und die das Parlament zur Tribüne ökologischer Aufklärung macht. Das ist ganz unerwünscht, da besteht schon die Tendenz mich auszuschalten. Um Gottes willen, wenn jetzt dieser Mann mit diesen Ideen kommt, was haben unsere Menschen, unsere Bürger, davor für eine Angst. Was wollen Sie denn nun wieder von uns? Das gibt ja Befürchtungen um den Konsum, das geliebte Auto, das Lieblingskind des Deutschen. Diese Angst ist ja auch im wesentlichen verständlich, solange es keine demokratische Öffentlichkeit gibt. Wenn da jetzt mein Buch erschiene, »Kommunismus ohne Wachstum«, auf den neuesten Stand gebracht, würde man sagen, um Gottes willen, was haben die denn jetzt mit uns vor?

Aber wenn das eine Stimme ist, in einer Öffentlichkeit, in der auch Gegenstimmen, sagen wir von Otto Reinhold, zu Worte kommen, von Autofans, dann ist das etwas anderes. Aber zu dieser pluralistischen Demokratie ist man noch nicht entschlossen. Infolgedessen hat man

Furcht vor den recht extremen grünen Forderungen des Herrn Harich, der so ein Ökofundamentalist ist, der seine Freunde schon schief anguckt, wenn sie überhaupt Auto fahren. Das ist das eine, aber es kommen noch aktuellere Themen. Es gibt ganz tiefe Meinungsverschiedenheiten in kulturpolitischer Hinsicht zwischen Kurt Hager und seinen Leuten und mir. Ich werfe denen vor, die Pflege humanistischer, progressiver Traditionen bei uns zu unterdrücken. Ich werfe ihnen vor, daß sie nichts getan haben zur Ehrung Goethes 1982, zum 150. Todestag. Keinerlei Gedenken an Jean Paul, völliges Ausschalten Jean Pauls aus der Erbpflege, 1963 und 1975 und 1988 wieder, trotz meiner Bemühung darum. Und das ernsteste Problem, das geht jetzt in die marxistische Tradition hinein, das Bestreben, den Einfluß von George Lukács in der Partei möglichst geringzuhalten. Ich habe einen Essay geschrieben, 1986, »Mehr Respekt vor Lukács«. Den durfte ich bis heute hier nicht veröffentlichen, den mußte ich ins Ausland schmuggeln. Also ich werde beargwöhnt als der Lukács-Mann. Da existieren Motive, mich auszuschalten. Auf der anderen Seite bin ich gegen die Einbeziehung Nietzsches in die Erbpflege der DDR. Ich will, daß sich jeder darüber klar wird, daß Nietzsche der Schöpfer der faschistischen Ideologie ist. Und das will man hier nicht hören, weil Kurt Hager diese große Nietzsche-Ausgabe von Colli und Montinari gefördert hat durch Erschließung des Weimarer Nietzsche-Archivs für diese Nietzsche-Enthusiasten. Deshalb darf es nicht sein, daß Nietzsche dem Faschismus so nahe steht, wie ich das sehe. Da geht aber jetzt die Frage des Kampfes gegen den neuen Faschismus in die Frage der Erbpflege über, das will man auch nicht. Hager steht auf dem Standpunkt, unsere Intellektuellen sollen, damit sie ruhig bleiben, das kriegen, was sie haben möchten. Sie sollen ihre Marcel Proust-Ausgabe im Schrank haben, ihren Kafka. Auf die progressiven Traditionen haben Pieck und Ulbricht Wert gelegt, das ist unbeliebt, das ist passé. Ich halte mich jetzt an andere Sachen. Wobei Hager zu den anderen Sachen, zum Expressionismus, zu Barlach oder zum Futurismus gar keine Beziehung hat. Das ist bei ihm ein reines Machtkalkül: Wenn ich diese Dinge fördere und lobe, dann gewinne ich die snobistischen Intellektuellen-Cliquen zu meinen Verbündeten gegen die Gefahr eines neu erwachenden Lukácsianertums, das sich in Harich verkörpert. Das ist reines Machtkalkül. Damit wird die Kulturpolitik und die ideologische Auseinandersetzung in der DDR von vornherein versaut. Verstehen Sie, ich bin nicht dafür, daß der Expressionismus hier verboten wird, hier soll gar nichts verboten werden. Aber da ich sehr gute Gründe habe, darüber anders denken und schreiben kann, deshalb besser weg mit Harich! Schalten wir den mal aus und benutzen nun mal den Janka und dessen Sicht der Dinge von 1956, um den Harich auszuschalten.

Grimm: Es gibt ja auch noch eine andere Richtung, auf die Hager ebenfalls viele Jahre Einfluß genommen hat: auf die Entwicklung der Philosophie in der DDR. Sie sind ja Philosoph. Da möchte ich auf einen Punkt zurückkommen und zwar auf Ihre Gruppe, die Sie 1956 in den Anfängen gründeten. Welche Rolle spielte die Philosophie und vor allem die »Deutsche Zeitschrift für Philosophie« in der Genesis der Gruppe Harich/Janka?

Harich: Ja, da gab es zwischen Hager und den Herausgebern Bloch und Harich schon damals einen fundamentalen Unterschied. Wir waren der Meinung, wir müssen eine philosophische Zeitschrift machen, und es ist ja die erste philosophische, marxistische Zeitschrift, die es in der deutschen Sprache überhaupt gegeben hat, die zumindest lesbar ist und interessant für die philosophisch interessierte Intelligenz im ganzen deutschen Sprachraum, von dem die DDR nur ein kleiner Teil ist. Also wir hatten da die gesamtdeutsche Orientierung, was unsere Leser betraf. Das wollte Hager nicht. Hager wollte die Diskussion der Probleme des sozialistischen Aufbaus in der DDR, also einen Primat der Soziologie der Dinge, die hier in unserem Land stattfinden. Das sollte also begründet werden – philosophische Begründung der Politik der Partei in der DDR. Und Bloch, mit dem ich viele, viele Gegensätze hatte, und dem ich viel ferner stand als Lukács, Bloch und ich haben die Ansicht vertreten, wenn wir nicht zu den philosophischen Fragen etwas sagen, was die philosophisch interessierte Weltöffentlichkeit bewegt, dann sagen wir auch der DDR nichts. Das war der eine Konflikt. Dazu kam ein ewiger Vorwurf: In der Zeitschrift gab es zu viel Bloch und zu viel Lukács, wobei Bloch gar nicht so schlimm war, der war eben kein Marxist. Es ist ja bezeichnend, das Hegel-Buch von Bloch ist 1951 erschienen, das Hegel-Buch von Lukács durfte erst nach Stalins Tod, 1954, erscheinen. Lukács war von 1956 bis Ende der siebziger Jahre ein toter Hund. Bloch ist mit dem dritten Band »Das Prinzip Hoffnung« 1959 hier noch erschienen, zwei Jahre vor seinem Fortgang. Bloch galt als weniger gefährlich als Lukács.

Grimm: Wieso war Bloch weniger gefährlich als Lukàcs?

Ich war mit Bloch seit 1949 befreundet, seit er für das Sonderheft der »Neuen Welt« über Goethe geschrieben hatte: über das »Faustmotiv in der Phänomenologie des Geistes«. Beim Aufbau-Verlag kriegte ich ja auch Bloch-Manuskripte zur Begutachtung. Ich war der Meinung, das sei ein furchtbarer Quatsch, was der schreibt. Ich war ganz eingeschworen auf Lukács. Das Blochsche Hegel-Buch ist ja in der Hegel-Diskussion 1951 erschienen, das Lukácssche konnte erst nach Stalins Tod erscheinen, 1954. Das Hegel-Buch von Bloch ist so ein Tiefsinnsgebrodel, das nicht störte, aber die richtige Darstellung von Lukács, die störte. Bloch war bei Hager und der Partei beliebt. Wenn Bloch den Mund aufmachte, kam krauses Zeug heraus, das war ihnen lieber als der Marxismus von Lukács. Die Manuskripte von Bloch – idealistischer, mystischer, ekelhafter Dreck, damit kann ich nichts anfangen, was der über Materie schreibt, das ist teleologisch gedacht, ein Versuch, die schlechtesten Seiten von Aristoteles als marxistisch auszugeben. Erich Wendt hat dann immer gesagt: Hören Sie mal Genosse Harich, so geht es nicht, das ist ein Mann, der in Treue zur Partei gestanden hat als Parteiloser in ganz kritischen Fragen. Da gab's kein Schwanken bei dem während der Moskauer Prozesse, während des Pakts von 1939, den müssen wir als Partei pfleglich behandeln, wenn er hier ist. Außerdem ist er ein Mann von ganz großem Format, das merken Sie ja selbst. Ja, sage ich, Format hat er und als Persönlichkeit ist er hinreißend, nur was er schreibt, ist kein materialistischer Marxismus mehr, es ist Quatsch. Ja, mag sein, aber jetzt hängen an dem als Freund unser Cheflektor Max Schröder, Hanns Eisler, Bertolt Brecht, alles Bloch-Freunde. Wir können die nicht vor den Kopf stoßen. Sie müssen mit dem auskommen. Wir müssen den rausbringen, und wenn es Quatsch ist, ist das ja auch nicht so schlimm. Es ist Quatsch, den keiner versteht. Das ist ein hartes Urteil, aber ich bin ein Nicolai-Hartmann-Schüler, der zum Marxismus gekommen ist und dort als das große Genie den Lukács fand. Aber im Gespräch mit Bloch – wir haben zusammengesessen – hat er mir erzählen wollen, daß seine Seele unsterblich sei, daß, wenn er tot sein werde, und der Vorhang raschele abends, er das sei. Er hat gesagt, Lenin steht zur Religion wie ein Bankdirektor zu seinem Sohn, der Lyrik schreibt. Diesen ganzen religiösen Quatsch, »Thomas Müntzer als Theologe der Revolution«, wollte der mir eintrichtern. Ich sage: Alle Gottesbeweise sind widerlegt, schon von Holbach, bei Kant. Ja, die Unsterblichkeit der Seele ist eine reine Annahme. Wenn es sich nicht beweisen läßt, ist es Agnostizismus. Ich sage: Agnostizismus ist mir lieber als Dein Gnostizismus. Das hat Bloch dann wieder gefallen, weil es geistreich und witzig war. Aber er haßte an mir meine Anhänglichkeit an Nicolai Hartmann: Das ist Verrat! Dieser Bourgeois-Ideologe! Dieser Oberlehrer! Jetzt verband uns aber zweierlei. Erstens waren wir in der Hegelfrage einig, zweitens waren wir beide der Meinung, die »Deutsche Zeitschrift für Philosophie« darf nicht so subaltern werden, sondern muß eine für die philosophisch interessierte Intelligenz im ganzen deutschen Sprachraum lesbare Zeitschrift sein. Er war ja nun ungeheuer produktiv, in jedem Heft war ein Beitrag von ihm. Ich sage: Ja, aber dann auch in jedem Heft ein Beitrag von Lukács. Das wollte er wieder nicht. Er meinte, Lukács vertrete die Meinung solcher Idioten wie Hager nur auf intellektuell glanzvolle Weise, weil er aus dem anständigen Bürgertum käme.

Grimm: Sie waren sich mit Bloch einig, daß Stalins Hegel-Einschätzung nicht stimmte?

Ja absolut, Stalin hatte Hegel außerordentlich negativ eingeschätzt, als reaktionären Preußen. Ich habe den Standpunkt vertreten, das hat der im Krieg gemacht, weil die Preußen vor Moskau standen. Um Himmels willen, dem Genossen Stalin eine pragmatische situationsgebundene Finte zu unterstellen, statt sein Lehrwort als ewige Wahrheit zu nehmen, das ist ja das Schlimmste, was es gab. Da gab es ein Tauziehen um Hegel, das war ja schrecklich, da kam dann ein Aufsatz von Rugard Otto Gropp gegen die Hegel Auffassung von Lukács und von mir. Das brachte wieder neue Auseinandersetzungen.

Grimm: Diesmal über die Dialektik-Auffassungen?

Harich: Ja, über Dialektik-Auffassungen und Fragen der Stellung der klassischen deutschen Philosophie zur Französischen Revolution. Es gab eine ganz starke Tendenz, die klassische deutsche Philosophie als etwas Reaktionäres schlecht zu machen. Diese Divergenzen spielten schon damals eine Rolle und ich glaube auch, daß man die heute nicht gerne objektiv darstellen will und vor allem nicht die Rolle von Lukács und Harich in den damaligen Auseinandersetzungen. Hager hat in der philosophische Entwicklung der DDR eine katastrophale Rolle gespielt, eine unheilvolle Rolle. Wir waren beide vorbereitet worden auf die damals noch fakultativen Vorlesungen über dialektischen und historischen Materialismus, die Ende 1948 begannen. Das machte Hager bei den Philosophen und ich bei den Pädagogen. Hoffentlich halten Sie mich nicht für zu eitel, wenn ich sage, Hagers Vorlesungen waren schlecht besucht, meine waren sehr gut besucht. Man brauchte sie ja auch gar nicht zu besuchen, wenn man nicht wollte. Und Hager hat philosophische Potenzen hinausgegrault aus dem Lande aus den nichtigsten Anlässen. Leo Kofler wagte es, ich war selber dabei, das war auf der Parteihochschule 1950, zu sagen: Zur Dialektik gehört die Kategorie der Totalität. Hager war der Auffassung, Kofler vertrete die Totalitarismustheorie, die Faschismus und Kommunismus gleichsetzt. Nein, sagte Kofler, das ist was anderes, Totalität ist eine Kategorie der Dialektik. Dann hat Hager ihn mit Mühe und Not dazu bekehrt, einsehen zu wollen, daß das ja bei Lukács vorkommt und zwar beim frühen Lukács in »Geschichte und Klassenbewußtsein«. Nein Kurt, bei Marx hier steht es! Und da wurde Kofler in Halle so schikaniert, daß ihm gar nichts anderes übrig blieb, als nach dem Westen zu gehen und in Bochum eine Professur anzunehmen. Aber wie hat der Mann dort die Rote Fahne hochgehalten, der Kofler. Aber der hätte hier eine ganz wichtige und fruchtbare Rolle spielen können. Ich habe mich jetzt erst vor kurzem mit ihm in Wien getroffen. Oder nehmen sie Klaus Zweiling, ein Problemdenker. Da ging es um eine Diskussion, ob Raum und Zeit Materie sind oder Eigenschaften der Materie. Es ist die Meinung also, es gibt nur Materie und Bewußtsein und nichts drittes. Nun sagt Klaus Zweiling: Raum und Zeit sind nicht Materie. Da hat er völlig recht, sind sie ja auch nicht. Sie sind die dimensionalen Substrate möglicher extensiver Ausdehnung. Zweiling wurde seines Amtes als Direktor des philosophischen Instituts in Berlin enthoben und hat dann in Leipzig in völliger Vereinsamung nach dem Tod seiner Frau Selbstmord begangen. Das war Hagers Politik.

Und war es nötig, daß Wolfgang Abendroth die DDR verlassen mußte. Hätte der uns nicht vieles zu sagen gehabt? Und wie hat Abendroth im Westen gewirkt, bei der Ausbildung junger Marxisten in Marburg. Der hat doch eine ganz hervorragende Rolle gespielt. Warum war er für die DDR unerträglich? War es unbedingt nötig, daß Bloch, nun gut, er war der entschiedenste Gegner von Walter Ulbricht, war es unbedingt nötig, daß man dem jegliche Lehrtätigkeit nimmt. War es nicht möglich, daß er wenigstens, nachdem er emigriert war, in einem Zirkel von Interessenten zu Schülern seine Meinung sagen könnte. Ich bin kein Anhänger von Bloch, aber das war eine ganz wichtige Stimme, ein interessanter Mann, ein alter Freund der Kommunisten. In Tübingen hat er bis zu seinem Tode noch gelehrt. Man hat ihn auf einem Stuhl in sein Seminar hineingetragen, als er nicht mehr gehen konnte. Als 99jähriger hat er noch interessante Sachen dort gesagt. Das Allerschlimmste ist aber die Verfemung von Lukács von 1956 an. Obwohl Lukács 1967 wieder in die Partei aufgenommen war. 1971 ist Lukács gestorben. 1972 wurde mir von den westdeutschen Betreuern seiner Werke, von meinem Freund Frank Benseler mitgeteilt, daß Lukács im Generalvertrag mit dem Luchterhand-Verlag festgelegt hat: Wenn die DDR wieder eines meiner Werke drucken will, braucht sie dafür keine Devisen zu zahlen, sondern das wird der DDR per Mark und den Nachkommen in Budapest per Forint verrechnet. Ich habe das gehört, dann hat der Benseler noch gesagt, er war bei der Beerdigung von Lukács dabei, wenn ich noch eine kleine Anekdote einschalten darf. Hinter dem Sarg von Lukács ging der sowjetische Botschafter in Budapest, zwar nicht mehr Andropow wie 1956, sondern einer seiner Nachfolger, neben Benseler her, und der hat dann zu Benseler gesagt: Jetzt kann er nicht mehr protestieren, jetzt können wir ihn ehren, wir die Sowjetunion. Sofort haben die umgeschaltet. Die fingen an, Lukács zu ehren. Ich habe Hager 1972 in einem Brief mitgeteilt, daß die Rechte von Lukács – er hat dafür gesorgt, obwohl man ihn nur im Westen druckt und nicht bei uns – daß er hier ohne Devisen zu haben ist, wenn wir ihn wieder drucken wollen und habe es gleichzeitig dem damaligen Leiter des Akademie-Verlages Mußler mitgeteilt, damit er zugreift. Keine Anwort von Hager. Mußler sagte dann zu mir, also der wird Ihnen auch nicht antworten, aber ich kann Ihnen sagen, es wird als verfrüht bezeichnet. 1972 ist Lukács' Comeback verfrüht gewesen. Dann hat Mittenzwei darum gekämpft, ihn aus der Versenkung zu holen. Dann kam dieses Buch zustande, »Dialog und Kontroverse mit George Lukács«, da durfte jetzt wenigstens auf ihn geschimpft werden. Damit er nicht mehr Unperson ist, sondern einer, der falsch denkt. Falsch, aber interessant denkt. Und erst 1977 kam die erste Lukács-Veröffentlichung. Das sind alles Schändlichkeiten, und mein Aufsatz »Mehr Respekt vor Lukács« von 1986 ist in der DDR bis heute nicht erschienen. Derselbe Kurt Hager, der den Lukács hier unterdrückt, stellt sich in demselben Monat März 1985, in dem Lukács hätte geehrt werden müssen, in dem eine Plakette an seinem Haus in der Hugenotten-Siedlung hätte angebracht werden müssen, in dem Lukács von 1931-33 gelebt hat, vor die Akademie der Künste und dekretiert ex cathedra: unsere Tradition sind all die Dinge, die Lukács bekämpft hat, ohne den Namen Lukács zu nennen und ohne eine Beziehung zu Lukács zu haben, zu den Dingen die Lukács bekämpft hat. Es kann mir keiner einreden, daß Hager etwas von Barlach oder vom Expressionismus oder von atonaler Musik oder vom Bauhaus versteht. Das sagt dem alles nichts. Das ist für ihn ein Machtkalkül: Ich werde Lukács los. Ich bleibe von dessen Erbe unbehelligt, wenn ich die snobistischen Intellektuellen-Cliquen auf meine Seite ziehe, durch Lobpreisung der Dinge, die die gerne haben möchten. Das ist die Politik von Hager. Und natürlich fürchtet er, daß ich ihm da einen Strich durch die Rechnung mache, wenn ich wieder etwas zu sagen habe.

Grimm: Sie wollten abschließend noch etwas zu Hagers Rolle in der Gegenwart sagen.

Harich: Ja, also Hager spielt sich heute auf als der Beschützer der Moderne und der Avantgarde und als liberaler Mann. Er verbindet damit die Absicht, den Einfluß von Lukács möglichst gering zu halten, wobei an Lukács ja immer das Pogramm der radikalen Überwindung des Stalinismus hängt, das will er loswerden, und da ich ja der Lukácsianer hier bin, muß ich hier kleingehalten werden oder darf gar nicht zu Wort kommen, muß ausgeschaltet bleiben. Und da ich nun Jean Paul-Forscher bin, darf auch Jean Paul hier nicht geehrt werden, wie 1988. Das ist ja abgebogen worden. Man hat als Alibi den »Titan« von Jean Paul mit einer Einleitung von Jochen Golz herausgebracht, aber es ist ganz offentsichtlich, daß Jochen Golz die Ergebnisse meiner Jean Paul-Forschung nicht erwähnen durfte. Also ich soll Unperson bleiben, weil ich ein Grüner bin, dann weil ich die kulturpolitische Konzeption von Lukács vertrete und weil ich Nietzsche als Vorfaschisten hasse. Und das Hochspielen Jankas als des Verfolgten, der sich jetzt endlich zu Wort melden darf, das ist meiner Meinung nach ein Instrument in diesem Spiel, wobei ich immer sage, ich nehme zu Jankas Ehre an, das der das selber gar nicht merkt und gar nicht weiß. Aber dieses Spiel wird getrieben, denn es ist ja offensichtlich, daß sein Buch im Westen im Oktober zur Buchmesse 1989 erscheint, im selben Moment werden hier schon Verantstaltungen, Lesungen darüber gemacht von Schauspielern vor riesigem Publikum mit Wiederholungen und der wird zum Held des Tages gemacht. Es wird gesagt, ja selbstverständlich kommt bei uns jetzt auch dieses Buch ganz schnell.

Grimm: Aber welcher Grund, der darüber hinausweist, könnte denn dahinterstehen, daß man Sie nicht zu Wort kommen lassen will? Da reichen mir Ihre Erklärungen, daß Sie Lukácsianer sind und damit in dieser Hinsicht mit Hager Differenzen haben, nicht aus.

Harich: Es könnte auch eine Rolle spielen, daß die Hintergründe dieses Prozesses von 1956/57 eben doch nicht voll zur Sprache kommen sollen. Die Rolle des Botschafters Puschkin damals. Die Tatsache, daß man in dem Prozeß die Konzeption nicht darlegen durfte. Sehen Sie, wir waren z.B. dagegen, daß hier eine NVA aufgebaut wird. Wir waren dafür, daß wir darauf verzichten und den westdeutschen Wehrpflichtigen sagen: Verweigert den Wehrdienst, kommt zu uns und helft beim Aufbau des Sozialismus in der DDR, um auf diese Weise die Kraft der NATO zu schwächen, die Bundeswehr zu schwächen. Jetzt war das bei dem Prozeß so, der Generalstaatsanwalt sagte: Stimmt es, daß in Ihrem Konzept die Auflösung der NVA gefordert wird. Ich sagte: Ja. Schluß. Da kam er schon mit der nächsten Frage, das und das, ich hatte aber nie die Gelegenheit, zu sagen, was das für ein taktisches Konzept war, nämlich die Bundeswehr im Westen zu schwächen und kurz nach dem Krieg die Unbeliebtheit des Militärdienstes auszunutzen. Die »Ohne uns«-Bewegung im Westen sollte neuen Auftrieb bekommen. – Das spielt keine Rolle, das sind Ihre gesamtdeutschen Flausen, hier geht es um die Sicherheit der DDR, Punkt. Oder ein anderes Beispiel, die Mitglieder dieser Gruppe standen auf dem Boden der sozialistischen Umgestaltung der Landwirdschaft, aber nicht im engen Rahmen der DDR, sondern nur im gesamtdeutschen Raum, aber da wurde nur vom Generalstaatsanwalt gefragt: Waren Sie für die Auflösung der Produktionsgenossenschaften (LPG)? Ja oder Nein? Da durfte nur geantwortet werden »Ja«. Es gab keine Gelegenheit, vor Gericht das Konzept plausibel zu machen in seinen gesamtdeutschen Zielrichtungen, das blieb ausgeklammert. So, wenn jetzt aufrollt, was damals eigentlich mit dieser Gruppe los war, was die denn eigentlich wollte, dann kommen diese Dinge zur Sprache, und ich könnte mir vorstellen, daß man das verhindern will, daß man auch die Rolle Puschkins nicht nennen will, die Warnung von Walter Ulbricht nicht nennen will, daß man die Dinge, auf die es eigentlich ankommt, nicht nennen will, daß man es sich deshalb leicht macht. Wir verleihen dem Walter Janka den Vaterländischen Verdienstorden in Gold. Wir lassen ihn triumphal auftreten im Deutschen Theater und er sagt, daß hier ist jetzt die Rehabilitation, die ist mir wichtiger als eine Rehabilitation durch die Behörden. Der Harich ist nur ein Zeuge, der ihn belastet hat, weiter gar nichts. Damit macht man es sich mit der Auseinandersetzung mit der Vergangenheit einfach, sehr einfach. Daß wir da in allem Recht gehabt hätten, das ist ja nicht gesagt, aber es soll offensichtlich überhaupt nicht darüber geredet werden, das Hochspielen von Janka ist ein Mittel die ganze Sache schnell und schmerzlos vom Tisch zu kriegen.

Grimm: Kommen wir noch einmal auf die Harich/Janka-Gruppe zurück. Welche Rolle spielten dabei die Mitarbeiter der »Deutschen Zeitschrift für Philosophie« Ernst Bloch und George Lukács?

Harich: Zunächst zur »Deutschen Zeitschrift für Philosophie«: Die ist seit 1952 vorbereitet worden und dann ab 1953 erschienen. Hinsichtlich der Gruppenbildung hat die Zeitschrift in zweierlei Hinsicht eine Rolle gespielt. Einerseits hatte George Lukács auch dort auf den Redaktionssekretär Hertwig und auf mich als Chefredakteur einen gewaltigen Einfluß, andererseits aber auch Bloch als Mitherausgeber. Bloch und Lukács waren ja philosophisch sehr unterschiedlicher Meinung, hatten sehr unterschiedliche Ansichten, waren sich aber nach dem XX. Parteitag in politischer Hinsicht sehr nahe gekommen und wirkten jetzt beide in derselben Richtung auf uns ein, wobei ich sagen möchte, das Konzept der radikalen, umfassenden, schnellen Überwindung des Stalinismus ist von Lukács vertreten worden und nicht von Bloch. Blochs Ansichten in dieser Beziehung waren wolkig, nebulös und verschwommen. Bei Bloch aber überwog der sehr emotionsgeladene Haß auf Walter Ulbricht als Person. Also diese beiden haben uns da schon beeinflußt, den Hertwig und auch mich. Und Hertwig war der Mann, der den Politökonomen Steinberger fand und der Gruppe zuführte, den suchten wir zur wirtschaftswissenschaftlichen Abrundung unserer Konzeption. Das war diese Gruppe Harich/Hertwig, die sich dann am 22. November zur Gruppe Harich/Hertwig/Steinberger erweiterte. Das ist alles, was zu dieser Zeitschrift erstmal zu sagen ist.

Grimm: Kann der Impuls zu einer eigenständigen Konzeption genauer lokalisiet werden?

Harich: Das ist nicht plötzlich gekommen. Hertwig und ich, wir waren uns in der Einschätzung der Lage einig. Und ich sagte ihm, wir haben im Aufbau-Verlag unter Walter Janka die und die Gruppierung, wir haben das und das Konzept, wir brauchen einen Wirtschaftswissenschaftler, der das ergänzt, und da war er sehr damit einverstanden und kam dann mit Bernhard Steinberger an.

Grimm: Der Beginn der Gruppenbildung liegt dann also im Aufbau-Verlag? Wer kam da auf wen zuerst zu oder ist das spontan entstanden?

Harich: Man kann nicht sagen, da ist an einem bestimmten Tage eine Gruppe gegründet worden. Es hat sich spontan entwickelt. Das begann mit Gesprächen nach dem 17. Juni. Ich lag damals im Krankenhaus, kriegte Besuche von Brecht. Wir sprachen über den 17. Juni. Ich brachte die Idee, sollten wir nicht jetzt in der DDR ein jugoslawisches Modell schaffen, um die sozialistischen Strukturen massennäher zu machen. Da sagte der: Harich, um Himmels willen, kommen Sie nicht mit solchen Dingen. Das sind ja ganz gefährliche Geschichten, die sie da haben. Real ist jetzt nur, daß wir die Staatliche Kunstkommission stürzen. Da schreiben Sie einen Artikel, und ich mache dazu Gedichte, und wir müssen sehen, daß wir den Becher, der ein besserer Mann ist als der Helmut Holtzhauer, daß wir den an diese Stelle kriegen und eine bessere Kulturpolitik bekommen. Von den anderen Geschichten lassen Sie die Finger. Ich rate es Ihnen dringend. Dann bekam ich aber auch Besuch von Walter Janka im Krankenhaus. Da begannen die Gespräche auch über Jugoslawien zu kreisen. Da entstand im Keim die Gruppe Janka/Harich mit sehr sporadischen, oft unterbrochenen, monatelang unterbrochenen Gesprächen, die um diese Problematik kreisten, um die Frage zur Stellung der Sozialdemokratie, um die Stellung zu Jugoslawien usw. Und das kriegte zwischen Janka und mir einen ungeheuren Auftrieb. Nach dem XX. Parteitag hat sich das intensiviert, und da wurde im Aufbau-Verlag überhaupt von vielen sehr aufgeregt diskutiert, von allen eigentlich. Aber diejenigen, die am meisten zusammenhockten und den intensivsten Gedankenaustausch über Parteigeschichte usw. hatten – warum ist Ordonekidse von Stalin ermordet worden, wie ist Stalin einzuschätzen usw. – die aktivsten, intensivsten Diskutanten waren eben Walter Janka, Heinz Zöger, Gustav Just, der Parteisekretär Schubert, der ein ganz junger Mann war, und ich. Und da nahmen mal zwei dran teil, mal drei, mal fünf. Das wechselte, hatte aber keine bestimmte Struktur. Aber dann kam die Einladung von Botschafter Puschkin, die Tatsache, daß ich mir Rat holte bei Janka, der dann Just und Zöger hinzuzog, dieser Beschluß, dem Puschkin jetzt alle unsere Gedanken auszubreiten. Und wenn man einen

Gründungstag dieser Gruppe nennen will, dann war es dieser Tag, der 24./25. Oktober 1956. Von da an kann man sagen, war es im Aufbau-Verlag und auch in der Redaktion des »Sonntag» diese Gruppe, die sich durch eine gewisse Intensität der Kontakte von der allgemeinen Disskusion im Hause überhaupt unterschied, die darüber hinausgriff.

Grimm: Haben Sie denn auch Kontakte über den Verlag hinaus gesucht?

Harich: Nein. Zöger hat gesagt, wir müssen uns darüber klar sein, wir sind hier völlig isoliert. Aber der Wunsch unsere Konzeption wirtschaftswissenschaftlich zu fundieren, führte zu der Suche nach einem Politökonomen. Wer könnte das sein? Da wurden Überlegungen angestellt. Könnte das Jürgen Kuczynski sein, könnte das Fritz Behrens sein? Wer könnte das sein? Da kamen alle möglichen Namen. Bei einer Arbeitsbesprechung zwischen Hertwig und mir in der »Deutschen Zeitschrift für Philosophie« sagte der, ich habe jetzt einen kennengelernt, der ist ganz auf unserer Linie. Der heißt Bernhard Steinberger. Stell Dir mal vor, der hat unschuldig fünf Jahre in Workuta gesessen, weil seine Frau, eine Ungarin, vom Rajk-Prozeß betroffen war und ihrerseits in Ungarn gesessen hat. Der hat eine Stinkwut im Bauch. Das ist bei dem Steinberger nicht emotional, der hat auch tiefere Gedanken. Der arbeitet über die wirtschaftswissenschaftliche Situation in der DDR bei Fritz Behrens und Arne Benary. Willst Du den nicht mal kennenlernen, das wäre doch ein interessanter Mann. Na klar, Manfred, wir suchen doch in unserer Diskussionsgruppe im Aufbau-Verlag einen Politökonomen. Ja, den bringe ich mit. Wann? Ja, sage ich, Moment, meinen Kalender vorgenommen, treffen wir uns am 22. November in meiner Wohnung. Da existierte also die Gruppe im Aufbau-Verlag und in der Redaktion des »Sonntag«, Janka, Harich, Zöger, Just, am Rande der Parteisekretär, der völlig auf Janka eingeschworen war, aber der an den Sitzungen, die später Gegenstand der Anklage gewesen sind, nicht teilgenommen hat, an keiner einzigen, der also nur als Zeuge aufgetreten ist. Diese Gruppe erweiterte sich dann über Hertwig zu Steinberger. Zu einer Zusammenkunft zwischen Janka und Steinberger ist es dann nie gekommen. Da wurde die Sache schon im Keime erstickt.

Grimm: Haben Sie denn mit Steinberger ein Gespräch geführt?

Harich: Mit Steinberger, Hertwig und meiner Freundin Irene. Es war so. Am 21. November 1956 hatte das Gespräch mit Merker bei Janka in Kleinmachnow stattgefunden. Am 22. November fand das Gespräch zwischen Steinberger, Hertwig, meiner Freundin Irene und mir in meiner Wohnung in der Winzstraße statt. Da habc ich nun zunächst einmal berichtet, was am Tage zuvor bei Janka besprochen worden ist.

Grimm: Was war das?

Harich: Das ganze Konzept der Gruppe, das ganze Drum und Dran, und das Gespräch mit Puschkin. Paul Merker war ja dabei. Das war ja der Sinn, sich jetzt mit Paul Merker zu treffen und den zu gewinnen. Also da wurde über die internationale Lage, über die Einschätzung der Suez-Krise, der Ungarn-Krise, der Polen-Krise, über die ganze Konzeption der Gruppe, was wir wollten und über das Gespräch bei Walter Ulbricht gesprochen. Das wurde dem Merker alles mitgeteilt. Darüber gab es einen Gedankenaustausch untereinander und mit Merker. Am nächsten Tag habe ich darüber dann in meiner Wohnung dem Steinberger und dem Hertwig berichtet und meiner damaligen Freundin Irene. Steinberger fragte mich, ob Merker bereit sei, da mitzumachen. Ich sagte: Ja, also der sieht die Dinge etwas skeptischer, weil er sie von den internationalen Gegebenheiten abhängig macht, aber ich glaube, daß er dafür zu gewinnen sein wird. Das hängt nun ab vom weiteren Gespräch mit ihm, das hängt auch ab von Ihrer Arbeit an unserem Konzept, von dem, was Sie beisteuern. Ein kommunistischer Führer, der will ja immer was Politökonomisches in der Hand haben. Ja, da mache ich mit. Nun setzen Sie sich mal hin, sagte Steinberger und arbeiten Sie das aus, möglichst schnell, bringen Sie mir das dann. Ich sehe es mir an und gebe meinen Senf dazu und ich möchte dann auch mit Janka in Verbindung treten. Das wollte Janka auch, aber da forderte der Steinberger, daß ab sofort die Marktschreierei aufhört und konspirative Methoden eingeführt werden. Das verlange ich, sonst mache ich nicht mit. Was nach dem Puschkin-Gespräch und nach der Ulbricht-Warnung völlig sinnlos war, was aber dem armen Steinberger, der schon fünf Jahre Workuta hinter sich hatte, als strafverschärfendes Moment nun vier Jahre eintrug, während Hertwig zwei Jahre bekam und Irene nur neun Monate Gefängnis. Steinberger, Hertwig, Irene und ich wurden ja als erste verhaftet am 29. November, symbolischerweise am Nationalfeiertag Jugoslawiens, oder zufälligerweise, wer weiß? Ich bin bei dem ersten Prozeß im März 1957 von dem Rechtsanwalt Wolf, der den Hertwig verteidigt hat, derselbe, der später Janka verteidigt hat, gefragt worden: Was ist denn der Tatanteil von Hertwig? Da habe ich gesagt, der ist ganz bescheiden. Den wollte ich im Grunde gar nicht dabei haben, der war ein Statist. Den Hertwig habe ich damit entlastet, der kriegte bloß zwei Jahre, aber Steinberger kriegte vier Jahre, weil er entschlossen gewesen war, auf konspirativem Wege mit Janka in Verbindung zu treten, und weil er sich bereit erklärt hatte, an der Ausarbeitung dieser Konzeption mitzuwirken.

Grimm: Wie war die Verhaftung, Sie wurden früh morgens abgeholt?

Harich: Nein, abends spät.

Grimm: Wo hat man Sie dann hingebracht, welche Stationen haben Sie durchlaufen?

Harich: Ich bin zu demselben Stasigefängnis gekommen wie Janka und habe dort die gleichen Dinge erlebt wie er bei der Einlieferung, also nackend ausziehen an der Wand und abgetastet werden, ob man auch nichts bei sich hat, ein Stalinbild hat da auch gehangen, das war in Hohenschönhausen. Da bin ich dann auch in den Keller gekommen. Nun muß ich Ihnen sagen, daß man mich da betastet hat, im Anzug, und dann mußte ich das Portemonnaie rausholen und den Schlüssel. Das habe ich als übliche Routinemaßnahme der Polizei angesehen, die man eben macht, damit niemand eine Waffe bei sich hat oder etwas, womit er sich selber umbringen kann. Ich habe das nicht besonders tragisch genommen. Ich mußte mich auch nackend ausziehen, mir haben sie auch in den Hintern geguckt. Ich dachte, die nehmen an, ich hätte da noch etwas im Hintern versteckt gehabt. Über diese Sache war ich nicht besonders gekränkt, die arbeiten eben so, das sind deren Methoden auf der ganzen Welt. Ich würde nie auf die Idee kommen, das so auf diese Weise zu dramatisieren und als etwas Ungeheuerliches anzusehen. So ist es eben bei der Polizei. Zu mir ist allerdings nicht der große Chef gekommen, der Mielke, also der fehlte. Bei der Verhaftung haben sie Irene und mich in ein Auto verfrachtet, dann haben sie gesagt, machen Sie gar nicht den Versuch, wegzulaufen, wir haben was zum schmeißen, dann haben sie auf ihre Pistolen gezeigt. Rauher, aber herzlicher Ton. Dann wurde ich allerdings gleich zu meinem Verhör gebracht, die ganze Nacht bis morgens um fünf Uhr, und da haben sie mir als erstes gesagt, Sie haben doch Verbindung zur SPD. Das war das erste. Da habe ich gesagt, nein. Da kam dann die Antwort. Da war so klar, daß sie das alles wußten. Das hatte ich ja auch Puschkin nicht anvertraut. Ich dachte, die könnten ja nur wissen, was dem Puschkin ausgebreitet worden ist. Ich habe zu Puschkin gesagt, eine entstalinisierte SED sollte sich mit der SPD gegen Adenauer verbünden und gegen die Amerikaner, das ja, aber ich habe nicht gesagt, ich habe vor, mit der SPD Verbindung aufzunehmen. Also ich wußte, das können die nicht wissen, das habe ich abgestritten. Das wußten sie aber doch. Sie hielten mir daraufhin schon Detailauszüge aus dem Merker-Gespräch hin. Das wußten sie also auch schon. Wenn man immer wieder erlebt, das all das, was man runterspielen möchte, um sich selbst nicht unnötig zu schaden und um anderen nicht zu schaden, wenn die schon alles wissen, dann beginnen Sie zu gestehen.

Grimm: Die SPD-Geschichte hätten Sie theoretisch verschweigen können?

Harich: Nein, weil sie die wußten. Sie waren dann und dann bei der SPD, wußten sie.

Grimm: Wie wurden Sie in der Untersuchungshaft und später in der Haft behandelt? Vielleicht können Sie kurz ihre damalige Situation schildern?

Harich: Bis zu meinem Prozess habe ich mich in der Untersuchungshaft in Hohenschönhausen im Keller befunden, aber nicht allein, sondern mit einem anderen in der Zelle, der mir gegenüber sehr hilfreich und freundlich war, mir aber wohl auch die Zunge lösen sollte, und von dem ich dann etliche Zeit später rückblickend auch immer angenommen habe, daß er ein Spitzel gewesen ist, der mich auch zu lenken versucht hat. Zum Beispiel redete der auf mich ein, ich solle mich ganz von Lukács lösen. Das unterscheidet sich wohl von dem Untersuchungshaftaufenthalt von Janka, der wohl allein gesessen hat. Von dem mutmaßlichem Spitzel wurde ich in dem Moment getrennt, als ich verurteilt war. Dann hat man mich mit einem Schlafmittel betäubt, um mich erst mal zur Ruhe zu bringen, um die psychische Belastung zu überwinden. Dann kam ich in eine Zelle und wurde von Zeit zu Zeit zu einem Verhör und zu einer Gegenüberstellung mit den Leuten des anderen Prozesses geholt, in diesem Falle mit Gustav Just. Da ging es um die Sache, ob das Papier an die »Einheit« und ans ZK geschickt werden sollte. Gustav Just hatte zugegeben, daß er gesagt hätte: Nein, nicht ans ZK, sondern an die Mitglieder des ZK. Mir war die Bedeutung des Unterschiedes nicht gegenwärtig. Dann sagte der Vernehmer, Mitglieder des ZK, das ist doch die Aussage von Just gewesen. Na ja, sagt der Just, weil ich im ZK gearbeitet habe. Da habe ich mich dann wieder erinnert, ja stimmt, der hat recht. Dann haben wir beide das Protokoll unterschrieben. Das ging bis zu dem zweiten Prozeß und in dem zweiten Prozeß wurde ich auch als Zeuge verhört. Der Janka gibt zum Teil ja weniger wieder, als ich dort im Ganzen gefragt worden bin. Das Verhör war ja viel länger als auf diesen paar Seiten bei ihm. Zum Teil unterstellt er mir auch Dinge, die nicht stimmen, wo er so tut, als ob ich belastende Aussagen gemacht hätte, die ich aber nicht gemacht habe, z.B. in der SPD-Frage. Dann blieb ich in der Haftanstalt Magdalenenstraße bis Anfang 1959. Da konnte ich dann sitzen und lesen. Und in großen Abständen wurde ich dann zu Verhören geholt, wo man mich fragte: Kennen Sie einen gewissen Schröder? Ja, Max Schröder, den vor kurzem verstorbenen Lektor des Aufbau-Verlages. Nein, den meinen wir nicht, sondern den Herrn Schröder und den Herrn Schröder. Na, erinnern Sie sich mal an die Demonstration gegen den Korea-Krieg 1950. Ach, sag ich, ja da waren zwei Brüder Schröder, das waren Schüler von mir Winfried Schröder und Ralf Schröder, wir haben gemeinsam in Westberlin gegen den Korea Krieg protestiert und sind dann von der Westberliner Polizei festgenommen worden. Ja daran erinnere ich mich genau. Jetzt kam immer die Frage: haben Sie mit denen Beziehungen gehabt in der Zeit Ihrer Gruppenbildung? Nein, überhaupt nicht, die habe ich seitdem nicht wieder gesehen, höchstens mal auf der Straße und »Guten Tag« gesagt, zufällig, kein Gespräch, nichts. Die haben damit nichts zu tun. Da kamen immer bohrende Fragen in Richtung Schröder, Loest. Kennen Sie Loest? Nein, ich kenne ein Buch von dem, »Die Westmark fällt weiter«, sein erstes Buch. Das habe ich mal durchgeblättert. Loest persönlich kenne ich nicht. Wissen Sie was von Lucht? Nein. Immer wieder diese Fragen. Ende 1958 in der Magdalenenstraße reicht man mir eine Zeitung rein und da steht drin, daß die konterrevolutionäre Bande Lucht/Loest/Schröder abgeurteilt worden sei, eine Gruppe in Halle und Leipzig. Da habe ich gedacht: Ach das wollten die von mir wissen, ach so. Die fahndeten nach Querverbindungen zu Schröder/Lucht/Loest. Dann hat mir ein Stasivernehmer Ende 1958, Anfang '59 mitgeteilt, Jochen Wenzel, den ich kennen würde, sei in Haft gestorben. Kein Kommentar. Dann kam die ganz große Sache heraus. 1958 erfuhr ich aus der Zeitung: Gruppe Wollweber, Schirdewan, Oelßner im Politbüro aufgedeckt. Eine Verschwörung im Politbüro gegen den Genossen Ulbricht, aufgedeckt vom Genossen Erich Honecker. Da wurde mir klar, wir mit unserem Grüppchen, wir waren ja gar nicht so wichtig, da war ja parallel noch was ganz anderes. Aber wenn die gegen Walter Ulbricht an die Öffentlichkeit getreten wären, dann wären wir im Aufbau-Verlag und in der »Deutschen Zeitschrift für Philosophie« natürlich deren Multiplikatoren gewesen. Sozusagen das, was Christa Wolf jetzt für Egon Krenz ist. Das wären wir gewesen für Schirdewan und Wollweber. Das Erstaunliche war, Wollweber war der Staatssicherheitsmann. Die Staatssicherheit war ja damals kein Ministerium, sondern sie war im Ministerium des Inneren unter Willi Stoph, der dann Verteidigungsminister wurde. Im Ministerium des Innern war das im Sinne der Rechtsstaatlichkeit scharf kontrollierte Staatssekretariat für Staatssicherheit, und das leitete Wollweber. Und nach Wollweber kam Mielke, sein Stellvertreter. Dann wurde es doch wieder ein Ministerium. Das erfuhr ich also aus der Zeitung und dachte, ach so, Mensch, da haben sie erst dem Wollweber und dem Schirdewan die Multiplikatoren in der

Intelligenz weggehauen, und dann waren die isoliert und dann hat Ulbricht da zugegriffen. Das habe ich mit einem gewissen Respekt vor dem Taktiker Ulbricht zur Kenntnis genommen und habe diesen Satz von Puschkin, es gibt bei uns keinen besseren, von daher verstanden. Ich habe verstanden, was damit gemeint war. Der verstand sein Handwerk, der Ulbricht.

Grimm: Sie sind dann unter anderem auch als CIA-Agent verurteilt worden?

Harich: Nein, das nicht. In der Urteilsbegründung heißt es: Bildung einer konspirativen, staatsfeindlichen Gruppe, die sich strafbar gemacht hat vor allem im Sinne der Boykott-Hetze, gegen Artikel 6 der Verfassung der DDR. Das war die Urteilsbegründung. Auch im Prozeß hat der Generalstaatsanwalt niemals den Vorwurf des CIA-Agenten erhoben. Das ist mir im Prozeß nie vorgeworfen worden. Aber es gab eine Geschichte, die das verständlich machen soll. Ich habe in den Jahren 1946/47 eine Amerikanerin gekannt, die arbeitete bei der Finance Division, Finanz-Abteilung, der amerikanischen Millitärregierung. Ich habe viele Amerikaner gekannt. Ich wohnte ja in Westberlin. Es gab ja auch ein Gesamtberliner Kulturleben mit Russen und Amerikanern, Diskussionen usw. Ja, auch die habe ich gekannt. Die hatte ganz billig einen Wagen gekauft, einen alten Adler, der hatte auch keine Papiere. Sie hat Dollars umgetauscht in deutsches Geld und dann ganz billig den Adler gekauft. Den hat sie mir, als sie in die USA zurückging, zum Abschied geschenkt. Es war eine alte Kiste, und ich konnte überhaupt nicht Auto fahren und der stand dauernd in der Garage. Ich habe von dem überhaupt keinen Gebrauch gemacht. Später, 1949/50, ist er mir geklaut worden und da wurde ich im Herbst 1948 zu einer amerikanischen Dienststelle in einer Kaserne in Lichterfelde gerufen, die sich CID nannte. Und die haben mich gefragt, wie kommen Sie zu diesem Wagen, warum ist dieser Wagen nicht zugelassen, sie arbeiten doch aber im Ostsektor für die »Tägliche Rundschau«, warum steht hier dieser Wagen? Da habe ich gesagt, ich kann mit diesem Wagen gar nichts anfangen, ich kann gar nicht Auto fahren, der ist mir damals von einer Bekannten geschenkt worden, der steht da nun und verrottet. So, das war alles. Die haben mich nun natürlich agitiert: Was haben Sie denn für eine Mütze auf, und sehen Sie sich mal den schönen Hut von Molotov an, der hat doch einen ganz anderen Status. Sie müssen doch alle gleich gekleidet sein. Auf so eine ganz primitive Art hat dieser Idiot mich da agitiert. Das habe ich alles zurückgewiesen, der wußte auch, daß er bei mir nicht landen kann. Aber ich hatte mir ins Notizbuch geschrieben, nachdem ich bestellt worden war: soundsovielten November oder Oktober, CDI in Lichterfelde. Und jetzt haben die in der Untersuchungshaft meine ganzen Notizbücher durchgesehen und sind darauf gestoßen und haben offensichtlich sofort die Meldung ins »Neue Deutschland« gebracht: Wolfgang Harich ist ein amerikanischer Agent. Damit waren sie aber sehr voreilig. Jetzt haben sie mich darüber verhört. Also ein Kreuzverhör von einer Schärfe, von einer Gemeinheit, wie ich es noch nie erlebt habe. Teils umwerbend, umschmeichelnd, brutal, mit Androhungen. Sie wollten herauskriegen, daß ich vom amerikanischen Geheimdienst gelenkt bin. Ich habe dem standgehalten, habe immer wieder wiederholt, wie es sich tatsächlich verhalten hat, habe gesagt, dafür gibt es auch die und die Zeugen, die von dieser Autogeschichte wissen.

Grimm: Im Jahre 1945 hat Wolfgang Leonhard Sie nach seinem Buch »Die Revolution entläßt ihre Kinder« ausfindig gemacht. Stimmt das?

Harich: In dem Sinne nicht. Ich stand auf einer Liste von links eingestellten Antinazis. Da hat er mich aufgesucht, hat mich gefragt nach meinen Erfahrungen und ich habe ihm Fragen nach seinen Erfahrungen bezüglich der Sowjetunion gestellt. Zum Beispiel wollte ich sofort wissen, wie ist das eigentlich mit dem Gegensatz zwischen Trotzki und Stalin. Das hat mich sehr interessiert. Das war ein Thema, was er nicht so gerne behandeln wollte. Dann hat er aber auch an mich Fragen gestellt, was ich so zu machen gedenke, dann hat er mir die Konzeption des Nationalkomitees »Freies Deutschland« auseinandergesetzt. Dann sind wir uns in der Folgezeit mehrfach begegnet. Zufällig. Ich fand den Mann immer außerordentlich sympathisch. Er mochte mich auch gern. Wir hatten aber auch Kontroversen, z.B. einmal, da hatte ich in einem Artikel für den französisch lizensierten »Kurier« geschrieben, daß ich, obwohl ich Atheist bin, die Abschaffung des Religionsunterrichts falsch finde, aus Bildungsgründen. Da hat er mich agitiert und hat gesagt, das wäre eine unmögliche Einstellung. Ich habe gesagt, wie sollen denn die Kinder verstehen, was auf den großen Gemälden der Renaissancemaler vor sich geht. Das ist einfach Bildungsgut und ich bin für einen atheistischen religionshistorischen Unterricht, der alle Religionen der Welt, die christliche, die buddhistische, die der alten Griechen und Römer und die jüdischen und auch die germanische beibringt, als Bildungsgut. Da hat er gesagt, ja darüber ließe sich reden, da müßte man aber ganz neue Kader ausbilden, die das könnten, jetzt ist erst mal anderes dringlicher. Solche Gespräche haben manchmal zwischen uns stattgefunden. Dann bin ich ihm 1948 wieder begegnet auf der Parteihochschule »Karl Marx« in Kleinmachnow. Da lehrte er Geschichte, während ich den Lehrgang für dialektischen und historischen Materialismus, den Dozentenlehrgang und den für marxistische politische Ökonomie besuchte, zwei Lehrgänge, die uns also vorbereiten sollten für den fakultativen Unterricht, also für freiwillige Unterrichtsstunden in marxistischer Philosophie und Wirtschaftswissenschaften ab Ende 1948. Da hatten wir Gespräche. Wolfgang Leonhard war in Jugoslawien gewesen und war ungeheuer begeistert von Jugoslawien. Da brach der Konflikt zwischen Tito und Stalin aus in dieser Zeit. Da fragte er mich, was ich davon hielte. Ich spürte aber schon, daß er mit Jugoslawien und Tito sympathisierte. Ich habe ihm gesagt: Eine Geschichte ist mir verdächtig und zwar, daß der Stalin den Tito eingeladen hat zu einer Aussprache über die strittigen Fragen und daß Tito einfach nicht hingefahren ist, sondern einfach den Bruch vollzogen hat, das verstehe ich nicht, diese Haltung. Da hat Wolfgang Leonhard gesagt: Das verstehe ich aber sehr gut. Ich weiß, was das unter Umständen heißen kann, zu Stalin eingeladen zu sein. Dann hatten wir aber an der Parteihochschule wenig zu tun, es waren rein zufällige Zusammenkünfte, er war weder mein Lehrer, noch mein Schüler, das schon gar nicht. Er lehrte einfach ein anderes Fach. Später habe ich gehört, daß er über die jugoslawische Militärmission in Westberlin nach Jugoslawien gegangen ist und sich zu Jugoslawien bekannt hat. Seitdem hatten wir keinerlei Beziehungen mehr.

Grimm: Wolfgang Leonhard war ja sehr interessiert am jugoslawischen Modell des Sozialismus. Welche Rolle spielten diese Gedanken dann später in der Konzeption? Gab es da Berührungspunkte?

Harich: Zu dieser Zeit, als Leonhard Tito ungerecht behandelt fühlte von Stalin, das war 1948, spielte die Frage eines besonderen Sozialismusmodells der Jugoslawen überhaupt noch keine Rolle. Das ist mir erst 1952, also vier Jahre später durch Fritz Sternberg im Hause von Ernst Rowohlt bekannt gemacht und auseinandergesetzt worden, und dann habe ich mir erst die entsprechenden Broschüren von Karely darüber beschafft. Das hatte mit Leonhard nichts zu tun. Wenn man hier jetzt in der DDR eine Auseinandersetzung mit dem Stalinismus will, und das scheint mir dringend notwendig zu sein, dann ist Wolfgang Leonhards Buch »Die Revolution entläßt ihre Kinder« ganz unentbehrlich. Ich muß gestehen, ich habe es nur streckenweise gelesen, im ganzen nie. Aber das, was ich daraus kenne, und der Eindruck, den es auf andere auch macht, ja, das ist ein Buch von dem ich glaube, daß es lebendig, volkstümlich, verständlich über Theorie und Praxis des Stalinismus aufklärt, ohne Antikommunisten zu machen aus den Lesern. Das ist wichtig. Deshalb glaube ich auch, dieses Buch gehört zu denen, die in der DDR herauskommen sollten.

Grimm: Sie haben jetzt kurz dargelegt, wann der Gedanke des jugoslawischen Modells bei Ihnen eine Rolle spielte, 1952. Welche Rolle spielte in der Überlegung und Ausarbeitung der Konzeption die Erfahrung des 17. Juni?

Harich: Ich würde sagen, die Gespräche mit Fritz Sternberg über Jugoslawien, wo ich der Nehmende war, der Zuhörende, stimmten mich nachdenklich, ohne daß ich mich sofort zu einem Anhänger des jugoslawischen Modells bekehrt hätte. Es lag zu weit abseits meiner Berufstätigkeit und meiner sonstigen Interessen, aber der 17. Juni hat sofort das in meinen Gedanken reaktiviert, was ich da ein Jahr vorher bei Sternberg gehört hatte. Übrigens in der Brecht-Biographie von Werner Mittenzwei ist das chronologisch falsch. Mittenzwei meint, ich hätte Sternberg 1953 kennengelernt. Nein, das war schon ein Jahr vorher. Und das, was Sternberg mir da gesagt hat, das kam dann aber 1953 unter dem Eindruck des 17. Juni massiv in mir hoch. Ich versuchte, Brecht dafür zu erwärmen, als der mich im Krankenhaus besuchte, und der warnte: Finger davon, das ist eine ganz gefährliche Geschichte, das hat keinen Boden in der Realität, lassen Sie das sein, das kann gefährlich für Sie werden. Was jetzt real ist und eine Chance hat, das ist der Sturz der Staatlichen Kunstkommission.

Grimm: Sie waren ja zum Zeitpunkt des 17. Juni 1953 im Krankenhaus. Außerdem hatten Sie ja gerade ein Parteiverfahren über sich ergehen lassen müssen, sozusagen eine nachträglich Schelte auf die Hegel-Debatte. Aber Sie haben in dieser Zeit immerhin auch den Heinrich-Mann-Preis der Akademie der Künste erhalten. Was war der Anlaß?

Harich: Ja, nach dem 17. Juni wurden einige Hardliner plötzlich samtpfötig. So kam Rudi Engel von der Akademie der Künste plötzlich zu einem Krankenbesuch und sagt zu mir: Sie kriegen den Heinrich Mann Preis in diesem Jahr, zusammen mit Stefan Heym und Max Zimmering. Da war das umgeschwenkt. Das Parteiverfahren sollte irgendwie wiedergutgemacht werden. Es sollte eine neue Zeit anbrechen, der neue Kurs, der nicht mehr so sozialistisch sein sollte. Für die Preisverleihung wurde ich extra aus dem Krankenhaus abgeholt. Da saßen sie nun alle im Saal: Walter Felsenstein, Gret Palucca, Arnold Zweig, Bertolt Brecht, Johannes R. Becher, Anna Seghers, Fritz Cremer und wir warteten im Vorzimmer. Stefan Heym, den ich bei dieser Gelegenheit kennenlernte, Max Zimmering und ich.

Da hat der Heym gesagt, wir nehmen den Preis an, aber das Geld, was es dafür gibt, das stiften wir für die Pflege von Volkspolizisten, die am 17. Juni durch weiße Lynchjustiz verwundet worden sind. Ja, ja, selbstverständlich, Genosse Heym. Da gingen wir nun feierlich rein, alles erhob sich, Paul Wandel war da. Stefan Heym stand auf und hat in unserem Namen für die hohe Ehrung gedankt: Die nehmen wir gerne an, aber wir möchten auf das Geld verzichten, alle drei, für die Pflege der Volkspolizisten, die am 17. Juni verwundet worden sind. Brecht sagte: Ich protestiere. Ich habe die Herren vorgeschlagen für diesen Preis, damit sie dieses Geld kriegen, wenn die Herren das Geld nicht wollen, mache ich mich anheischig bei jedem einzelnen nachzuweisen, daß er den Preis durch seine Leistungen nicht verdient hat. Im übrigen ist es ein Mißtrauensvotum gegen diesen Staat, daß er nicht imstande sei, seine Invaliden zu pflegen. Dann Becher: Selbstverständlich, ich schließe mich dem Urteil des Kollegen Brecht im vollem Umfange an. Paul Wandel auch: Ich möchte doch hier sagen, als Sekretär des ZK, daß auch wir usw... Zimmering und ich atmeten auf und wir kriegten dann unsere Gelder, und die Sache war gelaufen.

Grimm: Was war die konkreteste Reaktion Ihrerseits auf den 17. Juni 1953 und die Ereignisse von 1956?

Harich: Einmal war ja nach dem 17. Juni die Linie: Bloß um Himmels willen keine Fehlerdiskussion, sondern den Blick voran richten. Nach dem XX. Parteitag hab ich mich daran erinnert und habe gedacht: Vielleicht wäre es besser gewesen, man hätte damals mit einer gemäßigten, vernünftigen, tiefdringenden Fehlerdiskussion begonnen und sie jetzt nach dem XX. Parteitag in aller Ruhe fortgesetzt, denn jetzt kam wieder die ungeheure Erregung über den XX. Parteitag und es hieß wieder: Um Himmels willen, keine Fehlerdiskussion. Da habe ich gedacht: Na, hätten wir sie mal 1953 gemacht, dann wäre das jetzt keine so prekäre Frage, sondern das würde in die Diskussion um den Stalinismus überlaufen, hinüberwachsen, und wäre auch keine reine DDR-Diskussion. Dann hat sich nach 1956 dieser Gedanke: Wir müssen vom jugoslawischen Modell lernen, der hat sich noch verfestigt und vertieft, aber natürlich auch deshalb, weil ich da eine stärkere Rückendeckung zu haben glaubte. 1953 war nichts anderes da als eine Beeinflussung durch Fritz Sternberg, der hier als ein höchst suspekter Mann galt mit seiner Imperialismus-Theorie, der ja auch aus seiner Ablehnung des Stalinschen Kommunismus gar keinen Hehl machte. 1956 glaubte ich also, die Aussöhnung Chruschtschows mit Tito als Rückendeckung zu haben, die ja verbunden war mit einer sowjetischen Selbstkritik, da glaubte ich auch, mir in der Richtung mehr zutrauen zu können, mehr sagen zu können.

Grimm: In der heutigen Auseinandersetzung, sprich in der DDR im Oktober 1989 und in den kommenden Wochen, wie wichtig wäre es denn jetzt mit einer vernünftigen, tiefgreifenden Fehlerdiskussion zu beginnen?

Harich: Na, ganz wichtig ist die Aufarbeitung der internationalen Parteigeschichte und insbesondere der deutschen. Ich würde sagen, es bedarf eines Beitrages der besten Köpfe der SED und auch Außenstehender, zur Klärung der Parteigeschichte international, die aber auch zurück reicht in die Geschichte der Sozialdemokratie. Was man über die Novemberrevolution neu spricht, über den Einfluß der Komintern auf die Kämpfe von 1918 und 1923, das war ja auch nicht immer glücklich, daß man die Gestalt von Trotzki, aber auch die Gestalt von Bucharin neu sehen lernt. Vor allen Dingen müssen die Dinge in ihrer Kompliziertheit gesehen werden. Da darf es eben keine unfehlbaren oder immer unfehlbar gewesenen Götter mehr geben. Ich will Ihnen das klarmachen an zwei Beispielen: Karl Marx hat 1848 an die unmittelbare Aktualität einer proletarischen Revolution in Deutschland geglaubt. Das war ein kapitaler Fehler, geboren aus revolutionärer Ungeduld und Illusionismus. In dem Fehler steckte aber wieder etwas sehr Geniales, Vorausschauendes drin, nämlich was dann stimmte für die russische Revolutionen von 1905 und 1917, daß zu spät kommende bürgerliche Revolutionen im Keim proletarische Revolutionen in sich tragen. Das ist eine Sache. Dann muß man Irrtum und geniale Einsicht in ihrem Verflochtensein ineinander wirklich differenzieren. Ein anderes Beispiel: Es ist richtig, zurückzugehen in den authentischen, ursprünglichen, unverfälschten Lenin. Das heißt aber auch von der Lenin-Vergötterung zurückzugehen, die niemandem ferner gelegen hätte als Lenin selbst. Und es gibt doch auch Fehler von Lenin. Schauen Sie, Lenin hatte nach dem Bürgerkrieg, als die Polen unter Pilsutzki die Schwäche des Sowjetlandes ausnutzten, 1920 die Sowjetunion überfielen und bis weit in die Ukraine vordrangen, wo sie von der Sowjetarmee zurückgeschlagen worden sind, die Idee im Kopf:

Weitermarschieren bis nach Waschau und die polnischen Arbeiter werden unserer Roten Armee um den Hals fallen und sie als Befreier begrüßen. Das war eine vollkommene Illusion, denn nach den Jahrhunderten der Nichtexistenz des polnischen Staates lag eine derartige Haltung den polnischen Arbeitern völlig fern. Jetzt gibt es zwei Leute, die Lenin davor gewarnt haben und gesagt haben: Das führt zu nichts. Halt machen an der Curzon-Linie und nicht weitermarschieren! Und das waren Trotzki und Stalin aus unterschiedlichen Beweggründen, wobei beide sich dann aber der Autorität von Lenin beugten. Das ist so etwas Diffiziles, etwas Kompliziertes. Lenin hatte nicht immer recht, manchmal hatte Stalin gegen ihn recht, manchmal hatten Stalin und Trotzki gegen ihn recht. Aber in der Hauptsache, in wichtigeren Fragen hatte er gegen Trotzki und gegen Stalin recht. Dann verbündete er sich wieder gegen Ende seines Lebens mit Trotzki gegen Stalin. Trotzki hat diesen Auftrag aber so ungeschickt ausgeführt, daß er von dem taktisch überlegeneren Stalin aufs Kreuz gelegt wurde. Das ist die wirkliche Parteigeschichte. Jetzt muß man unbefangen herangehen an die Literatur, die es darüber gibt: Von Artur Rosenberg »Geschichte des Bolschewismus«, erschienen 1933, eine sehr bedenkenswerte Lektüre, dann die Bücher zur Parteigeschichte von Wolfgang Abendroth .

Grimm: Wichtig von Wolfgang Abendroth scheint mir auch seine Autobiographie »Ein Leben in der deutschen Arbeiterbewegung«, wo er über Thalheimer und die Sozialfaschismustheorie in der KPD kritisch spricht.

Harich: Das kenne ich leider nicht. Ich möchte nur sagen, man kann die Prozesse der dreißiger Jahre nicht verstehen, ohne die Erklärung, die Wolfgang Abendroth dafür gibt. Dann ist eine große Gestalt der marxistischen Historiographie selbstverständlich Isaac Deutscher, dem hat vieles Material nicht zur Verfügung gestanden, der ist in vielem überholt. Der hat sich als polnischer Trotzkist hingesetzt und eine riesige dreibändige Biographie über Trotzki geschrieben, in der Absicht, Trotzki darzustellen als den eigentlichen großen Repräsentanten der russischen Revolution und ist zum Schluß als der unbedingt ehrliche Historiker zu dem Ergebnis gekommen, letzten Endes hatte Stalin halt doch recht. Er hat ein Buch über Stalin geschrieben, was ihn überhaupt nicht beschönigt, was gnadenlos ist, soweit damals das Material zur Verfügung stand in bezug auf seine Irrtümer, in bezug auf seine Verbrechen, was letzten Endes aber doch ein ausgewogenes, positive Elemente übriglassendes Urteil über ihn fällt. Heute müßte die Parteischulung an der Parteihochschule »Karl Marx« oder beim Institut für Marxismus-Leninismus sich unbefangen mit Literatur dieser Art auseinandersetzen und dort ein eigenes Urteil bilden, um von daher dann auch die deutsche Parteigeschichte neu zu sehen. Es ist ja sehr vieles richtig an der Parteigeschichte, die Ulbricht geschrieben hat mit Lothar Berthold in den sechs Bänden, aber vieles ist eben auch schief und steht unter dem Zeichen von Tabus und muß neu überdacht werden. Das sind gewaltige Aufgaben. Ohne diesen differenzierenden Rückblick anhand von bisher tabuisierter Literatur wird es einen Blick voraus nicht geben.

Grimm: Ich komme jetzt noch einmal zur Präzisierung einzelner Punkte. In Ihrer Konzeption, die Sie 1953 bis 1956 entwickelten, spielt die Frage der deutschen Wiedervereinigung, der deutschen Einheit eine besondere Rolle. Was war die Kernüberlegung, und worauf stützte sie sich?

Harich: Die Kernüberlegung war, daß eine entstalinisierte SED bündnisfähig werden könnte für die SPD und daß eine Reformierung der DDR diesen Sozialismus attraktiv machen könnte. Das Wort attraktiv, das heute viel gebraucht wird, ist da zum ersten Mal gefallen. Wenn ich sagte, uns ging es um attraktiven Sozialismus, wurde ich bei den Verhören ausgelacht: wir sind doch ungeheuer attraktiv, es muß nur über uns die Wahrheit gesagt und geschrieben werden, die wird verheimlicht. Es ist schon etwas Wahres dran an diesem Argument, es trifft aber nicht die ganze Wahrheit. Da war der Gedanke, wenn das geschieht, dieses Bündnis der entstalinisierten SED mit der SPD, was unweigerlich die linken Kräfte in der SPD gestärkt hätte gegen die Schumacher-Tradition, das könnte zu einem Wahlsieg der Linken 1957 bei den Bundestagswahlen in Bonn führen, und dann könnte das einen zusätzlichen Auftrieb bekommen für eine Wiedervereinigung Deutschlands unter diesem Vorzeichen. Dann bestünde die Perspektive eines sozialistischen Gesamtdeutschlands, geführt von SPD und SED. Das war's. Das ist etwas, was als völlig illusorisch zurückgewiesen worden ist von Botschafter Puschkin, wogegen innerhalb der Gruppe selbst Zöger Bedenken hatte, wie er überhaupt den ganzen Kampf der SED um die Einheit Deutschlands für passé hielt seit der Inkraftsetzung der Pariser Verträge, was bei den Stasi-Verhören abgeblockt wurde, weil die einfach erklärten: Das ist nicht unser Bier, darüber haben Sie genug diskutiert in Ihrer Gruppe, und mit diesen Fragen des Verhältnisses der beiden deutschen Staaten und der deutschen Einheit, damit beschäftigen sich andere Institutionen, wir sind hier nur zuständig für die Sicherheit der DDR und die haben Sie in Frage gestellt, die haben Sie gefährdet, und deshalb sind Sie hier, und darauf zielen jetzt unsere Fragen, die Sie wahrheitsgetreu zu beantworten haben.

Grimm: Sie haben ja in den Abschlußsätzen Ihrer Zeugenaussage der Staatssicherheit gedankt.

Harich: Nicht in der Zeugenaussage, sondern im Schlußwort. Eine Zeugenaussage gab es nicht. Das war im zweiten Prozeß. Es gab im ersten Prozeß ein Schlußwort, und da habe ich der Staatssicherheit gedankt für das schnelle Zugreifen, daß sie so schnell die Sache beendet hat. Das ist so, sie haben mir immer wieder in Diskussionen klargemacht: Wir hätten die Möglichkeit gehabt, Sie und Ihre Leute noch ein paar Wochen weitermachen zu lassen unter unserer Beobachtung. Beobachtet haben wir Sie längst, wir beobachten alles, uns entgeht nichts. Wir hätten Sie weiterlaufen lassen können. Dann wären Sie zwei, drei Wochen später reif gewesen für das Fallbeil. Seien Sie froh, daß wir Sie in einem so frühen Stadium unterbrochen haben. Da habe ich gesagt: Ja sicher, das ist doch aber Befehl von Walter Ulbricht. Nein, nein, das sind wir, wir haben gewollt, daß Harich nicht am Galgen hängend endet. Das ist doch ein Mann, der was kann und der was weiß, den vielleicht die Partei noch mal brauchen kann. Deshalb haben wir so früh zugeschlagen und ihm Schlimmeres erspart. Wäre ganz gut, wenn Sie das auch mal anerkennen würden und zwar öffentlich. So haben die argumentiert, und so ist das zustande gekommen. Das haben sie mir suggeriert, und ich glaube auch, das hat einen wahren Kern.

Grimm: Gut, das ist die eine Seite. Hat man nicht, wenn Sie das jetzt im Nachhinein betrachten, auch ein bißchen auf Ihre persönliche Selbstverliebtheit – jedermann ist ja auch in einer bestimmten Weise von sich überzeugt und eingenommen – auf eine Art von Eitelkeit angespielt, indem man gesagt hat: Sie sind doch eine wichtige Person, wir schützen Sie ...

Harich: Das hat man natürlich gemacht. Ich glaube aber, der Hauptauftrag war: Der darf hier im öffentlichen Leben keine Heldenrolle mehr spielen, den müssen wir von dem Nimbus des Helden und Märtyrers wegkriegen und deshalb suggerieren wir ihm jetzt Dinge, die er dann so ausspricht, daß er als deutscher Held und Märtyrer verschwindet und ein ziemlich mieses kleines Würstchen ist. Das ist so eine Taktik, ein Mensch, der einsam ist und der solchen Psychologen gegenübersteht, und die sind ja Psychologen, die sind ja nicht dumm, der läßt sich dann zu Äußerungen hinreißen. Das war die Hauptsache. Ich glaube, daß aus demselben Grunde der Janka dazu ermutigt worden ist, alles abzustreiten, denn da hatten sie dann den Eindruck des rechtsstaatlichen politischen Prozesses, der sich von den politischen Prozessen in Moskau wohltuend unterscheidet. Janka demonstriert: Man kann sich verteidigen wie ein Wilder. Und andererseits sind da die Zeugen, die ganz überflüssig gewesen wären, weil sie sowieso alles wußten seit dem Puschkin-Gespräch und durch eigene Beobachtung. Die Zeugen konnten sie auch aus einer Helden- und Vorbildrolle herauskriegen und zu kleinen Lumpen machen: Paul Merker und Wolfgang Harich, die ja beim Bestreiten der wahren Sachverhalte durch Janka nicht nur als Zeugen dastehen, die, so wie sie verpflichtet sind, als Zeugen die Wahrheit sagen, sondern die den Angeklagten Janka in einer Weise bezichtigen, die nicht stimmt, die falsch Zeugnis ablegen wider ihren Nächsten. Darauf legten sie besonderen Wert bei Merker und bei mir und glaubten nun, uns endgültig damit ausgeschaltet zu haben. Ich glaube, daß das die Taktik gewesen ist.

Grimm: Hatten Sie Angst vor physischer Gewaltandrohung?

Harich: Es ist mir niemals physische Gewalt angedroht worden. Ich muß sagen, die haben sich immer außerordentlich korrekt verhalten, aber ich hatte natürlich immer Angst davor. Wenn man absieht von Kleinigkeiten, daß also ein Vernehmer zu mir sagt: Am liebsten möchte ich Ihnen jetzt in die Fresse hauen, ich darf bloß nicht. Wenn ich von solchen Kleinigkeiten absehe, haben sie mir niemals Gewalt angedroht, sie haben sich korrekt verhalten, aber ich hatte Angst vor Gewalt, das will ich nicht leugnen.

Grimm: Wenn man über das Sicherheitskonzept nachdenkt, das in Ihrem Prozeß deutlich wird und das verfolgt über die nächsten Jahre bis in unsere Jetztzeit, dann liegt der Gedanke nahe, daß ein übertriebenes Sicherheitsdenken in der DDR eine größere, freiere Vernunftsentfaltung verhindert hat.

Harich: Ganz klar, und das beantworte ich Ihnen mit einem ganz einfachen Beispiel, das für sich spricht. Ich kenne einen jungen Mann, der will Psychiater werden und der wollte unbedingt zu der medizinischen Psychiatrie als zweites Fach Psychologie studieren und hatte kolossale Schwierigkeiten, das durchzusetzen und hat es dann schließlich aber doch geschafft. Da hat er dann gefragt: Ja warum soll man denn nicht diese einander naheliegenden Fächer kombinieren? Da hat er zur Antwort gekriegt: Ja wenn man so frei verschiedene Fächer kombiniert, das hat sicher seine Vorzüge, da gibt es vielseitiger gebildete Persönlichkeiten, an denen wir schon Bedarf hätten, aber es besteht bei solchen Leuten immer die Gefahr, die werden Individualisten, und es ist eine Sicherheitsfrage, es nicht zu Individualisten kommen zu lassen. Also in ihrem Fall machen wir eine Ausnahme, aber das darf nicht Schule machen. Damit hängt diese Spezialistenborniertheit bei uns eng zusammen. Das ist eine Frage, die ans Bildungsproblem rührt. Man kann nicht das Ideal der allseitig gebildeten Persönlichkeiten verkünden und dann kommen Spezialisten heraus, die wissen nur über ein Kapitel bei Heidegger Bescheid und über das zweite Kapitel schon nicht mehr.

Das muß meiner Meinung nach weg, diese Sicherheitsangst vor diesen »um Himmels willen Idealisten«. Das ist eine Sache. Die andere Sache ist die, daß hier überhaupt ein falsches Stabilitätsideal existiert. Das ist noch etwas anderes, daß man also sagt, hier an dieser hochsensiblen Grenze ist eine stabile DDR notwendig. Davon hängt alles andere ab, und die Russen können sich ihre Perestroika und Glasnost nur dann leisten und die Polen ihren Umgestaltungsprozeß und die Ungarn. An dieser sensiblen Grenze muß die DDR ehern und unerschütterlich stehen und wir mit unserer Stabilität sorgen dafür, daß die da hinter uns im Osten ungestört ihre Experimente machen können. Das ist ein Argument, das immer wieder kommt. Im Moment ist dem mit der Öffnung der österreichisch-ungarischen Grenze jede Grundlage entzogen, jetzt steht die DDR da, wie sie wirklich ist. Stabilität muß immer etwas Elastisches sein. Man marschiert nicht über eine Brücke im preußischen Stechschritt, sondern man sagt: Ganz gewöhnliche Schritte anschlagen, ohne: Tritt marsch! Dann vibriert die Brücke so, daß sie nicht einstürzt. Hier ist man über diese hochsensible Brücke im preußischen Stechschritt marschiert, jetzt haben wir die Folgen. Wir müssen uns an einen neuen elastischeren Stabilitätsgedanken gewöhnen. Das wäre zum Segen unseres Landes, Europas und der ganzen Welt. Heutzutage sind die Probleme so komplex, daß man mehr denn je vielseitig gebildete Persönlichkeiten braucht, die sich auf vielen Gebieten auskennen. Selbst auf die Gefahr hin, daß sie dann hier und da auf vielen Gebieten dilettantisch sind. Das ist nicht so schlimm. Schlimm ist, daß man Interdisziplinarität zu erreichen sucht, daß man ein Aggregat von Fachidioten schafft

Grimm: Welchen Weg müßte man denn gehen, um die notwendige Interdisziplinarität in Wissenschaft und Forschung zu erreichen?

Harich: Ich halte es für gänzlich fruchtlos, sogenannte interdisziplinäre Gremien zusammenzusetzen oder Kommissionen, die dann ein Aggregat von Fachidioten darstellen, die dann aneinander vorbeireden. Damit ist überhaupt nichts gewonnen. Die komplexen und immer komplexer werdenden Probleme unserer Zeit verlangen in der Wissenschaft Persönlichkeiten, die in vielen von einander entfernten Wissensgebieten zu Hause sind, deren Korrelationen überblicken, Methoden des einen Gebietes auch mal auf das andere anzuwenden versuchen, selbst auf die

Gefahr hin, daß sie hier und da dilettantisch sind. Das Risiko des Dilettantismus, daß natürlich dabei in Kauf genommen werden muß, ist geringer als dieses Fachidiotentum, das mechanisch zusammengefügt eine Scheininterdisziplinarität ergibt.

Grimm: Es gibt Stimmen, die behaupten, daß Sie, nachdem Stalin 1953 ja sehr offen in der Frage der deutschen Einheit war, so etwas wie einen Versuchsballon darstellten, daß die Sowjetunion zuschaute, vielleicht auch mit Ihnen und Ihrer Gruppe bewußt oder unbewußt Kontakt hatte, um zu sehen, inwieweit sich denn dieses zweigeteilte Deutschland wieder zu einem machen läßt.

Harich: Also, daß ich das im Auftrag der Russen gemacht hätte, ist nicht der Fall. Das Stalinangebot, Stalin war ja dann 1953 tot, sein Angebot von 1952, das war noch von ihm selbst. Da machte ich die Vortragsreise über Herder durch die ganze Bundesrepublik. Da hatte ich von Johannes R. Becher die Weisung, in den sich anschließenden Diskussionen nicht nur zu werben für eine gesamtdeutsche Herder-Ehrung im Dezember 1953, sondern auch dafür zu werben, daß man doch Stalin beim Wort nehmen möge, um die deutsche Einheit wiederherzustellen. Wenn man mit den Kommunisten nicht an einem Tisch sitzen wollte, dann bitte gehe man zu Gustav Heinemann und Helene Wessel, die auch gerade eine Vortragsreise durch die ganze Bundesrepublik machten und auch eintraten für die Annahme des Stalinangebotes gegen die EVG, dann halte man sich an die. Das war eine ganz klare Weisung von Johannes R. Becher, kein Versuchsballon, sondern eine Weisung, die seinen eigenen Vorstellungen entsprach, aber auch konform war mit der damaligen Politik der SED. Ja, was nun die Zeit nach 1953 betrifft, da habe ich nur Kontakte gehabt mit Diplomaten, die meine Vorlesungen besuchten, vor allen Dingen mit Woslenski. Es ergaben sich kurze Gespräche mit Woslenski im Anschluß an meine Vorlesung. Die drehten sich aber um das Problem: Wie ist die klassische deutsche Philosophie einzuschätzen, wo hat da Stalin geirrt? Halten sie den Standpunkt von Lukács für den einzigen, authentisch marxistischen, und ist da nicht doch dieses oder jenes Reaktionäre? Ich habe dann Woslenski damals mein erstes Papier zu der

Frage: Was läßt sich rausholen aus der neuen Situation nach dem XX. Parteitag für die Lösung des deutschen Problems? förmlich aufgedrängt. Das wollte der gar nicht haben. Das ist eine souveräne Angelegenheit der DDR, wenden Sie sich damit an die Instanzen der Partei. Das habe ich dann ja auch versucht. Ich habe versucht, an Fritz Oelßner in dieser Frage heranzukommen, nicht ahnend, daß Fritz Oelßner bereits in der Gruppe Schirdewan/Wollweber gegen Ulbricht drinsteckte, und Fritz Oelßner hat überhaupt nicht reagiert. Er hat mir überhaupt nicht geantwortet. Dann gab es eben das Mißverständnis der Einladung zu Puschkin. Es war der ungarische Aufstand ausgebrochen. Puschkin wußte durch seinen Woslenski: Da ist der Harich, die haben da so bestimmte Ideen, da steckt wahrscheinlich eine ganze Gruppe dahinter, lassen wir doch den mal kommen und reden wir dem das aus. Das war deren Motiv für das Gespräch, wie sich herausstellte. Als ich aber zu Janka ging und ihn über den bevorstehenden Besuch zu dieser Einladung informierte, als Just und Zöger da waren, wurden wir euphorisch und dachten: Jetzt sind die Russen soweit, aus der polnischen Erfahrung mit Gomulka zu lernen, die gut gegangen ist und aus der schrecklichen ungarischen Erfahrung und wollen uns jetzt als ihre Berater haben. Das führte dazu, daß ich den Auftrag kriegte, alles vor Puschkin auszubreiten. Das stellte sich dann als ein verhängnisvoller Irrtum heraus. Der riet in einem geduldigen, aber von der Sache her sehr hartem Gespräch von allem ab. Daß ich also ein Versuchsballon der Russen gewesen wäre, die da also jongliert hätten mit der Opposition, kann ich nicht beurteilen. Ich kann nicht wissen, was in der Botschaft gesprochen worden ist. Ob es da solche Tendenzen gegeben hat, kann ich nicht bestätigen, ich glaube das nicht.

Grimm: Paul Merker sollte Walter Ulbricht ersetzen, das ist doch in Ihrer Gruppe im Personenkarussell vorgesehen gewesen. Welche personellen Vorstellungen, sich eingeschlossen, hatten Sie?

Harich: Wir waren uns darin einig, daß Walter Ulbricht durch seine Politik und durch seine überschwengliche Stalinhörigkeit so kompromittiert sei, daß die weitere Führung durch ihn die Partei beim Volk unglaubwürdig und unbeliebt mache und vielleicht sogar eine Katastrophe in

Ungarn heraufbeschwören könnte, wie sie durch das allzu lange Festhalten an Matias Rakosi und Gerö dort ausgelöst wurde. Das war die aktuelle Sorge. Dazu kam eine allgemeine Animosität gegen Ulbricht: Es muß jetzt ein Mann her, der unbelastet ist, deshalb vertrauenswürdig für das Volk, möglichst einer, der unter dem Stalinismus gelitten hat. Da kamen für uns anstelle von Ulbricht Paul Merker und Franz Dahlem in Frage, wobei speziell aber Janka großen Wert auf Paul Merker legte und er derjenige war, der seinerseits in unserem Kreis Merker in den Vordergrund schob und andererseits unabhängig von unserem Kreis auf Merker einwirkte in dem Sinne, ihn aus seiner Resignation und Lethargie aufzurütteln und dazu zu bewegen, daß er Forderungen stellt, die dann einmünden sollten in seine Rückkehr ins Politbüro und in seinem dortigen Auftreten, möglichst mit unserer Konzeption. Das war also die spezielle Sache von Janka. Als er uns dann zusammen mit Merker einlud zu dem großen Gespräch am 21. November, da war für uns alle klar: Das ist jetzt hier der neue Mann, der deutsche Gomulka. Dem machen wir Mut, diese Schritte zu tun und versuchen gleichzeitig, ihn für unsere Vorstellungen zu gewinnen. Persönliche Ambitionen in diesem Zusammenhang für mich habe ich eigentlich nicht gehabt, ich war der Ansicht: Welche Leute da was machen, ist eigentlich wurst, Hauptsache es geht um die Sache. Aber es gab so Tendenzen, daß also Just sagte: Mensch, Du müßtest die »Einheit« leiten, das theoretische Organ der Partei, was daraus machen. Bei Janka ging das viel weiter, Janka hatte die Vorstellung ... Ich muß sagen, Janka und ich haben uns seit 1952/53 gegenseitig wahnsinnig überschätzt und uns in unserer Überschätzung auch hochgeschaukelt. Ich sah ihn natürlich als Sekretär des ZK, er hatte mich wahlweise für verschiedene Aufgaben vorgesehen und fragte: Was liegt Dir mehr, Chefredakteur des »Neuen Deutschland« oder Direktor der Parteihochschule »Karl Marx«? Zwei völlig hirnrissige Ideen, wenn man an meine Jugend denkt, an meine Erfahrungen, an meine Unreife, aber diese Ideen spielten in seinem Kopf eine Rolle.

Grimm: Gab es denn noch andere personelle Vorstellungen, wie Sie die Regierung besetzen wollten?

Harich: Das war alles offen, wir wollten Dinge abschaffen, die unserem Konzept der Wiedervereinigung im Wege gestanden hätten, also z.B.: Warum denn auf die Bundeswehr mit Wehrpflicht reagieren, mit einer NVA? Reagieren wir doch damit, daß wir keine Soldaten haben. Die Sowjetunion ist ja mächtig genug, die kann uns schützen. Und wenn wir keine NVA haben, dann ermuntert das die westdeutschen Jugendlichen, die ja noch die »Ohne-uns«-Kampagne im Ohr hatten, sich dem Wehrdienst zu entziehen und falls sie in die DDR kommen, die Garantie zu haben, keinen Wehrdienst leisten zu müssen, sondern sozialistische Aufbauarbeit. Oder, wir waren selbstverständlich Anhänger einer sozialistischen Landwirtschaft, aber nicht im Rahmen der DDR, sondern erst, wenn die Einheit Deutschlands da ist. Und damit wir die westdeutschen kleinen und großen Bauern als Verbündete gewinnen können, oder zumindest nicht zurückstoßen, neutralisieren, lassen wir es bei uns bei den Resultaten der Bodenreform. Das waren dann die Punkte, wo bei den Verhören das große Tabu einsetzte. Wenn ich einen Gedanken an einen Schritt zurück in der DDR den Vernehmern plausibel zu machen versuchte, aus gesamtdeutschen Überlegungen und Spekulationen, dann wurde das sofort abgeblockt: Dafür sind wir nicht zuständig, wir sorgen nur für die Sicherheit der DDR, und darauf haben Sie uns zu antworten. Und da wollten Sie keine NVA, und da wollten Sie keine Kollektivierung der Landwirtschaft und das ist hier in diesem Land, für dessen Sicherheit wir zuständig sind, konterrevolutionär.

Grimm: Wie verliefen die Gespräche, die Sie mit der SPD hatten in diesem Zusammenhang. Wie reagierte die SPD auf Ihre Pläne?

Harich: Da muß ich jetzt mal eine wirklich infame Lüge widerlegen: Heft 5 der »Deutschen Zeitschrift für Philosophie« wurde von mir noch redigiert und später soweit möglich eingestampft. Die Materialien von Heft 6 von 1956 fielen großenteils auch unter den Tisch. Es wurde ein Doppelheft 5/6 gemacht, das dann im Januar 1957 erschien, da hat Kurt Hager die allgemeiner gehaltene Anklage von Ulbricht gegen die Gruppe im allgemeinen, gegen mich im besonderen, spezifiziert, und da ist der Harich der Agent des Ostbüros der SPD und Ulbricht hat gesagt, seine Konzeption sei ihm diktiert worden vom Ostbüro der SPD. Davon ist kein Wort wahr. Genau das Gegenteil ist richtig. Die SPD-Leute in Westberlin, mit denen ich zu tun hatte,stellten sich auf den Standpunkt: Hören Sie mal, Sie haben Raupen im Kopf, Sie machen sich Illusionen, das und das ist gar nicht drin. Die versuchten nicht, mir meine Konzeption zu diktieren, sondern mir klar zu machen, manchmal mit ähnlichen Argumenten wie Puschkin, daß es illusorisch sei. Die hätten natürlich gern den Kontakt mit mir aufrecht erhalten und hätten dann sicher auch aus mir gern einen Ostbüro-Agenten gemacht. Aber soweit kam es nicht, da schlug ja die Staatssicherheit rechtzeitig zu, ehe sich so etwas entwickeln konnte. Dazu kam es nicht. Es waren kontroverse Gespräche. Ich war ja dann auch getrieben von der Angst, daß die ungarischen Verhältnisse übergreifen könnten auf die DDR und hatte die Bitte an die Westberliner SPD-Führung, dem gegebenenfalls durch Beruhigung entgegenzuwirken. Keine Neuauflage des 17. Juni, keine Unruhen, keine Lynchjustiz wie in Ungarn, das war mein Anliegen. Da sagten die: Sie haben schon recht, wir sind nicht interessiert an Unruhen in der DDR, und möglicherweise wird unser Parteivorstand ganz ohne Ihr Dazutun und ohne Ihre Bitten sowas auch tun. Aber wir sehen das gar nicht so, wir sehen das ganz anders. Wir sehen, daß der DDR-Bürger die Erfahrungen des 17. Juni und die russischen Panzer und die Erinnerung daran ganz frisch hinter sich hat und Unruhen in der DDR als akute Gefahr sehen wir nicht.

Grimm: Wo haben Sie in Westberlin mit der SPD verhandelt?

Harich: In der Ziethenstraße mit dem stellvertretenden Vorsitzenden der Berliner Parteiorganisation der SPD, Joseph Braun. Das war noch ein legales Gespräch, weil ja diese Partei in allen vier Sektoren zugelassen war. Er sagte, er würde das an den Parteivorstand weiterleiten und bestellte mich für den 3. November zu einem Gespräch mit einem Genossen vom Parteivorstand, der speziell mit diesen Sachen befaßt sei. Ich kam aber bereits am 2. November wieder unter dem Eindruck der Nachrichten aus Ungarn, die mich ein Übergreifen der Unruhen aus Ungarn auf die DDR befürchten ließen. Da sprach ich wieder mit Joseph Braun und mit einem mir unbekannten, der dabei saß, und die beiden haben mich beruhigt: Das was die Ungarn da jetzt wollen, Austritt aus dem Warschauer Pakt, das ist überhaupt nicht drin. Da greifen die Russen noch mal ein und dann ist Schluß damit. Sie brauchen nur mal einen Blick auf die Landkarte zu werfen, um zu wissen: Daraus wird nichts. Und hier in der DDR, ich kann Ihnen nur wiederholen, sehen wir die Möglichkeiten von Ungarn nicht. Kommen Sie mal morgen wieder. Und am 3. November schied dann Joseph Braun als Gesprächspartner aus, und es machte sich dort ein Genosse Weber vom Parteivorstand der SPD bekannt. Der hat mir im Lauf der Gespräche dann Papiere in die Hand gedrückt, da stand drauf: herausgegeben vom Ostbüro beim Parteivorstand der SPD. Dann sagte er: Ihre konkreten Vorstellungen setzen Sie jetzt diesem jungen Genossen hier auseinander, das ist Siegfried. Von Siegfried kriegte ich eine Telefonnummer und mit dem habe ich dann noch einmal gesprochen am 6. November und am 16. November, dann war die Sache zu Ende. Daß ich mit der SPD Beziehungen aufgenommen habe, war meinen Vernehmern bereits bekannt. Das war das erste, was sie mir vorhielten als ihnen bereits bekannt: Also mit dem haben Sie gesprochen, Joseph Braun, gut, okay. Und dann Weber, ach Weber, unser alter Bekannter, unser Konterkollege, das ist doch das Ostbüro, nicht wahr? Ja, sage ich, der hatte so eine Broschüre vom Ostbüro. Ach, die hat er Ihnen in die Hand gedrückt. Und mit wem haben Sie weiter? Ach mit Siegfried, typischer illegaler Kontakt. Das waren Agenten. Sie kannten nur die Vornamen, Sie waren Wolfgang, er Siegfried. Alles in Ordnung, wir wissen Bescheid. Danke schön, hier ist das Protokoll, unterschreiben Sie mal. Die Gespräche mit Siegfried gingen dann aber ins Detail und da gab es Meinungsverschiedenheiten, so daß man auf keinen Fall sagen kann, die Konzeption ist mir von Weber oder Siegfried diktiert worden. Das ist falsch. Das haben Ulbricht und Kurt Hager später dann daraus gemacht.

Grimm: Wir müssen zu Lukács kommen. Sie haben als Chefredakteur der »Deutschen Zeitschrift für Philosophie« mit Georg Lukács zusammengearbeitet. Welchen Eindruck hat Lukács auf Sie gemacht, und wo hat er Sie nachhaltig beeinflußt, als Mensch wie als Wissenschaftler?

Harich: Einmal war ich von den Büchern von Lukács völlig hingerissen. Also als erstes ist mir bereits 1945 »Geschichte und Klassenbewußtsein« in die Hand gefallen. Das habe ich aber abgelehnt und zwar nicht, weil es von der Partei abgelehnt wurde, sondern weil ich Schüler von Nicolai Hartmann war und als Schüler von Nicolai Hartmann auf dem Boden der Unabhängigkeit der Realität der Außenwelt und der Widerspiegelungstheorie in der Erkenntnistheorie stand. Da machte er etwas aus dem Marxismus, was nicht stimmt, da ist Nicolai Hartmann besser. Wegen meines Voreingenommenseins von Nicolai Hartmann hatte ich ja auch diese ungeheuer starke Affinität zu dem Buch »Materialismus und Empiriokritizismus« von Lenin, das war sehr entscheidend. Ich kannte die Kommunisten als konsequente Widerstandskämpfer und so imponierten sie mir. Jetzt drückte mir Alex Vogel »Materialismus und Empiriokritizismus« in die Hand, das ich im Winter 1944/45 gelesen habe und gedacht habe: Das ist richtig, die haben hier eine ganz solide Philosophie, ist ja Nicolai Hartmann, mit ein bißchen viel unfeiner Polemik, aber na gut, das scheinen die Kommunisten gern zu haben. Engels polemisiert ja auch ständig. Da war ich gegen diese subjektiv idealisierten Geschichten bei Lukács, gegen »Geschichte und Klassenbewußtsein«, immunisiert. Aber im übrigen war mir klar, daß er der fruchtbarste Denker ist, den die Marxisten überhaupt seit Marx und Engels haben. Und als Philosoph, wenn auch hier in »Geschichte und Klassenbewußtsein« auf dem falschen Weg, viel fachgerechter und genialer auch als Lenin. Dann der spätere Lukács, der sich von »Geschichte und Klassenbewußtsein« gelöst hatte, das war so ganz und gar mein Mann. In dieser oder jener Frage gab es Unterschiede der Meinungen. Ich war der Meinung, daß er z.B. in seiner Goethe-Interpretation das Naturbild Goethes, die Naturanschauung von Goethe nicht genügend würdigte. Ich hatte hier und da was auszusetzen. Er lag mir unendlich viel näher als Bloch.

Grimm: Sie haben mit Lukàcs seit 1950 korrespondiert, im Aufbau-Verlag seine Bücher verlegt. Aber persönlich kennengelernt haben Sie ihn ja erst viele Jahre später in Weimar. Damals haben sich dort doch auch Lukács und Bloch wiedergesehen, welche Stimmung herrschte zwischen den beiden?

Harich: 1955 haben wir uns dann kennengelernt in Weimar anläßlich des 150. Todestages von Schiller und der dortigen Begegnungen mit Thomas Mann, der da zum zweiten Mal in die DDR gekommen ist. Da hat nun Lukács sich falsch erinnert an die ganze Geschichte. Er schrieb z.B.: Das fand statt in Jena. In Jena war eine Feier, aber man wohnte in Weimar im Hotel Elephant. Damals schrieb er mir, Thomas Mann hätte sich um ihn überhaupt nicht gekümmert, der habe mit Ulbricht und den anderen Bonzen zusammen getafelt, er, Lukács, hätte nur am Katzentisch gesessen. Das stimmt auch nicht. Erstens war Ulbricht überhaupt nicht in Weimar. Die höchsten Würdenträger, die in Weimar waren, waren Johannes R. Becher, Kurt Hager und Paul Wandel. Dann hat Thomas Mann mit Erika Mann auf seiner Stube gegessen. Er hat ausdrücklich gewünscht, daß bei dem einzigen großen Diner, daß es ihm zu Ehren gab, Lukács ihm gegenüber gesetzt wird, und die hatten einen regen Gedankenaustausch. Auch hat Lukács vergessen, daß Thomas Mann eine glühende Huldigung für ihn geschrieben hat zu seinem 70. Geburtstag. Lukács' Urteil über Thomas Mann ist also ungerecht. Lukács war dort mit seiner Frau, und obwohl er und seine Frau fließend deutsch sprachen, war merkwürdigerweise für ihn von der DDR eine Dolmetscherin abgestellt. Ob die nun einen Sonderauftrag hatte, das entzieht sich meiner Kenntnis. Bei dieser Begegnung begann Lukács mir zweierlei auseinanderzusetzen. Erstens die Grundgedanken seiner »Ästhetik«, an der er zu schreiben angefangen hatte, teils im persönlichen Kreis, teils auch im Diskussionskreis mit anderen. Da gab es Diskussionen über die Frage der Widerspiegelung in der Ästhetik. Da hat er sich dann den Diskussionen von Studenten der Friedrich-Schiller-Universität und Kunststudenten gestellt. Dann hat Bloch in Jena einen Vortrag über Schiller gehalten. Wir sind da zusammen hingefahren. Er hat sich den Vortrag angehört. Es ging darin um Schiller als den großen Mann der Kolportage, »Träume eines Geistersehers« usw. Da gab es nun ein gerührtes Wiedersehen von Lukács und Bloch nach langen Jahren. Zwischen denen herrschte herzlichstes Einvernehmen. Nicht in philosophischen Fragen, da brachen sofort die Gegensätze auf, aber in kulturpolitischen und politischen Fragen. Sowie sie auf ihre philosophischen Gegensätze zu sprechen kamen, brach der alte Streit wieder aus. Ansonsten war das Verhältnis sehr herzlich. Sie küßten sich. Bloch nahm den Lukács, er ist ja ein kleiner Mann, auf den Schoß. Sie bildeten eine Einheitsfront gegen den Provinzialismus, gegen Sektiererei. Das war ähnlich wie die spätere Begegnung zwischen Lukács und Brecht. Dann fing Lukács an, über Ungarn zu sprechen. Lukács und seine Frau haben sich ja immer »Sie« genannt. Das ist eine alte Sitte des ungarischen Adels. Die haben wir aber übernommen, denn wissen Sie, wenn man in der Partei ist, muß man sich mit soviel Idioten duzen, daß beim Sie die Intimität anfängt.

Was Lukács mit Bloch noch verband, war die gemeinsame Aversion gegen Walter Ulbricht. Die war bei Bloch rein emotional: Es ist unglaublich, daß diese Partei so tief herabgesunken ist, daß sie einmal von Liebknecht und Luxemburg geführt war, und jetzt von diesem miesen sächsischen Feldwebel, da ist ein Umbruch an Haupt und Gliedern nötig. Bei Lukács war das viel feiner. Der sagte: Ich bin ja eigentlich Mitglied der KPD gewesen von 1931 – 45, zwischen Ulbricht und mir war die Abneigung immer gegenseitig. Und Lukács erzählt von seinem Besuch bei Becher, wo er auch Ulbricht getroffen hatte. Da gab es ganz gut zu essen, und hinterher gab es Apfelsinen. Kurz vor dem Essen ist Ulbricht von nebenan gekommen und fragt: Wie geht es in Ungarn? Man hört ja vom Genossen Rakosi nichts als Gutes. Ulbricht sagt zu Lukács: Sehen sie, wieweit wir schon sind, wir haben Apfelsinen. Sagt die Lilli Becher: Aber Genosse Ulbricht, die habe ich doch aus dem Westen besorgt. Da hat Ulbricht mit hochrotem Kopf seine Apfelsine auf den Tisch geschmissen und hat wütend die Gesellschaft verlassen. Da sagt Lukács: Sehen Sie mal, das müssen Sie so bewerten. Im Grunde steckt in dem Ulbricht noch ein anständiger Kerl, der schämt sich solcher Sachen, daß sich die Bonzen Apfelsinen besorgen aus dem Westen. Aber die Weltfremdheit und das Sektierertum, daß der nicht weiß, daß wir keine Apfelsinen haben, das ist die gefährliche Illusion. Diese Partei hatte 360. 000 Mitglieder in den Jahren der Weimarer Republik, hatte sechs Millionen Wähler und war trotzdem eine völlig vom Volk abgetrennte Sekte, schon damals. Diese Sekte ist jetzt hier an der Macht. Diese Kritik von Lukács an Ulbricht ist natürlich viel tiefgreifender, als die von Bloch. Aber für mich als jungen Menschen, der die beiden philosophisch als Antipoden erlebte und sie aus ihren Büchern kannte und in der »Deutschen Zeitschrift für Philosophie« unter ein Dach zu bringen suchte, um mit den großen Potenzen die philosophisch interessierte Intelligenz auf breiter Ebene heranzuziehen, für mich war das natürlich ein kolossales, mobilisierendes Erlebnis, zu sehen, wie die sich einig waren in der Einschätzung von Ulbricht. Dazu kam nun die Anti-Ulbricht-Predigt und der Anti-Stalin-Haß und das Paul-Merker-Trauma bei meinem Vorgestzten Walter Janka im Aufbau-Verlag, das auf derselben Linie lag. Diese drei Dinge haben mich doch sehr stark beeinflußt. Bloch hat dann gesagt, daß er sich schämt, daß er damals einen Artikel über den Bucharin Prozeß geschrieben hat. Dann hat Lukács wieder gesagt: Da brauchst Du Dich nicht zu schämen, der hat dem Stalin einen Gefallen getan, das darf man nicht überbewerten, bloß nicht jetzt aus Bucharin einen Helden machen. Erstens soll man den Bucharin nicht verabscheuen, weil er das gemacht hat, sein Geständnis. Wichtig an Bucharin ist, daß er gegen den Brester Frieden war, und es war falsch, daß er nach ultrarechts gegangen ist und mit Stalin gegen die Linken gekämpft hat. Seine Auffassung des historischen Materialismus ist durch und durch mechanistisch. Ich war damals 32 Jahre alt, das hat mich alles kolossal beeindruckt.

Grimm: War die Anziehungskraft, die Lukács auf Sie ausübte, vielleicht auch durch seine großbürgerliche Herkunft geprägt? Sie selbst haben ja den Konflikt zwischen Intellektuellen proletarischer und bürgerlicher Herkunft innerhalb der Partei hautnah gespürt.

Harich: Meine bürgerliche Herkunft wurde von anderen für mich zu einem Problem gemacht. Ich war auf sie nicht stolz, hatte aber ihretwegen auch kein schlechtes Gewissen. Ich wußte, daß viele Leute in der Arbeiterbewegung, von Marx angefangen, aus dieser Ecke gekommen sind. Es gab aber auch Leute, die hatten deswegen ein so schlechtes Gewissen, daß sie in jedem Proleten ein höheres Wesen erblickten. Typisch auch der kleinbürgerliche Karrierist vom Typus Schrickel, der trotz besseren Wissens den Parteifunktionären zum Mund redete. Ich schätze mich ein: ja, gewisse karrieristische Züge kann man nicht bestreiten, bürgerliche Herkunft kann man nicht bestreiten. Aber eines muß man mir zugute halten: einen zeimlich untrüglichen Qualitätssinn, verbunden mit dem Gedanken, was gut und teuer ist, gehört hierher, auch um den Preis ideologischer Konzessionen. Bloch ist ja kleinbürgerlicher und Lukács großbürgerlicher Herkunft. Lukács hielt der Arbeiterbewegung zugute, daß sie von ungebildeten Leuten vertreten wird. Daß diese Funktionäre dann keine sehr kultivierten Menschen sind, das liegt in der Natur der Sache. Deshalb hat ihm Hartmanns Ausspruch so imponiert »Der Marxismus ist gar nicht so dumm«, das war bei Hartmann höchstes Lob, »Leider liegt es in seinem Wesen, von ungebildeten Elementen aufgegriffen zu werden, die tragen dann in die Philosophie ihren Dilletantismus hinein«. Darauf sagte Lukács noch: Die einen sind Schufte und Lumpen, die nichts wahrhaben wollen, gegen die muß man sich verbünden, mit den Lernwilligen gegen die Schufte, die einen aus Ignoranz bevormunden. Dabei muß man denen das Zugeständnis machen: Ihr seid die Vertreter der unterdrückten Klasse, die Opfer des bürgerlichen Bildungsprivilegs, jetzt müßt Ihr was lernen. Ich habe eine bürgerliche Vergangenheit, das hat seine schlechten Seiten, aber auch seine guten Seiten, ich kann euch was beibringen. Dann hatte er seine Theorie von zwei Sorten Sektierertum. Das eine ist das revolutionäre Sektierertum, das aus pauschaler Aburteilung der ganzen bürgerlichen Gesellschaft und ihrer Kultur ungeheuren Schaden anrichtet, aber aus echten revolutionären Impulsen. Die zweite Sorte von Sektierertum ist das bürokratische Sektierertum. Das ist jetzt der aktuelle Feind. Das übrige kann man vergessen. Und man kann diesen so großen Schaden, den das revolutionäre Sektierertum angerichtet hat, man kann dem zugestehen, daß das eine ehrliche Sache war, aber das bürokratische Sektierertum, das sind nur Schufte, Lumpen und Verbrecher. Da kommt es nur auf die Taktik an, wie man die isoliert, versucht, sich vor denen zu schützen und die eigene Sache zu retten. Das ist ein gefährlicher und schwieriger Kleinkrieg, den man führen muß, der einen ständig von der eigentlichen Arbeit abhält. Diese parteitaktischen, analytischen Differenzierungen haben bei Bloch überhaupt keine Rolle gespielt. Bei Bloch waren es immer mehr oder weniger geistreiche Pauschalurteile, verbunden mit dem Bestreben, seine eigene partikuläre Philosophie zur herrschenden zu machen mit berechtigtem Abscheu gegen die subalternen Funktionärsideologen vom Typ Gropp oder Schrickel.

Grimm: Wie sah ihre Zusammenarbeit mit Lukács im Aufbau-Verlag konkret aus?

Harich: Wir hatten Briefwechsel über »Die Zerstörung der Vernunft«, über sein Buch »Marxismus und Existentialismus«, um das ja hier sehr gekämpft werden mußte. Da wurde hier behauptet von Leuten wie Schrickel und Besenbruch und Wolfgang Heise, das wäre zu trotzkistisch. Das ist vollkommen albern. Es stehen lauter sture Fehlurteile gegen Trotzki drin. Ich habe dann mit Erich Wendt dafür gekämpft, daß wenigstens eine kleine Auflage davon erscheint. Aber da spielte sich der ganze Kontakt im Briefwechsel ab. Ich habe ihm dann auch Änderungsvorschläge gemacht, die er zum Teil akzeptierte, zum Teil nicht akzeptierte. Sagen wir mal in »Geschichte und Klassenbewußtsein«, da schießt er aus allen Kanonen gegen Ludwig Klages. Da habe ich ihm dann geschrieben: Moment, aber vergessen Sie nicht, Klages war ein Pazifist, berücksichtigen Sie das. Das hat er dann eingesehen und hat das dann geändert und geschrieben: Zufrieden waren die Nazis nicht mit Klages, denn er war ja ein Pazifist. Das ist sozusagen eine Anregung von mir. Das war in der »Zerstörung der Vernunft«. Dann habe ich darum gekämpft, daß sein meiner Meinung nach bestes Buch der damaligen Periode, »Der junge Hegel«, bei uns herauskäme. Das habe ich erst geschafft nach dem Tode Stalins. Das ist dann erst 1954 erschienen im Aufbau-Verlag. Ich habe dann auch stilistisch manches bei ihm verbessert und ihm dann geschickt, und er hat das dann autorisiert. Wenn Sie vergleichen: Die stilistischen Unterschiede in dem Buch »Der junge Hegel« gehen auf mich zurück, sind aber von Lukács autorisiert. In einem Fall hat er eine Arbeit geschrieben über den jungen Marx, zu einem damaligen Marx-Jubiläum. Da habe ich ihm geschrieben: Sie vergessen ganz den Feuerbach, was der für einen Einfluß auf den jungen Marx hatte. Da hat er gesagt: Schreiben Sie es dazu und zeigen Sie es mir dann. Dann habe ich das da reingeschrieben, habe es ihm geschickt, er hat es autorisiert, und er hat geschrieben: Das ist ein gemeinsames Werk von Harich und mir zur philosophische Entwicklung des jungen Marx. In dieser ganzen Zeit hat Lukács einen ungeheuren Einfluß auf mich ausgeübt. Der Eindruck seiner Persönlichkeit auf mich wurde immer stärker, meine Liebe zu diesem Mann wurde immer stärker. Allerdings kam man bei ihm ja schwer zu Wort. Wenn man dem sagte: Ach, Sie bestellen ein Rinderfilet. Sie sind ja ein Feinschmecker! dann kam von ihm ein zweistündiger Vortrag, warum ein Marxist kein Asket zu sein braucht. Dann zeigte er seinen Anzug, und der wäre auch aus sehr edlem Stoff, das könne man mit marxistischer Weltanschauung durchaus vereinbaren. Da sagte ich: Aha, die Eleganz von Naphta aus dem »Zauberberg«. Da sagte er: Jawoll, ganz richtig, das hat Thomas Mann bei mir erlebt, obwohl ich damals arm war wie eine Kirchenmaus, war ich doch elegant bekleidet, und das hat Thomas Mann gesehen. Dann gab es, glaube ich, einen Punkt, wo ich nun wieder den Lukács beeinflußt habe. Ich habe ihn aufmerksam gemacht auf Nicolai Hartmann und habe ihn immer gedrängt, sich mit Nicolai Hartmann zu beschäftigen und schließlich hatte er sich von mir eine Blütenlese von Nicolai Hartmann vorlesen lassen, während seine Frau ihn daran hinderte, mir immer ins Wort zu fallen. Die hielt ihm dann immer den Mund zu.

Als ich ihm das vernichtende Urteil von Hartmann über Heidegger vorlas, da sagte er: Von dem muß ich alles lesen, sagen Sie dem Janka Bescheid, bitte, alle Bücher von Nicolai Hartmann zu mir. Das war 1956 im Sommer. Nach meiner Haftentlassung habe ich an der »Ästhetik« und später dann noch mehr an der »Ontologie des gesellschaftlichen Seins« gesehen, daß der ganz späte Lukács eine Synthese von Marxismus/Leninismus und kritischer Rezeption der Ontologie Nicolai Hartmanns ist, wobei in der »Ästhetik« noch eine breite Auswertung von Goethe hinzukommt.

Grimm: Welche Wirkung hatte Lukács als Politiker auf Sie?

Harich: Lukács hat mich politisch beeinflußt mit seinen Gedanken einer schnellen, umfassenden, radikalen Überwindung des Stalinismus, für die aber weder bei ihm, noch bei uns, in unserem Land, die Zeit offensichtlich richtig reif war. Er ist sozusagen das ideologische Haupt der Gruppe gewesen. Die deutschlandpolitische Konzeption der Gruppe, die jugoslawische Geschichte, die SPD-Geschichte, die Spekulation auf eine Wahl in Bonn 1957, wie wir die beeinflussen könnten, daran hatte er keinen

Anteil. Das ist in der Gruppe gänzlich ohne seinen Einfluß diskutiert worden.

Grimm: Zu Ihren Haftbedingungen. Vielleicht könnten Sie darauf antworten. Unter welchen Bedingungen haben Sie die acht Jahre und drei Wochen verbracht? Es gibt Stimmen, die sagen, Sie sind aus der Haft gekommen und haben ein fertiges Buch, nämlich das Jean Paul-Buch, in der Hand gehabt. Also müßten Sie doch sehr gute Haftbedingungen gehabt haben?

Harich: Auf das Jean Paul-Buch komme ich gleich noch zurück. Ich habe zuerst in Hohenschönhausen gesessen in dem Keller, allerdings nicht allein, sondern mit einem anderen zusammen, der sich Kurt Witzel nannte, und von dem ich Grund zu der Annahme habe, daß er dazu da war, mich zu lenken und mir noch einige Würmer aus der Nase zu ziehen, ein Mitarbeiter der Staatssicherheit, wobei ich nicht weiß, ob sie einen Häftling dafür angeworben haben, oder ob das ein Offizier war, der einen Häftling spielte. Das war auf der einen Seite natürlich eine Erleichterung der Haft, man war nicht völlig einsam, aber auf der anderen Seite auch eine Erleichterung für die Verhöre der Stasileute oben. Nach meinem Prozeß kam ich sofort in Einzelhaft, erst mal bis Anfang 1959 in der Haftanstalt Magdalenenstraße. Ich wüßte nicht, daß ich da irgendwelche besonderen Vergünstigungen bekommen hätte. Die Staatssicherheit ist legerer im Ausleihen von Büchern. Wenn man ein Buch zu Ende gelesen hat, dann kann man die Klappe drücken, dann kommt einer mit einer Liste, man sucht sich ein anderes Buch aus und innerhalb von zwei, drei Tagen kriegt man dann ein anderes Buch und kann das lesen. Das war also auch eine lehrreiche Zeit, eine Zeit von viel Lektüre. Ich hatte die Gefangenennummer 5/59. Anfang Januar kam ich dann in derselben Art, wie Janka das schildert, in der grünen Minna nach Bautzen, Objekt 2, auch da in Einzelhaft. Das war nicht besonders warm, das war auch nicht besonders kalt, eine solche Erinnerung, daß ich da in eine extra kalte Zelle gesperrt worden wäre, habe ich nicht. Aber es war eben, wie gesagt, Einzelhaft. Da habe ich dann manuell arbeiten müssen, erst Druckknöpfe von Kohinoor aufdrücken auf die Karten, wobei ich 1959 im Oktober schon das Soll überschritt, so daß ich da eine Prämie kriegte von 5 Mark als Anerkennung für Sollerfüllung aus Anlaß des 10. Jahrestages der Gründung der DDR. Dann kam später eine etwas qualifiziertere Arbeit, auch in Einzelhaft. Das war die Montage von Wendestützen für Fahrstühle. Das ist mir sehr schwergefallen.

Grimm: Gab es in der Haft auch Begegnungen mit anderen Gefangenen, die wie sie selbst in den Strudel der Verurteilungen hineingezogen waren?

Harich: Es gab einen Kalfaktor, der unter Bewachung eines Volkspolizisten das Arbeitsmaterial morgens in die Zelle brachte und abends wieder herausholte. Und das war eine ganze Zeit lang Georg Dertinger, der ehemalige Außenminister der DDR. Der soll 1953 so eine Mission gehabt, einen Versuch gemacht haben, die Einheit Deutschlands wiederherzustellen und soll nach Berijas Sturz dann selber gestürzt und Ende 1953 zu 25 Jahren Haft verurteilt worden sein. Der war da tätig als Kalfaktor. Man hatte ja keine Gelegenheit, mit dem Gedanken auszutauschen. Ich habe mal auf dem Hof mit ihm die Decke ausgeschüttelt. Das war einmal in der Woche der Fall, da hat er dann gesagt: Mit ihnen würde ich mich mal gerne unterhalten. Das war alles. Dann wurde darauf geachtet, daß die Gefangenen bei der halben Stunde auf dem Hof in großem Abstand voneinander gingen. Bei der Gelegenheit habe ich dann Kurt Vieweg kennengelernt. Wir haben uns mal dieses und jenes Wort zuraunen können, aber das war überhaupt nicht der Rede wert. Ich kann nicht sagen das Vieweg ein Gesprächspartner von mir gewesen ist.

Grimm: Walter Janka wurde 1960 aus dem Gefängnis entlassen. Wie war es bei Ihnen?

Harich: Dazu muß ich noch folgendes erzählen. Im Laufe des Jahres 1959 und ins Jahr 1960 hinein verschlechterte sich mein Gesundheitszustand durch Herzzustände. Da hat man mich 1960 abgeholt und mit einem Volkspolizisten in einem PKW nach Berlin-Hohenschönhausen gebracht. Dort wurde ich medizinisch untersucht und der Arzt hat gesagt: Sie haben einen Myokardschaden. So war ich dann von der Außenwelt völlig isoliert und kriegte überhaupt keine Zeitung, nichts. Ich kriegte immer Medizin, 3 mal am Tag kam ein Kalfaktor mit einer Tasse, wo ich was schlucken mußte, was irgendwie sauer war. Alle 3 Wochen wurde wieder ein EKG gemacht. Anfang 1961 kam ich wieder nach Bautzen zurück. So, und eine Ärztin, die mich nach 1968 behandelt hat am Herzen, die behauptete, ich hätte schon mal einen Herzinfarkt gehabt. Sage ich: Davon weiß ich nichts. Doch, sagt sie, hier ist das zu sehen, dieser Huckel auf dem EKG ist ein vernarbter Herzinfarkt. Jetzt erinnern Sie sich mal ganz genau an die und die Beschwerden, wann wurden Ihre Füße dick? Ja, ja, das war in Bautzen 1960. Ja sehen Sie, da hatten Sie in der Haft einen Herzinfarkt; und was hat man mit Ihnen gemacht? Na, man hat mich nach Berlin gebracht, untersucht und hat gesagt: Myokardschaden. Ja, Myokardschaden kann man es auch nennen, das war ein Herzinfarkt. Andere Ärzte später, sowohl hier in der DDR, als auch in Westdeutschland, während der Zeit, wo ich drüben bei den Grünen war, die waren sich unsicher. Die einen haben gesagt: Ja, das ist ein Herzinfarkt. Andere haben gesagt: Nein, das ist keiner.

Also das war etwas an Sonderbehandlung medinzinischer Art und da damals gerade Wilhelm Pieck starb und Walter Ulbricht den Staatsrat übernahm und dann ein Gnadenerweis erfolgte, habe ich mir Illusionen über meine eigene Situation gemacht und gedacht: Jetzt wird vielleicht auch etwas für dich drin sein, wenigstens eine Haftverkürzung, und das hat mir, auch durch eine gewisse Euphorie, über diese Beschwerden hinweggeholfen. Damit war dann aber nichts. Ich mußte über vier Jahre weitersitzen. Ich kam wieder zurück nach Bautzen und genau an dem Tag, nachdem ich fünf Jahre abgesessen hatte, genau am 29.11.1961 wurde ich nun mit einem anderen zusammengelegt mit einem älteren, zu lebenslanger Haft verurteilten, englischen Militärspion, der von Prinz Max v. Baden über sämtliche Regierungen von der Weimarer Republik bis zur Nazizeit, bis zu Pieck und Grotewohl und Ulbricht und Dieckmann als Debattenstenograph gearbeitet hatte. Der hatte all sein Material, was er hier aus der DDR wußte, durch seine Frau zehn Jahre lang an den englischen Geheimdienst verschieben lassen. Der Mann konnte viele interessante Geschichten aus der Politik erzählen, litt aber unter kolossalen Depressionen. Ich habe ihm immer Illusionen gemacht: Paß auf, es kommt die Anerkennung der DDR, dann kommt die Königin hier zu Ulbricht gefahren, die holt Dich hier raus, Otto, laß den Kopf nicht sinken, die Königin von England naht. Jetzt ist schon wieder eine Gipfelkonferenz von Chruschtschow und Eisenhower, paß mal auf, alles geht gut. Dann stellten sich zwischen uns auch Meinungsverschiedenheiten heraus, die zu Krächen führten und zwar über die Erschöpfbarkeit der Rohstoffe der Erde. War ganz interessant. Ich war der Meinung: Die gehen zu Ende. Er war der Meinung: Die Ingenieure und Wissenschaftler finden etwas. Das war der Streit zwischen uns. Nun das ewige Zusammensitzen und auf dasselbe Klo Gehen und nachts im selben Raum Schlafen, das hat uns wachsend nervös gemacht. Nach acht Monaten gemeinsamer Haft haben wir beschlossen, uns scheiden zu lassen und haben beantragt, uns wieder in Einzelhaft zu setzen. Der Gefängnisdirektor da in Bautzen, der hat dann zu mir gesagt, aber Harich, sie müssen allmählich lernen, wieder mit Menschen umzugehen. Das ewige Alleinsein, das geht nicht, aber bitte schön, wenn sie das wollen, und von dem Moment an, wo ich von dem getrennt war – ich hatte mich immer gesehnt rauszukommen aus der Einzelhaft – war die Einzelhaft für mich ein einziger Genuß, so daß ich heute sagen kann, ich bin leidenschaftlicher Anhänger der Einzelhaft. Das ist wie im Krankenhaus erster Klasse. Ich möchte aber nicht, daß das veröffentlicht wird, weil ich den Kämpfern im Westen, die gegen die Isolierfolter kämpfen mit meinen Erfahrungen nicht in den Rücken fallen möchte.

Nun ging das weiter mit der ganz normalen Arbeit. Im Oktober 1963 wurde ich nun wieder nach Berlin gebracht in die Magdalenenstraße. Da hat man mir die Möglichkeit gegeben, nicht nur Bücher zu lesen, sondern man hat zu mir gesagt: Also passen Sie auf, mit Philosophie ist es bei Ihnen aus. Das wird es nie wieder geben, das ist unser Allerheiligstes, da lassen wir Leute wie Sie nicht ran. Aber Sie sind ja auch Germanist, überlegen Sie sich doch mal ein Thema, ein literaturwissenschaftliches Thema, über das Sie arbeiten wollen. Da habe ich mich auf das Thema Jean Paul gestürzt, weil mich wahnsinnig gewurmt und geärgert hatte, daß der 1963 im »Neuen Deutschland«, das ich ja zu lesen bekam, zu seinem 200. Geburtstag mit keiner Silbe erwähnt wurde. Da habe ich mir gedacht, wenn ich rauskomme, dann werde ich Euch mal zeigen, wer Jean Paul ist. Mein Vater hatte daran auch schon gearbeite, Jean Paul ist der Hausgott der Familie. Johannes R. Becher hat immer zu mir gesagt: Wissen Sie, Jean Paul muß etwas ganz, ganz Großes sein, aber wir finden keinen Zugang dazu. Ich habe immer vergeblich gesucht, mich in ihn hineinzulesen, habe es nie geschafft, aber es muß etwas ganz Großes sein. Und wenn Ihr Vater Jean Paul-Forscher war, überlegen Sie es sich doch mal. Das waren Gespräche mit Becher Anfang der fünfziger Jahre. Na ja, daran habe ich mich erinnert. Da habe ich mir dann dieses Thema gewählt. Und von da an, von 1964 an, durfte meine Mutter mir Bücher über Jean Paul und das ganze Umfeld in die Haft bringen und ich konnte da nun lesen und arbeiten und mein Jean Paul-Buch vorbereiten. Das war alles nur eine Vorarbeit. Es hat zehn Jahre lang gedauert bis das Buch selbst fertig war, nämlich bis 1973/74. Und davon, daß ich aus der Haft mit einem fertigen Jean Paul-Buch herausgekommen wäre, kann überhaupt keine Rede sein. Es sind alles nur Vorarbeiten gewesen.

Grimm: Als man Sie zurückführte in die Magdalenenstraße, hat man dort versucht, Sie für die Mitarbeit in der Staatssicherheit zu gewinnen?

Harich: Nein, das hat man nicht versucht. Es hat sich aber nach meiner Haftentlassung folgendes abgespielt: Ein Stasioffizier hat mich mit dem Auto in meine Wohnung gebracht, ein Oberstleutnant Seifert, 18. Dezember 1964. Der hat gesagt: Wir treffen uns im Januar wieder, da sprechen wir über Ihre berufliche Eingliederung. Mit dem habe ich mich dann getroffen. Der hat mir den Vorschlag gemacht, Karten auszufüllen über Neuerscheinungen in der Staatsbibliothek, was mir aber zu subaltern erschien. Da kam Helene Weigel dazwischen, mit dem Angebot: Harich, ich mache Sie zum Dramaturgen am Berliner Ensemble. Jetzt hätte ich mir diese Sache mit dem Seifert überlegen sollen, er wollte sich noch mal mit mir treffen. Da habe ich gesagt, inzwischen hat mir Helene Weigel dieses Angebot gemacht. Da sagt er: Das bitte nicht. Ich rufe Sie noch mal an. Ich sage Ihnen noch etwas anderes. Dann hat der mich noch mal angerufen und gesagt: Melden Sie sich doch mal beim Akademie-Verlag. Da habe ich mich beim damaligen Leiter des Akademie-Verlages, Ludolf Koven, gemeldet. Der hat gesagt: Ist schon alles in Ordnung, ich weiß schon Bescheid, über Lucie Pflug, die Leiterin der Abteilung Verlagswesen beim Kulturministerium. Kommen Sie dann und dann. Da kriegte ich diesen Vertrag als freier Mitarbeiter und wurde dann eingespannt für die Feuerbachausgabe, die der Schuffenhauer nicht schaffte, weil er der Sekretär des Vizepräsidenten Heinrich Scheel von der Akademie der Wissenschaften war. Jetzt kriegte ich im Februar 1965 einen Anruf vom ZK, daß ich mich bei einem Genossen Wagner melden soll, Genosse Wagner, Kaderfragen. Ein Zettel dafür, daß Sie reinkommen können, liegt schon vor. Dieser Genosse Wagner hat mich empfangen in seinem Büro und hat gesagt: Was will die Stasi von Ihnen? Da hat sich doch jemand mit Ihnen getroffen. Ich sage: Ja, der Oberstleutnant Seifert. Was wollte er von Ihnen? Ja, sage ich, das ging um meine berufliche Eingliederung. Wollte der nichts anderes? Nein, sage ich, der wollte nichts anderes und das ist jetzt erledigt. Hat er sich nicht noch mal mit Ihnen verabredet? Ich sage: Nein. Sagt er: Sie waren doch beim Geburtstag von Ernst Busch eingeladen. Hat Sie der Seifert befragt was dort besprochen worden ist? Mit keinem Wort. So, sagt der, dann ist ja gut. Dann nehmen Sie bitte folgendes zur Kenntnis: keine Beziehung zu denen. Wenn die sich bei Ihnen melden und irgendwas wissen wollen, dann melden Sie sich sofort bei uns, und wir biegen das ab. Wir wollen nicht, daß die mit Ihnen irgendwas zu tun haben.

Grimm: Warum haben Sie denn damals das Angebot von Helene Weigel nicht angenommen?

Harich: Ich habe das weder angenommen noch abgelehnt, sondern ich habe gesagt: Ich werde es mir überlegen. Ich habe gesagt, Helli, das ist sehr lieb von Dir, d.h. von Ihnen – sie hat ja immer alle geduzt, und alle mußten sie siezen – halten Sie das Angebot aufrecht. An sich habe ich nicht die Absicht ans Theater zu gehen, an sich nicht, aber halten Sie das Angebot aufrecht, ich bitte Sie darum und ich war ja nun mit diesem Oberstleutnant Seifert verabredet, ich hätte mir diese andere Sache überlegen sollen. Nun kam ich mit diesem Angebot, das wollte der nicht. Aber ich wäre nicht gern Dramaturg beim BE geworden. Für mich war die Theatergeschichte abgeschlossen, ich habe zu Helli Weigel gesagt:

Wenn Sie in einer konkreten Sache an mich eine Frage haben, die beantworte ich Ihnen gerne. Da kam sie mit »Kipper« von Volker Braun, was ich davon halte. Dann kam ich von mir aus mal mit Heiner Müllers »Philoktet« zu ihr. Das ist schon vorgekommen, aber auf rein privater Basis. Aber ich wollte jetzt nicht beruflich ein Theatermann werden. Ich bin Philosoph und Literaturwissenschaftler und das wollte ich nicht.

Grimm: Bei Bertolt Brecht und Helene Weigel haben sie ja auch Robert Havemann kennengelernt. Stimmt es, daß Sie Havemanns Angebot zur Zusammenarbeit nach Ihrer Haftentlassung abgelehnt haben?

Harich: Havemann kannte ich schon als er noch Gutachter für den Aufbau Verlag war. Dann kam die Zeit nach Stalins Tod, der XX. Parteitag, da entdeckte Havemann sich als großen Philosophen, der den dogmatischen dialektischen Materialismus und die Philosophie der ewigen Wahrheiten abschaffen wollte. Was herauskam, war der reinste Positivismus. Er wollte den Marxismus als Philosophie liquidieren. Da gab es zwischen uns eine Kontroverse im »Sonntag« im Sommer 1956, wo ich den Havemann scharf kritisiert habe in Verteidigung des philosophischen Anspruchs des Marxismus. In der Beziehung war ich ja ganz orthodox und bin es ja heute noch. Bin heute noch der Meinung, daß es völlig falsch ist, den Marxismus auf eine positive Wissenschaft von der Gesellschaft und der Ökonomie zu reduzieren und bin für den philosophischen Anspruch eigener Ontologie, eigener Naturphilosophie, eigener Ethik und Ästhetik, also einer umfassenden Weltanschauung, die allerdings philosophisch unausgearbeitet ist.

Havemann lehnte das ab. Der war für die vollkommene Abschaffung der Philosophie, die überflüssig sei und zu ersetzen durch positive Wissenschaft. Da hat er mich dann hingestellt als den Dogmatiker, und dann überschnitten sich die Linien. Auf der einen Seite wurde ich bei Aufrechtbehaltung des philosophischen Quasi-Dogmatismus politisch immer oppositioneller, während Havemann philosophisch immer mehr abrückte vom Marxismus und politisch sehr loyal blieb. Während ich im Knast saß, ist dann Havemann über philosophisch oppositionelle Vorlesungen, die an der Universität sehr stark besucht wurden, Anfang der sechziger Jahre auch allmählich zu einem politischen Oppositionellen geworden. Dann kam ich aus dem Knast raus, da versuchte der sich mit mir in Verbindung zu setzen. Ich war gerade nicht da, meine Mutter war am Apparat, die sagte, um Gottes willen, Herr Havemann, lassen Sie meinen Sohn zufrieden, der hat jetzt genug gelitten. Das richtet sich nicht gegen Sie, aber das richte ich dem gar nicht aus, daß Sie hier angerufen haben. Dann hat sie es mir doch ausgerichtet: Junge, ich beschwöre Dich, gehe nicht zu dem Havemann, der macht schon wieder politische Opposition, tu es mir zuliebe nicht. Ich habe ihn auch nicht angerufen, gebranntes Kind scheut das Feuer. Mit Schottlaender habe ich mich öfter getroffen. Wir haben miteinander gefachsimpelt. Der hat mir dann 1965/66 gesagt: Havemann macht gegen Sie Stunk. Der verbreitete die bekannten Jankaschen Geschichten über die Haft. Schottlaender sagte dann: Wenn man da ein bißchen nachfragt, ist da wenig Substanz. Für mich ist das ein Gerede. Woher der Havemann es hat, weiß ich nicht. Ich an Ihrer Stelle wäre da auch knieweich geworden. Wieder ein paar Jahre später, da kriegte ich dann dieselbe Mitteilung von Marlis Menge. Die sagte, das ginge aus von Janka, der hätte den Havemann in diesem Sinne beeinflußt. Sie hatte damals aber eine ähnliche Einstellung wie Schottlaender. Den Havemann habe ich nie gemocht, aus philosophischen Gründen, ich fand ihn auch einen furchtbaren Angeber, auch seine ganze Oppositionsrederei, was er über die Westmedien gesagt hat, das ist die übliche sozialdemokratische Kritik am Kommunismus gewesen, nur auf sehr niedrigem Niveau, nur dadurch, daß er das als DDR-Bürger sagte, hatte das einen gewissen Reiz. Das ist so etwas wie das Vaterunser von amerikanischen Astronauten gebetet auf dem Mond. Rudolf Bahro – das ist ganz was anderes, den halte ich schon für einen sehr schöpferischen Geist. Daß dann Havemann nie wieder versucht hat, mit mir in Kontakt zu treten, das ist auch blockiert worden von diesem Janka. Und von Havemann hatte es dann wieder Biermann.

Grimm: Warum ist Ihre Haltung zu Wolf Biermann so unversöhnlich?

Harich: Biermann wohnte ja in den sechziger Jahren um die Ecke von Gisela May, und da sind wir uns natürlich manchmal begegnet. Gisela

May war ja meine Freundin nach der Haft. Aber es gibt ein Problem Biermann – May. Gisela May war damals noch verheiratet mit Dr. Georg Honigmann, dem Direktor von der »Distel«. Als ich sie kennenlernte, da lebte die mit dem Honigmann in Scheidung, der hatte schon eine andere, das war so 1965, da hat sie gesagt, daß sie und ihr Mann den Biermann für einen genialen Burschen hielten und daß Honigmann den an der »Distel« hätte auftreten lassen und dadurch Schwierigkeiten hätte mit der Partei bei der Bezirksleitung Berlin, damals Paul Verner und dessen Kulturmensch Roland Bauer. Honigmann hatte jedenfalls das Bestreben, dem Biermann zu helfen und ihn für die »Distel« fruchtbar zu machen. Die sagten dann, ja Biermann wäre ja ein guter Kabarettist, als Poet den übrigen Kabarettisten weitaus überlegen. Dann machte die May ihre erste Brechtplatte bei Philips. Da ist dann VEB Deutsche Schallplatte erst danach eingestiegen. Die Philips-Leute fragten sie: Sagen Sie mal, Sie waren doch verheiratet mit dem Honigmann, der soll doch so schoflig gewesen sein zu dem Biermann, und Biermann bezeichnet den immer als seinen Aufpasser. Sie sagt: Nein, das ist umgekehrt. Das ist nicht Biermanns Aufpasser, sondern Biermanns Förderer. Das ist eine ganz große Gemeinheit. Ja, so wird Honigmann aber von Biermann dargestellt. Trotzdem hielt die May an der Überzeugung fest, daß Biermann etwas ganz Hervorragendes sei, sozialistischer Realismus wie er sein soll. Dann sollte sie zum 20. Jahrestag der DDR, 1969, eine Platte machen, ausschließlich mit Textern und Komponisten aus der DDR. Da hat sie 1967/68 zu mir gesagt: Sag mal, Du begegnest doch öfter mal auf der Straße dem Biermann, sag dem doch mal, ich möchte den gerne auf der Platte drauf haben, ich singe einen Text von ihm. Er soll mal zu mir kommen, es kann auch ruhig etwas Kritisches sein. Ist schon viel zu viel Lobhudelei bei den Texten. Ich kämpfe das durch, und wenn ich das nicht schaffe, gehe ich zu Lotte Ulbricht. Jetzt bin ich dem Biermann begegnet, am Übergang Bahnhof Friedrichstraße, an dem Glaspalast. Da stand der mit Eva-Maria Hagen. Ich bin dann auf ihn zugegangen: Tag Herr Biermann, ich wollte Ihnen das und das sagen. Ach, das wäre ja wunderbar, Gisela May mich singen, das wäre der Durchbruch, ich bin ja so dankbar. Braucht auch gar nichts Kritisches zu sein, nein, nein, was ganz Harmloses. Der war so begeistert, der ist mir beinahe um den Hals gefallen in Gegenwart von Eva-Maria Hagen, die auch begeistert war. Dann saß die May da und wartete, daß Biermann kommt. Er kam nicht, obwohl er um die Ecke wohnte. Jetzt sagte sie: Ich kann dem Mann nicht hinterherrennen, ich bin Genossin, der ist rausgeschmissen, ich bin eine Frau, der ist ein Mann, und ich bin älter als er. Unter diesen Umständen muß es bei diesem Wink bleiben. Paar Jahre später jammert die May 'rum: Ja, Tucholsky, Kästner, Brecht, schön, die sind ja unübertroffen, aber es ist nicht unsere Zeit und der einzige Chansonnier aus unserer Zeit, der diesen Rang hat, ist Biermann. Wenn ich doch bloß Biermann singen könnte. Das sagte sie mehrmals, auch in Gegenwart vom Ehepaar Wolfgang und Marlies Menge. Eines Tages sind die bei uns und sagen: Heute abend lernen wir Biermann kennen, dürfen wir dem das sagen? Ja selbstverständlich, antwortet die May, der ist mit offenen Armen willkommen. Ich nehme seine Lieder in mein Programm rein. Da hatte sie so ein Programm von zeitgenössischen Autoren und Textern. Da sind die Menges mit dem Biermann zusammengetroffen und haben zu dem gesagt: Gehen Sie mal zu der May. Und er antwortete: Ach, das ist ja wunderbar, das wäre doch der Durchbruch, da wäre ich aber froh. Wieder die Geschichte, sie wollte was Kritisches, er nicht. Wieder dieselbe Situation, Frau May saß da, wartete, und Biermann kam nicht. Wir haben immer vermutet, dahinter steckt der Havemann, der sagt: Das machst Du nicht, die will Dich integrieren, Biermann soll ganz auf der Linie sein. An kritischer Substanz war ja das, was »Pfeffermühle« und »Distel« gemacht haben, genauso stark wie das von Biermann. Nur Biermann war der größere Poet, und Biermann machte es über westliche Medien. Dann hat er die ganz große Gemeinheit an mir begangen: 1974 war mein zweites Jean Paul-Buch erschienen. Peter Hacks hatte daraufhin 1975 vorgeschlagen, mich in den PEN-Club zu wählen. Es kam zur Wahl. Ich hatte zwar eine Mehrheit an Stimmen, aber ich hatte nicht die erforderliche Zweidrittel-Mehrheit. Das ist gescheitert, das wurde mir mitgeteilt übereinstimmend von John Peet, der unbegreiflicherweise im PEN-Club war, reiner Journalist, Heinz Kamnitzer und Henryk Keisch, an den Gegenstimmen von Otto Gotsche und Wolf Biermann. Gotsche war der langjährige persönliche Referent von Ulbricht. Da war nun damals schon die Solschenizyn-Geschichte gewesen, dessen Flug in den

Westen zu Heinrich Böll. Das ließ Biermann nicht ruhen, und Biermann ist rübergegangen und hat Kurs darauf genommen, auf eine möglichst spektakuläre Weise rüber zu gehen. Wenn ich ausgebürgert werde und will dagegen was unternehmen, dann fahre ich doch nach Bonn zur Ständigen Vertretung und sage: Läßt sich da nicht doch noch was machen? Das hat der nicht gemacht, sondern hat sich vor die Medien gestellt und gesagt: Diese Verbrecher, diese Banditen, damit um Gottes willen keine Brücken gebaut werden können, während die gute Gisela May, die hat sich zwar an der Unterschriftensammlung für Biermann nicht beteiligt, aber die hat Hager die Bude eingerannt, hat ihm erzählt, daß Biermann unentbehrlich sei, aus der deutschen Literatur nicht fortzudenken, daß die DDR sich schade. Ich behaupte, Biermann hat seine Ausbürgerung gewollt, Vorbild Solschenizyn, und aus Heimweh nach Hamburg. Er ist ein Hamburger, der 1953 hergekommen ist. Also bei aller künstlerischen Hochachtung – ich kann jetzt sprechen wie Janka über Anna Seghers – vor Biermann, seinen wundervollen Melodien, er ist ja kein Formalist, kein Expressionist, kein Modernist, das reimt sich, das hat Versmaß, da sind die Probleme der Zeit drin, das ist realistisch, das ist volkstümlich, das verstehen die Massen, er hat hinreißende Melodien, dann ist er ein ganz großer Künstler auf der Gitarre – aber er ist ein unangenehmer Kerl. Mir hat er auch bei jeder sich bietenden Gelegenheit geschadet, war auch Sprachrohr der Gruppierung Havemann/Janka gegen mich. Das sind meine Erfahrungen mit Biermann. Warum sollte er auch bei seiner Begabung einen edlen Charakter haben müssen? Nur man darf es mir nicht verdenken, daß ich vor dem Biermann nicht auf dem Bauch liege und ihn für keinen Helden halte.

Grimm: Ihre Bemühungen um die deutsche Einheit sind doch eine zeitlang auch von Rudolf Augstein, dem Spiegel-Herausgeber unterstützt worden. Welches Verhältnis hatten bzw. haben sie zu Augstein?

Harich: Der »Spiegel« war 1952 noch in Hannover, wo Augstein auch geboren ist. Unter meinen Bekannten in Hamburg befand sich auch ein gewisser John Jahr, ein Verleger. Bei dem ist u.a. die Zeitung »Constanze« erschienen. Ich war seit 1947 eng befreundet mit Hans Huffzky, dem Chefredakteur der »Constanze«, der ein politisch sehr weit links stehender Mann war. Huffzky und Jahr waren auch bei der Veranstaltung, die der Rowohlt geleitet hat. Da hat der John Jahr darauf gedrängt, daß ich unbedingt den Rudolf Augstein kennenlernen müßte. So kam es zu einem vermittelten Gespräch. Der war ja auch absolut dafür, daß das Stalinangebot zur Wiedervereinigung Deutschlands beim Wort genommen wird. Der wollte, daß da eine Einheitsfront entsteht, er meinte, wir müßten da ein Stück Wegs gemeinsam gehen, der lehnte diese EVG-Geschichte vollkommen ab. Es gab eine große Übereinstimmung und eigentlich Sympathie. Ich habe Augstein aufmerksam gemacht auf Arnold Gehlen, den philosophischen Anthropologen, den ich auf dieser Reise auch besucht habe. Der Name Arnold Gehlen sagte dem Augstein überhaupt nichts. Ich habe ihn dann mit dessen philosophischen Grundgedanken bekanntgemacht und Augstein hat von da an begonnen, sich auch mit dem Gehlen zu beschäftigen. Wobei wir beide damals gar nicht wußten, daß der Arnold Gehlen den rationellen Kern seines Hauptwerkes gestohlen hat von einem verfolgten Juden, von Paul Alsberg. Paul Alsberg: »Das Menschheitsrätsel«, 1922. Der Alsberg war im KZ Sachsenhausen, ist dann herausgeholt worden von den Amerikanern mit Hilfe seiner Frau, ist dann nach England emigriert, und Gehlen, der angenommen hat, das 1000-jährige Reich währt 1000 Jahre, hat ihn ganz schamlos plagiiert. Da bin ich erst 1986 dahintergekommen. Ich habe den Gehlen immer mit Klauen und Zähnen verteidigt. Nazi ja, aber viele Gedanken passen genau rein in Engels' »Anteil der Arbeit an der Menschwerdung des Affen«. 1986 stelle ich plötzlich fest, das ist von Alsberg. Es existieren ganze Konvolute zum Fall Alsberg-Gehlen, die habe ich bisher vergeblich versucht loszuwerden, da ist auch Hager der große Verhinderer gewesen. Augstein ist mir 1952 sehr freundlich und interessiert begegnet. Seine Meinung war, auch wenn wir von unterschiedlichen Standpunkten ausgehen, Stalins Angebot müssen wir wahrnehmen, und in einem einheitlichen Deutschland müssen wir uns dann bis aufs Messer bekämpfen. Die Teilung muß aufhören, unser Land muß neutralisiert werden, natürlich darf es nur ganz wenig Militär haben, muß es ungefährlich sein. Da waren wir absolut auf einer Antenne. Es war ja mein Auftrag von Becher, Leute dafür zu werben: Nehmt Stalin beim Wort! Ich habe ihn dann, wenn ich in Hamburg war, bei meinem Freund Huffzky wiedergesehen, das nächste Mal 1954. Es gab wieder eine Begegnung mit Augstein, auch sehr freundschaftlich. Da war er auch gegen die Pariser Verträge. Es gab aber auch immer gemeinsame schöngeistige Interessen, philosophische, historische, wie Luther einzuschätzen sei, der Alte Fritz, Jesus Christus. 1956, in Zusammenhang mit der Gruppenbildung im Aufbau-Verlag, war ich auf Einladung von Huffzky auch noch mal da. Da war auch noch ein Gespräch bei Augstein, von dem ich ja annahm, daß der sowas unterstützen würde, weil er diese gesamtdeutsche Ausrichtung hatte. Ich habe ihm gesagt, daß es einen Kreis von Gleichgesinnten gäbe, der die und die Vorstellung habe, daß auch darüber gesprochen worden sei mit dem sowjetischen Botschafter, auch mit Ulbricht, die aber sehr dagegen seien, und daß ich von der Seite keine Hoffnung hätte. Auf der anderen Seite ist Augstein manchen Vorstellungen von mir entgegengetreten, sie seien sehr illusorisch und realitätsfern. Da gab es Argumente, die sowohl bei Puschkin, bei den SPD-Leuten in Westberlin als auch bei Augstein identisch waren, mit unterschiedlichen Bewertungsvorzeichen. Die Substanz war gleich: teils illusorisch, teils falsche Einschätzung der Lage. Es ist in der DDR nicht wie in Polen oder Ungarn. Die Frage des Antisemitismus spielte eine Rolle. 1956 war ja das 100. Todesjahr von Heinrich Heine. Da hat es im Oktober eine Heine-Konferenz in Weimar gegeben. Dort waren Marcel Reich-Ranicki und ein anderer polnischer Literaturhistoriker, Roman Karst, die beide Juden waren. Die hatten mir im Zeichen höchster Erregung in Weimar auseinandergesetzt, daß die Gegner einer Erneuerung in Polen antisemitische Tendenzen hätten und den polnischen Antisemitismus zu mobilisieren versuchten und es bereits geschafft hätten, eine Numerus Clausus-Geschichte für Studenten durchzusetzen. Das hat Öl in mein Feuer gegossen, mich in größte Erregung versetzt, und ich habe gesagt: Diese Stalinisten, die entpuppen sich jetzt noch via Antisemitismus als Faschisten. Das weckte Dinge in mir, die Janka u.a. über Paul Merker berichtet hatte. Merker habe sich eingesetzt für die Entschädigung des arisierten jüdischen Eigentums, daß das nicht so ohne weiteres Volkseigentum werden kann. Ferner hatte man Erinnerungen an die Ärzte-Prozeß-Geschichte in der letzten Lebenszeit Stalins. Als ich jedoch diese

Gedanken bei Augstein geäußert habe, da hat der mit wilder Abwehr reagiert und gesagt: Sie haben überhaupt kein historisches Bewußtsein mehr. Erst mal sind nicht alle Antisemiten gleich Faschisten. Zweitens gibt es Faschisten, die keine Antisemiten sind. Drittens können Sie nicht alle Gewalttäter der gesamten Weltgeschichte Faschisten nennen. Nero war, als er die Christen verbrannte, kein Faschist. Die spanische Inquisition war kein Faschismus. Der hat dann gesagt: Harich, ich weiß ganz genau, Sie haben immer gegen diese Totalitarismus-Geschichte angekämpft, die Gleichsetzung von Faschismus und Kommunismus. Jetzt fangen Sie an, den Stalinismus auf dieser Linie einzuschätzen, das ist falsch. Klar, wenn die Polen keine Kommunisten sind, dann sind sie Antisemiten, das ist klar, aber dadurch wird eine Gleichsetzung von Stalinismus und Faschismus nicht richtig. Dieses Öl hat er wieder rausgenommen aus meinem Feuer, er hat mich da ein bißchen zur Vernunft gebracht.

Grimm: Was hat Herr Augstein unternommen als sie verhaftet wurden?

Harich: Nach meiner Verurteilung ist dann der Augstein darauf eingeschwenkt, mich zu verteidigen. Nachdem ich aus der Haft entlassen war, schickt der Augstein mir den Herrn Erich Kuby. Der hat mich gefragt, im Namen von Augstein, ob er mir nicht mit einer größeren Geldsumme unter die Arme greifen solle. Das würde der Augstein machen, damit ich ein bißchen unabhängig werde. Das habe ich dankend abgelehnt: Ich werde mir mein Geld schon selber verdienen. Ich habe dann aber gesagt: Wenn ich mal Rentner bin, ich nehme ja an, daß meine Intelligenzrente hinfällig ist, dann würde ich mich an ihn wenden. Das hat Kuby dem Augstein ausgerichtet. Dann sind wir uns wiederbegegnet 1972/73/74 durch Vermittlung von Frau Menge. Das Ehepaar Menge war mit Gisela May und mir befreundet und war gleichzeitig auch mit Augstein befreundet. Die Menges sind in den siebziger Jahren oft zu uns gekommen. Frau Menge hat dann auch den Augstein mal mitgebracht. Da haben wir zusammen in der »Möwe« 50. Geburtstag gefeiert, 1973, im Dezember auf Einladung von Gisela May. Dann hat er selber 1974 mein Jean Paul-Buch recht freundlich besprochen im Spiegel, das größere Buch. Es existieren ja zwei Jean Paul-Bücher von mir. Mit kritischen Vorbehalten, aber sehr anerkennend besprochen. Als ich dann so herzkrank wurde, 1975, und hier in der DDR die Ärzte mich warnten vor dem Operationssaal von Sauerbruch wegen mangelnder Sterilität, da haben sich der Rowohlt-Verlag und Augstein die Kosten meiner Operation in Genf geteilt. Da war ich dem also zu großem Dank verpflichtet. Dem Rowohlt-Verlag weniger, der wollte das ausgleichen, der wollte mir für mein Buch »Kommunismus ohne Wachstum« kein Honorar zahlen. Da habe ich gesagt: Das kommt nicht in Frage, das bringt ja Devisen für die DDR via Büro für Urheberrechte. Das kann ich nicht machen. Das Buch erscheint hier nicht, da komme ich hier nur noch in schieferes Licht. Das hat mir der alte Rowohlt dann wieder übelgenommen. Das Verhältnis zu Augstein hat sich trotzdem wieder getrübt und zwar 1977 durch eine andere Angelegenheit. Da habe ich einen ganz wütenden Brief an den Augstein geschrieben, ich hielt das ja alles für einen ganz großen Schwindel. Also, ich war 1977 von der Gisela May eingeladen, mit ihr Silvester zu feiern, und liege hier auf meinem Sofa und ruhe mich noch aus und höre in den 17 Uhr-Nachrichten die Geschichte von dem Manifest als ein Zitat aus dem demnächst erscheinenden »Spiegel«. Mit diesen Gedanken im Kopf bin ich dann zu der Gisela May gegangen und dort kriegte ich einen Anruf von der ARD. Das war ein Herr Lutz Lehmann vom Fernsehen. Der hat gesagt: Herr Harich, würden Sie doch bitte mal zu uns kommen, ich möchte ihnen was zeigen. Noch am gleichen Abend zeigte er mir ein Manuskript und bat mich, es durchzulesen. Erstens verstehen Sie was von Sprache, zweitens wissen Sie ja selber, was oppositionelle Kommunisten machen. Beantworten Sie mir nur eine Frage nach ihren sprachlichen Eindrücken: Würden sich oppositionelle Kommunisten, die sich eine Plattform erarbeiten, so ausdrücken, wie die hier, oder ist das eine Fälschung? Gehen Sie nach Hause, lesen Sie es in Ruhe durch, Sie können mich heute noch in der Nacht anrufen, hier ist meine Privatnummer, oder morgen früh, aber bitte möglichst schnell. Das war aber nur der erste Teil des Manuskripts. Das habe ich gemacht, habe es mir zu Gisela May mitgenommen. Es war mir völlig klar, daß Kommunisten, die Opposition machen und eine Plattform erarbeiten, sich so nicht ausdrücken. Das habe ich Lehmann gesagt. Aha, das deckt sich mit Eindrücken, die bei uns hier im Hause auch umgehen, meinte dieser. Das haben sie dann über die ARD in den Nachrichten gesendet. Das hat mir auf der einen Seite der Augstein sehr übelgenommen, weil das ja sein Knüller war, auf der anderen Seite habe ich ihm übelgenommen, daß er überhaupt so eine Sache anzettelt. Da ging die Freundschaft auseinander. Dann kam der zweite Teil. Der »Spiegel« behauptet bis auf den heutigen Tag steif und fest, das wäre echt gewesen. Aber es ist dann im Sande verlaufen, Namen sind nie genannt worden. Das Verhältnis zu Augstein war getrübt, und als ich im Westen war, hat der sich ja auch nie um mich gekümmert. Der hat mich nie grüßen lassen, ich war für ihn gestorben. Erst als ich in den Osten zurückgekommen war, da hat er mir einen netten, freundlichen Brief geschrieben, ob er helfen könne. Ich habe dann auch freundlich geantwortet, ich müßte schon meinen Weg allein gehen. Dann sind die Beziehungen zum »Spiegel« wieder eingeschlafen. Jetzt erst im vorigen Jahr wollte Augstein mich haben für sein Hitler-Heft. Da hat er mir wieder ganz lieb und freundlich geschrieben. An dem Heft zum 100. Geburtstag von Hitler wollte ich mich aber nicht beteiligen.

Grimm: Die Diskussion um die deutsche Wiedervereinigung entbrennt ja auf der anderen Seite im Zusammenhang mit den Schwierigkeiten in der DDR auf das Heftigste. Wie sehen Sie die Zukunft der beiden deutschen Staaten, in der Einheit, in der Zweiheit?

Harich: Also erst mal kenne ich für die Gegenwart und für die Zukunft wichtigere Fragen als diese. Wie steht es mit der Umweltkatastrophe und der Klimakatastrophe? Und wenn diese Probleme nicht bewältigt werden, und zwar ganz schnell, dann ist es völlig gleichgültig, ob die Menschheit im Kapitalismus oder Sozialismus oder in zwei deutschen Staaten, oder in einem deutschen Staat oder in verschiedenen deutschen Staaten zugrunde gehen wird. Im übrigen haben 1945, als es um eine neue Nationalhymne ging, Johannes R. Becher und Hanns Eisler ihr Lied so geschaffen, daß es auch gesungen werden kann zu »Gott erhalte Franz, den Kaiser, unsern guten Kaiser Franz«. »Auferstanden aus Ruinen und der Zukunft zugewandt« – Becher hat mir damals gesagt, das kann man mit diesem Text singen auf das Deutschlandlied, auf die Melodie von Joseph Haydn, umgekehrt kann man auch singen »Einigkeit und Recht und Freiheit« auf die Melodie von Eisler. Und jetzt gab es noch einen Dritten, der dabei mitmachte, bei diesem Wettbewerb um die neue Nationalhymne, und das war Brecht. Der hat das Beste gedichtet, meiner Meinung nach, was sich auch auf beide Melodien singen läßt »Und nicht über und nicht unter anderen Völkern wollen wir sein, von der See bis an die Alpen, von der Oder bis zum Rhein.« Besseres kann ich dazu nicht sagen. Ob da nun noch von der Oder bis zur Elbe dazu gesungen wird, wird die Zeit zeigen, auf jeden Fall darf von deutschem Boden kein Krieg mehr ausgehen, sondern immer nur Frieden, und wer von deutschem Boden spricht, wird für Boden auch Land sagen dürfen. Das bedeutet dasselbe, das ist ein Synonym. Da kann man auch gleich sagen, von Deutschland soll nie Krieg ausgehen, sondern immer nur Frieden. Das ist meine Antwort darauf, das Übrige möchte ich offenlassen, aber für absehbare Zeit soll es für die hoffentlich noch 16 Millionen in der DDR Selbstbestimmung geben, keine Fremdbestimmung, auch keine Fremdbestimmung durch Bonn.

Grimm: Sie selbst haben ja gesagt: Wer seiner Zeit voraus ist, ist tot in seiner Zeit. Das ist ja ganz verwandt den tragischen Helden, die in ihrer Zeit Neues wollen, ihrer Zeit voraus sind und daran scheitern.

Harich: Ja, also das habe ich nicht gesagt, ich habe Nicolai Hartmann zitiert, von dem stammt dieses Wort: »Wer seiner Zeit voraus ist, ist in seiner Zeit tot.« Nun bin ich ja noch nicht ganz tot und meine Zeit ist ja noch nicht ganz vorbei. Ich bin erst 65. Wollen wir mal sehen, was in Zukunft daran tot und lebendig sein wird. Und ob ich in Zukunft in meiner Zeit leben werde, oder der Zeit wieder voraus sein oder hinter ihr zurück bleibe. Das muß man abwarten.

PERSONENREGISTER

Abendroth, Wolfgang 325, 344
Abusch, Alexander 176, 220, 224, 227, 311
Achmatowa, Anna 188
Ackermann, Anton 63, 166, 182-185, 187, 215
Adenauer, Konrad 153, 158, 177, 197, 203, 236, 242, 268, 297
Adler, Emil 20, 21
Adorno, Theodor 169
Albers, Hans 16
Alexandrow 189
Alsberg, Paul 374
Anderson, Edith 227
Andreas-Friedrich, Ruth 134
Andropow, Juri 325
Ansorge, Konrad 23
Anspach, Marie 22, 23
Aquin, Thomas, v. 122, 125
Araktschejew 256
Aristoteles 122, 123, 251, 322
Arnheim, Rosa 55
Asch, Klaus 94-96, 108
Augstein, Rudolf 8, 373ff
Auslender, Major 160
Baader-Meinhoff 278
Babeuf, Francois Noel 66
Bach, Johann Sebastian 23
Baczko, Bronislaw 233
Baden, Max, v. 365
Badoglio, General 115
Baege 92
Baege, Dieter 78, 85, 91
Bahro, Rudolf 370
Baltzer, Edith (alias Feli Eick) 212, 213
Barlach, Ernst 212, 326
Barski, Hauptmann 160
Barth, Karl 99
Barzel, Rainer 12, 14
Bassenge 294
Bassermann 53
Bassett, Ann 173-177
Bauer, Leo 174, 179, 245
Bauer, Michael 68
Bauer, Roland 371
Baum, Vicki 47
Baumann, Günther 75
Baumeister 113, 114
Baumgarten, Arthur 63, 64, 165-167, 193, 200, 241
Bebel, August 170
Becher, Johannes R. 137, 148-151, 170, 176, 188, 192, 207, 224, 227, 230, 328, 239, 244, 262, 266, 278-280, 304, 305, 311, 316, 341, 350, 357, 358, 367, 374, 378
Beck, C.H. 38
Beethoven, Ludwig, v. 33
Behrens, Fritz 331
Beierle, Alfred 113, 124, 133-134
Benary, Arne 331
Benjamin, Walter 169
Benseler 325
Bergelson, Offizier 163, 170
Berghaus, Ruth 65
Berija, L. P. 180, 204, 208, 210, 230, 236, 237, 364
Bersarin 143
Berthold, Lothar 345
Besenbruch, Walter 208, 213, 361
Biermann, Wolf 288, 370ff
Bierut, Boleslaw 200
Bismarck, Otto, Fürst v. 31, 40
Bittentfeld, Herwarth v. 120
Bloch, Ernst 64, 164, 165, 170, 173, 187, 190-202, 211, 216-218, 227, 233, 238-248, 321-325, 329, 356-360
Bloch, Karola 234
Bloch, Major 189
Boeck 63
Böll, Heinrich 373
Borchard, Leo 134, 148, 149
Borchardt, Wolfgang 108-111, 115, 118, 121, 122, 128, 131, 141
Bormann, Martin 43
Boses, Subhas, Chara 120
Bourdin, Paul 153, 158, 170
Brahms, Otto 168
Brandt, Willy 12, 157, 268
Braun, Joseph 291, 354ff
Braun, Volker 369
Braune, Bodo 85, 91
Brecht, Bertolt 38, 48, 74, 170, 183-185, 201, 205-216, 222, 223, 227, 228, 238, 239, 292-294, 322, 330, 341, 358, 372
Breitkopf 18
Bruckner 48
Brugsch 201
Bruhns, Wibke 7
Brumow, Hilly 43
Brust, Alfred 43, 44
Bucharin 343, 359
Bulganin 181, 242
Bülow, Hans, v. 53
Burde, Curt 50
Busch, Ernst 368
Byrnes, J. F. 176
Caspar, Günther 164
Cassierer, Ernst 98
Chruschtschow, Nikita 181, 189, 204, 231-236, 242, 243, 246, 342, 366
Churchill, Winston, Sir 252
Chuthin, General 134, 140
Chuthin, Nong Jau 134-142, 148-150, 159, 174
Claudius, Eduard 180
Claussen, Claus 51
Clay, l.D. General 173
Colli 320
Cremer, Fritz 212, 341
Dahlem, Franz 157, 263, 272, 275, 276, 352
Dahn, Felix 53, 77, 84
Dahrendorf, Ralf 148
Deborin 254, 255
Dertinger, Georg 364
Dery, Tibor 276, 312
Deutscher, Isaac 344
Dieckmann, Johannes 365
Dietrich, Marlene 50
Dilschneider, Pfarrer 148, 149
Dilthey, Wilhelm 143
Dischmann, Mathilde 72
Döblin, Alfred 49
Dönhoff, Marion, Gräfin 270
Döppke, Frl. 67
Dostojewski, Fjodor 168
Douglas, Alfred, Lord 74
Dudow, Slata 184n
Duncker, Hermann 63, 66, 172
Dürer, Albrecht 213, 217
Duse, Eleonora 53, 66
Duve, Freimut 8
Dymschitz, Alexander Offizier 159-162, 170, 180, 184, 220
Ebbinghaus, Julius 98, 132
Ebbinghaus, Karl Hermann 98
Ebert, Friedrich 35, 172, 182
Eckardt, Felix, v. 112, 113, 153
Ehlert, Konrad 43, 124
Ehmsen, Heinrich 180
Ehrenburg, Ilja 180, 228
Eisenhower, D.D. 366
Eisler, Gerhart 307
Eisler, Hanns 187, 322, 378
Eismann, Peter Alexander 96, 124, 144-148
Ende, Lex 179
Engel, Erich 184, 185, 293, 294, 356
Engel, Rudi 341
Engels, Friedrich 99, 122, 191, 197, 198, 253, 254, 374
Erpenbeck, Fritz 60, 148
Erzberger, Matthias 35, 185
Eylau, Hans Ulrich 184
Fechner, Max 156
Fedin, Konstantin 180, 228
Fehling, Jürgen 125, 160, 161
Felsenstein, Walter 341
Feuchtwanger, Lion 38, 48, 74, 171, 227
Feuerbach, Anselm 212
Feuerbach, Ludwig 64, 65, 123, 196, 254, 361
Fichte, Johann Gottlieb 65, 196, 197, 216, 254
Field, Noel 179, 203, 309-311
Fielding, Henry 64
Fradkin, Ilja, Major 159, 180
Frank, Benno 174
Frank, Leonhard 171
Frank, Rudi 67
Frank, Walter 152
Freud, Sigmund 98
Freytag, Gustav 19
Friedensburg, Ferdinand 148
Friedrich der Große 31, 118
Fritsch, Willy 16
Fülöp-Miller, René 125, 127
Funk, Walther 135, 136
Furtwängler, Wilhelm 145
Gaganowitsch 265

Gehlen, Arnold 190, 374
Gerassimow 180
Gericke 144, 146, 148
Gerö, Ernö 277, 352
Giersch, Irene 231
Girnus, Wilhelm 211-215, 223
Gladkow, Fjodor 180
Gluth, Fritz 248
Gniffke, Erich W. 180, 182
Goebbels, Joseph 69, 138, 158
Goerdeler, Carl Friedrich 136
Goethe, Johann Wolfgang, v. 32, 42, 64, 95, 98, 164, 186, 216, 217, 322, 356
Gogol, Nikolai W. 168
Golz, Jochen 327
Gomulka, W. 226, 243, 277, 352
Gorbatow, Boris 180
Gorbatschow, Michail 265, 266
Göring, Hermann 120
Göring, Rudolf 120
Gorki, Maxim 168
Gotsche, Otto 372
Grelling, Marietta 133, 134, 139, 140
Gröben v. 24
Gropp, Rugard Otto 202, 323
Grotewohl, Otto 156, 172, 177, 182, 205-207, 214
Gründgens, Gustaf 125, 144, 145, 160
Gsowsky, Tatjana 110, 134, 138
Gundolf, Friedrich 48
Günther, Egon 302
Gysi, Klaus 148, 176
Hacks, Peter 372
Hagen, Eva Maria 371, 372
Hager, Kurt 166, 192, 193, 198, 199, 202, 246-248, 253-255, 287, 311, 314-317, 320-322, 324-327, 353-357, 374
Hamann Prof. 32, 212
Harden, Maximilian 25
Harich, Anne-Lise 11, 14, 55ff, 61
Harich, Eduard 18, 19
Harich, Ernst 10, 14, 21, 22, 26, 37, 39
Harich, Ernst Werner 37
Harich, Gisela, verh. Wittkowski 11, 43
Harich, Katharina 11
Harich, Lili 11, 34
Harich, Marianne 9
Harich, Marie 10, 30, 39
Harich, Susanne 11, 34
Harich, Walther 11, 14, 27ff, 168
Harich-Kilian, Isot 11, 292ff
Harich-Schneider, Eta 11, 34, 38, 46, 132
Härtel 18
Hartmann, Konrad 91
Hartmann, Nicolai 62, 100, 103, 123, 165, 169, 186, 191, 293-295, 303, 323, 356, 362, 379
Harvey, Lilian 16
Haubach, Theodor 96, 99, 100, 124, 129, 168
Hausbach, Theodor 63
Havemann, Robert 202, 369ff
Hay, Julius 276
Hayn, Rudolf 64
Hegel, Georg, Wilhelm, Friedrich 64, 65, 98, 100, 123, 190, 194-199, 202, 216, 229, 233, 234, 246, 252, 254, 259, 269, 323
Heidegger, Martin 98, 165, 348, 362
Heine, Heinrich 64, 65, 242, 375
Heinemann, Gustav 350
Heise, Wolfgang 188, 198, 199
Heise, Wolfgang 248ff, 361
Helferich, Carl 153, 157, 158, 227
Herder, Johann Gottfried 19-21, 32, 64, 95, 216, 220, 350
Hermlin, Stefan 180
Herrnstadt, Rudolf 204-215, 236
Hertwig, Manfred 202, 241, 274, 305, 329, 232, 333
Herzberg, Klemens 144, 146, 160
Heß, Ludwig 43
Hess, Rudolf 269
Heß-Wyneken, Susanne 43, 145
Heym, Stefan 207, 341
Hilferding, Rudolf 99
Hilpert 125
Himmler, Heinrich 136
Hitler, Adolf 17, 38, 50, 51, 56, 69, 70, 74, 83, 88, 132, 154, 155, 159, 168, 201, 271, 303
Hofer, Carl 148
Hoffmann, E.T.A. 31, 33, 37, 38, 41, 45, 46, 51, 64, 211, 310
Hoffmann, Ernst 166, 191 194, 197-199, 200-202, 216
Hoffmann, Ernst II 210-214, 220
Hoffmansthal, Hugo v. 49, 74
Holbach 323
Hölderlin 65
Hollitscher, Walter 63, 165, 167, 193-202, 216, 148ff
Holstein, Hans 174
Holtzhauer, Helmuth 210-215, 223, 330
Honecker, Erich 237, 262, 314, 336
Honigmann, Georg 371
Horkheimer, Max 168
Huber, Anna Maria 125-127
Huchel, Peter 192
Huffzky, Hans 373-375
Hugenberg, Alfred 37, 45
Hülsen, Horst, v. 56
Husserl, Edmund 98
Jacoby, Arthur 56ff, 70ff, 168
Jahr, John 373, 374
Janka, Walter 8, 188, 223-236, 238-247, 261-263, 269-280, 282, 286-295, 299-314, 318, 327-333, 335, 347, 352-364, 370, 373, 375
Jaspers, Karl 62, 98, 165
Jenisch, Erich 43, 57, 74, 84
Jenisch, Martha 43
Jessner, Fritz 43, 51
Jessner, Leopold 43
Jhering, Herbert 184
Josselson, Offizier 149, 152, 153, 161, 170, 171
Jünger, Ernst 157, 158, 162, 175
Just, Gustav 263, 269, 270, 274, 301, 305, 330, 335, 253
Kádár, János 277
Kaiser, Jakob 177
Kallert, Rosine 19
Kamnitzer, Ernst 28, 31
Kamnitzer, Heinz 372
Kannengießer, Hans Joachim 53, 57
Kannengießer-Pascha, Hans 54
Kant, Immanuel 32, 65, 100, 196, 197, 216, 254, 323
Kapp, Wolfgang 37, 40
Karsch, Walter 152, 154
Karst, Roman 375
Kästner, Erich 74, 84, 96, 100, 171, 372
Katajew, Valentin 180
Kaufmann 95, 96, 99, 168
Kautsky, Karl 99
Keisch, Henryk 372
Kellen, Konny 173, 175, 220
Keller, Gottfried 64, 240, 310
Keller, Ruth 124, 126
Kellermann, Bernhard 148, 149, 180
Kerckhoff, Hermann 35, 58, 61, 96, 100, 103, 104, 141, 220
Kerckhoff, Susanne 33, 58, 61, 89, 96, 100, 103, 104, 141, 208
Kerr, Alfred 53
Kierkegaard, Sören 165
Kindler, Helmuth 134
Kirsanow, Oberst 162-164, 170
Kisch, Egon Erwin 48
Kituyama, Junyn 62, 97, 98, 101, 105, 113ff, 132, 181
Kitzing, Hansjoachim 73ff, 104, 105
Klabund (Henschke, Alfred) 38
Klages, Ludwig 98, 361
Klaus, Georg 166, 233
Klein, Matthäus 241
Kleist, Heinrich v. 310
Kleist, Heinrich, v. 95
Klingehöfer 157
Knaur, Th. 46
Kofler, Leo 324
Kokoschka, Oskar 50, 75
Kolakowski, Leszek 233, 234
Kolby, Major 170
Kopernikus, Nikolai 12, 13
Körber, Hilde 152
Korsch, Karl 169
Kortzfleisch, Baron v. 52, 54, 88ff, 118, 121, 129
Kosing, Alfred 198, 242, 315
Koven, Ludolf 367
Kowa, Viktor, de 112ff, 124, 134
Krahl, Franz 164
Kreikemeyer, Willy 254
Kreiselmeier Dr. 106

Kreiselmeier-Petschnikoff, Susanne 106, 107
Kreisky, Bruno 297
Kröger 113, 114
Krónski 233
Kuby, Erich 376
Kuczynski, Jürgen 180, 333
Kuhlbrodt, Gerhard 73ff, 92, 96, 97, 104
Kuhlbrodt, Hans 74ff, 92
Kuntz, Werner 57, 82, 84, 110, 141, 168
Kurz, Rudolf 151
Ladendorf 213
Lafargue 197
Lahs, Rudi 81, 82, 85, 91
Langhoff, Wolfgang 161, 180, 184
Lasky, Melvin J. 239
Latte, Konrad (alias Bauer, Konrad) 59, 89, 109, 111-121
Legal, Ernst 125, 160, 184
Lehmann, Else 53
Lehmann, Lutz 377
Lehrke, Hans Ulrich 85, 91
Leibniz, Gottfried W. 196
Lemmer, Ernst 148
Lenin, Wladimir Iljitsch 145, 169, 180, 181, 195, 197, 198, 233, 253, 254, 309, 323, 343, 344
Leonhard, Wolfgang 143, 166, 181, 182, 338-340
Leskow 168
Lessing, Gotthold Ephraim 64
Lettow-Vorbeck, Paul, v. 36
Levin, Julius 50, 70
Ley, Hermann 166, 242
Liebknecht, Karl 166
Lieutenant, Arthur 148
Linfert, Carl 153, 185
Linke, Paul F. 218
Litten, Heinz Wolfgang 184
Loest, Erich 285, 336
Löffke, Hans 67, 69
Löffke, Jutta 37
Löffke, Ludwig 28, 36
Lorey, August 134-136, 140-142
Lucas 127, 185-190
Lucht 336
Ludendorff, General 79
Luft, Friedrich 113, 184, 185
Lukácz, Georg 64, 169, 173, 195-211, 216, 218, 228-230, 241, 253, 264-266, 269, 276-282, 290, 291, 294, 296, 297, 304, 305, 310, 312, 320, 322, 323, 325-327, 329, 335, 361-363
Luxemburg, Rosa 99, 166, 172
Lyssenko 189, 190
Madsack 41, 47
Magon 63, 166
Magritz, Kurt 211, 212, 214, 215, 223
Mahlau, Alfred 44
Malenkow 180, 239, 265
Mann, Heinrich 74, 170, 227
Mann, Thomas 38, 44-49, 74, 84, 171, 173, 228, 229, 239, 310, 357, 362
Marcuse, Herbert 169, 174
Marr 190, 191
Marshall, George 177
Martin, Karl-Heinz 125, 152
Marx. Karl 66, 82, 95, 99, 123, 197, 198, 233, 253, 254, 343, 356, 359, 361
Maskus 122-125
Matern, Hermann 245
Mattick 157
May, Gisela 61, 65, 370ff, 376ff
Mayer, Hans 164, 165
Meesen, Lilo 179, 180
Mehring, Franz 99, 172, 197
Melsheimer 307, 311
Mende, Georg 166, 242
Mendelsohn, Erich 28, 31, 32
Mendelssohn, Peter, de 151
Menge, Marlies 7, 370, 372, 376
Menge, Wolfgang 372, 376
Merker, Paul 179, 223-231, 245, 246, 262, 263, 270, 272, 275, 278, 284-287, 304-311, 332, 334, 347, 351, 353, 375
Meyboden, Hans 50, 57, 75
Miegel, Agnes 43
Mielke, Erich 304, 314, 334, 336
Miki, Kunio 62, 109, 116, 136
Mikojan 243, 297
Mittenzwei, Werner 340
Molotow 180, 265, 272, 273, 338
Montinari 320
Morgenthau, Henry 174
Mosjakow, Major 159, 180
Moßner 157
Müldner und Mühlenheim, Lutz, Baron v. 52, 54, 80
Müller, Hans, v. 45
Müller, Heiner 369
Müller, Horst (Aßmann) 68, 74
Müntzer, Thomas 223
Mußler 326
Mussolini, Benito 114
Nabokow, Nicholas 173
Nadler, Josef 44
Nagy, Imre 277, 279, 285, 290
Napoleon 16, 234
Neumann, Franz 157
Niemöller, Martin 99
Nietzsche, Friedrich 296, 303, 317, 320, 327
Nikisch, Arthur 53
Nishidas, Kitraro 62, 98
Nohara, Erik 103
Nohara, W.K. 101ff, 111ff, 129
Nomura, Admiral 62
Noske, Gustav 36
Nuschke, Otto 177
Obraskow, Sergej 180
Ochlopkow 180
Oelßner, Fred 166, 262, 336, 351
Ojonen, Tertu 92
Ollenhauer 297
Oshima 101, 102, 112ff, 136
Ossietzky, Carl, v. 50
Paganini 31
Palucca, Gret 341
Pasternak, Boris 188
Paul, Jean 7, 32, 41, 42, 44, 45, 49, 65, 66, 290, 296, 302, 320, 327, 363, 366, 367
Pechel, Rudolf 159, 162, 163, 170, 171, 175
Pechstein, Max 148
Peet, John 372
Pereswetow, Hauptmann 160
Petschnikoff, Alexander 28
Pflug, Lucie 368
Picard Prof. 14
Pieck, Wilhelm 172, 177-179, 183, 205, 227, 365
Pierenkämper, Maria 220
Pintzke, Georg 92-100, 104, 155, 168
Planck, Max 136
Plato 122, 251
Plechanow, G.W. 197
Preuß, Wolfgang 91
Preysing, Graf 148
Proust, Marcel 320
Puschkin, Botschafter 168, 263, 264, 269-273, 276, 277, 282, 284, 285, 295, 296, 304, 306, 327-330, 334, 346
Rafael 217
Rákosi, Mátyás 277, 279, 352
Rakowski 200
Rasch, Helmut 35
Rasch, Lili 35
Rathenau, Walter 38, 94
Rau, Dr. 139-142
Ravoux, Oberst 158, 161, 170, 171
Redlow, Götz 248ff
Redslob, Erwin 151
Reger, Erik 150-155, 162, 170, 171
Reger, Max 53
Reich-Ranicki, Marcel 375
Reinhardt, Max 144, 146, 161
Reinhold, Otto 315, 319
Reiß, Erich 37, 44
Remarque, Erich Maria 74,84
Renn, Ludwig 74, 170, 212, 224, 311
Renner, Wilhelm 124
Reuter, Ernst 157
Richter, Lieselotte 63, 165, 196, 299
Riess, Curt 173
Riessman 19
Rilke, Rainer Maria 49, 74
Rilla, Paul 151, 164, 185
Robespierre, M.F. 234
Röder, Carl 201
Röder, Hilde 201
Rompe, Robert 165, 174
Röpke 159, 162
Rosenberg, Artur 344
Rousseau J.J. 64
Rowohlt, Ernst 220-222, 267, 340, 377
Rubiner, Frieda 172

Rühle, Jürgen 207, 213
Saint Simon, Henry de 66
Salomon, Ernst, v. 89ff
Sandberg, Herbert 212
Sartre, Jean Paul 165
Schacht, Hjalmer 14, 220
Schaff, Adam 233
Schaljapin, Fjodor 145
Schauffenhauer, Werner 65
Schaumburg-Lippe, Prinzessin 127
Scheel, Heinrich 368
Scheffauer, H.G. 46
Scheidemann, Philip 35
Scheler, Hermann 198, 199, 248ff
Scheler, Max 98
Schelling 254
Schemjakin, Oltn. 160-163, 170
Schepilow 272
Schiller, Friedrich 32, 64, 95, 357
Schirdewan, Karl 262, 336, 351
Schirmer, Maja 101, 103
Schirmer, Prof. 149
Schmid, Carlo 299
Schmidt, Wolfgang 110, 111, 133, 138, 140, 142, 144, 145
Schönebeck v. 24, 26
Schottlaender, Manfred 76, 370
Schrickel, Klaus 166, 188, 194, 197-202, 209, 216, 228, 248ff, 259-361
Schröder, Max 183, 212, 227, 228, 240, 242, 322
Schröder, Ralf 335
Schröder, Winfried 335
Schröter, Karl 64, 193, 194, 200, 218, 240, 241
Schroth, Hannelore 181
Schubert, Franz 22
Schubert, Günther 244, 330
Schuffenhauer 368
Schulze 134
Schütz, Helga 302
Schwabe, Heinz 138
Schwarz, Jewjgenij 180
Schweinichen, v. 152
Seeberg, Erich 62, 93, 97, 99, 100
Seghers, Anna 170, 180, 224, 228, 262, 278-280, 304, 305, 310-313, 341, 373
Seidel, Heinrich Wolfgang 51
Seidel, Ina 49, 51
Seifert, Oberst 367ff
Seitz, Gustav 212
Selig, Günther 91
Semjonow, Wladimir 110, 140, 142
Shaginjan, Marietta 180
Shdanow 188, 189, 211, 251
Shukow, Marschall 142
Simonow, Konstantin 180
Solschenizyn 372
Sorge, Richard 35
Sorma, Argnes 53
Soschtschenko, Michael 180, 188
Speyer, Gerald 173, 175, 220
Speyer, Will 173
Spranger, Eduard 62, 136, 137, 143, 148, 149, 298, 299
Stalin 13, 171, 179, 180, 181, 182, 188, 189, 190, 194, 195, 197-199, 211, 216, 217, 219, 224, 229, 233-237, 241-246, 263-266, 269, 271, 297, 303, 309, 322, 323, 338, 339, 343, 344, 350, 359, 361, 364
Stanislawski, K.S. 183, 185, 215
Stefanowicz, Nenat 133-137, 140, 155, 169
Steinberger, Bernhard 269, 274, 301, 305, 331-333
Stern, Viktor 202
Sternberg, Fritz 220-222, 232, 267, 340-342
Stieglitz, Baron v. 53, 66
Stieglitz, Caroline 17
Stieglitz, Charlotte 17 ff
Stieglitz, Heinrich 17
Stoph, Willi 210, 336
Strauß, Richard 53
Streisand, Hans Joachim 96
Stülpnagel 158
Sudakow, Oltn. 145
Sudermann, Hermann 53
Sudrow 248ff
Suhr, Otto 157
Sullivan, John 174, 175
Swift, Jonathan 95
Tairow 180
Tanaka, Michiko 112ff, 136
Tapper, Irmgard 97
Thälmann, Ernst 68
Thießen, Heinz 28, 31, 36
Tietjen 144
Timius, Otto 83, 86, 89, 90
Tito 133, 181-183, 203, 216, 219, 224, 230, 237, 309, 339, 340, 342
Tizian 217
Tjulpanow, Generalmajor 164, 170, 220
Togliatti, Palmiro 243
Tolstoi 168
Trotzki, Leo 303, 338, 343, 344
Trunz, Erich 50
Tschechow, Anton 168
Tschesno-Hell, Michael 180
Tucholsky, Kurt 74, 84, 372
Turgenjew 168
Tzschorn 207
Uhse, Bodo 224, 227, 311
Ulbricht, Walter 143, 160, 172, 177, 179, 180, 189, 193, 200, 201, 203, 205, 208-211, 214, 215, 227, 235, 237, 238, 245-247, 261, 263, 268, 272-277, 282, 284, 286, 288, 290, 296, 300, 304, 308, 309, 312, 318, 325, 328, 329, 332, 336, 337, 345, 346, 351, 355, 357, 359, 365, 366
Vasubandhu 62, 98
Verner, Paul 371
Vieweg, Kurt 364
Vogel, Alex 110, 111, 131, 133, 138-147, 155, 164, 169, 356
Voigt, Eberhard 91
Voigtländer, v. 91
Volk, Rosemarie 108, 124
Voltaire, F.-M.A. 314
Wagner, Cosima 53
Wandel, Paul 207, 298, 341, 342, 357
Wangenheim, Gustav, v. 160, 216
Wegener, Paul 43, 49, 63, 134, 137, 146-153, 160, 220
Wegener, T. Armin 49
Wehner, Herbert 268, 269, 297
Weigel, Helene 65, 168, 183, 294, 367-369
Weisenborn, Günter 180, 184
Weiß, Konrad 317
Weizsäcker, Carl Friedrich, v. 270
Wendt, Erich 188, 203, 224, 228, 322, 361
Wendtland, Fritz 77
Wenzel, Jochen 285, 336
Werfel, Franz 74
Werner, Ernst 28, 29
Werth 124, 129
Wessel, Helene 350
Wicke 168
Wiegler, Paul 151, 152, 192
Wieland 64
Wilcke, Gerd 100, 123, 168
Wilde, Oscar 74
Willmann, Heinz 148
Wischnewski, Wsewold 180
Wisten, Fritz 150, 184, 215
Witkop, Philip 33
Witzel 281
Wolf, Christa 313
Wolff, RA 292, 333
Wollenberg, Hans 151
Wollweber 262, 336, 351
Woslenski, Michail 269ff, 350
Wülfing, v. 127, 128, 131
Wuttke 138
Wyneken, Alexander 10, 39, 40, 41, 42ff, 70, 88, 89, 168, 298
Wyneken, Anna 10, 55
Wyneken, Anne-Lise 10, 39
Wyneken, Georges, Baron 52
Wyneken, Hans 10, 43
Wyneken, Susanne 10
Zaisser 204, 205, 208, 210, 214, 215, 236
Zehden, Hans 97, 103
Zetkin, Clara 172
Ziethen, v. (Sohn) 91
Ziethen-Schwerin, v. 81
Zimmering, Max 207, 341
Zöger, Heinz 227, 263, 269, 270, 274, 283, 301, 305, 306, 330, 331, 346
Zuckmayer, Carl 48
Zülch, Helga 162
Zweig, Arnold 48, 49, 74, 84, 170, 228
Zweig, Stefan 74, 341

QUELLEN

Filme/Videos von Zeitzeugen TV:

- Wolfgang Harich im Gespräch mit Thomas Grimm; vom 30.10. – 05.11.89, U-Matic/LB, 400 min
- Widerstand gegen Walter Ulbricht; Erstausstrahlung im DFF am 04.01.1990, Regie/Kamera: Thomas Grimm, Ton: Bernd Espig, Schnitt: Paul Stutenbäumer, Länge: 50 min
- Gegendarstellung zur Walter Jankas Aussagen; vom 24.01.90 im DFF, U-Matic/SP, 40 min
- Kassationsverhandlung am 23.03.90; U-Matic/LB, 40 min
- Forum des Hamburger Instituts für Sozialforschung zum Janka-Harich-Streit im "Club von Berlin"; BETA SP, 120 min; Geschnittene Fassung: "Ich bin kein Lump"; 1 Zoll C, 51 min
- Beerdigung von Wolfgang Harich am 28.03.95, Friedhof Charlottenburg, Heiner Müller richtet Totenfeier im Berliner Ensemble aus, BETA SP, 60 min
- Neben allen Stühlen. Nachrufporträt; BETA SP, 45 min. Redaktion: Thomas Grimm und Bob Tschernay, 1995

Tonbänder von Zeitzeugen TV:

Wolfgang Harich im Gespräch mit Thomas Grimm. 700 min

Fotografien:

Katharina Harich (20), Gisela Hamburger (6), Roger Melis (Titel), Zeitzeugen TV (3)

DANKSAGUNG

Der Herausgeber dankt insbesondere Frau Marianne Harich für ihre vielen wertvollen Hinweise, ohne die das Buch nicht entstanden wäre. Außerdem gilt der Dank Nina Köppen, Ina Seidel und Andreas Schmidt für die oftmals komplizierte Bearbeitung der vorliegenden Materialien sowie ganz besonders Mirjam Schmidt für das ausgesprochen aufwendige textkritische und textvergleichende Lektorat.

Berlin, im Frühjahr 1999 Thomas Grimm

IMPRESSUM

Wolfgang Harich: Ahnenpaß.
Versuch einer Autobiographie. Herausgegeben von Thomas Grimm
ISBN 3-89602-168-0

Wir senden Ihnen gern unseren kostenlosen Katalog.
Schwarzkopf & Schwarzkopf Verlag / Abt. Service
Kastanienallee 32, 10435 Berlin.
Fax 030 - 44 33 63 044.